# 目　次　<small>細部については p.3-5 の用語別目次を参照</small>

覚えておきたい統計の読み方と数値……………… 6〜7
　世界・地域別人口，年齢別人口構成，米・小麦・と
　うもろこしの生産・輸出，綿花・牛肉・豚肉の生産，
　原油・石炭の生産量・供給（消費）量，天然ガスの生
　産量・消費量，鉄鋼（粗鋼）の生産量，自動車・船舶の
　生産，世界の国内総生産，おもな国の貿易額

主要統計一覧表…………………………………… 8〜17
　①地域別国家人口………………………………… 8
　②地域別主要統計……………………………… 9〜14
　　東アジア，東南アジア，南アジア，中央アジア，
　　西アジア・北アフリカ，サハラ以南アフリカ，Ｅ
　　Ｕ加盟国，その他のヨーロッパ諸国，北アメリカ，
　　南アメリカ，オセアニア，主要経済圏別一覧
　③省・州別一覧………………………………… 15
　　中国省別一覧，アメリカ合衆国州別一覧
　④日本の主要統計…………………………… 16〜17
　　都道府県別，県庁所在地・政令指定都市別一覧

自　　　　然………………………………………… 18〜31
（おもな山・河川，世界・日本各地の気温・降水量など）

地球環境問題……………………………………… 32〜34
（二酸化炭素排出量，森林被害，日本の大気汚染など）

交通・通信………………………………………… 35〜38
（橋・トンネル，鉄道・海上・航空輸送量，ICT 関連製
品・サービス，インターネット利用者率など）

人　　　　口………………………………………… 39〜48
（おもな国の人口，年齢別人口，産業別人口，都市人口
率，世界の都市の人口，日本の市の面積・人口など）

　　都道府県別人口（48）
　　面積，人口，人口密度，市部人口の割合，出生率，
　　死亡率，増減率，在留外国人数，産業別人口など

民　　　　族………………………………………… 49〜51
　言語別人口，宗教別人口，難民数，アメリカ合衆国の
　人種・民族，おもな国の移民，カナダ・ロシアの民族
　別人口，アジア諸国の宗教別・民族別割合，中国・シン
　ガポール・マレーシアの民族別人口，ラテンアメリカ・
　アフリカ諸国の民族（部族）別割合，南アフリカ共和
　国の州別人種・民族別人口割合

農　　　　業………………………………………… 52〜72
　おもな農産物の生産・輸出・輸入量など

　　地域別農業統計（64〜69）
　中国の農業 ———————————————————— 64
　おもな穀物・大豆輸入量の推移，おもな農産物の
　作付面積の推移，おもな農産物の省別生産
　アジア・アフリカ諸国の農業 ——————— 64〜65
　タイとベトナムの米の輸出量と作付面積の推移，
　米の生産者価格の推移，タイの米の輸出先，天然
　ゴム・パーム油の生産量，東南アジア諸国の農産
　物輸出，インドの農産物輸出量，アルジェリアの
　農産物生産量，コートジボワール，ガーナのカカ
　オ豆の生産量，ナイジェリアの農産物生産量，ケ
　ニアの農産物輸出額，南アフリカ共和国のワイン
　産業
　EU 諸国の農業 ——————————————————— 66
　経営規模別農家数の割合，農業生産額とその内訳，
　家畜飼養頭数，オランダの農業生産・花き栽培面積
　ロシアと周辺諸国の農業 ——————————— 67
　農産物生産（農業生産額，小麦・大麦・ライ麦・
　えん麦・とうもろこし・じゃがいも・てんさい・
　ひまわり種子・綿花・羊）
　ラテンアメリカ諸国の農業 ————————— 67
　キューバの砂糖の輸出，メキシコの農産物生産，ブ
　ラジルの農産物生産・輸出，コロンビア・エクア
　ドルの切り花輸出，アルゼンチンの農産物生産
　オセアニア諸国の農業 ———————————— 67
　オーストラリアの農産物の生産と輸出，ニュージー
　ランドの畜産物の生産と輸出
　北アメリカの農業 ——————————————— 68
　アメリカ合衆国の州別農産物生産，同国の農産物
　輸出，カナダの農業収入，カナダの農水産物輸出
　日本の農業 ——————————————————— 69
　食料自給率，農業総産出額の構成比，農家所得，
　米の供給量，作付延面積の変化，おもな輸入農産物，
　1 人 1 日あたり食品群別食料供給量

　　都道府県別農業（70〜72）
　　総農家数，農業経営体，農業従事者（世帯員），
　　経営耕地面積規模別経営体，耕地面積，農家 1
　　戸あたり耕地面積，水田面積，畑面積，耕地率，
　　耕地利用率，作付延面積，稲作面積，米の収穫量，
　　野菜・果実・畜産の農業産出額，小麦・大麦・じゃ
　　がいも・さつまいも・大豆・野菜関係・果実関係・
　　茶・畜産関係・養蚕

林　　　　業………………………………………… 73〜74
（原木の生産，木材・パルプの輸出入など）

　　都道府県別林業（74）
　　林野面積，森林面積，森林率，林家数，素材生
　　産量，林業産出額（木材・薪炭・きのこ類）

水　産　業………………………………………… 75〜77
（水域別漁獲量，養殖業収穫量，水産物輸出入など）

　　都道府県別水産業（77）
　　漁業経営体数，海面漁業就業者数，漁船数，指
　　定漁港数，漁獲量・養殖収穫量（海面・内水面）

資源・エネルギー………………………………… 78〜85
（石炭・原油の生産

鉱・工業
（おもな鉱
生産・輸

2    目    次

**地域別鉱・工業統計（94〜103）**

EU諸国の鉱・工業 ——————————— 94
工業生産額とその内訳，イギリスの鉱工業の推移，
ドイツの石炭生産の推移，フランスの鉄鉱石産出
量と輸入量の推移，ロッテルダム港の貿易量

西ヨーロッパ諸国の鉱・工業 —————————— 95
イギリス・ドイツ・フランス・イタリアの産業別
就業者数・生産額，スイスの時計の輸出，スウェー
デンの鉄鉱石の輸出，スペインの鉱産物の輸出，
その他のヨーロッパ諸国の鉱工業生産指数

アメリカ合衆国の鉱・工業 ————————— 96〜97
州別鉱業生産と工業出荷額，工業生産額の変化，
ボストン，ニューヨーク，ピッツバーグ，ヒュー
ストン，ロサンゼルスの工業生産額，世界のおも
な多国籍企業

カナダの鉱・工業 ——————————————— 97
おもな州の資源と工業の生産，工業生産額

旧ソ連諸国・東ヨーロッパ諸国の鉱・工業 —— 97
旧ソ連諸国の貿易相手国，東ヨーロッパ諸国の鉱
工業生産指数

中国の鉱・工業 ——————————————— 98
おもな鉱産資源の生産推移，おもな石炭産地の生
産量，油田別生産量，工業生産の内訳，企業形態
別工業生産，企業規模および重・軽工業の生産比，
省別工業生産

東南アジア諸国の鉱・工業 —————————— 99
ASEAN諸国の輸出品構成，GDPに占める製造
業の割合，マレーシアのすず・原油の生産，日本
の進出企業数と賃金，インドネシアの原油・天然
ガス・石炭の生産

南アジア諸国の鉱・工業 —————————— 99
インドの鉄鋼生産，インドの州別工業生産額，イ
ンドの自動車生産台数，南アジアの繊維輸出

アフリカ諸国の鉱・工業 ——————————100
南アフリカ共和国の鉱産資源の生産，アフリカ諸
国の原油・石油製品の生産

ラテンアメリカ諸国の鉱・工業 ——————100
鉱産資源生産量，ブラジルの鉄鋼生産の推移，鉱
工業生産指数

オーストラリアの鉱・工業 ——————————101
おもな鉱産資源の生産量と輸出，輸出額の割合と
おもな鉱物の輸出先

日本の工業 ————————————101〜103
輸出製品にみる産業構造の変化，海外進出企業，
地域別工業製品出荷額，工業製品別出荷額の多い
都道府県・多い市

**都道府県別工業（102）**
業種別工業製品出荷額

**世界の大企業（104）**
食品工業　化学工業　電気・電子・通信・事務機
器工業　鉄鋼業　半導体　自動車工業　金融業

卸売業・小売業………………………………105

**都道府県別卸売業・小売業（105）**
事業所数，従業者数，販売額，コンビニエンス
ストア

観　　　光………………………… 106〜107
地域別国際観光客到着数・国際観光収入，おもな国・
地域の国際観光客到着数・国際観光収支，おもな国
の国別国際観光客数，おもな東アジア・東南アジア・
オセアニア諸国・地域の国際観光客数，地域・国別
訪日外国人旅行者数，日本人の海外渡航先，おもな
国の世界遺産登録件数，訪日外国人数と出国日本人
数，月別国内宿泊観光・レクリエーション，観光レ
クリエーション施設数

労　　　働…………………………………107
業種別繁忙日，労働時間と休暇日数

教育・生活…………………………………108
（就学率，識字率，保健状況，生活環境など）

経　　　済………………………… 109〜110
おもな国の国際収支，国内総生産(GDP)の上位10
か国と割合，おもな国の実質経済成長率の推移，世
界の1人あたり国民総所得と人口増加率

貿　　　易………………………… 111〜114
（世界の貿易，EUの貿易，日本の貿易など）

経 済 協 力…………………………………115
（おもな国のODA，日本のODAなど）

おもな国の貿易………………………… 116〜119

日本とおもな国との貿易………………… 120〜121

**おもな国際機関（122〜123）**
機関名，欧文名，略称，加盟国・地域，本部所
在地，設立年

**世界の国々（124〜143）**
正式国名，英文国名，面積，人口，人口密度，
人口増加率，首都名，首都人口，独立年月（1943
年以降），国連加盟年月，旧宗主国名，政体，
GNI，1人あたりGNI，通貨単位，言語・民族・
宗教，政治・経済概況

その他のおもな地域………………………… 142〜14

新独立国・国連加盟・国名変更…………………14

# 用語別目次 <small>（タイトル中の○は該当用語が入る）</small>

**用語 … タイトル ― ページ**

### あ行用語

亜　鉛…○の生産―87
亜鉛鉱…○の生産―87
亜寒帯湿潤気候(Df)…世界各地の月平均気温・月降水量―27
亜寒帯冬季少雨気候(Dw)…世界各地の月平均気温・月降水量―27
アジアインフラ投資銀行…おもな国際機関―122
アジア開発銀行…おもな国際機関―122
アジア太平洋経済協力…おもな国際機関―122
亜　炭…褐炭・○の可採埋蔵量・生産量―79
アフリカ開発銀行…おもな国際機関―122
アフリカ連合…おもな国際機関―122
亜　麻…○の生産―59
アラブ石油輸出国機構…おもな国際機関―122
アラブ連盟…おもな国際機関―122
アルミニウム…○の輸出入，○の生産と消費―87
あ　わ…きび・ひえ・○の生産―56
アンチモン鉱…○の生産―89
硫　黄…天然○の生産―88
緯　線…○と経線の長さ―18
依存度…おもな国の貿易，おもな国の主要資源の海外―112
緯　度…○別陸海面積の割合―18
　　　　○別平均気温，○別平均降水量・蒸発量―21
移　民…アメリカ合衆国の○数の推移，おもな国の○（外国生まれ人口）―50
衣　類…○の輸出入―91
インターネット…おもな国の○利用者率―38
牛　…○の頭数，○肉の生産，○肉の輸出入―61
　　　おもな国の家畜飼養頭数―66
宇　宙…航空○工業生産高の推移―92
馬　…○の頭数―61
ウラン…おもな国の○埋蔵量・生産量―84
運　河…世界のおもな○，スエズ，パナマ○の通過量―35
液体バイオ燃料…○の生産―82
エチレン…○の生産―82
エネルギー…地域別主要統計―9，12
　　　　世界の1次○生産量と供給量，おもな国の1次○生産量と供給量，日本の1次○供給量―78
えん麦…○の生産―55
欧州評議会…おもな国際機関―122
大　麦…○の生産―55
汚　染…日本の海洋○，都道府県別大気○―34
オゾンホール…南極における○の変化―32
オリーブ…○の生産―58
オレンジ…○類の生産，○類の輸出入―58
卸売業…日本の主要統計―16〜17（都道府県別の統計）―105
温室効果ガス…地球温暖化への○の影響―32
温暖湿潤気候(Cfa)…世界各地の月平均気温・月降水量―26
温暖冬季少雨気候(Cw)…世界各地の月平均気温・月降水量―27

### か行用語

海　外…○在留邦人数―43
　　　　日本の○進出企業―101
　　　　日本人の○渡航先―106
　　　　おもな国の主要資源の○依存度―112
海　溝…世界のおもな海洋，○―19
外国人…在留○数，おもな都道府県の国籍別在留○割合―43
　　　　（都道府県別の統計）―48
　　　　地域・国別訪日○旅行者数―106
　　　　○と出国日本人数―107
外　材…日本の素材(丸太)供給量―73
開発援助…おもなDAC諸国の○―115
海　洋…○の深さの面積比，世界のおもな○・海溝―19
　　　　日本の○汚染―34
カカオ…○豆の生産，○豆の輸出入―57
化学繊維…○の生産―91
河況係数…おもな河川の○―23
火　山…世界のおもな山，日本のおもな山―20
　　　　日本のおもな災害―31
河　川…世界のおもな○，日本のおもな○―22〜23
　　　　おもな○の河況係数，おもな○の縦断面曲線―23
ガソリン…○の生産―82
褐　炭…亜炭の可採埋蔵量・生産量―79
紙　…○・板の生産―73
カメラ…おもな電子機器・電気製品の企業別世界シェア―93
カラード…南アフリカ共和国の州別人種・民族別人口の割合―51
カリ塩…○の生産―89
カリ肥料…○の生産と消費―89
火力発電…世界のおもな発電所―84
　　　　日本のおもな○所―85
観　光…(日本と世界の統計)―106〜107
生　糸…○の生産，○の輸出入―60
気　温…世界各地の月平均○―21
　　　　世界各地，日本各地の月平均○・月降水量―25〜30
企　業…おもな電子機器・電気製品の○別世界シェア―93
　　　　世界のおもな多国籍○―97
　　　　日本の○進出○数と賃金―99
　　　　日本の海外進出○―101
　　　　世界の大○―104
気候区…○の大陸別面積の割合―21
　　　　世界各地，日本各地の月平均気温・月降水量―25〜30
技術貿易…日本の○の産業別・相手国別統計―93
気　象…世界の○記録，日本の○記録，日本のおもな災害―31
北大西洋条約機構…おもな国際機関―123
絹織物…○の生産―90
キャッサバ…○の生産―55
キャベツ…○類の生産―59
牛　肉…○の生産，○の輸出入―61
牛　乳…○の生産―62

**用語 … タイトル ― ページ**

教　育…おもな国の○・文化―108
漁獲量…(日本と世界の統計)―75〜77
切り花…ケニアの農産物輸出額―65
　　　　コロンビア・エクアドルの○輸出―67
金　鉱…○の生産―88
銀　鉱…○の生産―88
空　港…おもな○の利用実績―36
グレープフルーツ…○の生産―59
クロム鉱…○の生産―88
経済協力開発機構…おもな国際機関―123
経　線…緯線と○の長さ―18
携帯端末…おもな国の○の回線契約数―38
　　　　おもな電子機器・電気製品の企業別世界シェア―93
毛　糸…○の生産，○の輸出入―90
軽　油…○の生産―82
鶏　卵…○の生産―62
毛織物…○の生産―90
ケッペン気候区…○，気候区の大陸別面積の割合―21
　　　　世界各地の月平均気温・月降水量―25〜27
ゲーム…おもな国の○市場規模，スマートデバイス○アプリ市場規模―93
言語別人口…世界の○―49
原子力発電…世界のおもな○所，おもな国の○設備状況―84
　　　　日本の○所―85
原　木…○の生産―73
原　油…○の埋蔵量，○の生産量，○の輸出入，○の価格（消費量），価格の推移，おもな国の○処理能力，おもな国の○自給率―80
　　　　OPEC諸国の○輸出，おもな国の○輸入先，日本の○輸入先，日本の県別○生産量―81
　　　　マレーシアのすず・○の生産，インドネシアの○・天然ガス・石炭の生産―99
公　害…日本の○別苦情件数―34
合計特殊出生率…おもな国の人口・出生率・死亡率・平均寿命―39
　　　　おもな○―41
鉱　山…おもな鉄○別生産量，おもな銅○別生産量―86
　　　　おもな鉛○別生産量―87
高山気候(H)…世界各地の月平均気温・月降水量―27
降水量…○・緯度別平均・蒸発量―21
　　　　世界各地，日本各地の月平均降水量・月―25〜30
合成ゴム…（ゴムを参照）
合成繊維…繊維素材の生産―91
耕地率…おもな国の土地利用状況―63
　　　　都道府県別農業―71
公　転(周期，平均速度)…地球の大きさ―18
鉱　物…日本のおもな○生産量，日本の○輸出先―89
小売業…日本の主要統計―16〜17（都道府県別の統計），小売店舗の業態別販売額―105
「国際」のつく国際機関…おもな国際機関―122〜123
国際観光客…(日本と世界の統計)―106
国際収支…おもな国の○―109

| 用語 … タイトル ― ページ |
|---|

国産材…日本の用材供給量,日本の素材(丸太)供給量―73
コークス…○の生産―79
国民総所得(GNI)…地域別主要統計―9～14
　　世界の1人あたり○と人口増加率―110
　　世界の国々―124～142
穀　物…おもな国の食料生産指数・生産指数・生産量―52
国立公園…おもな国の○―23
「国連」のつく国際機関…おもな国際機関―122～123
湖　沼…世界のおもな○,日本のおもな○,世界と日本の透明度―22
コバルト鉱…○の生産―89
コーヒー豆…○の生産,○の輸出入―57
コプラ油…○の生産―58
ごま…○の生産―58
ゴ　ム…天然○の生産,天然○の輸出入―60
　　合成○の生産,○の消費―91
小　麦…○の生産,○の輸出入,米と○の比較,○の生産量上位15か国の1haあたり収量―54
米　…○の生産,○の輸出入,○と小麦の比較,○の生産量上位15か国の1haあたり収量―54
　　(中国・東南・南アジア諸国の農業)―64～65
　　(日本の統計)―69,71
コンビニエンスストア…店舗数,販売額―105
コンピュータ…世界のおもな○,ソフト企業―92

| さ行用語 |
|---|

災　害…日本のおもな○―31
サイザル麻…○の生産―59
再生可能エネルギー…おもな国の発電量―83
　　世界の○発電量―84
在留外国人…(外国人を参照)
在留邦人…海外○数―43
作付延面積…日本の○の変化―69
さつまいも…○の生産―55
砂　糖…○の生産,○の輸出入,○の消費―56
さとうきび…○の生産―56
砂　漠…世界のおもな○―20
　　乾燥地域における○化(土地劣化)の要因―33
砂漠気候(BW)…世界各地の月平均気温・月降水量―26
サバナ気候(Aw)…世界各地の月平均気温・月降水量―25
産業構造…日本の輸出製品にみる○の変化―101
産業別人口…おもな国の○構成・産業別国内総生産(GDP)の割合,おもな国の○構成―41
　　(都道府県別の統計)―48
産業用ロボット…おもな国の○稼働台数―92
酸性雨…日本のおもな地点の○―34
塩　…世界の○生産,日本の○の生産と輸入―76
ジェット燃料…○の生産―82
シェール…○ガス,○オイルの技術的回収可能資源量―80
識字率…おもな国の教育・文化―108

| 用語 … タイトル ― ページ |
|---|

自給率…おもな国の原油―80
子午線の全周…地球の大きさ―18
地　震…日本のおもな災害,世界のおもな大○―31
自然増加率…世界の地域別出生率・死亡率・○・平均寿命の推移―39
自転車…○の生産―92
自転周期…地球の大きさ―18
自動車…おもな国の○保有台数―36
　　用タイヤの生産,○の生産,○の輸出,日本の○の輸出先,電気○の販売―91
　　インドの○生産台数―99
自動二輪車…○の生産―92
死亡率…(世界の統計)―39
　　(日本の統計)―48
島　…世界のおもな○,日本のおもな○―22
じゃがいも…○の生産―55
就学率…おもな国の教育・文化―108
宗教別人口…世界の○―49
　　おもなアジア諸国の○―50
集積回路…○の貿易額―92
就農率…おもな国の土地利用状況―63
重　油…○の生産―82
出生率…(世界の統計)―39
ジュート…○の生産―60
情報通信…日本の○機器の保有率―38
食　料…おもな国の1人あたり供給―53
　　日本の1人1日あたり食品群別供給量―69
食料自給率…おもな国の○―52
　　日本の○―69
人　口…(世界の統計)―6,8～15,39～42
　　(日本の統計)―16～17,42～44
　　世界のおもな都市の○―44
　　日本の市の面積・○―45～47
　　世界の言語別○,世界の宗教別○―49
人工衛星…おもな国の○打上げ数―38
人口増加率…(世界の統計)―9～14,39
　　世界の1人あたり国民総所得(GNI)と○―110
人口増減率…(日本の統計)―16～17,42
人口動態…日本の三大都市地域50キロ圏の○―43
人口ピラミッド…(世界・日本の統計)―40,43
人種・民族別人口…(おもな国の統計)―49～51
森　林…ヨーロッパの○被害,地域別○面積の変化,おもな国の○面積の変化―33
森林率…おもな国の土地利用状況―63
　　(都道府県別林業)―74
水　銀…○の生産―88
水酸化ナトリウム…○(苛性ソーダ)の生産―89
水産物…世界の○輸出入―75
　　日本の品目別○輸出入,日本の相手先別○輸出入―76
水　質…おもな河川の○(BOD),おもな湖沼の○,日本の○の環境基準達成率―34
垂直貿易…(解説)―111
水平貿易…(解説)―111
水力発電…世界のおもな発電所―84
　　日本のおもな○所―85
す　ず…○の生産,○鉱の生産―87
　　マレーシアの○・原油の生産―99

| 用語 … タイトル ― ページ |
|---|

ステップ気候(BS)…世界各地の月平均気温・月降水量―25～26
スマートフォン…おもな電子機器・電気製品の企業別世界シェア―93
スラム…おもな国の○人口の割合―42
西岸海洋性気候(Cfb・Cfc)…世界各地の月平均気温・月降水量―27
製材量…(おもな国の統計)―73
生産指数…おもな国の食料○・穀物○・穀物生産量―52
製油所…日本のおもな○―81
世界遺産…○の登録件数―107
「世界」のつく国際機関…おもな国際機関―122
石　炭…(世界と日本の統計)―78～79
　　(世界の鉱・工業)―94,96,98～100
赤道(半径,全周)…地球の大きさ―18
石油会社…おもな国際機関―?
石油ガス…日本の○の液化,○の輸入先,日本の○の液化の需給―83
石油製品…日本の○の生産―81
石油備蓄…○の制度―80
石油輸出国機構…おもな国際機関―123
雪　線…世界各地の○の高さ―21
絶滅危惧種…日本の動植物種の現状,世界の○絶滅種―33
セメント…○の生産―88
繊　維…化学○の生産,○製品の輸出入,○素材の生産―91
　　南アジアの○輸出―99
船　籍…おもな国の保有船船腹量―36
洗濯機…おもな電子機器・電気製品の企業別世界シェア―93
船　舶…○の生産,○の輸出入―92

| た行用語 |
|---|

大　豆…○の生産,○の輸出入―55
太平洋諸島フォーラム…おもな国際機関―123
タイヤ…自動車用○の生産―91
ダイヤモンド…○の生産―88
太陽光発電…世界のおもな○の量―84
大　陸…○別・地層別面積―18
　　○別・高度別面積の割合―19
　　気候区○別面積の割合―21
多国籍企業…世界のおもな○―97
ダ　ム…世界のおもな○,日本のおもな○―24
タロいも…○の生産―55
タングステン鉱…○の生産―88
炭　鉱…日本の○の変化―79
炭酸ナトリウム(ソーダ灰)…○の生産―89
炭　田…日本の地区別・○別埋蔵量・生産量・平均発熱量―79
地　球…○の歴史,○の大きさ―18
　　○上の水―19
　　面積比からみた○の陸と海―20
　　○環境問題―32～34
チーズ…○の生産,○の輸出入―62
地　層…大陸別・○別面積―18
地中海性気候(Cs)…世界各地の月平均気温・月降水量―26
窒素肥料…○の生産と消費―89
知的財産…おもな国の○使用料の受取額と支払額―93
地熱発電…日本のおもな○所―85
茶　…○の生産,○の輸出入―57
中継貿易…(解説)―111
潮　差…世界の○―19
通　信…おもな国の保有○メディア―38
ツンドラ気候(ET)…世界各地の月平均

## 用語 … タイトル ― ページ

気温・月降水量—27
鉄 鋼…○の生産量・消費量, ○の輸出入—86
　　インドの○生産—99
　　ブラジルの○生産の推移—100
鉄鉱石…○の埋蔵量, ○の生産, ○の輸出入, おもな国の○輸入先—86
テレビ…おもな電子機器・電気製品の企業別世界シェア—93
てんさい…○の生産—56
電子商取引…国内の○市場規模—37
天然ガス…○の埋蔵量, ○の生産量, ○の消費量—82
　　○の輸出入, 日本の液化○の輸入先, 日本の県別○生産量—83
天然ゴム…(ゴムを参照)
電話…おもな国の教育・文化—108
銅 …○鉱石の埋蔵量, ○鉱石の生産, ○地金の生産と消費, おもな○鉱山別生産量—86
　　○鉱・地金の輸出入—87
峠 …世界のおもな○—35
東南アジア諸国連合…おもな国際機関—122
とうもろこし…○の生産, ○の輸出入—54
灯 油…○の生産—82
道路延長…おもな国の○, 鉄道・海上・航空輸送量—36
独立国家共同体…おもな国際機関—123
都市人口—42, 44
土地利用…おもな国の○状況—63
都道府県別統計…(人口関係の統計)—48
　　(農業関係の統計)—70〜72
　　(林業関係の統計)—74
　　(水産業関係の統計)—77
　　(工業関係の統計)—102
トマト…○の生産—59
鶏 肉…○の生産, ○の輸出入—62
トンネル…日本のおもな鉄道, 日本のおもな道路, 世界のおもな○—35

### な 行用語

な し…○の生産—59
なたね…○の生産—58
なつめやし…○の生産—58
ナフサ…○の生産—82
鉛 …○鉱の生産, ○(地金)の生産と消費, おもな○鉱山別生産量—87
難民数…世界の○—49
二酸化炭素…地域別・国別○排出量, おもな国・地域の部門別○排出量—32
ニッケル…○鉱の生産, ○(地金)の生産と消費—87
200海里…○水域の面積—75
鶏 …○の羽数—61
熱帯雨林気候(Af・Am)…世界各地の月平均気温・月降水量—25
年較差(気温)…緯度別平均気温—21
年齢別人口構成…おもな国の○—40
　　日本の○—43
農家所得…日本の1戸あたりの○—69

### は 行用語

非他的経済水域…200海里水域の面積—75
パイナップル…○の生産—59
橋 …世界のおもな○, 日本のおもな○—35

パソコン…おもな電子機器・電気製品の企業別世界シェア—93
バター…○の生産—62
葉たばこ…○の生産, ○の輸出入—56
発電量…おもな国の○—83
　　日本の○の推移, 都道府県別—85
バナナ…○の生産, ○の輸出入—59
パーム油…○の生産—57
　　○の生産量—65
パルプ…○の生産, ○の輸出入—73
万国郵便連合…おもな国際機関—122
半導体…世界の○市場—92
　　(世界の大企業)—104
ひ え…きび・○, あわの生産—55
羊 …○の頭数, ○肉の生産—61
　　おもな国の家畜飼養頭数—66
ひまわり…○の種子の生産—58
氷 河…○におおわれた地域—19
ビール…○の生産—90
風力発電…おもな国の○量—84
部 族…おもなアフリカ諸国の民族(○)別割合—51
豚 …○の頭数, ○肉の生産, ○肉の輸出入—61
　　おもな国の家畜飼養頭数—66
ぶどう…○の生産, ○の輸出入—58
プラチナ(白金)…○族の生産—88
フロン…メタン・○, ガス純排出量—32
平均寿命…地域別主要統計—10〜11
　　(世界の統計)—39
米州機構…おもな国際機関—123
貿 易…(世界と日本の統計)—7,111〜112
　　(EUの統計)—113
　　(EUの統計)—114
　　(国別の統計)—116〜119
　　(日本とおもな国との統計)—120〜121
ボーキサイト…○の生産—87
牧場・牧草地率…おもな国の土地利用状況—63
捕鯨数…世界の○—33
保 健…おもな国の○状況—108
保護貿易…(解説)—111
保有船…おもな国の○船腹量—36

### ま 行用語

マーガリン…○の生産—90
マグネシウム鉱…○鉱の生産—88
マンガン鉱…○鉱の生産—88
水 …地球上の○—19
水揚げ…(日本の)おもな漁港別—76
湖 …世界のおもな湖沼, 日本のおもな湖沼—22
水資源…日本の○使用状況—24
港 …おもな○のコンテナ取扱量—36
　　日本のおもな○別貿易額—112
民族別人口…(おもな国の統計)—49〜51
メタン…○の発生源別放出量, ○・フロンガス純排出量—32
綿織物…綿糸・○の生産—90
綿 花…○の生産—60
木 材…○の輸出入, 日本の○輸入—73
もろこし(ソルガム)…○の生産—56

### や 行用語

ヤ ギ…○の頭数—61
山 …世界のおもな○, 日本のおもな

○—20
ヤムいも…○の生産—55
輸送機関…(世界と日本の統計)—36〜37
油 田…世界のおもな○—80
養 殖…世界の○業収獲量—75
　　日本の○業の魚種別収獲量—76
　　(都道府県別の統計)—77
用 水…日本の産業別水源別○量—24
羊 毛…○の生産, ○の輸出入—60
ヨーロッパ自由貿易連合…おもな国際機関—123
ヨーロッパ連合…おもな国際機関—123

### ら・わ 行用語

ライ麦…○の生産—55
落花生…○の生産—55
ラテンアメリカ統合連合…おもな国際機関—122
流域面積(河川)…世界のおもな河川, 日本のおもな河川—22〜23
硫 酸…○の生産—89
流 量(河川)…日本のおもな河川—23
りんご…○の生産—59
りん鉱石…○の生産—88
りん酸肥料…○の生産と消費—89
レアメタル(希少金属)…おもな○の生産と用途—89
冷蔵庫…おもな電子機器・電気製品の企業別世界シェア—93
冷帯湿潤気候…(亜寒帯湿潤気候を参照)
冷帯冬季少雨気候…(亜寒帯冬季少雨気候を参照)
レモン…○・ライムの生産—58
老年人口…○割合の推移と予測, ○割合の到達年次—40
　　(都道府県別の統計)—48
ロボット…(産業用ロボットを参照)
ワイン…南アフリカ共和国の○産業—65
　　○の生産, ○の輸出入—90
湾岸協力会議…おもな国際機関—123

### アルファベット略語

APEC…14,122
ASEAN…9,14,99,122
CAN…123
CIS…10,123
DAC…115
EEZ…75
EFTA…12,123
EU…12,14,66,94,113,122
FAO…122
GDP…7,9〜14,99,109
GNI…9〜14,110,124〜142
IC…92
ICT…38
ILO…122
IMF…122
LAS…10,122
MERCOSUR…13,14,123
NATO…123
OAPEC…10,123
ODA…115
OECD…115,122
OPEC…10,81,123
UNESCO…122
UNIDO…122
USMCA…14,123
WTO…122

# 覚えておきたい統計の読み方と数値

## ■ 人口 ■

p.39～48に詳しく掲載

### ❶ 世界の人口

世人口'22

| | 国　名 | 人口(万人)2022年 |
|---|---|---|
| | 世　　界 | **797,510** |
| 1 | 中　　国 | 144,303 |
| 2 | イ ン ド | 21)136,717 |
| 3 | アメリカ合衆国 | 33,328 |
| 4 | インドネシア | 27,577 |
| 5 | ナイジェリア | 21,678 |
| 6 | ブ ラ ジ ル | 21,482 |
| 7 | パキスタン | 17)20,768 |
| 8 | バングラデシュ | 17,173 |
| 9 | ロ シ ア | 21)14,759 |
| 10 | メ キ シ コ | 13,011 |
| 11 | 日　　本 | 12,512 |
| 12 | フィリピン | 11,157 |
| 13 | コンゴ民主 | 21)10,524 |
| 14 | エチオピア | 10,502 |
| 15 | エ ジ プ ト | 10,360 |
| 16 | ベ ト ナ ム | 9,946 |

### ❷ 世界の地域別人口

世人口'22ほか

1950年 アジア14.0億人 5.5 2.3 2.3 0.1 25億3223万人
1980年 26.4億人 4.8 6.9 3.7 1.1 0.2 44億4401万人
2022年 アジア47.2億人 アフリカ14.3 7.4 6.0 4.4 北アメリカ 南アメリカ 2.4 79億7511万人 ヨーロッパ オセアニア0.5

世界の総人口は約80億。人口分布は不均等で，人口１億以上の国はアジアに多く，人口上位国には発展途上国が多い。世界の総人口は，1950年の約25億からその後およそ70年で３倍になり，現在も増え続けている。地域別では，アジアが６割を占める。

### ❸ おもな国の年齢別人口構成

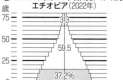

世人口'22ほか

エチオピア(2022年) 3.3 59.5 37.2%
メキシコ(2022年) 8.1 66.8 25.1
日本(2022年) 29.0 59.4 11.6

人口ピラミッドは，発展途上国では，出生率・死亡率とも高いため富士山型になる(エチオピア)。先進国では出生率低下が続き，つぼ型になる(日本)。

## ■ 農業 ■

p.52～72に詳しく掲載

### ❹ 米(もみ)の生産(万t)

| 国　名 | 2021 |
|---|---|
| 世　　界 | **78,729** |
| 中　　国 | 21,284 |
| イ ン ド | 19,543 |
| バングラデシュ | 5,694 |
| インドネシア | 5,442 |
| ベ ト ナ ム | 4,385 |
FAOSTAT

### ❺ 小麦の生産(万t)

| 国　名 | 2021 |
|---|---|
| 世　　界 | **77,088** |
| 中　　国 | 13,695 |
| イ ン ド | 10,959 |
| ロ シ ア | 7,606 |
| アメリカ合衆国 | 4,479 |
| フ ラ ン ス | 3,656 |
FAOSTAT

### ❻ とうもろこしの生産(万t)

| 国　名 | 2021 |
|---|---|
| 世　　界 | **121,024** |
| アメリカ合衆国 | 38,394 |
| 中　　国 | 27,255 |
| ブ ラ ジ ル | 8,846 |
| アルゼンチン | 6,053 |
| ウクライナ | 4,211 |
FAOSTAT

### ❼ 米の輸出(万t)

| 国　名 | 2021 |
|---|---|
| 世　　界 | **5,065** |
| イ ン ド | 2,103 |
| タ イ | 607 |
| ベ ト ナ ム | 464 |
| パキスタン | 393 |
| アメリカ合衆国 | 284 |
FAOSTAT

### ❽ 小麦の輸出(万t)

| 国　名 | 2021 |
|---|---|
| 世　　界 | **19,814** |
| ロ シ ア | 2,737 |
| オーストラリア | 2,556 |
| アメリカ合衆国 | 2,401 |
| カ ナ ダ | 2,155 |
| ウクライナ | 1,939 |
FAOSTAT

### ❾ とうもろこしの輸出(万t)

| 国　名 | 2021 |
|---|---|
| 世　　界 | **19,608** |
| アメリカ合衆国 | 7,004 |
| アルゼンチン | 3,691 |
| ウクライナ | 2,454 |
| ブ ラ ジ ル | 2,043 |
| ルーマニア | 690 |
FAOSTAT

### ❿ 綿花の生産(万t)

| 国　名 | 2021 |
|---|---|
| 世　　界 | **2,542** |
| イ ン ド | 599 |
| 中　　国 | 573 |
| アメリカ合衆国 | 382 |
| ブ ラ ジ ル | 223 |
| パキスタン | 142 |
FAOSTAT

### ⓫ 牛肉の生産(万t)

| 国　名 | 2021 |
|---|---|
| 世　　界 | **7,245** |
| アメリカ合衆国 | 1,273 |
| ブ ラ ジ ル | 975 |
| 中　　国 | 698 |
| イ ン ド | 420 |
| アルゼンチン | 298 |
FAOSTAT

### ⓬ 豚肉の生産(万t)

| 国　名 | 2021 |
|---|---|
| 世　　界 | **12,037** |
| 中　　国 | 5,296 |
| アメリカ合衆国 | 1,256 |
| スペイン | 518 |
| ド イ ツ | 497 |
| ブ ラ ジ ル | 437 |
FAOSTAT

三大穀物のうち，米，小麦はおもに主食としての需要が多い。
とうもろこしは，近年は食肉生産用の飼料や，バイオエタノール原料としての需要が多い。このため，米，小麦の生産量を上回る生産量が12億ｔをこえる。
米は９割がアジアで生産され，輸出ではインド，タイ，ベトナムが上位を占める。
小麦は，中国，インドでの生産が多く，輸出はロシア，オーストラリア，アメリカ合衆国，カナダなどが多い。
とうもろこしは生産・輸出ともアメリカ合衆国やブラジルが上位となる。
牛肉生産はアメリカ合衆国が首位。ブラジルの伸びに注目！豚肉生産は中国が世界の４割を占める。

■■ 鉱工業・エネルギー ■■　　　　　　　　　　p.78～104に詳しく掲載

### ❶ 原油の生産量（万t）

| 国　名 | 2021 |
|---|---|
| 世　　界 | 365,836 |
| アメリカ合衆国 | 55,508 |
| ロ　シ　ア | 49,322 |
| サウジアラビア | 45,480 |
| 中　　国 | 19,888 |
| イ　ラ　ク | 19,806 |

IEA資料

### ❷ 石炭の生産量（百万t）

| 国　名 | 2020 |
|---|---|
| 世　　界 | 6,800 |
| 中　　国 | ① 3,902 |
| イ ン ド | 716 |
| インドネシア | 553 |
| オーストラリア | 426 |
| ロ　シ　ア | 330 |

①褐炭・亜炭を含む　世エネ'20

### ❸ 天然ガスの生産量（億m³）

| 国　名 | 2021 |
|---|---|
| 世　　界 | 42,072 |
| アメリカ合衆国 | 9,778 |
| ロ　シ　ア | 7,937 |
| イ　ラ　ン | 2,647 |
| 中　　国 | 2,076 |
| カ　ナ　ダ | 1,903 |

IEA資料

### ❹ 原油の供給（消費）量（万t）

| 国　名 | 2021 |
|---|---|
| 世　　界 | 383,279 |
| アメリカ合衆国 | 72,821 |
| 中　　国 | 72,310 |
| ロ　シ　ア | 25,791 |
| イ ン ド | 24,236 |
| サウジアラビア | 14,514 |

IEA資料

### ❺ 石炭の供給（消費）量（万t）

| 国　名 | 2020 |
|---|---|
| 世　　界 | 675,128 |
| 中　　国 | ① 414,520 |
| イ ン ド | 95,614 |
| 南アフリカ共和国 | 17,447 |
| 日　　本 | 17,388 |
| アメリカ合衆国 | 17,023 |

①褐炭・亜炭を含む　世エネ'20

### ❻ 天然ガスの消費量（億m³）

| 国　名 | 2021 |
|---|---|
| 世　　界 | 41,539 |
| アメリカ合衆国 | 8,687 |
| ロ　シ　ア | 5,266 |
| 中　　国 | 3,688 |
| イ　ラ　ン | 2,469 |
| カ　ナ　ダ | 1,344 |

IEA資料

### ❼ 鉄鋼（粗鋼）の生産量（万t）

| 国　名 | 2022 |
|---|---|
| 世　　界 | 188,781 |
| 中　　国 | 101,796 |
| イ ン ド | 12,538 |
| 日　　本 | 8,923 |
| アメリカ合衆国 | 8,054 |
| ロ　シ　ア | 7,175 |

Steel Statistical Yearbook'23

### ❽ 自動車の生産（千台）

| 国　名 | 2021 |
|---|---|
| 世　　界 | 80,205 |
| 中　　国 | 26,122 |
| アメリカ合衆国 | 9,157 |
| 日　　本 | 7,837 |
| イ ン ド | 4,399 |
| 韓　　国 | 3,462 |

国際自動車工業連合会資料

### ❾ 船舶の生産（千総トン）

| 国　名 | 2022 |
|---|---|
| 世　　界 | 55,580 |
| 中　　国 | 25,894 |
| 韓　　国 | 16,254 |
| 日　　本 | 9,585 |
| イ タ リ ア | 731 |
| フ ラ ン ス | 594 |

UNCTADstat

原油は，埋蔵量の偏在性が大きく，5割近くを中東が占める。原油生産量はアメリカ合衆国，ロシア，サウジアラビアが多い。アメリカ合衆国は生産が多い一方，供給（消費）量も多いため，原油輸入で世界第2位である。

石炭は，埋蔵量が豊富で偏在性が小さく，石油危機以降は，供給（消費）量が拡大している。中国が世界の石炭生産量の5割以上を占めることに注意！

天然ガスは，環境負荷が小さいため，石油代替エネルギーとして，需要が増加している。アメリカ合衆国とロシアでの生産が多く，とくにアメリカ合衆国では，地中の頁（けつ）岩から採取するシェールガスの開発が進められている。

読み方の統計

■■ 貿易・経済 ■■　　　　　　　　　　p.109～121に詳しく掲載

### ❿ 世界の国内総生産（GDP）（2022年）世界銀行資料

| 国　名 | GDP（億ドル） | % | 1人あたりGDP（ドル） |
|---|---|---|---|
| 世　　界 | 1,005,620 | 100 | 12,647 |
| アメリカ合衆国 | 254,627 | 25.3 | 76,399 |
| 中　　国 | 179,632 | 17.9 | 12,720 |
| 日　　本 | 42,311 | 4.2 | 33,815 |
| ド イ ツ | 40,722 | 4.0 | 48,432 |
| イ ン ド | 33,851 | 3.4 | 2,389 |
| イ ギ リ ス | 30,707 | 3.1 | 45,850 |
| フ ラ ン ス | 27,829 | 2.8 | 40,964 |
| ロ　シ　ア | 22,404 | 2.2 | 15,345 |
| カ　ナ　ダ | 21,398 | 2.1 | 54,966 |
| イ タ リ ア | 20,104 | 2.0 | 34,158 |
| ブ ラ ジ ル | 19,201 | 1.9 | 8,918 |
| オーストラリア | 16,754 | 1.7 | 64,491 |
| 韓　　国 | 16,652 | 1.7 | 32,255 |
| メ キ シ コ | 14,142 | 1.4 | 11,091 |
| ス ペ イ ン | 13,975 | 1.4 | 29,350 |
| インドネシア | 13,191 | 1.3 | 4,788 |
| サウジアラビア | 11,081 | 1.1 | 30,436 |
| オ ラ ン ダ | 9,911 | 1.0 | 55,985 |

### ⓫ おもな国の貿易額（2022年，百万ドル）　UN TRADE STATISTICSほか

| 国　名 | 貿易総額 | 輸　出 | 輸　入 | 貿易収支 |
|---|---|---|---|---|
| 中　　国 | 6,319,851 | 3,604,481 | 2,715,370 | 889,112 |
| アメリカ合衆国 | 5,310,488 | 2,064,056 | 3,246,432 | −1,182,375 |
| ド イ ツ21) | 2,710,809 | 1,460,058 | 1,250,750 | 209,308 |
| オ ラ ン ダ | 1,863,767 | 965,762 | 898,005 | 67,757 |
| 日　　本 | 1,643,738 | 746,720 | 897,017 | −150,297 |
| フ ラ ン ス | 1,436,674 | 618,153 | 818,521 | −200,369 |
| 韓　　国 | 1,414,953 | 683,584 | 731,370 | −47,786 |
| イ タ リ ア | 1,346,294 | 657,039 | 689,256 | −32,217 |
| イ ギ リ ス | 1,343,375 | 529,130 | 814,245 | −285,115 |
| （ホンコン） | 1,280,310 | 611,366 | 668,945 | −57,579 |
| ベ ル ギ ー | 1,258,731 | 635,514 | 623,217 | 12,298 |
| メ キ シ コ | 1,182,754 | 578,188 | 604,566 | −26,378 |
| イ ン ド | 1,179,361 | 449,536 | 729,825 | −280,290 |
| カ　ナ　ダ | 1,164,337 | 596,958 | 567,379 | 29,579 |
| シンガポール | 991,849 | 516,016 | 475,832 | 40,184 |
| ス ペ イ ン | 911,718 | 418,364 | 493,354 | −74,990 |
| （ 台 湾 ） | 907,451 | 479,442 | 428,010 | 51,432 |
| ポ ー ランド | 741,729 | 360,542 | 381,187 | −20,645 |
| ロ　シ　ア | 666,821 | 460,852 | 205,969 | 254,883 |
| タ　　イ | 587,094 | 283,504 | 303,590 | −20,086 |

　日本のGDPは，OECD加盟国ではアメリカ合衆国に次ぐが，2010年には高度経済成長が続く中国が日本を上回った。上位にはEU諸国などOECD加盟国が連なる。BRICS諸国の経済成長は著しく，イギリスやカナダなみに規模が拡大しているが，1人あたりGDPでは依然として先進国との差は大きい。

　輸出額は2009年，中国が世界最大となった。輸入額はアメリカ合衆国が首位だが，中国が伸びている。貿易収支（輸出額−輸入額）では，アメリカ合衆国の入超額が大きく（貿易赤字），中国，ロシア，ドイツの出超額が大きい（貿易黒字）。

# 大学入学試験頻出！　主要統計一覧表

## ① 地域別国家人口（2022年，万人）　赤数字%は世界の人口に占める割合

世人口'22ほか

| 人口区分 | アジア 59.2% | アフリカ 17.9% | ヨーロッパ 9.3% | 南北アメリカ 13.0% | オセアニア 0.6% |
|---|---|---|---|---|---|
| 一億以上 | 中　国① 144,303<br>イ ン ド 136,717<br>ASEAN② 67,237<br>インドネシア 27,577<br>パキスタン [17]20,768<br>バングラデシュ 17,173<br>日　本 12,512<br>フィリピン 11,157 | ナイジェリア 21,678<br>コンゴ民主 [21]10,524<br>エチオピア 10,502<br>エ ジ プ ト 10,360 | E　U③ 44,663<br>ロ シ ア [21]14,759 | USMCA④ 50,232<br>アメリカ合衆国 33,328<br>MERCOSUR⑤ 31,741<br>ブ ラ ジ ル 21,482<br>メ キ シ コ 13,011 | |
| 五千万以上 | ベ ト ナ ム 9,946<br>ト ル コ 8,498<br>イ ラ ン 8,470<br>タ イ 6,680<br>ミャンマー 5,577<br>韓　国 5,162 | タンザニア 6,128<br>南アフリカ共和国 6,060<br>ケ ニ ア 5,062 | ド イ ツ 8,323<br>フランス⑥ 6,784<br>イ ギ リ ス [21]6,702<br>イ タ リ ア 5,903 | コ ロ ン ビ ア 5,168 | |
| 三千万以上 | イ ラ ク [20]3,985<br>ウズベキスタン 3,564<br>アフガニスタン 3,276<br>マ レ ー シ ア 3,265<br>サウジアラビア 3,217<br>イ エ メ ン [20]3,041 | ス ー ダ ン 4,693<br>アルジェリア [20]4,422<br>ウ ガ ン ダ 4,421<br>モ ロ ッ コ 3,667<br>ア ン ゴ ラ 3,308<br>モザンビーク 3,161<br>ガ ー ナ [20]3,095 | ス ペ イ ン 4,743<br>ウクライナ 4,099<br>ポ ー ラ ン ド 3,765 | アルゼンチン 4,623<br>カ ナ ダ 3,893<br>ペ ル ー 3,339<br>ベ ネ ズ エ ラ 3,336 | |
| 二千万以上 | ネ パ ー ル [21]2,916<br>北 朝 鮮 [15]2,525<br>スリランカ 2,218 | コートジボワール [21]2,938<br>マダガスカル [21]2,817<br>カ メ ル ー ン 2,741<br>ニ ジ ェ ー ル 2,446<br>ブルキナファソ 2,218<br>マ リ [20]2,053 | | | オーストラリア 2,597 |
| 一千万以上 | カザフスタン 1,963<br>シ リ ア [15]1,920<br>カ ン ボ ジ ア 1,684<br>ヨ ル ダ ン 1,130<br>アゼルバイジャン 1,015 | マ ラ ウ イ 1,935<br>ザ ン ビ ア 1,840<br>セ ネ ガ ル 1,773<br>チ ャ ド [19]1,569<br>ジ ン バ ブ エ 1,517<br>ソ マ リ ア [15]1,376<br>ギ ニ ア 1,326<br>ル ワ ン ダ 1,325<br>ブ ル ン ジ 1,283<br>南 ス ー ダ ン [18]1,232<br>ベ ナ ン [19]1,185<br>チ ュ ニ ジ ア [21]1,178 | ル ー マ ニ ア 1,904<br>オ ラ ン ダ 1,759<br>ベ ル ギ ー 1,161<br>チ ェ コ 1,051<br>ギ リ シ ャ 1,046<br>スウェーデン 1,045<br>ポ ル ト ガ ル 1,035 | チ リ 1,982<br>エ ク ア ド ル 1,809<br>グ ア テ マ ラ 1,735<br>ボ リ ビ ア 1,200<br>ハ イ チ [19]1,157<br>キ ュ ー バ 1,110<br>ドミニカ共和国 1,062 | |
| 五百万以上 | タジキスタン 998<br>アラブ首長国連邦 [21]955<br>イ ス ラ エ ル [21]937<br>ラ オ ス 744<br>（ホンコン） 734<br>キ ル ギ ス 697<br>トルクメニスタン [15]576<br>シンガポール 563 | シエラレオネ 849<br>ト ー ゴ [20]779<br>リ ビ ア [20]693<br>コンゴ共和国 [21]560 | ハ ン ガ リ ー 968<br>ベ ラ ル ー シ 922<br>オーストリア 897<br>ス イ ス [21]873<br>ブ ル ガ リ ア 683<br>セ ル ビ ア 679<br>デ ン マ ー ク 587<br>フィンランド 557<br>スロバキア 543<br>ノ ル ウ ェ ー 542<br>アイルランド 506 | ホンジュラス [21]945<br>パ ラ グ ア イ 745<br>ニカラグア 673<br>エルサルバドル 633<br>コ ス タ リ カ 521 | パプアニューギニア [21]912<br>ニュージーランド [21]512 |
| 百万以上 | オ マ ー ン 493<br>レ バ ノ ン [18]484<br>ク ウ ェ ー ト 421<br>ジ ョ ー ジ ア 368<br>モ ン ゴ ル 343<br>ア ル メ ニ ア 296<br>カ タ ー ル 279<br>バ ー レ ー ン [20]150<br>東ティモール 134 | 中央アフリカ [15]481<br>リ ベ リ ア [15]461<br>モーリタニア [19]407<br>エ リ ト リ ア 364<br>ナ ミ ビ ア 259<br>ボ ツ ワ ナ 239<br>ガ ボ ン [19]221<br>レ ソ ト [15]207<br>コ ン ゴ 202<br>ギニアビサウ 166<br>赤 道 ギ ニ ア 155<br>モーリシャス 126<br>エスワティニ [20]118<br>ジ ブ チ [21]100 | クロアチア 386<br>ボスニア・ヘルツェゴビナ [19]349<br>リ ト ア ニ ア 280<br>ア ル バ ニ ア 279<br>モ ル ド バ 260<br>ス ロ ベ ニ ア 210<br>ラ ト ビ ア 187<br>北マケドニア 183<br>コ ソ ボ [21]177<br>エ ス ト ニ ア 133 | パ ナ マ 439<br>ウ ル グ ア イ 355<br>ジ ャ マ イ カ [19]273<br>トリニダード・トバゴ [21]136 | |
| 百万未満 | キ プ ロ ス 90<br>ブ ー タ ン 76<br>（マカオ） 67<br>モ ル デ ィ ブ 51<br>ブ ル ネ イ [21]44 | コ モ ロ [15]73<br>カーボベルデ [21]49<br>サントメ・プリンシペ [21]21<br>セ ー シ ェ ル [21]9 | ルクセンブルク 65<br>モンテネグロ 61<br>マ ル タ 52<br>アイスランド 37<br>ア ン ド ラ 8<br>リヒテンシュタイン 3<br>モ ナ コ [21]3<br>サ ン マ リ ノ [21]3<br>バ チ カ ン [18]0.06 | ガ イ ア ナ [20]77<br>ス リ ナ ム [21]61<br>ベ リ ー ズ 44<br>バ ハ マ 39<br>バ ル バ ド ス [21]27<br>セントルシア 18<br>グ レ ナ ダ [19]11<br>セントビンセント 11<br>アンティグア・バーブーダ [21]9<br>ドミニカ国 [21]7<br>セントクリストファー・ネービス [15]4 | フ ィ ジ ー 89<br>ソロモン諸島 72<br>バ ヌ ア ツ [20]32<br>サ モ ア [20]22<br>キ リ バ ス [20]11<br>ミクロネシア連邦 11<br>ト ン ガ 10<br>マーシャル諸島 [20]5<br>ク ッ ク 諸 島 1<br>パ ラ オ [21]1<br>ナ ウ ル [21]1<br>ツ バ ル [21]1 |

> 人口の多い国はモンスーンアジアに集中していて，1億以上の人口をもつ15か国のうち，7か国がアジアの国である。

> オセアニア以外の各地域に人口1億を超える国が一つ以上存在する。西ヨーロッパの主要4か国（独仏英伊）はいずれも人口5000万を超えている。

①ホンコン，マカオ，台湾を含む　②ASEAN10か国　③EU27か国（2020年1月に離脱したイギリスは含んでいない）　④USMCA3か国（2020年7月，NAFTAより移行）　⑤MERCOSURはボリビア（加盟国の批准手続き中），ベネズエラ（加盟資格停止中）を含む6か国　⑥海外県を含む
☞p.9「解説」

一主
覧要
表統
計

p.8 1 地域別国家人口：人口は地域による偏りが大きく，アジアは面積では世界の24%だが，人口では約60%を占める。南北アメリカ，オセアニアを合わせた新大陸は面積では36%を占めるが，人口は世界の14%にすぎない。人口が1億以上の15か国の総人口は50億を超え，世界の約63%の人々がこの15か国に住んでいる。なかでもアジアは人口規模の大きな国が多く，2000万を超える国は47か国中22か国ある。一方，国の数ではアジアとほぼ同じヨーロッパでは，2000万を超えるのは45か国中わずか8か国にすぎない。

## 2 地域別主要統計

### ■ 東アジア
p.126〜129に詳しく掲載

| 国　名 | 面　積<br>(千km²)<br>2022年 | 人　口<br>(万人)<br>2022年 | 人口<br>密度<br>(人/km²)<br>2022年 | 人口増<br>加率(%)<br>2015-20<br>年の平均 | GDP<br>(億ドル)<br>2022年 | GNI<br>(億ドル)<br>2022年 | 1人あたり<br>GNI<br>(ドル)<br>2022年 | 1次エネル<br>ギー供給量<br>(1人あたり t)<br>2021年 | インター<br>ネット<br>利用率(%)<br>2021年 | おもな宗教 |
|---|---|---|---|---|---|---|---|---|---|---|
| 日　　本 | 378.0 | 12,512 | 331 | -0.2 | 42,311 | 53,100 | 42,440 | 3.18 | 82.9 | 神道，仏教，キリスト教など |
| 中　　国 | ①9,601.1 | ①144,303 | ①150 | 0.5 | 179,632 | 181,513 | 12,850 | 2.65 | 73.1 | 道教，仏教，キリスト教，イスラーム |
| 韓　　国 | 100.4 | 5,162 | 514 | 0.2 | 16,652 | 18,580 | 35,990 | 5.62 | 97.6 | キリスト教，仏教 |
| 北 朝 鮮 | 120.5 | (15)2,525 | (15)210 | 0.5 | － | － | － | 0.63 | － | 仏教，キリスト教 |
| モンゴル | 1,564.1 | 343 | 2 | 1.8 | 168 | 143 | 4,210 | 1.94 | 81.6 | 仏教(おもにチベット仏教) |

①ホンコン，マカオ，台湾を含む　　　　　　　　　　　　　　　世人口'22ほか

東アジアの総人口は約16億で世界人口の21%を占め，ヨーロッパの総人口の2倍以上に及ぶ。なかでも中国は，東アジアの面積の82%，人口の88%を占め，規模において他の国を圧倒している。経済的には，日本のGDPは2009年に中国に抜かれはしたものの世界第3位であり，韓国も世界的に高い水準にある。1人あたりGNIでは，日本を100とすると，韓国は85，中国は30で，中国とはまだかなりの格差があり，この格差は製造業の面では賃金コストの違いとなり，日本の製造業の競争力の低下の要因となっている。人口増加率は，中国では一人っ子政策(2016年，2021年に緩和)の影響で，日本や韓国では経済成長とともに出生率が低下したため，ヨーロッパ諸国並みの低い水準を示している。

### ■ 東南アジア
p.122, 124〜129に詳しく掲載

| 国　名 | 面　積<br>(千km²)<br>2022年 | 人　口<br>(万人)<br>2022年 | 人　口<br>密度<br>(人/km²)<br>2022年 | 人口増<br>加率(%)<br>2015-20<br>年の平均 | GDP<br>(億ドル)<br>2022年 | GNI<br>(億ドル)<br>2022年 | 1人あたり<br>GNI<br>(ドル)<br>2022年 | ASEAN<br>加盟年月 | 旧宗主国名 | おもな宗教 |
|---|---|---|---|---|---|---|---|---|---|---|
| インドネシア | 1,910.9 | 27,577 | 144 | 1.1 | 13,191 | 12,609 | 4,580 | 1967.8 | オランダ | イスラーム，キリスト教 |
| タ　　　イ | 513.1 | 6,680 | 130 | 0.3 | 4,953 | 5,187 | 7,230 | 1967.8 | － | 仏教 |
| フィリピン | 300.0 | 11,157 | 372 | 1.4 | 4,043 | 4,570 | 3,950 | 1967.8 | アメリカ合衆国 | カトリック |
| マレーシア | 330.6 | 3,265 | 99 | 1.3 | 4,063 | 3,997 | 11,780 | 1967.8 | イギリス | イスラーム，仏教，キリスト教 |
| シンガポール | 0.7 | 563 | 7,688 | 0.9 | 4,668 | 3,788 | 67,200 | 1967.8 | イギリス | 仏教，キリスト教，イスラーム |
| ブルネイ | 5.8 | (21)44 | (21)76 | 1.1 | 167 | 141 | 31,410 | 1984.1 | イギリス | イスラーム，キリスト教，仏教 |
| ベトナム | 331.3 | 9,946 | 300 | 1.0 | 4,088 | 3,941 | 4,010 | 1995.7 | フランス | 仏教，カトリック |
| ミャンマー | 676.6 | 5,577 | 82 | 0.6 | 594 | 655 | 1,210 | 1997.7 | イギリス | 仏教 |
| ラ オ ス | 236.8 | 744 | 31 | 1.5 | 157 | 177 | 2,360 | 1997.7 | フランス | 仏教 |
| カンボジア | 181.0 | 1,684 | 93 | 1.5 | 300 | 286 | 1,700 | 1999.4 | フランス | 仏教 |
| 東ティモール | 15.0 | 134 | 90 | 1.9 | 32 | 26 | 1,970 | － | － | カトリック |

世人口'22ほか

東南アジアは国による人口規模の違いが大きく，インドネシアは2億，フィリピンは1億を超え，5000万〜1億の間にはベトナム，タイ，ミャンマー，1000万〜5000万にはマレーシア，カンボジア，100万〜1000万にはラオス，シンガポール，東ティモール，100万未満にはブルネイがある。1人あたりGNIでも格差が大きく，先進国並みのシンガポール，ブルネイ，輸出指向型の工業化で経済成長が進んだマレーシア，タイも発展途上国としては高い水準にあり，インドネシアといったASEAN原加盟国がこれに続いている。これに対して1995年以降にASEANに加盟したベトナム，ラオス，カンボジア，ミャンマーは，東西冷戦時代は社会主義体制下で，先進国からの資本や技術の導入がみられず，1人あたりGNIも低い水準にある。比較的人口規模の大きなベトナムやミャンマー*では豊富な低賃金労働力を背景に，近年，外国企業の進出が進んでいる。東南アジアはこうした格差を背景に工業の分業化が進行しつつある。国による旧宗主国，宗教の違いにも注意したい。*2021年2月，軍事クーデター発生。

一覧表 主要統計

## ■ 南アジア ■

p.124〜129に詳しく掲載

| 国名 | 面積(千km²) 2022年 | 人口(万人) 2022年 | 人口密度(人/km²) 2022年 | 人口増加率(%) 2015-20年の平均 | GDP(億ドル) 2022年 | GNI(億ドル) 2022年 | 1人あたりGNI(ドル) 2022年 | 平均寿命(男女平均) 2019年 | 旧宗主国名 | おもな宗教 |
|---|---|---|---|---|---|---|---|---|---|---|
| インド | 3,287.3 [21] | 136,717 [21] | 416 | 1.0 | 33,851 | 33,701 | 2,380 | 70.8 | イギリス | ヒンドゥー教, イスラーム |
| パキスタン | 796.1 [17] | 20,768 [17] | 261 | 2.0 | 3,765 | 3,729 | 1,580 | 65.6 | イギリス | イスラーム |
| バングラデシュ | 148.5 | 17,173 | 1,157 | 1.1 | 4,602 | 4,834 | 2,820 | 74.3 | パキスタン | イスラーム, ヒンドゥー教 |
| ネパール | 147.2 [21] | 2,916 [21] | 198 | 1.5 | 408 | 409 | 1,340 | 70.9 | ― | ヒンドゥー教, 仏教 |
| スリランカ | 65.6 | 2,218 | 338 | 0.5 | 744 | 801 | 3,610 | 76.9 | イギリス | 仏教, ヒンドゥー教 |
| ブータン | 38.4 | 76 | 20 | 1.2 [21] | 25 [21] | 24 [21] | 3,040 | 73.1 | ― | チベット仏教, ヒンドゥー教 |
| モルディブ | 0.3 | 51 | 1,717 | 3.4 | 62 | 58 | 11,030 | 79.6 | イギリス | イスラーム |

世人口'22ほか

> 南アジアの総人口は約18.0億で，東アジアよりも1.5億ほど多いうえ，人口増加率も高い。国による人口規模の格差は大きいが，1人あたりGNIは東アジアや東南アジアほどの違いはみられない。旧宗主国は共通してイギリスで，宗教の違いが国の判別の手がかりとなる。

## ■ 中央アジア・西アジア・北アフリカ ■

p.122〜133に詳しく掲載

| 国名 | 面積(千km²) 2022年 | 人口(万人) 2022年 | 人口密度(人/km²) 2022年 | 人口増加率(%) 2015-20年の平均 | GDP(億ドル) 2022年 | GNI(億ドル) 2022年 | 1人あたりGNI(ドル) 2022年 | OPEC | OAPEC | アラブ連盟 | CIS | おもな言語 | おもな宗教 |
|---|---|---|---|---|---|---|---|---|---|---|---|---|---|
| カザフスタン | 2,724.9 | 1,963 | 7 | 1.3 | 2,206 | 1,857 | 9,470 | | | | ○ | カザフ語, ロシア語 | イスラーム, キリスト教 |
| ウズベキスタン | 449.0 | 3,564 | 79 | 1.6 | 804 | 781 | 2,190 | | | | ○ | ウズベク語, ロシア語 | イスラーム |
| アゼルバイジャン | 86.6 | 1,015 | 117 | 1.0 | 787 | 572 | 5,630 | | | | ○ | アゼルバイジャン語 | イスラーム |
| トルクメニスタン | 488.1 [15] | 576 [15] | 12 | 1.6 | 456 [20] | 437 [20] | 7,080 [19] | | | | | トルクメン語 | イスラーム |
| ジョージア | 69.7 | 368 | 53 | −0.2 | 246 | 209 | 5,620 | | | | | ジョージア語 | ジョージア正教, イスラーム |
| アルメニア | 29.7 | 296 | 100 | 0.3 | 195 | 166 | 5,960 | | | | ○ | アルメニア語 | アルメニア教会 |
| タジキスタン | 141.4 | 998 | 71 | 2.4 | 105 | 120 | 1,210 | | | | ○ | タジク語 | イスラーム |
| キルギス | 199.9 | 697 | 35 | 1.8 | 109 | 96 | 1,410 | | | | ○ | キルギス語, ロシア語 | イスラーム, キリスト教 |
| サウジアラビア | 2,206.7 | 3,217 | 15 | 1.9 | 11,081 | 10,044 | 27,590 | ○ | ○ | ○ | | アラビア語 | イスラーム |
| トルコ | 783.6 | 8,498 | 108 | 1.4 | 9,060 | 9,035 | 10,590 | | | | | トルコ語, クルド語 | イスラーム |
| イスラエル | 22.1 [21] | 937 [21] | 425 | 1.6 | 5,220 | 5,219 | 54,650 | | | | | ヘブライ語, アラビア語 | ユダヤ教, イスラーム |
| アラブ首長国連邦 | 71.0 [21] | 955 [21] | 135 | 1.3 | 5,075 | 4,622 | 48,950 | ○ | ○ | ○ | | アラビア語 | イスラーム, ヒンドゥー教 |
| イラン | 1,630.8 | 8,470 | 52 | 1.4 | 3,885 | 3,453 | 3,900 | ○ | | | | ペルシア語 | イスラーム |
| イラク | 435.1 [20] | 3,985 [20] | 92 | 2.5 | 2,642 | 2,347 | 5,270 | ○ | ○ | ○ | | アラビア語, クルド語 | イスラーム |
| カタール | 11.6 | 279 | 240 | 2.3 | 2,373 | 1,900 | 70,500 | | ○ | ○ | | アラビア語, 英語 | イスラーム, キリスト教 |
| クウェート | 17.8 | 421 | 237 | 2.1 | 1,846 | 1,689 | 39,570 | ○ | ○ | ○ | | アラビア語, 英語 | イスラーム, キリスト教 |
| オマーン | 310.0 | 493 | 16 | 3.6 | 1,147 | 922 | 20,150 | | | ○ | | アラビア語, 英語 | イスラーム |
| ヨルダン | 89.3 | 1,130 | 127 | 1.9 | 475 | 481 | 4,260 | | | ○ | | アラビア語, 英語 | イスラーム |
| バーレーン | 0.8 | 150 [20] | 1,930 | 4.3 | 444 | 400 | 27,180 | | ○ | ○ | | アラビア語, 英語 | イスラーム, キリスト教 |
| レバノン | 10.5 [18] | 484 [18] | 463 | 0.9 [21] | 231 [21] | 278 [21] | 4,970 | | | ○ | | アラビア語, フランス語 | イスラーム, キリスト教 |
| イエメン | 528.0 [20] | 3,041 [20] | 58 | 2.4 | 216 [18] | 260 [18] | 840 [18] | | | ○ | | アラビア語 | イスラーム |
| シリア | 185.2 [15] | 1,920 [15] | 104 | −0.6 | 112 [20] | 158 [20] | 760 [20] | | ○ | ② | | アラビア語, クルド語 | イスラーム |
| アフガニスタン | 652.9 | 3,276 | 50 | 2.5 | 146 [21] | 156 [21] | 390 | | | | | ダリー語, パシュトゥー語 | イスラーム |
| エジプト | 1,002.0 | 10,360 | 103 | 2.0 | 4,767 | 4,551 | 4,100 | | ○ | ○ | | アラビア語 | イスラーム, キリスト教 |
| アルジェリア | 2,381.7 | 4,422 [21] | 19 | 2.0 | 1,919 | 1,752 | 3,900 | ○ | ○ | ○ | | アラビア語, アマジグ語 | イスラーム |
| モロッコ | 446.6 | 3,667 | 82 | 1.3 | 1,342 | 1,411 | 3,710 | | | ○ | | アラビア語, アマジグ語 | イスラーム |
| リビア | 1,676.2 [20] | 693 [20] | 4 | 1.4 | 458 | 495 | 7,260 | ○ | ○ | ○ | | アラビア語, アマジグ語 | イスラーム |
| チュニジア | 163.6 [21] | 1,178 [21] | 72 | 1.1 | 467 | 475 | 3,840 | | ① | ○ | | アラビア語, フランス語 | イスラーム |

*OPEC：石油輸出国機構，OAPEC：アラブ石油輸出国機構，CIS：独立国家共同体
①：チュニジアは1987年に脱退したと主張しているが，機構側は未払い分担金を清算しないと脱退を認めないとする対立が現在も続いている
②：アサド政権に対する加盟資格停止中

世人口'22ほか

> この3地域は，大部分が乾燥地域でイスラームが多数を占め，一部には産油国がみられるなど共通点が多い。アラビア半島から北アフリカは，イスラエルを除きアフリカ・アジア語族のアラビア語が用いられ，いずれもアラブ連盟の加盟国である。中央アジアからトルコはアルタイ諸語，イラン以東はインド・イラン語派が多数を占める。CIS加盟国はソ連を構成していた国で，カフカス山脈の南にはキリスト教徒が多数を占めるアルメニア，ジョージアがある。

## ■ サハラ以南アフリカ ■　p.128～133に詳しく掲載

| 国名 | 面積(千km²) 2022年 | 人口(万人) 2022年 | 人口密度(人/km²) 2022年 | 人口増加率(%) 2015-20年の平均 | GDP(億ドル) 2022年 | GNI(億ドル) 2022年 | 1人あたりGNI(ドル) 2022年 | 平均寿命(男女平均) 2019年 | 旧宗主国名 | おもな宗教 |
|---|---|---|---|---|---|---|---|---|---|---|
| ナイジェリア | 923.8 | 21,678 | 235 | 2.6 | 4,774 | 4,687 | 2,140 | 62.6 | イギリス | イスラーム,キリスト教 |
| 南アフリカ共和国 | 1,221.0 | 6,060 | 50 | 1.4 | 4,059 | 4,063 | 6,780 | 65.3 | イギリス | 独立派キリスト教,プロテスタント |
| エチオピア | 1,104.3 | 10,502 | 95 | 2.6 | 1,268 | 1,261 | 1,020 | 68.7 | − | エチオピア教会,イスラーム |
| ケニア | 592.0 | 5,062 | 86 | 2.3 | 1,134 | 1,173 | 2,170 | 66.1 | イギリス | キリスト教,イスラーム |
| ガーナ | 238.5 | [20] 3,095 | [20] 130 | 2.2 | 728 | 787 | 2,350 | 63.4 | イギリス | キリスト教,イスラーム |
| タンザニア | 947.3 | 6,128 | 65 | 3.0 | 757 | 759 | 1,200 | 67.3 | ドイツ | キリスト教,イスラーム |
| コートジボワール | 322.5 | [21] 2,938 | [21] 91 | 2.5 | 700 | 736 | 2,620 | 62.9 | フランス | イスラーム,キリスト教 |
| アンゴラ | 1,246.7 | 3,308 | 27 | 3.3 | 1,067 | 678 | 1,900 | 63.1 | ポルトガル | カトリック,独立派キリスト教 |
| コンゴ民主 | 2,345.4 | [21] 10,524 | [21] 45 | 3.2 | 581 | 582 | 590 | 62.4 | ベルギー | キリスト教,イスラーム |
| カメルーン | 475.7 | 2,741 | 58 | 2.6 | 443 | 464 | 1,660 | 62.4 | イギリス,フランス | キリスト教,イスラーム |
| ウガンダ | 241.6 | 4,421 | 183 | 3.6 | 456 | 440 | 930 | 66.7 | イギリス | キリスト教,イスラーム |
| スーダン | 1,847.0 | 4,693 | 25 | 2.4 | 517 | 358 | 760 | 69.1 | イギリス・エジプト | イスラーム,伝統信仰 |
| セネガル | 196.7 | 1,773 | 90 | 2.8 | 277 | 283 | 1,640 | 68.6 | フランス | イスラーム |
| ジンバブエ | 390.8 | 1,517 | 39 | 1.5 | 207 | 245 | 1,500 | 60.7 | イギリス | キリスト教 |
| ザンビア | 752.6 | [21] 1,840 | [21] 24 | 2.9 | 298 | 234 | 1,170 | 62.5 | イギリス | プロテスタント,カトリック |
| ボツワナ | 582.0 | 239 | 4 | 2.1 | 204 | 193 | 7,350 | 62.2 | イギリス | キリスト教 |
| マリ | 1,240.2 | [20] 2,053 | [20] 17 | 3.0 | 188 | 192 | 850 | 62.2 | フランス | イスラーム |
| ブルキナファソ | 270.8 | 2,218 | 82 | 2.9 | 189 | 191 | 840 | 62.7 | フランス | イスラーム,キリスト教 |
| ベナン | 114.8 | [19] 1,185 | [19] 103 | 2.7 | 174 | 186 | 1,400 | 63.4 | フランス | キリスト教,イスラーム |
| ガボン | 267.7 | [15] 202 | [15] 8 | 2.7 | 211 | 180 | 7,540 | 66.5 | フランス | キリスト教 |
| モザンビーク | 799.4 | 3,161 | 40 | 2.9 | 179 | 165 | 500 | 58.1 | ポルトガル | キリスト教,イスラーム |
| ギニア | 245.8 | 1,326 | 54 | 2.8 | 212 | 164 | 1,180 | 61.0 | フランス | イスラーム |
| ニジェール | 1,267.0 | 2,446 | 19 | 3.8 | 140 | 161 | 610 | 62.7 | フランス | イスラーム |
| マダガスカル | 587.0 | [21] 2,817 | [21] 48 | 2.7 | 150 | 150 | 510 | 65.3 | フランス | キリスト教,伝統信仰 |
| モーリシャス | 2.0 | 126 | 638 | 0.2 | 129 | 136 | 10,760 | 74.1 | イギリス | ヒンドゥー教,キリスト教 |
| マラウイ | 94.6 | 1,935 | 205 | 2.7 | 132 | 131 | 640 | 65.6 | イギリス | キリスト教,イスラーム |
| ルワンダ | 26.3 | 1,325 | 503 | 2.6 | 133 | 128 | 930 | 69.1 | ベルギー | カトリック,プロテスタント |
| ナミビア | 825.2 | 259 | 3 | 1.9 | 126 | 125 | 4,880 | 64.6 | 南アフリカ | キリスト教,伝統信仰 |
| コンゴ共和国 | 342.0 | [21] 560 | [21] 16 | 2.6 | 146 | 123 | 2,060 | 64.7 | フランス | キリスト教 |
| チャド | 1,284.0 | [19] 1,569 | [19] 12 | 3.0 | 127 | 122 | 690 | 59.6 | フランス | イスラーム,キリスト教 |
| 南スーダン | 658.8 | [18] 1,232 | [18] 19 | 0.9 | [15] 120 | [15] 117 | [15] 1,040 | 62.8 | − | キリスト教,伝統信仰 |
| モーリタニア | 1,030.7 | [19] 407 | [19] 4 | 2.8 | 104 | 103 | 2,160 | 68.4 | フランス | イスラーム |
| 赤道ギニア | 28.1 | 155 | 56 | 3.7 | 118 | 89 | 5,320 | 62.2 | スペイン | カトリック |
| トーゴ | 56.8 | [20] 779 | [20] 137 | 2.5 | 81 | 88 | 990 | 64.3 | フランス | 伝統信仰 |
| ソマリア | 637.7 | [15] 1,376 | [15] 22 | 2.8 | 81 | 82 | 470 | 56.5 | イギリス・イタリア | イスラーム |
| エスワティニ | 17.4 | [20] 118 | [20] 68 | 1.0 | 49 | 46 | 3,800 | 57.7 | イギリス | キリスト教 |
| シエラレオネ | 72.3 | 849 | 117 | 2.1 | 40 | 44 | 510 | 60.8 | イギリス | イスラーム,キリスト教 |
| リベリア | 111.4 | [15] 461 | [15] 41 | 2.5 | 40 | 36 | 680 | 64.1 | アメリカ合衆国 | キリスト教,イスラーム |
| ジブチ | 23.2 | [21] 100 | [21] 43 | 1.6 | 35 | 36 | 3,180 | 65.8 | フランス | イスラーム |
| ブルンジ | 27.8 | 1,283 | 461 | 3.1 | 31 | 30 | 240 | 63.8 | ベルギー | キリスト教 |
| レソト | 30.4 | [21] 207 | [21] 68 | 0.8 | 26 | 29 | 1,260 | 50.7 | イギリス | キリスト教 |
| 中央アフリカ | 623.0 | [15] 481 | [15] 8 | 1.4 | 24 | 27 | 480 | 53.1 | フランス | キリスト教,伝統信仰 |
| カーボベルデ | 4.0 | [21] 49 | [21] 122 | 1.2 | 23 | 25 | 4,140 | 74.0 | ポルトガル | カトリック |
| ガンビア | 11.3 | [19] 221 | [19] 196 | 2.9 | 23 | 22 | 810 | 65.5 | イギリス | イスラーム |
| エリトリア | 121.1 | 364 | 30 | 1.2 | [11] 21 | [11] 19 | [11] 610 | 64.1 | − | イスラーム,キリスト教 |
| ギニアビサウ | 36.1 | 166 | 46 | 2.5 | 16 | 17 | 820 | 60.2 | ポルトガル | イスラーム,キリスト教 |
| セーシェル | 0.5 | [21] 9 | [21] 217 | 0.7 | 16 | 14 | 14,340 | 73.3 | イギリス | キリスト教 |
| コモロ | 2.2 | [15] 73 | [15] 327 | 2.2 | 12 | 13 | 1,610 | 67.4 | フランス | イスラーム |
| サントメ・プリンシペ | 1.0 | [21] 21 | [21] 223 | 1.9 | 5 | 5 | 2,410 | 70.4 | ポルトガル | キリスト教 |

世人口'22ほか

サハラ以南アフリカの人口は，ナイジェリア，エチオピア，コンゴ民主共和国の3か国が1億を超えるが，全体的には1000万前後の国が多い。GDPは，鉱産資源を産出するナイジェリア，南アフリカ共和国などで多いが，500億ドルに満たない国がほとんどである。1人あたりGNIでは，高所得国 (13,846ドル以上) はセーシェルだけで，1000ドルに満たない国が4割を占める。宗教は，イスラームや伝統信仰がみられる一方，植民地時代の旧宗主国の影響でキリスト教も多くみられる。

## ■ EU加盟国　　　　　　　　　　　　　　　　p.123～125, 132～139に詳しく掲載

| 国名 | 面積<br>(千km²)<br>2022年 | 人口<br>(万人)<br>2022年 | 人口<br>密度<br>(人/km²)<br>2022年 | 人口増<br>加率(%)<br>2015-20<br>年の平均 | GDP<br>(億ドル)<br>2022年 | GNI<br>(億ドル)<br>2022年 | 1人あたり<br>GNI<br>(ドル)<br>2022年 | 1次エネ<br>ルギー供給量<br>(1人あたり,t)<br>2021年 | EU*<br>加盟年 | おもな宗教 |
|---|---|---|---|---|---|---|---|---|---|---|
| ド　イ　ツ | 357.6 | 8,323 | 233 | 0.5 | 40,722 | 44,890 | 53,390 | 3.46 | 1967 ① | カトリック, プロテスタント |
| フ ラ ン ス | ②640.6 | ②6,784 | ②106 | 0.3 | 27,829 | 31,153 | 45,860 ③ | 3.45 | 1967 | カトリック |
| イ タ リ ア | 302.1 | 5,903 | 195 | − 0.04 | 20,104 | 22,186 | 37,700 ④ | 2.53 | 1967 | カトリック |
| オ ラ ン ダ | 41.5 | 1,759 | 423 | 0.2 | 9,911 | 10,167 | 57,430 | 4.06 | 1967 | カトリック, プロテスタント |
| ベ ル ギ ー | 30.5 | 1,161 | 381 | 0.5 | 5,786 | 5,683 | 48,700 | 4.79 | 1967 | カトリック |
| ルクセンブルク | 2.6 | 65 | 253 | 2.0 | 823 | 593 | 91,200 | 5.63 | 1967 | カトリック |
| デ ン マ ー ク | 42.9 | 587 | 137 | 0.4 | 3,954 | 4,321 | 73,200 | 2.77 | 1973 | ルーテル派プロテスタント |
| ア イ ル ラ ン ド | 69.8 | 506 | 72 | 1.2 | 5,292 | 4,124 | 81,070 | 2.74 | 1973 | カトリック |
| ギ リ シ ャ | 132.0 | 1,046 | 79 | − 0.4 | 2,191 | 2,297 | 21,740 | 1.91 | 1981 | ギリシャ正教 |
| ス ペ イ ン | 506.0 | 4,743 | 94 | 0.04 | 13,975 | 15,085 | 31,680 | 2.44 | 1986 | カトリック |
| ポ ル ト ガ ル | 92.2 | 1,035 | 112 | − 0.3 | 2,519 | 2,678 | 25,800 | 1.96 | 1986 | カトリック |
| スウェーデン | 438.6 | 1,045 | 24 | 0.7 | 5,859 | 6,606 | 62,990 | 4.58 | 1995 | ルーテル派プロテスタント |
| オーストリア | 83.9 | 897 | 107 | 0.7 | 4,714 | 5,076 | 56,140 | 3.72 | 1995 | カトリック |
| フィンランド | ⑤338.5 | ⑤557 | ⑤16 | 0.2 | 2,808 | 3,021 | 54,360 | 5.99 | 1995 | ルーテル派プロテスタント |
| ポ ー ラ ン ド | 312.7 | 3,765 | 120 | − 0.1 | 6,882 | 6,891 | 18,350 | 2.83 | 2004 | カトリック |
| チ ェ コ | 78.9 | 1,051 | 133 | 0.2 | 2,909 | 2,799 | 26,590 | 3.99 | 2004 | カトリック |
| ハ ン ガ リ ー | 93.0 | 968 | 104 | − 0.2 | 1,788 | 1,841 | 19,010 | 2.83 | 2004 | カトリック, プロテスタント |
| ス ロ バ キ ア | 49.0 | 543 | 111 | 0.1 | 1,155 | 1,198 | 22,060 | 3.30 | 2004 | カトリック |
| リ ト ア ニ ア | 65.3 | 280 | 43 | − 1.5 | 703 | 671 | 23,690 | 2.76 | 2004 | カトリック |
| ス ロ ベ ニ ア | 20.3 | 210 | 104 | 0.1 | 621 | 645 | 30,600 | 3.14 | 2004 | カトリック |
| ラ ト ビ ア | 64.6 | 187 | 29 | − 1.1 | 412 | 405 | 21,500 | 2.38 | 2004 | ルーテル派プロテスタント, 正教会 |
| エ ス ト ニ ア | 45.4 | 133 | 29 | 0.2 | 381 | 372 | 27,640 | 3.43 | 2004 | キリスト教 |
| キ プ ロ ス | 9.3 | 90 | 98 | 0.8 | 284 | 278 | 30,540 | 2.51 | 2004 | ギリシャ正教, イスラーム |
| マ ル タ | 0.3 | 51 | 1,654 | 0.4 | 178 | 176 | 33,550 | 1.36 | 2004 | カトリック |
| ル ー マ ニ ア | 238.4 | 1,904 | 80 | − 0.7 | 3,013 | 2,968 | 15,660 | 1.79 | 2007 | ルーマニア正教 |
| ブ ル ガ リ ア | 110.4 | 683 | 62 | − 0.7 | 890 | 857 | 13,250 | 2.76 | 2007 | ブルガリア正教 |
| ク ロ ア チ ア | 56.6 | 386 | 68 | − 0.6 | 710 | 750 | 19,470 | 2.20 | 2013 | カトリック |

＊前身のヨーロッパ共同体(EC)を含む　①1990年の東西ドイツ統一により、旧東ドイツ地域まで拡大　　　　　　世人口'22ほか
②フランス海外県(ギアナ, マルティニーク, グアドループ, レユニオン, マヨット)を含む。フランス本土:面積551.5千km², 人口6,564万人,
人口密度119人/km²　③モナコを含む　④サンマリノ, バチカンを含む　⑤オーランド諸島を含む

## ■ その他のヨーロッパ諸国　　　　　　　　　　p.123, p.132～139に詳しく掲載

| 国名 | 面積<br>(千km²)<br>2022年 | 人口<br>(万人)<br>2022年 | 人口密度<br>(人/km²)<br>2022年 | 人口増<br>加率(%)<br>2015-20<br>年の平均 | GDP<br>(億ドル)<br>2022年 | GNI<br>(億ドル)<br>2022年 | 1人あたり<br>GNI<br>(ドル)<br>2022年 | 1次エネ<br>ルギー供給量<br>(1人あたり,t)<br>2021年 | インター<br>ネット<br>利用者率(%)<br>2021年 | おもな宗教 |
|---|---|---|---|---|---|---|---|---|---|---|
| イ ギ リ ス ① | 244.4 | 21)6,702 | 21)274 | 0.6 | 30,707 | 32,739 | 48,890 | 2.35 | 96.7 | キリスト教 |
| ス イ ス | 41.3 | 873 | 21)212 | 0.8 | 8,077 | 7,845 | 89,450 | 2.62 | 95.6 | カトリック, プロテスタント |
| ノ ル ウ ェ ー | 323.8 | 542 | 17 | 0.8 | 5,793 | 5,212 | 95,510 | 5.30 | 99.0 | ルーテル派プロテスタント |
| ア イ ス ラ ン ド | 103.0 | 37 | 4 | 0.7 | 278 | 261 | 68,220 | 15.76 | 99.7 | ルーテル派プロテスタント |
| リヒテンシュタイン | 0.2 | 3 | 246 | 0.4 21) | 72 09) | 42 09) | 116,600 | − | 95.6 | カトリック |
| ロ シ ア | 17,098.2 21) | 14,759 21) | 9 | 0.1 | 22,404 | 18,735 | 12,830 | 5.81 | 88.2 | ロシア正教 |
| ウ ク ラ イ ナ | 603.5 | 4,099 | 68 | − 0.5 | 1,605 | 1,510 | 4,270 | 2.01 | 79.2 | ウクライナ正教, カトリック |
| ベ ラ ル ー シ | 207.6 | 922 | 44 | 0.02 | 728 | 667 | 7,240 | 2.92 | 86.9 | ベラルーシ正教 |
| モ ル ド バ | 33.8 | 260 | 77 | − 0.2 | 144 | 139 | 5,340 | 1.60 | 61.3 | モルドバ正教, ベッサラビア正教 |
| セ ル ビ ア | 77.5 | 679 | 88 | ②− 0.3 | 635 | 618 | 9,140 | 2.36 | 81.2 | セルビア正教 |
| ボスニア・ヘルツェゴビナ | 51.2 19) | 349 19) | 68 | − 0.9 | 245 | 248 | 7,660 | 2.25 | 75.7 | イスラーム, セルビア正教, カトリック |
| ア ル バ ニ ア | 28.7 | 279 | 97 | − 0.1 | 189 | 188 | 6,770 | 0.81 | 79.3 | イスラーム, カトリック |
| 北 マ ケ ド ニ ア | 25.7 | 183 | 71 | 0.04 | 136 | 137 | 6,640 | 1.29 | 83.0 | マケドニア正教, イスラーム |
| コ ソ ボ | 10.9 21) | 177 21) | 163 | − | 94 | 99 | 5,590 | 1.62 | − | イスラーム |
| モ ナ コ | 2.02km² 21) | 3 21) | 18,161 | 0.8 21) | 86 08) | 67 08) | 186,080 | − | 86.1 | カトリック |
| モ ン テ ネ グ ロ | 13.9 | 61 | 44 | 0.04 | 61 | 64 | 10,400 | 1.75 | 82.2 | セルビア正教, イスラーム |
| ア ン ド ラ | 0.5 | 8 | 170 | − 0.2 | 34 19) | 36 19) | 46,530 | − | 93.9 | カトリック |
| サ ン マ リ ノ | 0.1 | 3 | 574 | 0.4 21) | 19 21) | 16 21) | 47,120 | − | 74.9 | カトリック |
| バ チ カ ン | 0.44km² | 13) | 1,398 | 0.08 | − | − | − | − | 74.9 | カトリック |

①2020年1月, EUを離脱　②コソボを含む　　　　　　　　　　　　　　　　　　　　　　　　　　世人口'22ほか

EUは加盟国拡大で域内格差が生じ、1980年代加盟の南ヨーロッパ諸国と2000年代加盟の東ヨーロッパ諸国は、所得水準(1人あたりGNI)が低く、1人あたりエネルギー供給量も比較的少ない。EU非加盟国では、イギリス、EFTA(ヨーロッパ自由貿易連合)加盟国とモナコなどの小規模国家の所得水準が高く、ウクライナやモルドバなどの旧ソ連諸国、バルカン諸国は低い。西ヨーロッパには少子化対策で出生率が回復した国が多いが、バルカン諸国、旧ソ連諸国の人口は減少している。人口密度は大都市が発達した「青いバナナ」地域で高く、気候の冷涼な北ヨーロッパ諸国、ロシアで低い。

■ 北アメリカ ■　　　　　　　　　　　　　　p.123, 138〜141に詳しく掲載

| 国　名 | 面積(千km²) 2022年 | 人口(万人) 2022年 | 人口密度(人/km²) 2022年 | 人口増加率(%) 2015-20年の平均 | GDP(億ドル) 2022年 | GNI(億ドル) 2022年 | 1人あたりGNI(ドル) 2022年 | インターネット利用者率(%) 2021年 | 旧宗主国名 | おもな宗教 |
|---|---|---|---|---|---|---|---|---|---|---|
| アメリカ合衆国 | 9,833.5 | 33,328 | 34 | 0.6 | 254,627 | 254,544 | 76,370 | 91.8 | ー | プロテスタント, カトリック |
| カ ナ ダ | 9,984.7 | 3,893 | 4 | 0.9 | 21,398 | 20,617 | 52,960 | 92.8 | イギリス | カトリック, プロテスタント |
| メキシコ | 1,964.4 | 13,011 | 66 | 1.1 | 14,142 | 13,270 | 10,410 | 75.6 | スペイン | カトリック |
| ドミニカ共和国 | 48.7 | 1,062 | 218 | 1.1 | 1,136 | 1,017 | 9,050 | 85.2 | スペイン | カトリック |
| キューバ | 109.9 | 1,110 | 101 | 0.003 | [20] 1,074 | [19] 1,009 | 8,920 | 71.1 | スペイン | カトリック |
| グアテマラ | 108.9 | 1,735 | 159 | 1.9 | 950 | 929 | 5,350 | 50.8 | スペイン | カトリック, プロテスタント, 独立派キリスト教 |
| パ ナ マ | 75.3 | 439 | 58 | 1.7 | 765 | 739 | 16,750 | 67.5 | スペイン | カトリック, プロテスタント, 独立派キリスト教 |
| コスタリカ | 51.1 | 521 | 102 | 1.0 | 684 | 657 | 12,670 | 82.7 | スペイン | カトリック, プロテスタント |
| エルサルバドル | 21.0 | 633 | 301 | 0.5 | 325 | 299 | 4,720 | 62.9 | スペイン | カトリック, プロテスタント |
| ホンジュラス | 112.5 [21] | 945 [21] | 84 [21] | 1.7 | 317 | 286 | 2,740 | 48.1 | スペイン | カトリック, プロテスタント |
| トリニダード・トバゴ | 5.1 | 136 | 267 | 0.4 | 279 | 250 | 16,330 | 79.0 | イギリス | キリスト教, ヒンドゥー教 |
| ハ イ チ | 27.8 [19] | 1,157 [19] | 417 [19] | 1.3 | 203 | 186 | 1,610 | 38.9 | フランス | カトリック, プロテスタント |
| ジャマイカ | 11.0 [19] | 273 [19] | 249 [19] | 0.5 | 171 | 160 | 5,670 | 82.4 | イギリス | プロテスタント |
| ニカラグア | 130.4 | 673 | 52 | 1.3 | 157 | 145 | 2,090 | 57.1 | スペイン | カトリック, プロテスタント |
| バ ハ マ | 13.9 | 39 | 29 | 1.0 | 129 | 129 | 31,530 | 94.3 | イギリス | プロテスタント, カトリック |
| バルバドス | 0.4 [21] | 27 [21] | 626 | 0.1 | 56 | 54 | 19,350 | 85.8 | イギリス | プロテスタント |
| ベリーズ | 23.0 | 44 | 19 | 1.9 | 28 | 28 | 6,800 | 62.0 | イギリス | カトリック, プロテスタント |
| セントルシア | 0.6 | 18 | 297 | 0.5 | 21 | 20 | 11,160 | 78.1 | イギリス | カトリック, プロテスタント |
| アンティグア・バーブーダ | 0.4 [21] | 9 [21] | 224 | 0.9 | 18 | 17 | 18,280 | 95.7 | イギリス | キリスト教 |
| グレナダ | 0.3 [19] | 11 [19] | 328 | 0.5 | 13 | 12 | 9,340 | 77.8 | イギリス | プロテスタント, カトリック |
| セントビンセント | 0.4 [21] | 11 [21] | 285 | 0.3 | 9 | 9 | 9,110 | 84.9 | イギリス | キリスト教 |
| セントクリストファー・ネービス | 0.3 [15] | 4 [15] | 183 | 0.9 | 10 | 9 | 19,730 | 79.5 | イギリス | カトリック, プロテスタント |
| ドミニカ国 | 0.8 [17] | 7 [17] | 89 | 0.2 | 6 | 6 | 8,460 | 80.9 | イギリス | カトリック, プロテスタント |

世人口'22ほか

　人口，面積ともにアメリカ合衆国，カナダ，メキシコが上位で，経済的に USMCA（米国・メキシコ・カナダ協定）*で結びついている。それ以外の北アメリカの各国は，人口では 2000 万に満たず，面積では 10 万km² 以下の国が多い。1 人あたり GNI は，5000 ドルを上回る国がほとんどで，とくに低いのはハイチ，ニカラグアなどである。インターネット利用者率の高い国は，1 人あたり GNI が比較的高い。おもな宗教は，各国ともキリスト教である。
＊ 2020 年 7 月，NAFTA（北米自由貿易協定）より移行

■ 南アメリカ ■　　　　　　　　　　　　　　p.123, 140〜141に詳しく掲載

| 国　名 | 面積(千km²) 2022年 | 人口(万人) 2022年 | 人口密度(人/km²) 2022年 | 人口増加率(%) 2015-20年の平均 | GDP(億ドル) 2022年 | GNI(億ドル) 2022年 | 1人あたりGNI(ドル) 2022年 | インターネット利用者率(%) 2021年 | 旧宗主国名 | おもな宗教 |
|---|---|---|---|---|---|---|---|---|---|---|
| ブラジル | 8,510.3 | 21,482 | 25 | 0.8 | 19,201 | 17,532 | 8,140 | 80.7 | ポルトガル | カトリック, プロテスタント |
| アルゼンチン | [16] 2,780.4 | 4,623 | 17 | 1.0 | 6,328 | 5,370 | 11,620 | 87.2 | スペイン | カトリック |
| ベネズエラ | 929.7 | 3,336 | 36 | − 1.1 | [14] 4,824 | [14] 3,929 | [14] 13,010 | − | スペイン | カトリック |
| ウルグアイ | 173.6 | 355 | 20 | 0.4 | 712 | 617 | 18,030 | 90.1 | ー | カトリック |
| ボリビア | 1,098.6 | 1,200 | 11 | 1.4 | 431 | 422 | 3,450 | 66.0 | スペイン | カトリック, プロテスタント |
| パラグアイ | 406.8 | 745 | 18 | 1.3 | 417 | 401 | 5,920 | 77.0 | スペイン | カトリック |
| コロンビア | 1,141.7 | 5,168 | 45 | 1.4 | 3,439 | 3,377 | 6,510 | 73.0 | スペイン | カトリック, プロテスタント |
| チ リ | 756.1 | 1,982 | 26 | 1.2 | 3,010 | 3,012 | 15,360 | 90.2 | スペイン | カトリック, プロテスタント |
| ペ ル ー | 1,285.2 | 3,339 | 26 | 1.6 | 2,426 | 2,306 | 6,770 | 71.1 | スペイン | カトリック, 福音派プロテスタント |
| エクアドル | 257.2 | 1,809 | 70 | 1.7 | 1,150 | 1,136 | 6,310 | 76.2 | スペイン | カトリック, 福音派プロテスタント |
| ガイアナ | 215.0 | 77 [20] | 4 [20] | 0.5 | 154 | 122 | 15,050 | 84.8 | イギリス | キリスト教, ヒンドゥー教 |
| スリナム | 163.8 | 61 [21] | 4 [21] | 1.0 | 36 | 30 | 4,880 | 65.9 | オランダ | キリスト教, ヒンドゥー教 |

世人口'22ほか

　BRICS の一国のブラジルが，人口・面積・GDP で南アメリカ最大である。また，MERCOSUR（南米南部共同市場）の 6 か国*で，南アメリカの人口・GNI の 7 割，面積の 8 割を占める。各国とも鉱産資源を産出し，すべての国で 1 人あたり GNI が 3000 ドルを上回る。宗教は，旧宗主国の影響を受け，ほとんどがカトリックである。ヒンドゥー教はインドからの移民がもたらしたものである。
＊ボリビア（加盟国の批准手続き中），ベネズエラ（加盟資格停止中）を含む

## ■ オセアニア ■　　　　　　　　　　　　　　　　　　　p.140〜143に詳しく掲載

| 国　名 | 面積(千km²) 2022年 | 人口(万人) 2022年 | 人口密度(人/km²) 2022年 | 人口増加率(%) 2015-20年の平均 | GDP(億ドル) 2022年 | GNI(億ドル) 2022年 | 1人あたりGNI(ドル) 2022年 | インターネット利用者率(%) 2021年 | イギリス連邦加盟国 | 旧宗主国名 |
|---|---|---|---|---|---|---|---|---|---|---|
| オーストラリア | 7,692.0 | 2,597 | 3 | 1.3 | 16,754 | 15,699 | 60,430 | 96.2 | ○ | イギリス |
| ニュージーランド | 268.1 [21] | 512 [21] | 19 | 0.9 | 2,472 | 2,483 | 48,460 | 95.9 | ○ | イギリス |
| パプアニューギニア | 462.8 [21] | 912 [21] | 20 | 2.0 | 306 | 277 | 2,730 | 32.1 | ○ | オーストラリア |
| ソロモン諸島 | 28.9 | 72 | 25 | 2.6 | 16 | 16 | 2,220 | 36.1 | ○ | イギリス |
| フィジー | 18.3 | 89 | 49 | 0.6 | 49 | 49 | 5,270 | 87.7 | ○ | イギリス |
| バヌアツ | 12.2 | 31 | 26 | 2.5 | 10 | 12 | 3,560 | 66.3 | ○ | イギリス, フランス |
| サ　モ　ア | 2.8 [21] | 20 [21] | 72 | 0.5 | 8 | 8 | 3,630 | 78.2 | ○ | ニュージーランド |
| ト　ン　ガ | 0.7 | 10 | 134 | 1.0 [21] | 5 [21] | 5 [21] | 4,930 | 71.6 | ○ | イギリス |
| ニ　ウ　エ | 0.3 | 0.2 | 6 | 0.1 | – | – | – | – | | ニュージーランド |
| クック諸島 | 0.2 | 1 | 81 | – 0.02 | – | – | – | – | | ニュージーランド |
| ツ　バ　ル | 0.03 | 1 | 423 | 1.2 | 1 | 1 | 7,210 | 71.6 | ○ | イギリス |
| キ リ バ ス | 0.7 [20] | 11 [20] | 165 | 1.5 | 2 | 4 | 3,280 | 53.6 | ○ | イギリス |
| ミクロネシア連邦 | 0.7 [20] | 10 [20] | 150 | 1.1 | 4 | 5 | 4,130 | 40.4 | | アメリカ合衆国 |
| パ ラ オ | 0.5 [21] | 1 [21] | 39 | 0.5 [21] | 2 [21] | 2 [21] | 12,790 | – | | アメリカ合衆国 |
| マーシャル諸島 | 0.2 [20] | 5 [20] | 304 | 0.6 | 3 | 3 | 7,920 | – | | アメリカ合衆国 |
| ナ ウ ル | 0.02 [20] | 1 [20] | 571 | 0.8 | 2 | 2 | 17,870 | 83.9 | ○ | イギリス |

世人口'22ほか

　オセアニアをオーストラリア，ニュージーランドの先進2か国，メラネシア，ポリネシア，ミクロネシアに括って示した。人口・面積ともオーストラリアが最大で，ニュージーランド，パプアニューギニア以外は，人口100万人未満，面積は3万km²未満の小規模国家である。GDPでは50億ドル未満の国が多いが，1人あたりGNIは4000ドル以上の国が過半数を占める。多くの国がイギリスから独立しているが，現在も，そのほとんどがイギリス連邦(Commonwealth)に属している。

## ■ 主要経済圏別一覧 ■　　　　　　　　　　　　　　　　p.122〜123に詳しく掲載

| 経済圏名・国名 | 面積(千km²) 2022年 | 世界全体に占める割合(%) | 人口(万人) 2022年 | 世界全体に占める割合(%) | 人口密度(人/km²) 2022年 | GDP(億ドル) 2022年 | 世界全体に占める割合(%) | GNI(億ドル) 2022年 | 世界全体に占める割合(%) | 1人あたりGNI(ドル) 2022年 |
|---|---|---|---|---|---|---|---|---|---|---|
| 世　　　界 | **130,094** | **100** | **797,510** | **100** | **61** | **1,005,620** | **100** | **1,018,055** | **100** | **12,804** |
| A P E C | 62,817.2 | 48.3 | 294,865 | 37.0 | 47 | 622,522 | 61.9 | 630,191 | 61.9 | 21,372 |
| A S E A N | 4,486.9 | 3.4 | 67,237 | 8.4 | 150 | 36,223 | 3.6 | 35,352 | 3.5 | 5,258 |
| E U① | 4,222.9 | 3.2 | 44,663 | 5.6 | 106 | 166,414 | 16.5 | 177,732 | 17.5 | 39,794 |
| USMCA② | 21,782.6 | 16.7 | 50,232 | 6.3 | 23 | 290,167 | 28.9 | 288,432 | 28.3 | 57,420 |
| MERCOSUR③ | 13,899.4 | 10.7 | 31,741 | 4.0 | 23 | 31,912 | 3.2 | 28,272 | 2.8 | 8,907 |
| 日　　　本 | 378.0 | 0.3 | 12,512 | 1.6 | 331 | 42,311 | 4.2 | 53,100 | 5.2 | 42,440 |
| アメリカ合衆国 | 9,833.5 | 7.6 | 33,328 | 4.2 | 34 | 254,627 | 25.3 | 254,544 | 25.0 | 76,370 |
| 中　　 国④ | 9,601.1 | 7.4 | 144,303 | 18.1 | 150 | 179,632 | 17.9 | 181,513 | 17.8 | 12,850 |

①2020年1月に離脱したイギリスを除く27か国　②2020年7月，NAFTAより移行　③ボリビア(加盟国の批准手続き中)，ベネズエラ(加盟資格停止中)を含む6か国　④面積・人口・人口密度にはホンコン，マカオ，台湾を含む　　　世人口'22ほか

　経済圏別では，APECが面積で世界の5割，人口で4割，GDPで6割を占める巨大な経済協力組織である。EU，USMCAは，1人あたりGNIが他よりも抜きんでているが，面積はUSMCAが圧倒的に大きいので，見分けがつく。また，ASEANとEUは，面積や人口では規模が似かよっているが，GDPの規模ではEUが大きい。経済圏と日・米・中各国とを比べると，日本は，人口・面積では上掲の経済圏を大きく下回るが，GDPは世界の約4％を占め，ASEAN，MERCOSURを上回る。中国は，人口で世界の2割，GDPでも2割を占め，上掲の経済圏に一国だけで匹敵する規模だが，1人あたりGNIでは大きく下回っている。アメリカ合衆国は，GDPでは世界の3割を占め，同国が属するAPEC，USMCAのGDPの規模の大きさを支えている。

# 3 省・州別一覧

## ■ 中国省別一覧　　　　　　　　　　　　　　　　　　　p.98に詳しく掲載

| 行政区 | 面積(万km²)2022年 | 人口(万人)2022年 | 人口密度(人/km²)2022年 | 地区総生産(億ドル)2022年 | 1人あたり地区総生産(ドル)2022年 | 工業総生産額(億ドル)①2016年 |
|---|---|---|---|---|---|---|
| 中　国（本土） | 960 | 141,175 | 147 | 179,632 | 12,720 | 173,359 |
| 東　北　部 | 80 | 9,644 | 121 | 8,601 | 8,919 | 8,361 |
| 黒　龍　江　省 | 46 | 3,099 | 67 | 2,360 | 7,616 | 1,671 |
| 吉　林　省 | 19 | 2,348 | 124 | 1,940 | 8,263 | 3,524 |
| 遼　寧　省 | 15 | 4,197 | 280 | 4,301 | 10,248 | 3,166 |
| 華　北 | 189 | 36,884 | 195 | 44,215 | 11,987 | 53,024 |
| 北　京　市 | 1.7 | 2,184 | 1,285 | 6,176 | 28,281 | 2,685 |
| 天　津　市 | 1.2 | 1,363 | 1,136 | 2,421 | 17,763 | 4,012 |
| 内モンゴル自治区 | 118 | 2,401 | 20 | 3,438 | 14,317 | 2,993 |
| 河　北　省 | 19 | 7,420 | 391 | 6,289 | 8,476 | 7,059 |
| 山　東　省 | 16 | 10,163 | 635 | 12,978 | 12,770 | 22,405 |
| 山　西　省 | 16 | 3,481 | 218 | 3,806 | 10,934 | 1,920 |
| 河　南　省 | 17 | 9,872 | 581 | 9,106 | 9,224 | 11,950 |
| 華　中 | 167 | 56,113 | 336 | 78,791 | 14,041 | 74,126 |
| 上　海　市 | 0.6 | 2,475 | 3,904 | 6,628 | 26,780 | 4,674 |
| 重　慶　市 | 8.2 | 3,213 | 392 | 4,324 | 13,457 | 3,536 |
| 江　蘇　省 | 10 | 8,515 | 852 | 18,239 | 21,420 | 23,451 |
| 浙　江　省 | 10 | 6,577 | 658 | 11,536 | 17,539 | 10,028 |
| 安　徽　省 | 14 | 6,127 | 438 | 6,686 | 10,913 | 6,371 |
| 江　西　省 | 17 | 4,528 | 266 | 4,761 | 10,515 | 4,956 |
| 湖　北　省 | 19 | 5,844 | 308 | 7,976 | 13,648 | 7,118 |
| 湖　南　省 | 21 | 6,604 | 314 | 7,224 | 10,939 | 5,918 |
| 貴　州　省 | 18 | 3,856 | 214 | 2,993 | 7,762 | 1,738 |
| 四　川　省 | 49 | 8,374 | 171 | 8,424 | 10,059 | 6,337 |
| 華　南 | 96 | 27,612 | 286 | 36,263 | 13,133 | 31,365 |
| 福　建　省 | 12 | 4,188 | 349 | 7,883 | 18,824 | 6,518 |
| 広　東　省 | 18 | 12,657 | 703 | 19,166 | 15,142 | 19,541 |
| 広西壮族自治区 | 24 | 5,047 | 210 | 3,904 | 7,735 | 3,523 |
| 雲　南　省 | 39 | 4,693 | 120 | 4,298 | 9,185 | 1,517 |
| 海　南　省 | 3.4 | 1,027 | 302 | 1,012 | 9,854 | 266 |
| 西　部 | 429 | 10,722 | 25 | 10,766 | 10,041 | 6,494 |
| 陝　西　省 | 21 | 3,956 | 188 | 4,865 | 12,297 | 3,279 |
| 寧夏回族自治区 | 6.6 | 728 | 110 | 753 | 10,337 | 587 |
| 甘　粛　省 | 43 | 2,492 | 58 | 1,663 | 6,672 | 982 |
| 青　海　省 | 72 | 595 | 8 | 534 | 9,006 | 401 |
| 新疆ウイグル自治区 | 166 | 2,587 | 16 | 2,633 | 10,179 | 1,220 |
| チ　ベ　ット | 120 | 364 | 3 | 317 | 8,696 | 25 |
| （ホンコン） | 1,114km² | 734 | 6,594 | 3,598 | 48,984 | — |
| （マカオ） | 33km² | 67 | 20,515 | 220 | 31,618 | — |

赤太字は各項目の上位1位，赤字は2～5位　①販売額　　　中統2023ほか

中国の人口の大半は，平野が広がり湿潤で農業生産が盛んな東部に集中し，とくに黄河と長江の下流域で人口密度が高い。1970年代末からの経済改革・対外開放政策で輸出入に便利な沿海部に経済特区などを設置し，外国資本の導入を図ったため，沿海部の省や政府直轄市では工業総生産額や1人あたり地区総生産が多く，内陸部との格差が問題となっている。

アメリカ合衆国では北東部のメガロポリスの人口密度が高いが，西部の山岳地域では人口密度が10人/km²未満の州もみられる。人口1～4位のカリフォルニア，テキサス，フロリダ，ニューヨーク州が州総生産でも上位を占めるが，製造品出荷額は，早くから工業化が進んだオハイオ，インディアナ，イリノイなど五大湖周辺の州も上位に入る。

なお，「地区総生産」や「州総生産」は，省・自治区・直轄市や州におけるGDP（Gross Domestic Product）のことである。一定の期間に省・州内で生産された物やサービスの付加価値額の合計である。国ではないので，これらの用語を用いている。

## ■ アメリカ合衆国州別一覧　　　　　　　　　　　　　　p.96に詳しく掲載

| 州・地域名 | 面積(万km²)2018年 | 人口(万人)2022年 | 人口密度(人/km²)2022年 | 州総生産(億ドル)2022年 | 1人あたり州総生産(ドル)2022年 | 製造品出荷額(億ドル)2021年 |
|---|---|---|---|---|---|---|
| アメリカ合衆国計 | 983.5 | 33,328 | 34 | 257,441 | 77,243 | 60,796 |
| ニューイングランド | 18.6 | 1,512 | 81 | 13,152 | 86,931 | 2,170 |
| メーン | 9.2 | 138 | 15 | 858 | 61,935 | 173 |
| ニューハンプシャー | 2.4 | 139 | 58 | 1,050 | 75,274 | 224 |
| ヴァーモント | 2.5 | 64 | 26 | 408 | 63,102 | 96 |
| マサチューセッツ | 2.7 | 698 | 255 | 6,915 | 99,035 | 942 |
| ロードアイランド | 0.4 | 109 | 273 | 728 | 66,535 | 134 |
| コネティカット | 1.4 | 362 | 253 | 3,193 | 88,066 | 601 |
| 中部大西洋沿岸 | 28.3 | 4,191 | 148 | 37,152 | 88,644 | 5,086 |
| ニューヨーク | 14.1 | 1,967 | 139 | 20,484 | 104,101 | 1,726 |
| ニュージャージー | 2.3 | 926 | 410 | 7,549 | 81,513 | 1,017 |
| ペンシルヴェニア | 11.9 | 1,297 | 109 | 9,118 | 70,291 | 2,344 |
| 北東中央(五大湖沿岸) | 78.1 | 4,709 | 60 | 33,408 | 70,932 | 13,405 |
| オ　ハ　イ　オ | 11.6 | 1,175 | 101 | 8,260 | 70,261 | 3,219 |
| インディアナ | 9.4 | 683 | 72 | 4,703 | 68,831 | 2,895 |
| イ　リ　ノ　イ | 15.0 | 1,258 | 84 | 10,257 | 81,518 | 2,796 |
| ミ　シ　ガ　ン | 25.0 | 1,003 | 40 | 6,226 | 62,045 | 2,581 |
| ウィスコンシン | 17.0 | 589 | 35 | 3,962 | 67,239 | 1,914 |
| 北　西　中　央 | 134.8 | 2,168 | 16 | 15,990 | 73,719 | 5,963 |
| ミ　ネ　ソ　タ | 22.5 | 571 | 25 | 4,480 | 78,366 | 1,375 |
| ア　イ　オ　ワ | 14.6 | 320 | 22 | 2,383 | 74,470 | 1,332 |
| ミ　ズ　ー　リ | 18.1 | 617 | 34 | 3,969 | 64,243 | 1,275 |
| ノースダコタ | 18.3 | 77 | 4 | 727 | 93,231 | 186 |
| サウスダコタ | 20.0 | 90 | 5 | 688 | 75,599 | 211 |
| ネ　ブ　ラ　ス　カ | 20.0 | 196 | 10 | 1,649 | 83,811 | 675 |
| カ　ン　ザ　ス | 21.3 | 293 | 14 | 2,093 | 71,268 | 909 |
| 南　部 | 238.4 | 12,871 | 54 | 89,849 | 69,804 | 23,802 |
| デ　ラ　ウ　ェ　ア | 0.6 | 101 | 158 | 902 | 88,579 | 193 |
| メリーランド | 3.2 | 616 | 192 | 4,801 | 77,881 | 452 |
| ワシントンD.C. | 0.02 | 67 | 3,795 | 1,651 | 245,698 | 3 |
| ヴァージニア | 11.1 | 868 | 78 | 6,631 | 76,363 | 1,088 |
| ウェストヴァージニア | 6.3 | 177 | 28 | 974 | 54,878 | 254 |
| ノースカロライナ | 13.9 | 1,069 | 77 | 7,160 | 66,919 | 2,118 |
| サウスカロライナ | 8.3 | 528 | 64 | 2,975 | 56,325 | 1,276 |
| ジョージア | 15.4 | 1,091 | 71 | 7,674 | 70,319 | 1,899 |
| フ　ロ　リ　ダ | 17.0 | 2,224 | 131 | 14,391 | 64,692 | 1,232 |
| ケンタッキー | 10.5 | 451 | 43 | 2,590 | 57,394 | 1,427 |
| テ　ネ　シ　ー | 10.9 | 705 | 65 | 4,857 | 68,875 | 1,645 |
| ア　ラ　バ　マ | 13.6 | 507 | 37 | 2,816 | 55,489 | 1,539 |
| ミ　シ　シ　ッ　ピ | 12.5 | 294 | 23 | 1,400 | 47,610 | 741 |
| アーカンソー | 13.8 | 304 | 22 | 1,660 | 54,501 | 728 |
| ル　イ　ジ　ア　ナ | 13.6 | 459 | 34 | 2,920 | 63,603 | 2,008 |
| オ　ク　ラ　ホ　マ | 18.1 | 401 | 22 | 2,427 | 60,386 | 756 |
| テ　キ　サ　ス | 69.6 | 3,002 | 43 | 24,021 | 79,992 | 6,524 |
| 山　岳　部 | 223.7 | 2,551 | 11 | 17,988 | 70,502 | 2,725 |
| モ　ン　タ　ナ | 38.1 | 112 | 3 | 671 | 59,733 | 142 |
| ア　イ　ダ　ホ | 21.6 | 193 | 9 | 1,109 | 57,179 | 273 |
| ワイオミング | 25.3 | 58 | 2 | 491 | 84,421 | 86 |
| コ　ロ　ラ　ド | 27.0 | 583 | 22 | 4,913 | 84,126 | 553 |
| ニューメキシコ | 31.5 | 211 | 7 | 1,255 | 59,404 | 156 |
| ア　リ　ゾ　ナ | 29.5 | 735 | 25 | 4,757 | 64,634 | 676 |
| ユ　タ | 22.0 | 338 | 15 | 2,564 | 75,831 | 640 |
| ネ　ヴ　ァ　ダ | 28.6 | 317 | 11 | 2,229 | 70,156 | 240 |
| 太　平　洋　沿　岸 | 261.6 | 5,322 | 20 | 48,438 | 91,000 | 7,644 |
| ワ　シ　ン　ト　ン | 18.5 | 778 | 42 | 7,381 | 94,801 | 1,136 |
| オ　レ　ゴ　ン | 25.5 | 424 | 17 | 2,973 | 70,118 | 722 |
| カリフォルニア | 42.4 | 3,902 | 92 | 36,416 | 93,305 | 5,659 |
| ア　ラ　ス　カ | 172.4 | 73 | 0.4 | 657 | 89,559 | 64 |
| ハ　ワ　イ | 2.8 | 144 | 51 | 1,087 | 75,180 | 58 |

赤太字は各項目の上位1位，赤字は2～5位　　　　　　　　　U.S. Census Bureauほか

## ④日本の主要統計

### ■ 都道府県別一覧　　　　　　　　　p.48,70〜72,74,77,102,105に詳しく掲載

赤太字は各項目の上位1位，赤字は上位2〜5位，斜体は下位5位の都道府県を示す。

| 都道府県名 | 人口(万人)2023年 | 面積(km²)2023年 | 人口増減率(%)2015-20年国勢調査 | 1人あたり県民所得(千円)2020年 | 農業産出額(億円)2021年 | 製造品出荷額(億円)2021年 | 卸売業年間販売額(億円)Ⓐ2020年 | 小売業年間販売額(億円)Ⓑ2020年 | 卸小売比率Ⓐ/Ⓑ2020年 |
|---|---|---|---|---|---|---|---|---|---|
| 全　国 | 12,541 | 377,974 | − 0.75 | 3,123 | 88,600 | 2,927,203 | 4,016,335 | 1,381,804 | 2.9 |
| 北 海 道 | 513 | 83,424 | − 2.92 | 2,682 | 13,108 | 55,653 | 113,105 | 64,222 | 1.8 |
| 青　森 | 122 | 9,646 | − 5.37 | 2,633 | 3,277 | 13,195 | 17,367 | 14,230 | 1.2 |
| 岩　手 | 118 | 15,275 | − 5.40 | 2,666 | 2,651 | 25,326 | 19,638 | 13,188 | 1.5 |
| 宮　城 | 225 | *7,282 | − 1.37 | 2,803 | 1,755 | 47,019 | 84,314 | 28,509 | 3.0 |
| 秋　田 | 94 | 11,638 | − 6.22 | 2,583 | 1,658 | 12,356 | 11,316 | 10,624 | 1.1 |
| 山　形 | 104 | *9,323 | − 4.97 | 2,843 | 2,337 | 27,953 | 12,998 | 11,966 | 1.1 |
| 福　島 | 181 | 13,784 | − 4.23 | 2,833 | 1,913 | 47,369 | 24,762 | 21,751 | 1.1 |
| 茨　城 | 287 | 6,098 | − 1.71 | 3,098 | 4,263 | 128,392 | 37,121 | 29,858 | 1.2 |
| 栃　木 | 192 | 6,408 | − 2.08 | 3,132 | 2,693 | 79,984 | 31,226 | 21,724 | 1.4 |
| 群　馬 | 193 | 6,362 | − 1.72 | 2,937 | 2,404 | 76,843 | 34,156 | 21,305 | 1.6 |
| 埼　玉 | 738 | *3,798 | 1.08 | 2,890 | 1,528 | 129,233 | 102,439 | 70,041 | 1.5 |
| 千　葉 | 631 | 5,157 | 0.99 | 2,988 | 3,471 | 122,117 | 75,276 | 60,998 | 1.2 |
| 東　京 | 1,384 | *2,194 | 3.94 | 5,214 | 196 | 67,122 | 1,608,845 | 200,549 | 8.0 |
| 神 奈 川 | 921 | 2,416 | 1.22 | 2,961 | 660 | 162,072 | 134,856 | 88,336 | 1.5 |
| 新　潟 | 216 | *12,584 | − 4.47 | 2,784 | 2,269 | 45,186 | 40,949 | 24,620 | 1.7 |
| 富　山 | 102 | *4,248 | − 2.96 | 3,120 | 545 | 34,103 | 18,627 | 11,272 | 1.7 |
| 石　川 | 111 | 4,186 | − 1.86 | 2,770 | 480 | 25,648 | 26,113 | 11,997 | 2.2 |
| 福　井 | 75 | 4,191 | − 2.53 | 3,182 | 394 | 20,843 | 11,552 | 8,375 | 1.4 |
| 山　梨 | 81 | *4,465 | − 2.99 | 2,982 | 1,113 | 25,000 | 9,076 | 8,358 | 1.1 |
| 長　野 | 204 | *13,562 | − 2.42 | 2,788 | 2,624 | 52,283 | 33,829 | 21,917 | 1.5 |
| 岐　阜 | 198 | *10,621 | − 2.62 | 2,875 | 1,104 | 55,364 | 24,074 | 20,389 | 1.2 |
| 静　岡 | 363 | *7,777 | − 1.81 | 3,110 | 2,084 | 159,235 | 73,180 | 39,015 | 1.9 |
| 愛　知 | 751 | *5,173 | 0.79 | 3,428 | 2,922 | 363,006 | 322,141 | 83,464 | 3.9 |
| 三　重 | 177 | *5,774 | − 2.51 | 2,948 | 1,067 | 104,317 | 18,656 | 17,920 | 1.0 |
| 滋　賀 | 141 | *4,017 | 0.05 | 3,097 | 585 | 74,970 | 12,758 | 13,780 | 0.9 |
| 京　都 | 250 | 4,612 | − 1.24 | 2,745 | 663 | 53,225 | 55,562 | 26,782 | 2.1 |
| 大　阪 | 878 | *1,905 | − 0.02 | 2,830 | 296 | 158,045 | 460,883 | 94,421 | 4.9 |
| 兵　庫 | 545 | 8,401 | − 1.26 | 2,887 | 1,501 | 146,921 | 93,200 | 53,679 | 1.7 |
| 奈　良 | 132 | 3,691 | − 2.92 | 2,501 | 391 | 16,872 | 7,661 | 10,995 | 0.7 |
| 和 歌 山 | 92 | 4,725 | − 4.25 | 2,751 | 1,135 | 22,387 | 11,520 | 8,806 | 1.3 |
| 鳥　取 | 54 | 3,507 | − 3.49 | 2,313 | 727 | 7,232 | 6,548 | 6,029 | 1.1 |
| 島　根 | 65 | 6,708 | − 3.34 | 2,768 | 611 | 11,999 | 7,367 | 6,530 | 1.1 |
| 岡　山 | 186 | 7,115 | − 1.72 | 2,665 | 1,457 | 78,218 | 33,635 | 20,285 | 1.7 |
| 広　島 | 277 | 8,479 | − 1.56 | 2,969 | 1,213 | 87,699 | 83,549 | 31,329 | 2.7 |
| 山　口 | 132 | 6,113 | − 4.46 | 2,960 | 643 | 62,454 | 14,565 | 16,485 | 0.9 |
| 徳　島 | 71 | 4,147 | − 4.79 | 3,013 | 930 | 19,399 | 8,035 | 7,066 | 1.1 |
| 香　川 | 95 | *1,877 | − 2.67 | 2,766 | 792 | 25,787 | 22,021 | 11,409 | 1.9 |
| 愛　媛 | 132 | 5,676 | − 3.64 | 2,471 | 1,244 | 43,407 | 24,669 | 14,723 | 1.7 |
| 高　知 | 68 | 7,103 | − 5.05 | 2,491 | 1,069 | 5,099 | 7,200 | 7,038 | 1.0 |
| 福　岡 | 510 | *4,988 | 0.66 | 2,630 | 1,968 | 87,374 | 164,203 | 56,780 | 2.9 |
| 佐　賀 | 80 | 2,441 | − 2.57 | 2,575 | 1,206 | 19,135 | 9,796 | 8,290 | 1.2 |
| 長　崎 | 130 | 4,131 | − 4.71 | 2,483 | 1,551 | 13,601 | 15,504 | 12,493 | 1.2 |
| 熊　本 | 173 | 7,409 | − 2.68 | 2,498 | 3,477 | 29,089 | 24,059 | 18,859 | 1.3 |
| 大　分 | 112 | *6,341 | − 3.64 | 2,604 | 1,228 | 45,431 | 12,457 | 11,867 | 1.0 |
| 宮　崎 | 106 | 7,734 | − 3.12 | 2,289 | 3,478 | 15,208 | 16,374 | 10,764 | 1.5 |
| 鹿 児 島 | 159 | 9,186 | − 3.64 | 2,408 | 4,997 | 20,220 | 23,744 | 15,292 | 1.6 |
| 沖　縄 | 148 | *2,282 | 2.37 | 2,167 | 922 | 3,809 | 15,351 | 13,475 | 1.1 |

都道府県面積中＊印のある県は境界未定地域を含み，数値は推計値　　　　　　　　住民基本台帳人口・世帯数表2023年ほか

　　人口の上位5位までの都府県は，すべて三大都市圏にある。人口増減率は東京が最も高く，さらにその周辺や沖縄などで増加がみられるものの，ほとんどの県で減少している。農業産出額は北海道が1位で，東京近郊の茨城，千葉と九州地方南部の県が上位を占める。製造品出荷額の上位には，三大工業地帯と東海工業地域に該当する府県がくる。卸売業・小売業年間販売額とも東京が最大だが，卸売業では大阪が2位で，古くから繊維などの卸売業が盛んであったことが背景にある。卸小売比率は，卸売業年間販売額を小売業年間販売額で割った値で，この比率が高いほど流通経路が長いことを表している。

## ■ 県庁所在地・政令指定都市別一覧 ■　　p.45〜47に詳しく掲載

赤太字は各項目の上位1位，赤字は上位2〜5位，*斜体*は下位5位を示す。

| 市　名（都道府県名） | | 面積(km²) 2023年 | 人口(万人) 2023年 | 人口密度(人/km²) ① | 人口増減率(%) 2015-20年 国勢調査 | 製造品出荷額(億円) 2021年 | 卸売業年間販売額(億円) Ⓐ 2020年 | 小売業年間販売額(億円) Ⓑ 2020年 | 卸小売比率 Ⓐ/Ⓑ 2020年 |
|---|---|---|---|---|---|---|---|---|---|
| 札　幌　市（北海道）● | | 1,121 | 195.9 | 1,748 | 1.08 | 5,675 | 71,827 | 22,787 | 3.2 |
| 青　森　市（青　森） | | 825 | 27.1 | *329* | − 4.33 | *1,304* | 6,621 | 3,093 | 2.1 |
| 盛　岡　市（岩　手） | | 886 | 28.2 | *319* | − 2.65 | *1,160* | 7,953 | 3,825 | 2.1 |
| 仙　台　市（宮　城）● | | 786 | 106.7 | 1,358 | 1.34 | 10,128 | 71,955 | 14,879 | 4.8 |
| 秋　田　市（秋　田） | | 906 | 30.0 | 332 | − 2.58 | 2,851 | 7,537 | 3,513 | 2.1 |
| 山　形　市（山　形） | * | 381 | 24.0 | 631 | − 2.46 | 3,234 | 7,200 | 2,909 | 2.5 |
| 福　島　市（福　島） | | 768 | 27.0 | 353 | − 3.93 | 4,643 | 4,583 | 3,269 | 1.4 |
| 水　戸　市（茨　城） | * | 217 | 27.0 | 1,242 | − 0.04 | *1,510* | 11,897 | 3,790 | 3.1 |
| 宇都宮市（栃　木） | | 417 | 51.7 | 1,241 | 0.03 | 20,809 | 17,589 | 6,652 | 2.6 |
| 前　橋　市（群　馬） | | 312 | 33.1 | 1,065 | − 1.19 | 5,236 | 7,308 | 3,768 | 1.9 |
| さいたま市（埼　玉）● | | 217 | 133.9 | 6,160 | 4.75 | 8,821 | 38,987 | 13,231 | 2.9 |
| 千　葉　市（千　葉）● | | 272 | 97.7 | 3,595 | 0.32 | 12,835 | 26,398 | 11,620 | 2.3 |
| 東京23区（東　京） | * | 628 | 956.9 | 15,249 | 4.97 | 34,118 | **1,531,575** | **154,061** | 9.9 |
| 横　浜　市（神奈川）● | | 438 | 375.3 | 8,570 | 1.41 | 41,533 | 68,758 | 38,461 | 1.8 |
| 新　潟　市（新　潟）● | | 726 | 77.3 | 1,066 | − 2.58 | 11,851 | 22,169 | 8,958 | 2.5 |
| 富　山　市（富　山） | * | 1,242 | 40.9 | *329* | − 1.13 | 14,483 | 11,180 | 5,153 | 2.2 |
| 金　沢　市（石　川） | | 469 | 44.7 | 954 | − 0.53 | 4,514 | 19,195 | 5,251 | 3.7 |
| 福　井　市（福　井） | | 536 | 25.7 | 481 | − 1.34 | 4,841 | 7,566 | 3,755 | 2.0 |
| 甲　府　市（山　梨） | | 212 | 18.6 | 877 | − 1.83 | 2,729 | 4,488 | *2,231* | 2.0 |
| 長　野　市（長　野） | | 835 | 36.8 | 442 | − 1.28 | 6,121 | 11,612 | 4,279 | 2.7 |
| 岐　阜　市（岐　阜） | | *204* | 40.2 | 1,976 | − 1.03 | 2,706 | 9,555 | 4,364 | 2.2 |
| 静　岡　市（静　岡）● | * | 1,412 | 68.3 | 484 | − 1.65 | 22,376 | 21,249 | 7,727 | 2.8 |
| 名古屋市（愛　知）● | * | 327 | 229.4 | 7,029 | 1.59 | 33,553 | 226,045 | 32,329 | 7.0 |
| 津　　市（三　重） | | 711 | 27.2 | 383 | − 1.91 | 8,610 | 4,021 | 2,856 | 1.4 |
| 大　津　市（滋　賀） | | 465 | 34.4 | 742 | − 1.20 | 4,530 | *2,289* | *2,571* | *0.9* |
| 京　都　市（京　都）● | | 828 | 138.5 | 1,673 | − 0.78 | 26,207 | 44,850 | 16,587 | 2.7 |
| 大　阪　市（大　阪）● | * | 225 | 274.1 | 12,167 | 2.28 | 40,818 | 356,003 | 41,271 | 8.6 |
| 神　戸　市（兵　庫）● | * | 557 | 151.0 | 2,712 | − 0.79 | 34,209 | 43,752 | 17,882 | 2.4 |
| 奈　良　市（奈　良） | | 277 | 35.1 | 1,269 | − 1.58 | 2,311 | *2,333* | 3,084 | *0.8* |
| 和歌山市（和歌山） | | 209 | 35.9 | 1,722 | − 2.04 | 12,559 | 7,310 | 3,899 | 1.9 |
| 鳥　取　市（鳥　取） | | 765 | *18.3* | *239* | − 2.71 | 2,971 | *2,474* | *2,052* | 1.2 |
| 松　江　市（島　根） | | 573 | *19.7* | 345 | − 1.27 | *1,392* | 4,433 | *2,047* | 2.2 |
| 岡　山　市（岡　山）● | | 790 | 70.2 | 889 | 0.73 | 10,691 | 21,275 | 9,081 | 2.3 |
| 広　島　市（広　島）● | | 907 | 118.4 | 1,307 | 0.56 | 27,762 | 60,214 | 14,067 | 4.3 |
| 山　口　市（山　口） | | 1,023 | *18.8* | *184* | − 1.75 | 3,424 | *3,682* | 4,518 | *0.8* |
| 徳　島　市（徳　島） | | *192* | 24.9 | 1,300 | − 2.38 | 4,458 | 5,782 | *2,442* | 2.4 |
| 高　松　市（香　川） | | 376 | 42.2 | 1,125 | − 0.77 | 4,359 | 15,567 | 6,116 | 2.5 |
| 松　山　市（愛　媛） | | 429 | 50.3 | 1,174 | − 0.71 | 4,691 | 10,708 | 5,625 | 1.9 |
| 高　知　市（高　知） | | 309 | 31.9 | 1,035 | − 3.16 | 2,002 | 4,316 | 3,774 | 1.1 |
| 福　岡　市（福　岡）● | | 343 | 158.1 | 4,604 | 4.79 | 6,245 | 114,375 | 21,206 | 5.4 |
| 佐　賀　市（佐　賀） | * | 432 | *22.9* | 531 | − 1.30 | 2,878 | *2,893* | 3,075 | *0.9* |
| 長　崎　市（長　崎） | | 406 | 40.1 | 989 | − 4.75 | 2,914 | 6,690 | 3,470 | 1.9 |
| 熊　本　市（熊　本）● | | 390 | 73.1 | 1,874 | − 0.26 | 4,533 | 14,841 | 8,422 | 1.8 |
| 大　分　市（大　分） | | 502 | 47.6 | 949 | − 0.53 | 31,757 | 8,643 | 5,490 | 1.6 |
| 宮　崎　市（宮　崎） | | 644 | 39.9 | 621 | 0.05 | 2,306 | 10,150 | 4,292 | 2.4 |
| 鹿児島市（鹿児島） | | 548 | 59.7 | 1,092 | − 1.11 | 3,726 | 15,912 | 6,299 | 2.5 |
| 那　覇　市（沖　縄） | | *41* | 31.7 | 7,654 | − 0.57 | *292* | 5,234 | 3,034 | 1.7 |
| 川　崎　市（神奈川）● | | *143* | 152.4 | 10,661 | 4.27 | 39,571 | 20,375 | 11,572 | 1.8 |
| 相模原市（神奈川）● | | 329 | 71.9 | 2,186 | 0.65 | 11,617 | 5,584 | 6,009 | *0.9* |
| 浜　松　市（静　岡）● | * | **1,558** | 79.2 | 509 | − 0.91 | 20,034 | 19,190 | 8,727 | 2.2 |
| 堺　　市（大　阪）● | | *150* | 82.1 | 5,482 | − 1.57 | **42,306** | 10,261 | 7,450 | 1.4 |
| 北九州市（福　岡）● | | 493 | 92.9 | 1,887 | − 2.32 | 26,289 | 17,140 | 10,040 | 1.7 |

①人口／面積　　●は政令指定都市
面積中＊印のある市は境界未定地域を含み，数値は推計値

住民基本台帳人口・世帯数表2023ほか

　政令指定都市は，政令によって指定された人口50万以上の都市で，県とほぼ同等の権限が委譲される。現在は20市が政令指定都市で，実際の人口規模はおおむね70万人である。東京・名古屋・京阪神の三大都市圏は人口が集中しており，人口密度も高い。一方，北海道，宮城，滋賀，福岡などは道県庁所在地の人口増減率が高く，都市部への人口集中が進んでいる。卸売業年間販売額は大阪市だけで大阪府の7割を占め（2020年），問屋の郊外への移転が進むなか依然として高い地位を占めている。また卸小売比率は大都市ほどより高くなり，流通がより複雑になっていることを示している。

## ❶ 地球の歴史

地球年代学ほか

| 地質時代 | | | 年数<br>(百万年) | 偏年数<br>(百万年) | 氷期 | 動　物 | 植物 | 造山活動 | 主要岩石と地下資源 |
|---|---|---|---|---|---|---|---|---|---|
| 先カンブリア時代 | 冥　王　代 | | 600 | 4600 | | 甲殻をもたない無脊椎動物 | 菌・藻時代 | ? | 日本では未発見。カナダのローレンシア台地の金鉱山、オーストラリアのカルグーリー金鉱山など。 |
| | 太　古　代 | | 1500 | 4000 | 氷河時代 | | | 地向斜時代 | 日本では未発見。楯状地を形成。アメリカのメサビ鉄山、南アフリカのダイヤモンド鉱山など。 |
| | 原　生　代 | | 1960 | 2500 | 氷河時代 | | | | |
| 古生代 | カンブリア紀 | | 54 | 542 | | 三葉虫<br>筆　石<br>海サソリ<br>甲冑魚<br>両生類<br>爬虫類 | 最初の陸上植物擬羊歯植物 | | 日本では未発見。シベリア・インドの岩塩・石膏。 |
| | オルドビス紀 | | 44 | 488 | | | | カレドニア造山運動 | 日本では未発見。化石では筆石が出現。 |
| | シ　ル　ル　紀 | | 28 | 444 | | | | | 日本ではさんご類の化石が北上高地にて発見。 |
| | デ　ボ　ン　紀 | | 57 | 416 | | | | | 日本では火成岩など。アメリカ、カナダでは含油層。 |
| | 石　　炭　　紀 | | 60 | 359 | | | | バリスカン造山運動 | 秋吉台、北上高地の海成層。外国では石灰岩・磁鉄鉱床。 |
| | 二　　畳　　紀 | | 48 | 299 | 氷河時代 | | | | 日本では石灰岩。ドイツではカリ塩、石膏。 |
| 中生代 | 三　　畳　　紀 | | 51 | 251 | | 恐　竜<br>始祖鳥 | 裸子植物 | 造山運動 | 日本では鉛・亜鉛が岡山・山口県に分布。アトラス山脈に沿う鉛・亜鉛。 |
| | ジ　ュ　ラ　紀 | | 55 | 200 | | | | | 日本では石灰岩。外国では各種の地下資源。 |
| | 白　　亜　　紀 | | 79 | 145 | | | | アルプス造山運動 | 日本の中国地方の凝灰・角礫・頁岩。外国では石膏・含油層。マレー半島のすず。 |
| 新生代 | 古 | 第　三　紀 | 43 | 66 | | アンモナイト<br>貝　類<br>哺乳類<br>人　　類 | 被子植物 | 古い日本の形成 | 日本は主要石灰岩。外国では石灰岩の発達が著しく、多くの高等有孔虫を含む。 |
| | 新 | 第　三　紀 | 20 | 23 | | | | 地殻変動 | 日本では金・銀・銅その他の金属鉱床、石油・天然ガスなどをふくむ火山岩類。 |
| | 第四紀 | 更新世(洪積世) | 2.6 | 2.6 | 氷河時代 | | | 日本列島の形成 | 礫・砂・粘土・ロームなど硬くない未凝固の岩石。中国北部には黄土、氷食を受けた地方ではその遺物。 |
| | | 完新世(沖積世) | — | 0.01 | | | | | 現在堆積中の物質、砂・泥・粘土・礫・砂礫など、泥炭。環太平洋造山帯地域などの火山性硫黄鉱床。 |

## ❷ 地球の大きさ　(理科2023)

赤道面と軌道面との傾き<br>23°26′21.406″

自転周期<br>23時間56分4秒

公転周期(太陽年)<br>365.24219日

地球の軌道の長さ<br>939,765,000km

公転平均速度<br>29.78km/s

太陽と地球との | 最も遠い距離<br>(遠日点) | 15,210.0万km<br>(2023年7月7日)
最も近い距離<br>(近日点) | 14,710.0万km<br>(2023年1月5日)
平均距離 | 14,959.8万km

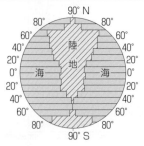

月

地球と月との平均距離<br>384,400km

極半径<br>6,356.752km

地球

赤道半径<br>6,378.137km

| 質　　量 | $5.972 \times 10^{24}$kg |
|---|---|
| 体　　積 | $1.084 \times 10^{12}$km³ |
| 平均密度 | 5.51g/cm³ |
| 表　面　積 | $5.10066 \times 10^{8}$km² |

子午線の全周<br>40,007.864km

赤道の全周<br>40,074.912km

注)世界測地系による

## ❸ 緯度別陸海面積の割合　(理科2023)

| 地球の陸地の面積 | $1.47244 \times 10^{8}$km² |
|---|---|
| 地球の海の面積 | $3.62822 \times 10^{8}$km² |

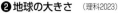

## ❹ 大陸別・地層別面積(万km²)

理科1991

| 地層他 | 合計 | アジア | ヨーロッパ | アフリカ | 北アメリカ | 南アメリカ | オーストラリア |
|---|---|---|---|---|---|---|---|
| 始　原　層 | 1,985 | 524 | 204 | 336 | 503 | 293 | 125 |
| 古　生　層 | 1,718 | 571 | 165 | 272 | 423 | 212 | 75 |
| 中　生　層 | 1,985 | 320 | 284 | 533 | 344 | 375 | 129 |
| 第 三 紀 層 | 871 | 270 | 145 | 62 | 174 | 138 | 82 |
| 第 四 紀 層 | 1,917 | 804 | 173 | 421 | 134 | 365 | 20 |
| 砂　　漠 | 735 | 321 | — | 152 | — | 99 | 163 |
| 氷　　河 | 194 | 15 | 6 | 0 | 162 | 11 | 0 |
| 新 噴 出 岩 | 396 | 139 | 12 | 41 | 101 | 73 | 30 |
| 珊　瑚　礁 | 2 | — | — | — | — | — | 2 |

## ❺ 緯線と経線の長さ(km)

理科2023

| 緯度 | 0° | 10° | 20° | 30° | 40° | 50° | 60° | 70° | 80° | 90° |
|---|---|---|---|---|---|---|---|---|---|---|
| 緯度1°の経線の長さ | 110.574 | 110.606 | 110.704 | 110.851 | 111.035 | 111.229 | 111.413 | 111.560 | 111.661 | 111.694 |
| 経度1°の緯線の長さ | 111.319 | 109.638 | 104.648 | 96.487 | 85.396 | 71.694 | 55.800 | 38.185 | 19.393 | 0.000 |

注)世界測地系による

## ❶ 地球上の水

理科2023

| 項　目 | 貯留量<br>(10³km³) | 割合(%)<br>対全量 | 割合(%)<br>対陸水 | 項　目 | 貯留量<br>(10³km³) | 割合(%)<br>対全量 | 割合(%)<br>対陸水 |
|---|---|---|---|---|---|---|---|
| 総　　　　　計 | 1,384,850 | 100 | | （塩　水　湖） | (107.0) | 0.0077 | 0.297 |
| 天水(大気中の水) | 13 | 0.001 | | （淡　水　湖） | (103.0) | 0.0074 | 0.286 |
| 海　　　　水 | 1,348,850 | 97.4 | | （土　壌　水） | (74.0) | 0.0053 | 0.206 |
| 陸　　　　水 | 35,987 | 2.6 | 100 | （河　川　水） | (1.7) | 0.0001 | 0.005 |
| （氷　　　河） | (27,500) | 1.986 | 76.42 | （動　植　物） | (1.3) | 0.0001 | 0.004 |
| （地　下　水） | (8,200) | 0.592 | 22.79 | | | | |

## ❷ 大陸別・高度別面積の割合 (%)

理科1958

| 高度(m) | 全大陸 | アジア | ヨーロッパ | アフリカ | 北アメリカ | 南アメリカ | オーストラリア | 南極 |
|---|---|---|---|---|---|---|---|---|
| 200 未満 | 25.3 | 24.6 | 52.7 | 9.7 | 29.9 | 38.2 | 39.3 | 6.4 |
| 200 ～ 500 | 26.8 | 20.2 | 21.2 | 38.9 | 30.7 | 29.8 | 41.6 | 2.8 |
| 500 ～ 1000 | 19.4 | 25.9 | 15.2 | 28.2 | 12.0 | 19.2 | 16.9 | 5.0 |
| 1,000～2,000 | 15.2 | 18.0 | 5.0 | 19.5 | 16.6 | 5.6 | 2.2 | 22.0 |
| 2,000～3,000 | 7.5 | 5.2 | 2.0 | 2.7 | 9.1 | 2.2 | 0.0 | 37.6 |
| 3,000～4,000 | 3.9 | 2.0 | 0.0 | 1.0 | 1.7 | 2.8 | 0.0 | 26.2 |
| 4,000～5,000 | 1.5 | 4.1 | 0.0 | 0.0 | 0.0 | 2.2 | 0.0 | 0.0 |
| 5,000 以上 | 0.4 | 1.1 | | 0.0 | 0.0 | 0.0 | 0.0 | 0.0 |
| 平均高度 (m) | 875 | 960 | 340 | 750 | 720 | 590 | 340 | 2,200 |

数値は原典のまま。調整項目があるため合計は100%にならない。

## ❸ 海洋の深さの面積比 (%)

理科2023

| 深度(m) | 全海洋 | 太平洋 | 大西洋 | インド洋 |
|---|---|---|---|---|
| 0 ～ 200 | 7.5 | 5.6 | 8.7 | 4.1 |
| 200 ～ 1,000 | 4.4 | 3.4 | 5.9 | 2.9 |
| 1,000～2,000 | 4.4 | 3.9 | 5.2 | 3.6 |
| 2,000～3,000 | 8.5 | 7.2 | 9.6 | 10.0 |
| 3,000～4,000 | 20.9 | 20.9 | 18.9 | 25.0 |
| 4,000～5,000 | 31.7 | 32.5 | 30.4 | 36.3 |
| 5,000～6,000 | 21.2 | 24.7 | 20.6 | 16.8 |
| 6,000～7,000 | 1.2 | 1.6 | 0.6 | 1.2 |
| 7,000 以上 | 0.1 | 0.2 | 0.1未満 | 0.1未満 |
| 平均深度 (m) | 3,729 | 4,188 | 3,736 | 3,872 |

## ❹ 世界のおもな海洋・海溝

理科2023ほか

| | 海洋・海溝名 | 面積(万km²) | 体積(万km³) | 最大深度(m) | 平均深度(m) | 平均水温(℃) | 表面塩分(‰) |
|---|---|---|---|---|---|---|---|
| | 全　海　洋 | 36,203 | 134,993 | 10,920 | 3,729 | — | 35.0 |
| 大<br><br><br><br><br><br><br><br><br><br>洋 | ※太　平　洋 | 16,624 | 69,619 | 10,920 | 4,188 | 3.7 | 34.9 |
| | マリアナ海溝 | — | — | 10,920 | *2,550 | | |
| | ト ン ガ 海 溝 | — | — | 10,800 | *1,400 | | |
| | ケルマデック海溝 | — | — | 10,047 | *1,500 | | |
| | フィリピン海溝 | — | — | 10,057 | *1,400 | | |
| | 伊豆・小笠原海溝 | — | — | 9,810 | * 850 | | |
| | 千島・カムチャッカ海溝 | — | — | 9,550 | *2,200 | | |
| | 日　本　海　溝 | — | — | 8,058 | * 800 | | |
| | チ　リ　海　溝 | — | — | 8,170 | *3,400 | | |
| | アリューシャン海溝 | — | — | 7,679 | *3,700 | | |
| | 中央アメリカ海溝 | — | — | 6,662 | *2,800 | | |
| | ペ ル ー 海 溝 | — | — | 6,100 | *2,100 | | |
| | ※インド洋 | 7,343 | 28,434 | 7,125 | 3,872 \| | 3.8 | 34.8 |
| | スンダ(ジャワ)海溝 | — | — | 7,125 | *4,500 | | |
| | ※大　西　洋 | 8,656 | 32,337 | 8,605 | 3,736 \| | 4.0 | 35.3 |
| | プエルトリコ海溝 | — | — | 8,605 | *1,500 | | |
| | サウスサンドウィッチ海溝 | — | — | 8,325 | *1,450 | | |
| 地<br>中<br>海 | 北　極　海 | 949 | 1,262 | 5,440 | 1,330 | -0.7 | 25.5 |
| | 豪亜地中海 ① | 908 | 1,137 | 7,440 | 1,252 | 6.9 | 33.9 |
| | アメリカ地中海 ② | 436 | 943 | 7,680 | 2,164 | 6.6 | 36.0 |
| | 地　中　海 | 251 | 377 | 5,267 | 1,502 | 13.4 | 34.9 |
| | 紅　　　海 | 45 | 24 | 2,300 | 538 | 22.7 | 38.8 |
| 沿<br>海 | ベーリング海 | 226 | 337 | 4,097 | 1,492 | 2.0 | 30.3 |
| | オホーツク海 | 139 | 135 | 3,372 | 973 | 1.5 | 30.9 |
| | 東シナ海 | 120 | 33 | 2,292 | 272 | 9.3 | 32.1 |
| | 日　本　海 | 101 | 169 | 3,796 | 1,667 | 0.9 | 34.1 |

①ティモール海，アラフラ海，バンダ海など　②カリブ海，メキシコ湾など
※沿海を含まない　＊海溝の長さ(km)

## ❺ 世界の潮差

理科2023ほか

| 地　名 | 潮汐差(m)① |
|---|---|
| ア　ジ　ア | |
| 東　　京 | 1.3 |
| 新　　潟 | 0.2 |
| 三池(大牟田) | *4.3 |
| インチョン | *8.1 |
| シャンハイ | *2.4 |
| ホンコン | 1.5 |
| シンガポール | *2.3 |
| ジャカルタ | 0.2 |
| ムンバイ | *3.6 |
| ヨーロッパ | |
| ナ　ポ　リ | *0.3 |
| ロンドン | *6.6 |
| リヴァプール | *8.3 |
| オ　ス　ロ | *0.3 |
| 南北アメリカ | |
| ニューヨーク | *1.6 |
| サンフランシスコ | 1.7 |
| リオデジャネイロ | *1.1 |
| パナマシティ | *4.8 |
| ア フ リ カ | |
| ス　エ　ズ | *1.5 |
| ケープタウン | *1.5 |
| オセアニア | |
| ホノルル | 0.6 |
| シドニー | 1.2 |
| オークランド | *2.9 |
| ダーウィン | *5.6 |

①平均高高潮と平均低低潮の高さの差　＊大潮の平均高潮と平均低潮の高さの差

## ❻ 氷河におおわれた地域 (km²)

理科2023

| 地　域 | 面　積 | 地　域 | 面　積 | 地　域 | 面　積 |
|---|---|---|---|---|---|
| 世界計 | 16,329,511 | アラスカ | (51,476) | ナンシャン・クンルン | (16,700) |
| 北アメリカ | 2,056,467 | ユーラシア | 260,517 | カラコルム | (16,000) |
| グリーンランド | (1,802,600) | スカンディナヴィア | (3,800) | アフリカ | 12 |
| バッフィン島 | (37,903) | アルプス | (3,200) | 南アメリカ | 26,500 |
| クインエリザベス諸島 | (109,057) | アイスランド | (12,173) | オセアニア | 1,015 |
| ロッキー山脈 | (12,428) | ヒマラヤ | (33,200) | 南極地方 | 13,985,000 |

## ❶ 面積比からみた地球の陸と海　横軸の長さは各陸・海の面積に比例している

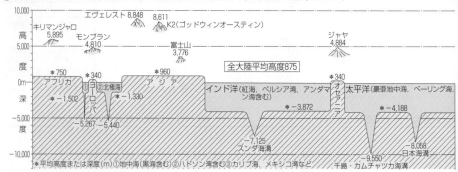

## ❷ 世界のおもな山（▲印は火山）　理科2024ほか

| 山　名 | 所在地 | 国　名 | 海抜高度(m) | 初登頂年 |
|---|---|---|---|---|
| （ア ジ ア） | | | | |
| エヴェレスト① | ヒマラヤ | ネパール・中国 | 8,848 | 1953 |
| K2(ゴッドウィンオースティン) | カラコルム | パキスタン・中国 | 8,611 | 1954 |
| カンチェンジュンガ | ヒマラヤ | ネパール・インド | 8,586 | 1955 |
| マ ナ ス ル | ヒマラヤ | ネパール | 8,163 | 1956 |
| ナンガパルバット | ヒマラヤ | パキスタン | 8,126 | 1953 |
| コンガ(ミニヤコンガ) | ホントワン(横断) | 中　国 | 7,556 | 1832 |
| イスモイリソモニ(コミュニズム) | パミール高原 | タジキスタン | 7,495 | 1933 |
| （ヨーロッパ） | | | | |
| ▲ エルブルース | カフカス | ロ シ ア | 5,642 | 1874 |
| モンブラン | アルプス | フランス・イタリア | 4,810 | 1786 |
| モンテローザ | アルプス | イタリア・スイス | 4,634 | 1855 |
| マッターホルン | アルプス | イタリア・スイス | 4,478 | 1865 |
| ユングフラウ | アルプス | スイス | 4,158 | 1811 |
| ム ラ セ ン | ネ バ ダ | スペイン | 3,482 | 1754 |
| ナロドナヤ | ウ ラ ル | ロ シ ア | 1,895 | － |
| （ア フ リ カ） | | | | |
| ▲ キリマンジャロ | － | タンザニア | 5,895 | 1889 |
| ▲ キリニャガ(ケニア) | － | ケ ニ ア | 5,199 | 1899 |
| ルウェンゾリ | － | コンゴ・ウガンダ | 5,110 | 1906 |
| ＊ ラスダシャン | エチオピア高原 | エチオピア | 4,533 | － |
| （北 ア メ リ カ） | | | | |
| デナリ(マッキンリー) | アラスカ | アメリカ合衆国 | 6,190 | 1913 |
| ロ ー ガ ン | セントエライアス | カ ナ ダ | 5,959 | 1925 |
| ▲ オ リ サ バ | トランスベルサル | メキシコ | 5,675 | 1848 |
| ▲ ポポカテペトル | トランスベルサル | メキシコ | 5,426 | 1848 |
| ホイットニー | シエラネヴァダ | アメリカ合衆国 | 4,418 | 1875 |
| エ ル バ ー ト | ロッキー | アメリカ合衆国 | 4,398 | － |
| （南 ア メ リ カ） | | | | |
| アコンカグア | アンデス | アルゼンチン | 6,959 | 1897 |
| ワスカラン | アンデス | ペ ル ー | 6,768 | 1932 |
| コトパクシ | アンデス | エクアドル | 5,911 | 1872 |
| （オセアニア・南極） | | | | |
| ヴィンソンマッシーフ | 南　極 | | 4,897 | 1966 |
| ジ ャ ヤ | ニューギニア島 | インドネシア | 4,884 | － |
| ▲ マウナケア | ハワイ島 | アメリカ合衆国 | 4,205 | － |
| アオラキ(クック) | サザンアルプス | ニュージーランド | 3,724 | 1894 |
| コジアスコ | グレートディバイディング | オーストラリア | 2,229 | － |

①中国名はチョモランマ

## ❸ 日本のおもな山（▲印は火山）　理科2024ほか

| 山　名 | 所在地 | 海抜高度(m) | 火山型* | 近噴火年 |
|---|---|---|---|---|
| ▲ 富士山(剣ケ峯) | 山梨・静岡 | 3,776 | S,P,L | 1707,1854 |
| 北岳(白根山) | 山　梨 | 3,193 | | |
| 穂高岳(奥穂高岳) | 長野・岐阜 | 3,190 | | |
| 槍 ケ 岳 | 長野・岐阜 | 3,180 | | |
| 東岳(悪沢岳) | 静　岡 | 3,141 | | |
| 赤 石 岳 | 長野・静岡 | 3,121 | | |
| ▲ 御 嶽 山 | 長野・岐阜 | 3,067 | S-C | 2014 |
| 乗 鞍 岳 | 長野・岐阜 | 3,026 | S,D | |
| 立山(大汝山) | 富　山 | 3,015 | | |
| 剱 岳 | 富　山 | 2,999 | | |
| 駒ケ岳(甲斐駒) | 長野・山梨 | 2,967 | | |
| 駒ケ岳(木曽駒) | 長　野 | 2,956 | | |
| 白 馬 岳 | 長野・富山 | 2,932 | | |
| ▲ 八ケ岳(赤岳) | 長野・山梨 | 2,899 | S,D | |
| ▲ 白山(御前峰) | 石川・岐阜 | 2,702 | S | 1659 |
| ▲ 浅 間 山 | 群馬・長野 | 2,568 | S,L,D | 2019 |
| 男 体 山 | 栃　木 | 2,486 | S | |
| ▲ 妙 高 山 | 新　潟 | 2,454 | S-C,D | |
| ▲ 大雪山(旭岳) | 北 海 道 | 2,291 | S-C,D,L | |
| ▲ 鳥 海 山 | 秋田・山形 | 2,236 | S,D | 1974 |
| ▲ 岩 手 山 | 岩　手 | 2,038 | S | 1919 |
| ▲ 月 山 | 山　形 | 1,984 | S | |
| 石鎚山(天狗岳) | 愛　媛 | 1,982 | | |
| 谷 川 岳 | 新潟・群馬 | 1,978 | | |
| 剣 山 | 徳　島 | 1,955 | | |
| 宮 之 浦 岳 | 鹿 児 島 | 1,936 | | |
| 早 池 峰 山 | 岩　手 | 1,917 | | |
| ▲ 蔵王山(熊野岳) | 山形・宮城 | 1,841 | S,P | 1940 |
| ▲ 赤城山(黒檜山) | 群　馬 | 1,828 | S-C,D | 1251? |
| ▲ 磐 梯 山 | 福　島 | 1,816 | S-C | 1888 |
| ▲ くじゅう連山(中岳) | 大　分 | 1,791 | S,D | 1996 |
| ▲ 大 山 | 鳥　取 | 1,729 | S-C,D,P,L | |
| ▲ 霧島山(韓国岳) | 宮崎・鹿児島 | 1,700 | S,P,D | 2018 |
| 丹沢山(蛭ケ岳) | 神 奈 川 | 1,673 | | |
| ▲ 岩 木 山 | 青　森 | 1,625 | S | 1863 |
| ▲ 阿蘇山(高岳) | 熊　本 | 1,592 | S-C,P | 2021 |
| ▲ 雲仙岳(平成新山) | 長　崎 | 1,483 | S,D | 1990~96 |
| 伊 吹 山 | 滋　賀 | 1,377 | | |

*C：カルデラ，S：成層火山，L：溶岩流および小型の楯状火山，D：溶岩円頂丘，P：砕屑丘

## ❹ 世界のおもな砂漠（万km²）　理科2024ほか

| 砂漠名 | 面積 | 砂漠名 | 面積 | 砂漠名 | 面積 | 砂漠名 | 面積 |
|---|---|---|---|---|---|---|---|
| （アジア） | | キジルクーム | 30 | ナ ミ ブ | 14 | ソ ノ ラ | 31 |
| アラビア① | 246 | カ ヴ ィ ー ル | 26 | （南北アメリカ） | | モ ハ ー ヴ ェ | 7 |
| ゴ ビ | 130 | シ リ ア | 26 | パ タ ゴ ニ ア | 67 | （オセアニア） | |
| 大インド(タール) | 60 | （アフリカ） | | グレートベースン | 49 | グレートヴィクトリア | 65 |
| タクラマカン | 52 | サ ハ ラ | 907 | チ ワ ワ | 45 | グレートサンディー | 40 |
| カ ラ ク ー ム | 35 | カ ラ ハ リ | 57 | ア タ カ マ | 36 | シ ン プ ソ ン | 15 |

①ルブアルハリ砂漠やネフド砂漠を含むアラビア半島全域に広がる砂漠

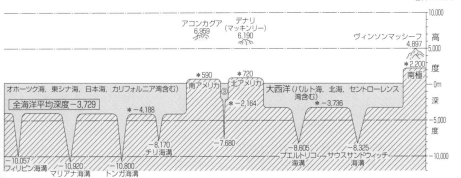

理科2023ほか

## ❶ 世界各地の雪線の高さ

理科1988

| 地　方 | 場　　所 | 高さ(m) | 地　方 | 場　　所 | 高さ(m) |
|---|---|---|---|---|---|
| ア　ジ　ア | カフカス | 南斜面　西部 | 2,700 | 北アメリカ | グリーンランド | | 1,400 |
| | | 南斜面　東部 | 3,500 | | アラスカ | | 610 |
| | テンシャン | 北斜面 | 3,800 | | カ　ナ　ダ | バッフィン島 | 1,555 |
| | | 南斜面 | 4,200 | 南アメリカ | コロンビア | アンデス | 4,700 |
| | ヒマラヤン | | 4,250〜6,250 | | ペ　ル　ー | アンデス | 4,900 |
| | クンルン | | 6,000 | | ボリビア | アンデス | 5,500〜6,000 |
| ヨーロッパ | ア　ル　プ　ス | グランパラディソ | 3,350 | | チ　　リ | アンデス24°S | 6,200 |
| | | モンブラン | 2,900 | | | ティエラデルフエゴ | 1,050 |
| | ノルウェー | ヨートン峡湾 | 1,900 | 南極海地方 | | ケルゲレン島 | 600 |
| | スペイン | シエラネバダ | 3,200 | | | サウスジョージア島 | 300〜650 |
| アフリカ | アイスランド | ホッフスイエクル | 1,300 | | | ブーヴェー島 | 200 |
| | キリマンジャロ | | 5,200 | | | | |

## ❷ 緯度別平均気温

気候学ほか

| 緯度 | 気　　　温(℃) | | | | | |
|---|---|---|---|---|---|---|
| | 1月 | 4月 | 7月 | 10月 | 年平均 | 年較差 |
| 90°N | −41.0 | −28.0 | −1.0 | −24.0 | −22.7 | 40.0 |
| 80° | −32.2 | −22.7 | 2.0 | −19.1 | −17.1 | 34.2 |
| 70° | −26.3 | −14.0 | 7.3 | −9.3 | −10.7 | 33.6 |
| 60° | −16.1 | −2.8 | 14.1 | 0.3 | −1.1 | 30.2 |
| 50° | −7.2 | 5.2 | 17.9 | 6.9 | 5.8 | 25.1 |
| 40° | 5.5 | 13.1 | 24.0 | 15.7 | 14.1 | 18.5 |
| 30° | 14.7 | 20.1 | 27.3 | 21.8 | 20.4 | 12.6 |
| 20° | 21.9 | 25.2 | 28.0 | 26.4 | 25.3 | 6.1 |
| 10° | 25.8 | 27.2 | 27.0 | 26.9 | 26.8 | 1.4 |
| 0° | 26.5 | 26.6 | 25.7 | 26.5 | 26.3 | 0.9 |
| 10°S | 26.4 | 25.9 | 23.0 | 25.7 | 25.5 | 3.4 |
| 20° | 25.3 | 24.0 | 19.8 | 22.8 | 23.0 | 5.5 |
| 30° | 21.6 | 18.7 | 14.5 | 18.0 | 18.4 | 7.1 |
| 40° | 15.4 | 12.5 | 8.8 | 11.7 | 11.9 | 6.6 |
| 50° | 8.4 | 5.4 | −3 | 4.8 | 5.4 | 5.4 |
| 60° | 3.2 | − | −9.3 | − | −3.2 | 12.5 |
| 70° | −1.2 | − | −21.0 | − | −12.0 | 19.8 |
| 80° | (−4.3) | − | (−28.7) | − | (−20.6) | (24.4) |
| 90° | (−6.0) | − | (−33.0) | − | (−25.0) | (27.0) |

## ❸ 緯度別平均降水量・蒸発量

気候学ほか

| 緯度 | 面積(10⁶km²) | | | 年降水量(cm) | | | 全地球年蒸発量(cm) | ＊差(cm/年) |
|---|---|---|---|---|---|---|---|---|
| | 海洋 | 陸地 | 全地球 | 海洋 | 陸地 | | | |
| 90°N〜90°S | 362.8 | 147.2 | 74.3 | 74.2 | 75.3 | 74.3 | 0 | |
| 90°〜80°N | 3.5 | 0.4 | (17) | (15) | (34) | 5 | 12 |
| 80°〜70° | 8.1 | 3.5 | (29) | (29) | (26) | 9 | 20 |
| 70°〜60° | 5.6 | 13.4 | (39) | 48 | 35 | 12 | 27 |
| 60°〜50° | 11.0 | 14.6 | 69 | 96 | 50 | 38 | 31 |
| 50°〜40° | 15.0 | 16.5 | 83 | 117 | 51 | 51 | 32 |
| 40°〜30° | 20.8 | 15.6 | 51 | 51 | 52 | 71 | −20 |
| 30°〜20° | 25.1 | 15.1 | 43 | 22 | 79 | 91 | −48 |
| 20°〜10° | 31.5 | 11.2 | 71 | 62 | 95 | 109 | −38 |
| 10°〜0° | 34.1 | 10.0 | 147 | 140 | 172 | 103 | 44 |
| 0°〜10°S | 33.7 | 10.4 | 116 | 95 | 181 | 116 | 0 |
| 10°〜20° | 33.4 | 9.4 | 76 | 66 | 110 | 113 | −37 |
| 20°〜30° | 30.9 | 9.3 | 54 | 51 | 64 | 96 | −42 |
| 30°〜40° | 32.3 | 4.1 | 85 | 88 | 57 | 85 | 0 |
| 40°〜50° | 30.5 | 1.0 | 92 | 92 | 58 | 58 | 34 |
| 50°〜60° | 25.4 | 0.2 | 70 | 70 | 102 | 23 | 47 |
| 60°〜70° | 17.3 | 1.6 | (28) | 29 | (30) | 9 | 19 |
| 70°〜80° | 4.3 | 3.2 | (26) | 15 | (30) | 7 | 19 |
| 80°〜90° | 0.4 | 3.5 | (30) | − | (30) | 5 | 25 |

＊降水量−蒸発量，（　）数字は暫定値

## ❹ 気候区の大陸別面積の割合(%)

赤字は各地域の最大値　　H. Wagner

| 気候区 | ユーラシア | アフリカ | オーストラリア | 北アメリカ | 南アメリカ | 南極大陸 | 太平洋 | 大西洋 | インド洋 | 気候区 | ユーラシア | アフリカ | オーストラリア | 北アメリカ | 南アメリカ | 南極大陸 | 太平洋 | 大西洋 | インド洋 |
|---|---|---|---|---|---|---|---|---|---|---|---|---|---|---|---|---|---|---|---|
| Af | 3.5 | 19.8 | 7.9 | 2.8 | 26.9 | − | 36.3 | 13.6 | 31.1 | Cf | 5.7 | 0.3 | 11.2 | 10.7 | 14.0 | − | 30.7 | 28.3 | 23.8 |
| Aw | 3.9 | 18.8 | 9.0 | 2.5 | 36.5 | − | 15.1 | 13.5 | 13.0 | Df | 25.8 | − | − | 43.4 | − | − | 2.1 | 1.4 | − |
| BS | 15.9 | 25.8 | 25.8 | 10.7 | 6.7 | − | 1.3 | 8.4 | 2.4 | Dw | 13.4 | − | − | − | − | − | 0.4 | − | − |
| BW | 10.2 | 25.2 | 31.4 | 3.7 | 7.3 | − | 0.1 | 0.6 | 1.7 | ET | 9.8 | − | − | 17.3 | 1.6 | 3.6 | 9.7 | 21.5 | 23.4 |
| Cw | 9.6 | 13.1 | 6.8 | 2.5 | 6.7 | − | 0.7 | 0.1 | 0.1 | EF | − | − | − | 6.2 | − | 96.4 | 1.9 | 6.8 | 2.7 |
| Cs | 2.2 | 1.3 | 7.9 | 0.8 | 0.3 | − | 1.7 | 5.9 | 1.8 | | | | | | | | | | |

## ❶ 世界のおもな島（千km²）

理科2024ほか

| 名　称 | 所属 | 面積 | 名　称 | 所属 | 面積 |
|---|---|---|---|---|---|
| グリーンランド | デンマーク | 2,176 | ジャワ | インドネシア | 126 |
| ニューギニア | ① | 772 | キューバ | キューバ | 115 |
| カリマンタン(ボルネオ) | ② | 737 | 北島 | ニュージーランド | 114 |
| マダガスカル | マダガスカル | 590 | ニューファンドランド | カナダ | 111 |
| バッフィン | カナダ | 512 | ルソン | フィリピン | 106 |
| スマトラ | インドネシア | 434 | アイスランド | アイスランド | 103 |
| 本　州 | 日　本 | 228 | ミンダナオ | フィリピン | 96 |
| グレートブリテン | イギリス | 218 | 北海道 | 日　本 | 78 |
| スラウェシ(セレベス) | インドネシア | 179 | 九　州 | 日　本 | 37 |
| 南　島 | ニュージーランド | 151 | 四　国 | 日　本 | 18 |

①インドネシア，パプアニューギニア　②インドネシア，マレーシア，ブルネイ

## ❷ 日本のおもな島（km²）

| 名　称 | 所属 | 面積 |
|---|---|---|
| 択捉(えとろふ)島 | 北海道 | 3,167 |
| 国後(くなしり)島 | 北海道 | 1,489 |
| 沖縄(おきなわ)島 | 沖　縄 | 1,208 |
| 佐渡(さど)島 | 新　潟 | 855 |
| 奄美大(あまみおお)島 | 鹿児島 | 712 |
| 対馬(つしま) | 長　崎 | 696 |
| 淡路(あわじ)島 | 兵　庫 | 592 |
| 天草下(あまくさしも)島 | 熊　本 | 575 |
| 屋久(やく)島 | 鹿児島 | 504 |
| 種子(たねが)島 | 鹿児島 | 444 |

全国都道府県市区町村別面積調22

## ❸ 世界のおもな湖沼

| 地域 | 湖沼名 | 面積(最大深度) 百km²(m) |
|---|---|---|
| アジア | *カスピ海 | 3,740(1,025) |
| アジア | ▲バイカル | 315(1,741) |
| アジア | ▲バルハシ | *182( 26) |
| アジア | *アラル海 | *100( 43) |
| アジア | トンレサップ | *25( 12) |
| 南北アメリカ | ▲スペリオル | 824( 406) |
| 南北アメリカ | ヒューロン | 596( 228) |
| 南北アメリカ | ▲ミシガン | 580( 281) |
| 南北アメリカ | ▲グレートベア | 312( 446) |
| 南北アメリカ | ▲グレートスレーヴ | 286( 625) |
| 南北アメリカ | ▲エリー | 258( 64) |
| 南北アメリカ | ▲ウィニペグ | 238( 36) |
| 南北アメリカ | オンタリオ | 190( 244) |
| 南北アメリカ | マラカイボ | 130( 60) |
| 南北アメリカ | チチカカ | 84( 281) |
| アフリカ・オセアニア | ヴィクトリア | 688( 84) |
| アフリカ・オセアニア | タンガニーカ | 320(1,471) |
| アフリカ・オセアニア | マラウイ(ニアサ) | 225( 706) |
| アフリカ・オセアニア | *エーア | *97( 6) |
| アフリカ・オセアニア | チャド | *30( 10) |

*塩湖　▲冬季凍結　理科2024ほか

## ❹ 日本のおもな湖沼

理科2024ほか

| 湖沼名(湖沼型*) | 所在地 | 面積(最大深度)km²(m) | 湖沼名(湖沼型*) | 所在地 | 面積(最大深度)km²(m) |
|---|---|---|---|---|---|
| 琵琶(びわ)湖(M) | 滋　賀 | 669(104) | 摩周(ましゅう)湖(O) | 北海道 | 19(211) |
| 霞ケ浦(かすみが)浦(E) | 茨　城 | 168( 12) | *十三(じゅうさん)湖(M) | 青　森 | 18( 2) |
| *サロマ湖(M) | 北海道 | 152( 20) | クッチャロ湖(E) | 北海道 | 13( 3) |
| 猪苗代(いなわしろ)湖(A) | 福　島 | 103( 94) | 阿寒(あかん)湖(O) | 北海道 | 13( 45) |
| *中(なか)海(M) | 鳥取・島根 | 86( 17) | 諏訪(すわ)湖(E) | 長　野 | 13( 7) |
| 屈斜路(くっしゃろ)湖(A) | 北海道 | 80(118) | 中禅寺(ちゅうぜんじ)湖(O) | 栃　木 | 12(163) |
| *宍道(しんじ)湖(E) | 島　根 | 79( 6) | 池田(いけだ)湖(O) | 鹿児島 | 11(233) |
| 支笏(しこつ)湖(O) | 北海道 | 78(360) | 桧原(ひばら)湖(O) | 福　島 | 11( 31) |
| 洞爺(とうや)湖(O) | 北海道 | 71(180) | 印旛(いんば)沼(E) | 千　葉 | 9( 5) |
| 浜名(はまな)湖(M) | 静　岡 | 65( 13) | *涸(ひ)沼(E) | 茨　城 | 9( 3) |
| 小川原(おがわら)湖(M) | 青　森 | 62( 27) | 濤沸(とうふつ)湖(E) | 北海道 | 8( 2) |
| 十和田(とわだ)湖(O) | 青森・秋田 | 61(327) | 久美沢(くみはま)湾(E) | 京　都 | 7( 21) |
| 風蓮(ふうれん)湖(E) | 北海道 | 59( 13) | 芦ノ(あしの)湖(O) | 神奈川 | 7( 41) |
| 能取(のとろ)湖(E) | 北海道 | 58( 23) | 湖山(こやま)池(E) | 鳥　取 | 7( 7) |
| 北(きた)浦(E) | 茨　城 | 35( 10) | 山中(やまなか)湖(M) | 山　梨 | 7( 13) |
| 厚岸(あっけし)湖(E) | 北海道 | 32( 11) | 塘路(とうろ)湖(E) | 北海道 | 6( 7) |
| 網走(あばしり)湖(M) | 北海道 | 32( 16) | 松川(まつかわ)浦(E) | 福　島 | 6( 6) |
| 八郎(はちろう)潟調整池(E) | 秋　田 | 28( 11) | 外浪逆(そとなさか)浦(E) | 茨城・千葉 | 6( 23) |
| 田沢(たざわ)湖(M) | 秋　田 | 26(423) | 温根沼(おんねとう)湖(O) | 北海道 | 6( 6) |

*E：富栄養湖　M：中栄養湖　O：貧栄養湖　A：酸栄養湖　*は汽水湖
*季節や年により湖面の拡大・縮小が著しいため、数値はある時点のもの。

## ❺ 世界と日本の湖沼透明度（m）

理科2024

| 湖沼名 | 所在地 | 透明度 | 湖沼名 | 所在地 | 透明度 | 湖沼名 | 所在地 | 透明度 | 湖沼名 | 所在地 | 透明度 |
|---|---|---|---|---|---|---|---|---|---|---|---|
| グレートベア湖 | カナダ | 10-30 | バイカル湖 | ロシア | 5-23 | タウポ湖 | ニュージーランド | 11-20 | ボーデン湖 | スイス・ドイツ・オーストリア | 3-15 |
| 摩周湖 | 北海道 | 28 | 倶多楽湖 | 北海道 | 22 | タンガニーカ湖 | タンザニア・ザンビア・コンゴ民主・ブルンジ | 5-19 | レマン湖 | スイス・フランス | 2-15 |
| タホ湖 | アメリカ | 28 | マッジョーレ湖 | スイス・イタリア | 3-22 | シュコダル湖 | モンテネグロ・アルバニア | 4-18 | スペリオル湖 | アメリカ・カナダ | 0-15 |
| マラウイ | マラウイ・モザンビーク | 13-23 | イシク湖 | キルギス | 13-20 | 支笏湖 | 北海道 | 17.5 | パンケトー | 北海道 | 14.0 |

## ❻ 世界のおもな河川

理科2024ほか

| 河川名 | 流域面積(千km²) | 長さ(10km) | 河口の所在 国名，海洋・湖沼名 | 河川名 | 流域面積(千km²) | 長さ(10km) | 河口の所在 国名，海洋・湖沼名 |
|---|---|---|---|---|---|---|---|
| アマゾン | 7,050 | 652 | ブラジル，大西洋 | セントローレンス | 1,463 | 306 | カナダ，セントローレンス湾 |
| コンゴ | 3,700 | 467 | コンゴ民主・アンゴラ，大西洋 | ヴォルガ | 1,380 | 369 | ロシア，カスピ海 |
| ナイル | 3,349 | ①670 | エジプト，地中海 | ザンベジ | 1,330 | 274 | モザンビーク，モザンビーク海峡 |
| ミシシッピ | 3,250 | ②597 | アメリカ合衆国，メキシコ湾 | インダス | 1,166 | 318 | パキスタン，アラビア海 |
| ラプラタ | 3,100 | ③450 | アルゼンチン・ウルグアイ，大西洋 | サスカチュワン | 1,150 | 257 | カナダ，ウィニペグ湖 |
| オビ | 2,990 | ④557 | ロシア，オビ湾 | マリー | 1,058 | ⑤367 | オーストラリア，グレートオーストラリア湾 |
| エニセイ | 2,580 | 555 | ロシア，ラプテフ海 | オレンジ | 1,020 | 210 | 南アフリカ共和国・ナミビア，大西洋 |
| レナ | 2,490 | 440 | ロシア，ラプテフ海 | 黄河(ホワンホー) | 980 | 546 | 中国，渤海(ボーハイ) |
| 長江(チャンチヤン)(揚子江) | 1,959 | 638 | 中国，東シナ海 | オリノコ | 945 | 250 | ベネズエラ，大西洋 |
| ニジェール | 1,890 | 418 | ナイジェリア，ギニア湾 | ユーコン | 855 | 319 | アメリカ合衆国，ベーリング海 |
| アムール(黒竜江) | 1,855 | 442 | ロシア，間宮海峡 | ドナウ(ダニューブ) | 815 | 285 | ルーマニア，黒海 |
| マッケンジー | 1,805 | 424 | カナダ，ボーフォート海 | メコン | 810 | 443 | ベトナム，南シナ海 |
| ガンジス(ガンガ)・ブラマプトラ | 1,621 | 251 / 284 | バングラデシュ，ベンガル湾 | ユーフラテス | 765 | 280 | イラク・イラン，ペルシア湾 |

①カゲラ川源流から　②ミズーリ川源流から　③パラナ川源流から。パラナ川・ウルグアイ川合流点より下流は約30km
④イルティシ川源流から　⑤ダーリング川源流から

# ❶ 世界のおもな河川（続き）

理科2024ほか

| 河川名 | 流域面積（千km²） | 長さ（10km） | 河口の所在 国名，海洋・湖沼名 | 河川名 | 流域面積（千km²） | 長さ（10km） | 河口の所在 国名，海洋・湖沼名 |
|---|---|---|---|---|---|---|---|
| コロンビア | 668 | 200 | アメリカ合衆国・カナダ，太平洋 | エーヤワディー | 430 | 199 | ミャンマー，ベンガル湾 |
| シルダリア | 649 | 221 | カザフスタン，アラル海 | ド　ン | 430 | 187 | ロシア，アゾフ海 |
| コロラド | 590 | 233 | メキシコ，カリフォルニア湾 | ライン | 224 | 123 | オランダ，北海 |
| リオグランデ | 570 | 306 | アメリカ合衆国・メキシコ，メキシコ湾 | ウラル | 220 | 243 | カザフスタン，カスピ海 |
| ドニエプル | 511 | 220 | ウクライナ，黒海 | ローヌ | 121 | 102 | フランス，ビスケー湾 |
| アムダリア | 465 | 254 | ウズベキスタン，アラル海 | セーヌ | 78 | 78 | フランス，イギリス海峡 |
| チュー（珠江） | 443 | 220 | 中国，南シナ海 | ポー | 69 | 68 | イタリア，アドリア海 |

# ❷ 日本のおもな河川（2022年）

赤字は各項目の最大値　　理科2024ほか

| 河川名 | 流域面積（km²） | 幹川流路延長（km） | 流量(m³/秒)2020年 年平均 | 最大 | 最小 | 河川名 | 流域面積（km²） | 幹川流路延長（km） | 流量(m³/秒)2020年 年平均 | 最大 | 最小 |
|---|---|---|---|---|---|---|---|---|---|---|---|
| 利根川（と　　ね） | 16,840 | 322 | 230 | 1,700 | 75 | 筑後川（ちくご） | 2,863 | 143 | 170 | 6,600 | 38 |
| 石狩川（いしかり） | 14,330 | 268 | 110 | 910 | 42 | 神通川（じんづう） | 2,720 | 120 | 190 | 4,200 | 34 |
| 信濃川（しなの） | 11,900 | 367 | 500 | 3,800 | 170 | 高梁川（たかはし） | 2,670 | 111 | 63 | 3,800 | 4 |
| 北上川（きたかみ） | 10,150 | 249 | － | 3,800 | － | 岩木川（いわき） | 2,540 | 102 | － | 540 | 18 |
| 木曽川（き　そ） | 9,100 | 229 | 380 | 12,000 | 68 | 斐伊川（ひ　い） | 2,540 | 153 | 35 | 1,200 | 7 |
| 十勝川（とかち） | 9,010 | 156 | 75 | 290 | 26 | 釧路川（くしろ） | 2,510 | 154 | 24 | 500 | 14 |
| 淀川（よ　ど） | 8,240 | 75 | － | 3,100 | － | 熊野川（くまの）（新宮川） | 2,360 | 183 | － | 3,900 | － |
| 阿賀野川（あがの） | 7,710 | 210 | 360 | 4,900 | 67 | 大淀川（おおよど） | 2,230 | 107 | 190 | 4,200 | 33 |
| 最上川（もがみ） | 7,040 | 229 | 360 | 5,300 | 95 | 四万十川（しまんと） | 2,186 | 196 | － | － | － |
| 天塩川（てしお） | 5,590 | 256 | 120 | 1,300 | 21 | 吉井川（よしい） | 2,110 | 133 | 63 | 2,200 | 15 |
| 阿武隈川（あぶくま） | 5,400 | 239 | 50 | 1,100 | 13 | 馬淵川（まべち） | 2,050 | 142 | － | 1,100 | 23 |
| 天竜川（てんりゅう） | 5,090 | 213 | － | － | － | 常呂川（ところ） | 1,930 | 120 | 19 | 180 | 6 |
| 雄物川（おもの） | 4,710 | 133 | 250 | 2,400 | 66 | 由良川（ゆ　ら） | 1,880 | 146 | 42 | 660 | 5 |
| 米代川（よねしろ） | 4,100 | 136 | 110 | 1,700 | 38 | 球磨川（く　ま） | 1,880 | 115 | 140 | － | － |
| 富士川（ふ　じ） | 3,990 | 128 | 79 | － | － | 矢作川（やはぎ） | 1,830 | 118 | 64 | 2,400 | － |
| 江の川（ごうの） | 3,900 | 194 | 81 | 5,200 | － | 五ヶ瀬川（ごかせ） | 1,820 | 106 | 65 | 3,000 | 14 |
| 吉野川（よしの） | 3,750 | 194 | 110 | 6,200 | 22 | 旭川（あさひ） | 1,810 | 142 | 54 | 1,600 | 11 |
| 那珂川（な　か） | 3,270 | 150 | 72 | － | － | 紀の川（き　の） | 1,750 | 136 | － | 2,000 | － |
| 荒川（あら） | 2,940 | 173 | 40 | － | － | 太田川（おおた） | 1,710 | 103 | － | 4,100 | 12 |
| 九頭竜川（くずりゅう） | 2,930 | 116 | － | 1,200 | － | 尻別川（しりべつ） | 1,640 | 126 | － | 520 | 19 |

# ❸ おもな河川の河況係数

日本の川

| 河川名 | 県名 | 調査地点 | 河況係数 | 河川名 | 国名 | 調査地点 | 河況係数 |
|---|---|---|---|---|---|---|---|
| 石狩川 | 北海道 | 橋本町 | 573 | ナ イ ル | エジプト | カ イ ロ | 30 |
| 北上川 | 岩手 | 狐禅寺 | 159 | オハイオ | アメリカ合衆国 | シビクリー | 319 |
| 利根川 | 埼玉 | 栗橋 | 1,782 | テ ネ シ ー | アメリカ合衆国 | パドゥーカ | 1,000 |
| 信濃川 | 新潟 | 小千谷 | 117 | コロラド | アメリカ合衆国 | グランドキャニオン | 181 |
| 荒川 | 埼玉 | 寄居 | 3,968 | ミシシッピ | アメリカ合衆国 | ヴィックスバーグ | 21 |
| 富士川 | 静岡 | 清水端 | 1,142 | テ ム ズ | イギリス | ロンドン | 8 |
| 黒部川 | 富山 | 宇奈月 | 5,075 | ム ア | オーストリア | ウィーン | 4 |
| 吉野川 | 徳島 | 中央橋 | 1,415 | ド ナ イ | スイス | バ ー ゼ ル | 18 |
| 四万十川 | 高知 | 具同 | 8,920 | ロ セ ー ヌ | フランス | パ リ | 34 |
| 筑後川 | 福岡 | 瀬ノ下 | 8,671 | ー ー ヌ | フランス | サンモリス | 35 |

河況係数* = 最大流量／最小流量

*日本の河川は1980年までの最大流量と最小流量の数値，外国の河川は既往の最大流量と最小流量の数値で算出。なお，最小流量が0の場合は河況係数は無限大になる。砂漠の河川でよくみられる。

一年中流量にあまり変化がない（河況係数が小さい）川は治水や利水に都合がよい。

# ❹ おもな河川の縦断面曲線

横軸は河口からの距離　　日本の川

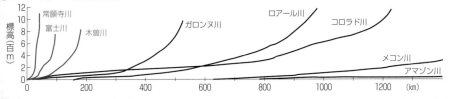

# ❺ おもな国の国立公園（千ha）

環境省資料ほか

| 国名 | 数 | 面積 | 国名 | 数 | 面積 | 国名 | 数 | 面積 | 国名 | 数 | 面積 |
|---|---|---|---|---|---|---|---|---|---|---|---|
| 日本 | 34 | 2,195 | エチオピア | 9 | 2,083 | イ タ リ ア | 14 | 825 | カ ナ ダ | 33 | 18,228 |
| イ ラ ン | 7 | 1,075 | ケ ニ ア | 18 | 2,904 | デンマーク | 1 | 97,200 | メ キ シ コ | 30 | 684 |
| イ ン ド | 66 | 3,874 | コンゴ民主 | 7 | 8,544 | ド イ ツ | 10 | 700 | ブ ラ ジ ル | 35 | 11,919 |
| 韓 国 | 16 | 315 | 南アフリカ共和国 | 22 | 3,464 | ロ シ ア | 24 | 4,569 | オーストラリア | 298 | 23,137 |
| タ イ | 75 | 4,349 | イ ギ リ ス | 17 | 1,447 | アメリカ合衆国 | 49 | 16,061 | ニュージーランド | 13 | 2,451 |

自
然

## ❶ 世界のおもなダム（上段：総貯水量順／下段：堤高順）　ダム便覧ほか

| ダム名 | 国名 | 形式* | 堤高(m) | 総貯水量(百万m³) | 完成年 |
|---|---|---|---|---|---|
| ナルバーレ(オーエンフォールズ) | ウガンダ | G | 31 | 204,800 | 1954 |
| カ ホ ウ カ | ウクライナ | G・E | 37 | 182,000 | 1955 |
| カ リ バ | ジンバブエ・ザンビア | A | 128 | 180,600 | 1959 |
| ブ ラ ー ツ ク | ロ シ ア | G | 125 | 169,000 | 1964 |
| ア ス ワ ン ハ イ | エジプト | R | 111 | 162,000 | 1970 |
| ア コ ソ ン ボ | ガ ー ナ | R | 134 | 150,000 | 1965 |
| ダニエルジョンソン | カ ナ ダ | MA | 214 | 141,851 | 1968 |
| グ リ | ベネズエラ | E・G・R | 162 | 135,000 | 1986 |
| ロンタン〔龍灘〕 | 中 国 | G | 192 | 126,210 | 2009 |
| W.A.C.ベネット | カ ナ ダ | E | 183 | 74,300 | 1967 |
| 大エチオピア・ルネサンス | エチオピア | G・R | 145 | 74,000 | * |
| クラスノヤルスク | ロ シ ア | G | 124 | 73,300 | 1967 |
| ゼ ヤ | ロ シ ア | GB | 115 | 68,400 | 1978 |
| ラ グ ラン デ2 | カ ナ ダ | R | 168 | 61,715 | 1978 |
| ラ グ ラン デ3 | カ ナ ダ | R | 93 | 60,020 | 1981 |
| ラウスチイリムスク | ロ シ ア | G | 102 | 59,300 | 1977 |
| ボ グ チ ャ ヌ イ | ロ シ ア | G | 87 | 58,200 | 2012 |
| ロ グ ン | タジキスタン | E・R | 335 | 13,300 | * |
| ヌ レ | タジキスタン | E | 300 | 10,500 | 1980 |
| シャオワン〔小湾〕 | 中 国 | A | 292 | 15,100 | 2010 |
| グランドディクサーンス | ス イ ス | G | 285 | 401 | 1961 |
| イ ン グ リ | ジョージア | A | 272 | 1,100 | 1980 |
| ヴァイオント | イタリア | A | 262 | 168 | 1960 |
| テ ヘ リ | イ ン ド | E・R | 261 | 3,540 | 2006 |
| チコアセン(マニュエルモレノトーレス) | メキシコ | E・R | 261 | 1,613 | 1980 |
| カンバラチンスキー | キルギス | G・E | 255 | 4,650 | * |
| モ ー ボ ア ゾ ン | ス イ ス | A | 250 | 212 | 1957 |
| デ リ ネ | トルコ | G | 247 | 1,969 | 2006 |
| マ イ カ | カ ナ ダ | R | 243 | 25,000 | 1973 |
| アルバート=リェラス=カルマゴ | コロンビア | R | 243 | 970 | 1989 |
| サヤノシュシェンスカヤ | ロ シ ア | A | 242 | 31,300 | 1990 |
| アータン〔二灘〕 | 中 国 | A | 240 | 5,800 | 1999 |
| サンシヤ〔三峡〕 | 中 国 | G | 185 | 39,300 | 2009 |

*未完成　☞ p.84～85

## ❷ 日本のおもなダム（上段：有効貯水量順／下段：堤高順）　ダム年鑑2020

| ダム名 | 所在地 | 河川名 | 形式* | 堤高(m) | 有効貯水量(万m³) |
|---|---|---|---|---|---|
| 奥只見 | 新潟・福島 | 只見川 | G | 157 | 45,800 |
| 徳 山 | 岐阜 | 揖斐川 | R | 161 | 38,040 |
| 田子倉 | 福島 | 只見川 | G | 145 | 37,000 |
| 夕張シューパロ | 北海道 | 夕張川 | G | 111 | 36,700 |
| 御母衣 | 岐阜 | 庄川 | R | 131 | 33,000 |
| 早明浦 | 高知 | 吉野川 | G | 106 | 28,900 |
| 玉 川 | 秋田 | 玉川 | G | 100 | 22,900 |
| 九頭竜 | 福井 | 九頭竜川 | R | 128 | 22,300 |
| 池 原 | 奈良 | 北山川 | A | 111 | 22,008 |
| 佐久間 | 静岡・愛知 | 天竜川 | G | 156 | 20,544 |
| 有 峰 | 富山 | 和田川 | G | 140 | 20,400 |
| 手取川 | 石川 | 手取川 | R | 153 | 19,000 |
| 小河内 | 東京 | 多摩川 | G | 149 | 18,540 |
| 宮ヶ瀬 | 神奈川 | 中津川 | G | 156 | 18,300 |
| 矢木沢 | 群馬 | 利根川 | A | 131 | 17,580 |
| 雨竜第一 | 北海道 | 雨竜別川 | G | 46 | 17,212 |
| 黒 部 | 富山 | 黒部川 | A | 186 | 14,884 |
| 高 瀬 | 長野 | 高瀬川 | R | 176 | 1,620 |
| 徳 山 | 岐阜 | 揖斐川 | R | 161 | 38,040 |
| 奈良俣 | 群馬 | 楢俣川 | R | 158 | 8,500 |
| 奥只見 | 新潟・福島 | 只見川 | G | 157 | 45,800 |
| 宮ヶ瀬 | 神奈川 | 中津川 | G | 156 | 18,300 |
| 浦 山 | 埼玉 | 浦山川 | G | 156 | 5,600 |
| 温 井 | 広島 | 滝山川 | A | 156 | 7,900 |
| 佐久間 | 静岡・愛知 | 天竜川 | G | 156 | 20,544 |
| 奈良渡 | 長野 | 梓川 | A | 156 | 9,400 |
| 手取川 | 石川 | 手取川 | R | 153 | 19,000 |
| 小河内 | 東京 | 多摩川 | G | 149 | 18,540 |
| 田子倉 | 福島 | 只見川 | G | 145 | 37,000 |
| 有 峰 | 富山 | 和田川 | G | 140 | 20,400 |
| 草 木 | 群馬 | 渡良瀬川 | G | 140 | 5,050 |
| 川 治 | 栃木 | 鬼怒川 | A | 140 | 7,600 |

## *ダム形式

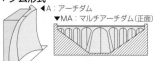 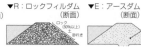   

▼A：アーチダム　▼R：ロックフィルダム（断面）　▼E：アースダム（断面）　▼B：バットレスダム
▼MA：マルチアーチダム（正面）
G：重力式コンクリートダム▶

## ❸ 日本の水資源使用状況（2019年）

| 地域 | 都市用水 生活用水 | 都市用水 工業用水 | 農業用水 | 合計 | 河川水(%) | 地下水(%) | 1人平均使用量(L/日)① |
|---|---|---|---|---|---|---|---|
| 全 国 | 148.4 | 103.2 | 533.1 | 784.7 | 73.2 | 26.8 | 286 |
| 北海道 | 6.2 | 8.6 | 46.2 | 61.0 | 92.3 | 7.7 | 271 |
| 東 北 | 13.9 | 12.3 | 155.3 | 181.6 | 79.5 | 20.5 | 274 |
| 関東内陸 | 9.4 | 7.4 | 55.3 | 72.1 | 54.4 | 45.6 | 283 |
| 関東臨海 | 40.5 | 9.9 | 24.9 | 75.3 | 87.2 | 12.8 | 280 |
| 東 海 | 21.1 | 19.7 | 48.6 | 89.3 | 58.9 | 41.1 | 294 |
| 北 陸 | 3.5 | 4.7 | 27.8 | 36.1 | 49.5 | 50.5 | 303 |
| 近畿内陸 | 6.3 | 2.8 | 18.2 | 27.3 | 73.4 | 26.6 | 288 |
| 近畿臨海 | 18.2 | 7.7 | 20.8 | 46.7 | 83.5 | 16.5 | 299 |
| 山 陰 | 1.5 | 1.7 | 12.0 | 15.3 | 61.3 | 38.7 | 292 |
| 山 陽 | 6.9 | 10.8 | 29.4 | 47.1 | 90.9 | 9.1 | 296 |
| 四 国 | 4.9 | 6.4 | 20.3 | 31.8 | 68.0 | 32.0 | 319 |
| 北九州 | 8.5 | 5.1 | 37.8 | 51.4 | 81.3 | 18.7 | 258 |
| 南九州 | 5.4 | 5.5 | 33.8 | 44.7 | 57.3 | 42.7 | 306 |
| 沖 縄 | 1.9 | 0.4 | 2.6 | 4.9 | 87.2 | 12.8 | 319 |

①生活用水の1人1日あたり平均使用量　　日本の水資源の現況'22

## ❹ 日本の産業別水源別用水量（2020年）　経済センサス'21

| 産業別 | 淡水合計(千m³/日) | 公共水道(%) 工業用水道 | 上水道 | 井戸水(%) | その他の淡水①(%) | 回収水②(%) | 海水(m³/日) |
|---|---|---|---|---|---|---|---|
| 製造業計 | 76,711 | 13.9 | 8.4 | 12.4 | 8.7 | 56.6 | 19,898 |
| 食 品 | 6,219 | 7.7 | 20.8 | 59.8 | 6.8 | 4.9 | 292 |
| 繊 維 | 2,815 | 7.6 | 6.1 | 51.5 | 17.2 | 17.6 | 18 |
| 木材・家具 | 136 | 18.5 | 31.3 | 46.5 | 1.2 | 2.5 | — |
| 紙・パルプ | 7,259 | 24.9 | 1.1 | 11.4 | 49.6 | 13.0 | 37 |
| 印 刷 | 113 | 5.3 | 65.8 | 14.9 | 13.4 | 0.6 | 0.01 |
| 化 学 | 21,776 | 19.3 | 2.5 | 7.0 | 5.5 | 65.7 | 8,344 |
| (石油・石炭製品) | 2,751 | 25.4 | 0.4 | 0.1 | 0.3 | 73.8 | 4,428 |
| 皮 革 | 7 | — | 51.4 | 47.1 | 0.7 | 0.8 | 0.001 |
| 窯 業 | 1,299 | 12.6 | 6.3 | 19.9 | 11.2 | 50.0 | 315 |
| 金 属 | 30,138 | 10.3 | 9.9 | 2.4 | 2.3 | 75.1 | 10,884 |
| (鉄 鋼) | 28,169 | 9.8 | 8.3 | 1.5 | 1.9 | 78.5 | 10,413 |
| はん用機械 | 304 | 6.3 | 49.7 | 27.0 | 1.7 | 15.3 | 0.002 |
| 生産用機械 | 516 | 6.7 | 70.6 | 11.1 | 2.2 | 9.4 | 0.04 |
| 業務用機械 | 118 | 17.2 | 52.9 | 28.4 | 0.5 | 1.0 | — |
| 電気機械 | 1,812 | 22.5 | 17.8 | 24.1 | 2.1 | 33.5 | 0.3 |
| 輸送機械 | 4,125 | 5.1 | 6.0 | 6.6 | 0.4 | 81.9 | 6 |
| その他 | 74 | 11.1 | 46.5 | 37.5 | 4.4 | 0.5 | 0.5 |

①地表水（河川・湖沼・貯水池からの取水），伏流水など　②工場などで一度使用した水を再利用するために回収した水

自然

# 世界各地の月平均気温（上段℃）・月降水量（下段㎜）（I）

大字は最高（大）値。斜体は最低（小）値　　※平年値

| ケッペン気候区 | 地名 | 緯度・経度・標高 | 国名 | 段 | 1月 | 2月 | 3月 | 4月 | 5月 | 6月 | 7月 | 8月 | 9月 | 10月 | 11月 | 12月 | 全年 | 統計期間 |
|---|---|---|---|---|---|---|---|---|---|---|---|---|---|---|---|---|---|---|---|
| 熱帯雨林気候 (Af) | コロンボ | 06°54′N 79°52′E 7m | スリランカ | 温 | *27.2* | 27.6 | 28.4 | 28.6 | **28.9** | 28.3 | 28.1 | 28.1 | 27.9 | 27.5 | 27.3 | *27.2* | 27.9 | 1991-2020 |
| | | | | 降 | 86.7 | *81.4* | 111.6 | 229.4 | 303.4 | 198.4 | 120.4 | 119.5 | 263.7 | **347.4** | 322.2 | 187.1 | 2,371.2 | |
| | クアラルンプール | 03°07′N 101°33′E 27m | マレーシア | 温 | 27.7 | 27.7 | 28.1 | 28.1 | **28.5** | 28.4 | 28.0 | 28.0 | 27.7 | 27.9 | 27.7 | *27.0* | 27.8 | 1991-2020 |
| | | | | 降 | 231.3 | 195.6 | 271.5 | 303.6 | 220.1 | *141.5* | 166.2 | 172.6 | 218.3 | 280.5 | **356.5** | 283.9 | 2,841.6 | |
| | シンガポール | 01°22′N 103°59′E 5m | シンガポール | 温 | *26.9* | 27.6 | 28.0 | 28.5 | **28.6** | 28.5 | 28.2 | 28.1 | 28.0 | 27.9 | 27.2 | 26.8 | 27.8 | 1991-2020 |
| | | | | 降 | 221.0 | *104.9* | 151.1 | 164.0 | 164.3 | 136.5 | 144.9 | 148.8 | 133.4 | 166.5 | 254.2 | **333.1** | 2,122.7 | |
| | サルヴァドル | 13°01′S 38°31′W 52m | ブラジル | 温 | 26.9 | **27.2** | 27.1 | 26.4 | 25.3 | 24.4 | 23.7 | *23.6* | 24.3 | 25.3 | 26.1 | 26.8 | 25.6 | 1991-2020 |
| | | | | 降 | 79.9 | 96.9 | 147.5 | 284.8 | **306.6** | 251.9 | 192.9 | 125.5 | 99.4 | 91.0 | 100.5 | *66.8* | 1,843.7 | |
| | イキトス | 03°47′S 73°18′W 125m | ペルー | 温 | 25.6 | 26.1 | 26.1 | 26.0 | 25.8 | 25.5 | *25.2* | 25.8 | 26.3 | **26.4** | **26.4** | 26.2 | 26.0 | 1991-2020 |
| | | | | 降 | 312.1 | 294.8 | **399.6** | 340.2 | 291.6 | 218.6 | 201.4 | *165.8* | 200.5 | 271.2 | 304.4 | 361.6 | 3,361.8 | |
| 熱帯雨林気候 (Am) | ゴア | 15°29′N 73°49′E 58m | インド | 温 | *26.3* | 26.6 | 27.9 | 29.5 | **30.1** | 27.8 | 26.8 | 26.9 | 27.1 | 28.0 | 28.1 | 27.0 | 27.7 | 1991-2020 |
| | | | | 降 | 1.0 | *0.7* | 1.1 | 5.0 | 77.3 | 869.5 | **955.7** | 572.0 | 297.7 | 160.1 | 21.2 | 1.9 | 2,962.6 | |
| | マイアミ | 25°45′N 80°23′W 4m | アメリカ合衆国 | 温 | *20.4* | 21.6 | 22.9 | 24.9 | 26.8 | 28.2 | **29.0** | **29.0** | 28.3 | 26.8 | 23.8 | 21.8 | 25.3 | 1991-2020 |
| | | | | 降 | *46.6* | 54.5 | 63.1 | 84.9 | 157.0 | **266.9** | 188.0 | 241.8 | 259.3 | 192.6 | 89.9 | 62.0 | 1,706.6 | |
| | ベリーズ | 17°32′N 88°18′W 5m | ベリーズ | 温 | *24.3* | 25.2 | 26.1 | 27.8 | 28.5 | **28.7** | 28.5 | 28.4 | 28.4 | 27.3 | 25.7 | 24.8 | 27.0 | 1991-2020 |
| | | | | 降 | 146.6 | 67.3 | 44.4 | *39.5* | 116.3 | 258.6 | 180.7 | 203.4 | 240.0 | **299.0** | 249.7 | 148.8 | 1,994.3 | |
| サバナ気候 (Aw) | コルカタ（カルカッタ） | 22°32′N 88°20′E 6m | インド | 温 | *19.9* | 23.8 | 28.2 | 30.6 | **31.2** | 30.6 | 29.5 | 29.4 | 29.4 | 28.3 | 25.1 | 21.1 | 27.3 | 1991-2020 |
| | | | | 降 | 11.9 | 28.0 | 37.6 | 55.5 | 129.4 | 279.1 | **387.8** | 369.9 | 319.2 | 177.1 | 34.8 | *6.0* | 1,832.1 | |
| | バンコク | 13°43′N 100°33′E 3m | タイ | 温 | 27.6 | 28.7 | 29.7 | **30.8** | 30.5 | 30.0 | 29.3 | 29.1 | 28.7 | 28.4 | 28.4 | *27.4* | 29.1 | 1991-2020 |
| | | | | 降 | 24.2 | 27.4 | 31.8 | 92.8 | 215.4 | 209.9 | 196.6 | 212.0 | **343.6** | 304.0 | 46.5 | *13.5* | 1,717.7 | |
| | ハイコウ（海口） | 20°00′N 110°15′E 64m | 中国 | 温 | *18.2* | 19.4 | 22.4 | 25.6 | 27.9 | **28.9** | **28.9** | 28.5 | 27.6 | 25.9 | 23.2 | 19.6 | 24.7 | 1991-2020 |
| | | | | 降 | 23.9 | *13.1* | 42.4 | 80.0 | 194.6 | 236.6 | 247.6 | **296.1** | 268.9 | 273.9 | 60.2 | 19.6 | 1,791.9 | |
| | プノンペン | 11°36′N 104°52′E 10m | カンボジア | 温 | 27.0 | 28.0 | 29.7 | 30.3 | **30.5** | 29.6 | 29.0 | 29.0 | 28.4 | 28.3 | 28.1 | *26.9* | 28.7 | 2010-2020 |
| | | | | 降 | 15.0 | *4.6* | 31.8 | 92.8 | 128.4 | 166.3 | 171.3 | 181.4 | **266.2** | 260.2 | 103.5 | 33.5 | 1,455.0 | |
| | ポアントノアール | 04°49′S 11°54′E 17m | コンゴ共和国 | 温 | 27.0 | **28.0** | **28.0** | 27.8 | 26.5 | 24.2 | *22.8* | *22.8* | 24.3 | 25.9 | 26.5 | 27.0 | 25.8 | 1991-2020 |
| | | | | 降 | 187.3 | **221.6** | 196.6 | 128.1 | 38.4 | *1.2* | 2.8 | 4.7 | 16.3 | 115.5 | 210.4 | 171.2 | 1,292.5 | |
| | アビジャン | 05°15′N 03°56′W 7m | コートジボワール | 温 | 27.3 | 28.1 | **28.4** | **28.4** | 27.9 | 26.5 | 25.4 | *24.6* | 25.3 | 26.6 | 27.7 | 27.7 | 27.0 | 1991-2020 |
| | | | | 降 | *22.9* | 36.8 | 82.6 | 159.4 | 266.0 | **411.5** | 159.9 | 45.0 | 73.6 | 216.6 | 188.7 | 81.2 | 1,750.1 | |
| | サンホセ | 09°59′N 84°11′W 908m | コスタリカ | 温 | 22.1 | 22.9 | 23.7 | **24.1** | 23.7 | 23.1 | 23.0 | 22.9 | 22.9 | 22.8 | 22.4 | *22.0* | 23.0 | 1991-2020 |
| | | | | 降 | *10.2* | 13.1 | 24.5 | 80.2 | 273.0 | 230.4 | 168.4 | 221.9 | 333.4 | **334.0** | 166.5 | 39.9 | 1,895.5 | |
| | ブラジリア | 15°47′S 47°56′W 1,159m | ブラジル | 温 | 22.1 | **22.2** | **22.2** | 21.8 | 20.5 | *19.5* | *19.5* | 21.1 | 22.8 | 22.6 | 22.0 | 21.6 | 21.6 | 1991-2016 |
| | | | | 降 | 206.8 | 181.1 | 223.4 | 142.8 | 31.0 | 3.7 | *1.3* | 15.6 | 38.1 | 151.5 | 239.8 | **243.7** | 1,479.1 | |
| | ダーウィン | 12°25′S 130°53′E 31m | オーストラリア | 温 | 28.3 | 28.2 | 28.4 | 28.3 | 27.3 | 25.2 | *24.8* | 25.6 | 27.7 | **29.3** | 28.9 | 28.9 | 27.5 | 1991-2020 |
| | | | | 降 | **468.0** | 412.1 | 317.9 | 106.4 | 21.5 | 0.4 | *0.0* | 0.7 | 14.3 | 70.4 | 145.1 | 270.4 | 1,827.2 | |
| 乾燥帯　ステップ気候 (BS) | アシガバット | 37°59′N 58°21′E 312m | トルクメニスタン | 温 | *3.4* | 4.5 | 11.6 | 16.5 | 23.7 | 28.8 | **30.8** | 28.6 | 23.1 | 15.9 | 8.4 | 4.1 | 16.6 | 2007-2020 |
| | | | | 降 | 17.7 | **51.8** | 41.2 | 40.5 | 22.2 | 9.5 | 2.6 | *1.5* | 3.8 | 13.4 | 21.0 | 14.8 | 240.0 | |
| | マシュハド | 36°16′N 59°38′E 999m | イラン | 温 | *3.3* | 5.2 | 9.9 | 15.7 | 21.4 | 26.2 | **28.2** | 27.0 | 22.1 | 16.0 | 9.4 | 5.1 | 15.8 | 1991-2020 |
| | | | | 降 | 24.0 | 33.7 | **57.3** | 47.9 | 33.9 | 5.5 | 1.3 | 1.0 | *0.9* | 7.8 | 19.3 | 19.5 | 252.1 | |
| | タイユエン（太原） | 37°37′N 112°35′E 777m | 中国 | 温 | *-4.6* | -0.7 | 6.1 | 13.2 | 19.0 | 22.7 | **24.3** | 22.5 | 17.5 | 10.8 | 3.3 | -3.0 | 10.9 | 1991-2020 |
| | | | | 降 | 3.3 | 4.6 | 9.7 | 21.4 | 31.8 | 49.1 | 104.5 | **108.6** | 59.7 | 31.4 | 12.0 | *2.6* | 438.7 | |

**世界各地の月平均気温（上段℃）・月降水量（下段㎜）（Ⅱ）**　太字は最高（大）値，斜体は最低（小）値　※平年値　理科2024ほか

| 気候区 | 地名 | 国名 | 緯度 | 経度 | 標高 | 1月 | 2月 | 3月 | 4月 | 5月 | 6月 | 7月 | 8月 | 9月 | 10月 | 11月 | 12月 | 全年 | 統計期間 |
|---|---|---|---|---|---|---|---|---|---|---|---|---|---|---|---|---|---|---|---|
| ステップ気候(BS) | ニアメ | ニジェール | 13°29′N | 02°10′E | 223m | *24.6* | 27.8 | 31.8 | **34.7** | 34.5 | 32.2 | 29.5 | 28.1 | 29.6 | 31.3 | 29.0 | 25.6 | 29.9 | 1991-2020 |
| | | | | | | *0.0* | 0.0 | 0.0 | 4.9 | 7.4 | 81.2 | 141.7 | **192.3** | 85.8 | 18.2 | 0.0 | 0.0 | 556.2 | |
| | キンバリー | 南アフリカ共和国 | 28°48′S | 24°48′E | 1,196m | **25.0** | 24.4 | 22.1 | 17.8 | 14.0 | 10.4 | *10.3* | 12.9 | 17.1 | 20.2 | 22.4 | 24.3 | 18.4 | 1991-2020 |
| | | | | | | 69.4 | **75.9** | 60.1 | 39.3 | 16.4 | 9.1 | 10.5 | 2.8 | *2.7* | 30.9 | 44.5 | 50.8 | 409.8 | |
| | マウントアイザ | オーストラリア | 20°41′S | 139°29′E | 342m | 29.8 | 29.2 | 28.1 | 25.5 | 20.9 | 17.6 | *17.1* | 19.0 | 23.4 | 26.9 | 28.1 | **30.1** | 24.7 | 1991-2020 |
| | | | | | | **129.5** | 113.0 | 63.0 | 4.9 | 6.5 | 5.9 | 12.9 | *2.8* | 8.0 | 17.2 | 34.1 | 79.1 | 476.8 | |
| 砂漠気候(BW) | リヤド | サウジアラビア | 24°42′N | 46°44′E | 635m | *14.6* | 17.6 | 22.1 | 27.3 | 32.3 | 35.9 | 36.9 | **37.0** | 33.7 | 28.4 | 22.7 | 16.5 | 27.0 | 1991-2020 |
| | | | | | | 15.1 | 8.1 | 19.0 | **36.1** | 3.6 | *0.0* | 0.1 | 0.0 | 0.0 | 0.9 | 1.9 | 20.8 | 127.3 | |
| | ハミ(哈密) | 中国 | 42°49′N | 93°31′E | 739m | *-10.3* | -3.1 | 8.4 | 14.9 | 20.7 | 25.6 | **27.2** | 25.2 | 18.3 | 9.5 | -1.1 | -8.2 | 10.5 | 1991-2017 |
| | | | | | | 1.1 | 1.6 | 2.8 | 3.2 | 4.7 | 8.1 | **10.5** | 7.0 | 2.7 | 2.7 | 1.9 | 2.1 | 41.1 | |
| | ヌアクショット | モーリタニア | 18°06′N | 15°57′W | 2m | *21.6* | 23.3 | 24.4 | 24.6 | 25.7 | 26.9 | 28.7 | **29.6** | 29.6 | 29.2 | 25.9 | 22.9 | 25.9 | 1991-2020 |
| | | | | | | 1.0 | 0.1 | 0.7 | *0.0* | 0.0 | 3.6 | 18.0 | 44.0 | **51.3** | 7.9 | 3.4 | 1.7 | 131.7 | |
| | アスワン | エジプト | 23°57′N | 32°49′E | 201m | *16.3* | 18.6 | 22.9 | 27.8 | 32.3 | 34.4 | **35.1** | 35.1 | 32.8 | 29.3 | 22.7 | 17.7 | 27.1 | 1991-2020 |
| | | | | | | 0.2 | *0.0* | 0.0 | 0.3 | 0.0 | 0.0 | 0.0 | 0.0 | 0.3 | 0.0 | 0.0 | 0.1 | 3.6 | |
| | リマ | ペルー | 12°01′S | 77°07′W | 12m | 22.8 | **23.6** | 23.1 | 21.1 | 19.2 | 17.9 | 17.3 | *16.7* | 16.7 | 17.6 | 19.0 | 20.8 | 19.6 | 1995-2020 |
| | | | | | | 0.1 | 0.5 | 0.3 | 0.1 | *0.0* | 0.0 | 0.0 | 0.0 | 0.3 | **0.7** | 0.0 | 0.1 | 2.1 | |
| 地中海性気候(Cs) | マドリード | スペイン | 40°24′N | 03°40′W | 667m | *6.5* | 8.0 | 11.3 | 13.6 | 17.5 | 22.7 | **26.1** | 25.7 | 21.0 | 15.4 | 9.9 | 7.0 | 15.4 | 1991-2020 |
| | | | | | | 31.5 | 33.5 | 33.0 | 47.2 | 49.0 | 21.5 | *10.5* | 10.1 | 23.0 | **61.4** | 54.3 | 47.8 | 422.8 | |
| | チュニス | チュニジア | 36°50′N | 10°14′E | 4m | *12.3* | 12.5 | 14.6 | 17.2 | 20.9 | 25.0 | 28.1 | **28.7** | 25.7 | 22.0 | 17.1 | 13.5 | 19.8 | 1991-2020 |
| | | | | | | 59.0 | 56.3 | 47.5 | 37.5 | 23.0 | 11.8 | *4.7* | 10.1 | 49.1 | 56.6 | 53.6 | **63.0** | 472.2 | |
| | ケープタウン | 南アフリカ共和国 | 33°58′S | 18°36′E | 46m | 21.6 | **21.7** | 20.2 | 17.7 | 15.3 | 13.1 | *12.5* | 12.9 | 14.4 | 16.8 | 18.5 | 20.6 | 17.1 | 1991-2020 |
| | | | | | | *9.6* | 10.6 | 17.7 | 41.4 | 63.1 | **89.0** | 81.2 | 73.0 | 44.1 | 30.1 | 13.5 | 12.1 | 492.6 | |
| | サンフランシスコ | アメリカ合衆国 | 37°37′N | 122°23′W | 6m | *10.7* | 11.8 | 13.1 | 13.9 | 15.3 | 16.9 | 17.7 | **18.2** | 18.2 | 17.1 | 14.4 | 10.7 | 14.7 | 1991-2020 |
| | | | | | | 98.8 | 100.2 | 69.4 | 35.2 | 13.3 | 3.8 | *0.0* | 0.0 | 1.9 | 20.0 | 50.3 | **105.9** | 499.8 | |
| | サンティアゴ | チリ | 33°26′S | 70°41′W | 520m | **21.5** | 20.5 | 18.6 | 14.5 | 11.3 | 9.0 | *8.4* | 9.9 | 12.3 | 15.1 | 17.9 | 20.2 | 14.9 | 1991-2020 |
| | | | | | | *1.2* | 2.2 | 12.2 | 15.5 | 45.2 | **81.3** | 47.5 | 39.0 | 31.2 | 36.2 | 25.5 | 2.3 | 339.3 | |
| | パース | オーストラリア | 31°55′S | 115°58′E | 20m | 24.7 | **24.8** | 22.9 | 19.7 | 16.2 | 13.9 | *13.0* | 13.4 | 14.6 | 16.9 | 19.0 | 22.8 | 18.6 | 1991-2020 |
| | | | | | | *7.7* | 11.8 | 17.6 | 30.0 | 79.8 | 124.7 | **137.1** | 120.6 | 77.7 | 41.8 | 32.7 | 9.3 | 690.8 | |
| 温暖湿潤気候(Cfa) | シャンハイ(上海) | 中国 | 31°25′N | 121°27′E | 9m | *5.0* | 6.5 | 10.3 | 15.7 | 20.9 | 24.4 | **28.8** | 28.5 | 24.8 | 19.7 | 13.9 | 7.5 | 17.2 | 1991-2020 |
| | | | | | | 67.5 | 62.9 | 81.0 | 77.2 | 90.6 | 181.5 | 144.1 | **215.5** | 97.0 | 61.5 | 60.5 | *47.4* | 1,211.9 | |
| | タイペイ(台北) | (台湾) | 25°02′N | 121°31′E | 5m | *16.6* | 17.2 | 19.0 | 22.5 | 25.8 | 28.3 | **30.1** | 30.1 | 27.8 | 24.7 | 22.0 | 18.2 | 23.5 | 1991-2020 |
| | | | | | | 93.8 | 129.4 | 157.8 | 151.4 | 245.2 | **354.6** | 214.2 | 336.5 | 336.8 | 162.6 | *89.3* | 96.9 | 2,368.5 | |
| | アトランタ | アメリカ合衆国 | 33°39′N | 84°25′W | 312m | *6.9* | 9.0 | 12.9 | 17.1 | 21.7 | 25.4 | **27.0** | 26.6 | 23.6 | 17.9 | 12.1 | 8.3 | 17.4 | 1991-2020 |
| | | | | | | 115.8 | 115.8 | 118.9 | 97.9 | *89.6* | 116.7 | **120.8** | 109.2 | 97.0 | 106.0 | 101.7 | 115.5 | 1,279.0 | |
| | ダラス | アメリカ合衆国 | 32°54′N | 97°02′W | 182m | *8.2* | 10.5 | 14.8 | 18.9 | 23.6 | 28.0 | **30.1** | 30.1 | 26.1 | 20.1 | 13.8 | 9.2 | 19.5 | 1991-2020 |
| | | | | | | 62.2 | 68.2 | 81.2 | 81.1 | **119.8** | 93.4 | *52.3* | 55.5 | 69.4 | 97.0 | 64.1 | 72.1 | 925.3 | |
| | ニューヨーク | アメリカ合衆国 | 40°46′N | 73°54′W | 7m | *1.2* | 2.2 | 5.9 | 11.8 | 17.4 | 22.7 | **26.0** | 25.5 | 21.4 | 15.1 | 9.3 | 4.3 | 13.5 | 1991-2020 |
| | | | | | | 82.7 | *74.1* | 102.1 | 97.4 | 91.3 | 102.8 | 107.3 | **111.9** | 97.8 | 93.0 | 83.8 | 104.6 | 1,148.8 | |
| | アスンシオン | パラグアイ | 25°17′S | 57°38′W | 83m | **27.8** | 27.0 | 25.9 | 23.2 | 20.9 | 18.1 | *17.5* | 19.5 | 21.6 | 24.3 | 25.2 | 26.7 | 23.0 | 1991-2020 |
| | | | | | | 145.1 | 162.7 | 136.3 | 150.7 | 133.7 | 69.5 | 57.1 | *38.0* | 70.0 | 172.4 | 173.2 | **187.7** | 1,496.4 | |
| | ブエノスアイレス | アルゼンチン | 34°35′S | 58°29′W | 25m | **24.9** | 23.8 | 22.1 | 18.2 | 15.0 | 12.2 | *11.2* | 13.3 | 14.8 | 17.8 | 20.8 | 23.4 | 18.1 | 1991-2006 |
| | | | | | | **153.1** | 115.3 | 125.1 | 139.3 | 101.5 | 67.2 | 67.9 | 72.8 | *65.9* | 117.8 | 117.8 | 114.5 | 1,256.1 | |

自然

世界各地の月平均気温（上段℃）・月降水量（下段㎜）（Ⅲ）　太字は最高（大）値　斜体は最低（小）値　※平年値　理科（2024ほか）

| 気候区分 | 地点 | 国 | 位置・標高 | 要素 | 1月 | 2月 | 3月 | 4月 | 5月 | 6月 | 7月 | 8月 | 9月 | 10月 | 11月 | 12月 | 年値 | 統計期間 |
|---|---|---|---|---|---|---|---|---|---|---|---|---|---|---|---|---|---|---|
| 西岸海洋性気候 (Cfb) | ストックホルム | スウェーデン | 59°21'N 18°04'E 44m | 気温 | −0.9 | −1.0 | 1.7 | 6.4 | 11.5 | 15.9 | **18.8** | 17.8 | 13.2 | 7.7 | 3.6 | 0.7 | 8.0 | 1991-2020 |
|  |  |  |  | 降水量 | 38.5 | 30.7 | 26.6 | 26.9 | 35.5 | **63.7** | 56.9 | 60.8 | 49.9 | 47.5 | 45.1 | 46.9 | 529.0 |  |
| (Cfb) | ロンドン | イギリス | 51°29'N 00°27'W 24m | 気温 | 5.7 | 6.0 | 8.0 | 10.5 | 13.7 | 16.8 | **19.0** | 18.7 | 15.9 | 12.3 | 8.5 | 6.1 | 11.8 | 1991-2020 |
|  |  |  |  | 降水量 | 59.7 | 46.6 | 41.7 | 42.6 | 49.7 | 46.9 | 47.2 | 57.7 | 46.1 | 66.3 | **69.3** | 59.6 | 633.4 |  |
| (Cfb) | コペンハーゲン | デンマーク | 55°41'N 12°32'E 7m | 気温 | 1.8 | 1.9 | 3.8 | 8.2 | 12.5 | 15.9 | **18.4** | 18.1 | 14.4 | 10.? | 6.1 | 3.8 | 9.5 | 1997-2020 |
|  |  |  |  | 降水量 | 32.0 | 34.0 | 30.5 | 44.7 | 59.8 | 5.6 | **76.7** | 62.3 | 58.9 | 52.9 | 13.2 | 50.1 | 606.1 |  |
| (Cfc) | クライストチャーチ | ニュージーランド | 43°29'S 172°33'E 38m | 気温 | **16.8** | 16.7 | 14.6 | 11.8 | 9.0 | 6.3 | 5.6 | 7.1 | 9.3 | 11.2 | 13.2 | 15.5 | 11.4 | 1991-2011 |
|  |  |  |  | 降水量 | 42.0 | 38.1 | 47.5 | **68.9** | 52.0 | 66.4 | 43.1 | 45.9 | 43.1 | 45.1 | 43.3 | 41.9 | 601.8 |  |
| 温暖冬季少雨気候 (Cw) | ホンコン（香港） | 中国 | 22°18'N 114°10'E 64m | 気温 | 16.1 | 16.8 | 19.1 | 22.7 | 26.0 | 28.0 | **28.6** | 28.4 | 27.6 | 25.3 | 21.9 | 17.8 | 23.2 | 1992-2020 |
|  |  |  |  | 降水量 | 32.7 | 37.0 | 68.9 | 138.5 | 284.8 | 453.7 | 382.0 | **456.1** | 320.6 | 116.6 | 39.2 | 29.2 | **2,359.3** |  |
| (Cw) | チンタオ（青島） | 中国 | 36°04'N 120°20'E 77m | 気温 | 0.2 | 2.1 | 6.3 | 11.6 | 17.1 | 20.8 | 24.7 | **25.6** | 22.3 | 16.7 | 9.5 | 2.7 | 13.3 | 1992-2020 |
|  |  |  |  | 降水量 | 11.2 | 16.0 | 17.4 | 33.9 | 64.1 | 70.8 | 158.9 | **159.2** | 70.6 | 35.0 | 22.3 | 15.4 | 687.1 |  |
| (Cw) | プレトリア | 南アフリカ共和国 | 25°44'S 28°11'E 1,308m | 気温 | **23.2** | 23.2 | 21.7 | 18.8 | 15.4 | 12.5 | 12.3 | 15.6 | 19.8 | 21.3 | 22.3 | 22.7 | 19.1 | 1991-2016 |
|  |  |  |  | 降水量 | 110.5 | 81.5 | 81.5 | 25.4 | 19.1 | 4.5 | 0.6 | 3.8 | 14.3 | 65.5 | 99.5 | **121.9** | 665.2 |  |
| 亜寒帯（冷帯）湿潤気候 (Df) | オスロ | ノルウェー | 60°N 11°04'E 202m | 気温 | −4.3 | −4.4 | −0.5 | 4.6 | 10.1 | 14.2 | **16.5** | 15.1 | 10.6 | 5.0 | 0.4 | −3.5 | 5.3 | 1991-2014 |
|  |  |  |  | 降水量 | 50.4 | 63.5 | 47.2 | 50.0 | 65.9 | 77.8 | 82.2 | 80.1 | 95.6 | 88.7 | 67.0 | **101.2** | 864.3 |  |
| (Df) | モスクワ | ロシア | 55°50'N 37°37'E 147m | 気温 | −6.2 | −5.9 | −0.7 | 6.9 | 13.6 | 17.3 | **19.7** | 17.6 | 11.9 | 5.8 | −0.5 | −4.4 | 6.3 | 1991-2020 |
|  |  |  |  | 降水量 | 53.2 | 44.0 | 39.0 | 36.6 | 61.2 | 74.4 | **83.8** | 78.3 | 66.1 | 71.0 | 51.9 | 51.4 | 713.0 |  |
| (Df) | オムスク | ロシア | 55°01'N 73°23'E 121m | 気温 | −16.9 | −14.6 | −6.6 | 4.7 | 13.0 | 18.0 | **19.4** | 17.0 | 10.7 | 2.3 | −6.9 | −14.6 | 2.3 | 1991-2020 |
|  |  |  |  | 降水量 | 21.3 | 17.9 | 19.1 | 26.0 | 30.9 | 55.2 | **64.8** | 56.0 | 29.6 | 34.8 | 32.9 | 29.6 | 420.0 |  |
| (Df) | モントリオール | カナダ | 45°28'N 73°45'W 35m | 気温 | −10.0 | −8.2 | −2.4 | 5.8 | 13.9 | 19.0 | **20.8** | 20.1 | 15.0 | 8.3 | 2.2 | −5.7 | 6.6 | 1991-2001 |
|  |  |  |  | 降水量 | 68.4 | 71.3 | 85.7 | 85.2 | 83.3 | 83.6 | 78.1 | 76.8 | 86.0 | 65.1 | 79.1 | 66.8 | 945.9 |  |
| (Df) | シカゴ | アメリカ合衆国 | 41°59'N 87°54'W 203m | 気温 | −4.3 | −2.3 | 3.4 | 9.4 | 15.4 | 20.9 | 23.7 | 22.7 | 18.6 | 11.8 | 4.7 | −1.3 | 10.2 | 1991-2020 |
|  |  |  |  | 降水量 | 48.4 | 62.5 | 92.9 | **114.3** | 104.2 | 92.7 | 107.6 | 79.7 | 87.2 | 60.7 | 53.2 | 53.9 | 953.8 |  |
| 亜寒帯（冷帯）冬季少雨気候 (Dw) | イルクーツク | ロシア | 52°16'N 104°19'E 467m | 気温 | −17.6 | −14.0 | −5.5 | 3.6 | 10.4 | 16.4 | **19.0** | 16.5 | 9.5 | 2.0 | −7.9 | −15.3 | 1.4 | 1991-2020 |
|  |  |  |  | 降水量 | 14.6 | 9.7 | 11.8 | 21.6 | 35.2 | 68.1 | **101.4** | 96.5 | 52.6 | 20.2 | 18.5 | 20.0 | 471.8 |  |
| (Dw) | ハバロフスク | ロシア | 48°32'N 135°11'E 75m | 気温 | −19.2 | −14.9 | −5.8 | 5.0 | 13.1 | 18.1 | **21.6** | 20.1 | 14.3 | 5.6 | −6.8 | −17.3 | 2.8 | 1991-2020 |
|  |  |  |  | 降水量 | 14.3 | 13.6 | 21.4 | 38.9 | 65.7 | 68.6 | **126.1** | 125.3 | 85.3 | 50.8 | 25.9 | 13.2 | 643.4 |  |
| (Dw) | ウラジオストク | ロシア | 43°07'N 131°55'E 187m | 気温 | −11.9 | −8.1 | −1.5 | 5.3 | 10.0 | 13.8 | 18.1 | **20.0** | 16.3 | 9.3 | −0.7 | −9.2 | 5.1 | 1991-2020 |
|  |  |  |  | 降水量 | 11.4 | 16.0 | 24.4 | 43.0 | 97.2 | 101.5 | 157.8 | **176.0** | 103.3 | 67.4 | 35.9 | 22.0 | 855.9 |  |
| (Dw) | チャンチュン（長春） | 中国 | 43°54'N 125°13'E 238m | 気温 | −14.3 | −9.3 | −1.0 | 8.8 | 16.2 | 21.3 | **23.7** | 22.3 | 16.5 | 7.9 | −2.8 | −11.8 | 6.5 | 1991-2020 |
|  |  |  |  | 降水量 | 4.6 | 6.2 | 13.1 | 22.1 | 62.8 | 102.2 | **147.6** | 131.2 | 53.9 | 24.5 | 16.8 | 8.2 | 593.2 |  |
| 寒帯（ツンドラ気候）(ET) | ディクソン | ロシア | 73°30'N 80°24'E 42m | 気温 | −24.0 | −24.1 | −20.6 | −15.3 | −7.0 | 1.1 | 5.8 | **6.0** | 2.5 | −6.4 | −16.4 | −21.7 | −10.0 | 1991-2020 |
|  |  |  |  | 降水量 | 36.2 | 32.5 | 21.9 | 35.2 | 28.1 | 32.2 | 41.0 | **42.3** | 37.9 | 29.4 | 36.3 | 21.3 | 389.6 |  |
| (ET) | ウトキアグヴィク（バロー） | アラスカ・アメリカ合衆国 | 71°N 156°47'W 11m | 気温 | −24.2 | −24.4 | −23.5 | −15.4 | −5.1 | 2.3 | **5.5** | 4.4 | 1.0 | −5.9 | −14.6 | −21.3 | −10.1 | 1991-2020 |
|  |  |  |  | 降水量 | 4.6 | 6.4 | 8.9 | 4.8 | 7.1 | 11.4 | 24.4 | **27.2** | 13.6 | 9.2 | 6.9 | 5.4 | 144.6 |  |
| (ET) | ヌーク | グリーンランド | 64°10'N 51°45'W 80m | 気温 | −7.4 | −8.5 | −7.6 | −3.1 | 1.5 | 4.7 | **7.2** | 6.9 | 3.9 | 0.2 | −3.3 | −5.4 | −0.9 | 1991-2020 |
|  |  |  |  | 降水量 | 63.7 | 41.2 | 49.1 | 49.7 | 45.6 | 43.3 | 55.3 | **86.4** | 79.3 | 67.5 | 65.5 | 62.8 | 735.8 |  |
| 高山気候 (H) | ラサ（拉薩） | 中国 | 29°40'N 91°08'E 3,650m | 気温 | −0.1 | 2.7 | 6.2 | 9.3 | 13.3 | 16.6 | **16.8** | 16.0 | 14.4 | 10.0 | 4.3 | 0.4 | 9.2 | 1991-2020 |
|  |  |  |  | 降水量 | 0.9 | 1.0 | 3.7 | 8.5 | 30.3 | 84.8 | **140.6** | 127.5 | 58.2 | 6.9 | 0.9 | 0.5 | 463.8 |  |
| (H) | ラパス | ボリビア | 16°31'S 68°11'W 4,058m | 気温 | 9.0 | 9.0 | 8.8 | 8.1 | 6.5 | 5.3 | 4.9 | 5.8 | 7.3 | 8.6 | 9.4 | **9.5** | 7.7 | 2001-2020 |
|  |  |  |  | 降水量 | **124.9** | 119.6 | 82.0 | 30.3 | 14.0 | 9.9 | 7.5 | 11.0 | 29.6 | 48.2 | 44.5 | 108.3 | 629.8 |  |

自
然

日本各地の月平均気温（上段℃）・月降水量（下段㎜）（Ⅰ）　大字は最高（大）値，斜体は最低（小）値　　※1991～2020年の平均値　　理科2024ほか

| 気候区 | 観測地点（標高） | 緯度 | 経度 | | 1月 | 2月 | 3月 | 4月 | 5月 | 6月 | 7月 | 8月 | 9月 | 10月 | 11月 | 12月 | 全年 | 最高気温記録（℃） | 最低気温記録（℃） | 最大日降水量記録（㎜） | 最深積雪記録（㎝） | 全日照時間年（時） | 年平均湿度 |
|---|---|---|---|---|---|---|---|---|---|---|---|---|---|---|---|---|---|---|---|---|---|---|---|
| 北海道の気候（東） | 網走（37.6m） | 44°01′ | 144°17′ | 気温 | -5.1 | *-5.4* | -1.3 | 4.5 | 9.8 | 13.5 | 17.6 | **19.6** | 16.8 | 10.9 | 4.0 | -2.4 | 6.9 | 37.6 1994.8.7 | -29.2 1985.1.25 | 163 1992.9.11 | 143 2004.2.23 | 1,850 | 74 |
| | | | | 降水 | 53.8 | 41.9 | *39.3* | 51.2 | 64.1 | 68.1 | 85.8 | **115.3** | 115.0 | 88.2 | 58.1 | 63.6 | 844.2 | | | | | | |
| 北海道の気候（東） | 釧路（4.5m） | 42°59′ | 144°23′ | 気温 | *-4.8* | -4.3 | -0.4 | 4.0 | 8.6 | 12.2 | 16.1 | **18.2** | 16.5 | 11.0 | 4.7 | -1.9 | 6.7 | 33.5 2022.7.31 | -28.3 1902.1.26 | 183 2016.9.6 | 123 1939.3.9 | 1,958 | 77 |
| | | | | 降水 | 40.4 | *24.8* | 55.9 | 79.4 | 115.7 | 114.2 | 120.3 | 142.3 | **153.0** | 112.7 | 64.7 | 56.6 | 1,080.1 | | | | | | |
| 北海道の気候（東） | 浦河（36.7m） | 42°10′ | 142°47′ | 気温 | *-2.4* | -2.1 | 0.9 | 5.2 | 9.7 | 13.5 | 17.7 | **19.9** | 17.7 | 12.3 | 6.1 | 0.1 | 8.2 | 31.2 1989.8.6 | -15.5 1979.1.29 | 190 1981.8.5 | 52 1928.1.7 | 1,839 | 78 |
| | | | | 降水 | 34.0 | *28.9* | 48.8 | 77.9 | 125.3 | 95.9 | 141.5 | **161.6** | 144.4 | 117.7 | 83.4 | 59.0 | 1,118.3 | | | | | | |
| 北海道の気候（西） | 稚内（2.8m） | 45°25′ | 141°41′ | 気温 | *-4.3* | -4.3 | -0.6 | 4.5 | 9.7 | 13.0 | 17.2 | **19.5** | 17.2 | 11.3 | 3.8 | -2.1 | 7.2 | 32.7 2021.7.29 | -19.4 1944.1.30 | 192 2016.9.6 | 199 1970.2.9 | 1,447 | 75 |
| | | | | 降水 | 84.6 | 60.6 | 55.1 | *50.3* | 68.1 | 65.8 | 100.9 | 123.1 | **136.7** | 129.7 | 121.4 | 112.9 | 1,109.2 | | | | | | |
| 北海道の気候（西） | 旭川（119.8m） | 43°45′ | 142°22′ | 気温 | *-7.0* | -6.0 | -1.4 | 5.6 | 12.3 | 17.0 | 20.7 | **21.2** | 16.4 | 9.4 | 2.3 | -4.2 | 7.2 | 37.9 2021.8.7 | -41.0 1902.1.25 | 184 1955.8.17 | 138 1987.3.4 | 1,567 | 76 |
| | | | | 降水 | 66.9 | 54.7 | 55.0 | *48.5* | 66.6 | 71.4 | 129.5 | **152.9** | 136.3 | 105.8 | 114.5 | 102.4 | 1,104.4 | | | | | | |
| 北海道の気候（西） | 札幌（17.4m） | 43°04′ | 141°20′ | 気温 | *-3.2* | -2.7 | 1.1 | 7.3 | 13.0 | 17.0 | 21.1 | **22.3** | 18.6 | 12.1 | 5.2 | -0.9 | 9.2 | 36.2 1994.8.7 | -28.5 1929.2.1 | 207 1981.8.23 | 169 1939.2.13 | 1,718 | 69 |
| | | | | 降水 | 108.4 | 91.9 | 77.6 | *54.6* | 55.5 | 60.4 | 90.7 | 126.8 | **142.2** | 109.9 | 113.8 | 114.5 | 1,146.1 | | | | | | |
| 北海道の気候（南西） | 函館（35.0m） | 41°49′ | 140°45′ | 気温 | -2.4 | *-1.8* | 1.9 | 7.3 | 12.3 | 16.2 | 20.3 | **22.1** | 18.8 | 12.5 | 6.0 | -0.1 | 9.4 | 33.9 2021.8.7 | -21.7 1891.1.29 | 176 1939.8.25 | 91 2012.2.27 | 1,745 | 74 |
| | | | | 降水 | 77.4 | 64.5 | *64.1* | 71.9 | 89.9 | 78.8 | 123.6 | **156.5** | 150.5 | 105.6 | 110.8 | 94.6 | 1,188.0 | | | | | | |
| 日本海側の気候（東北） | 青森（2.8m） | 40°49′ | 140°46′ | 気温 | *-0.9* | -0.4 | 2.8 | 8.5 | 13.7 | 17.6 | 21.8 | **23.5** | 20.0 | 13.5 | 7.2 | 1.4 | 10.7 | 36.7 1994.8.12 | -24.7 1931.2.23 | 208 2007.11.12 | 209 1945.2.21 | 1,589 | 75 |
| | | | | 降水 | 139.9 | 99.0 | 75.2 | *68.7* | 76.7 | 75.0 | 129.5 | 142.0 | 133.0 | 119.2 | 137.4 | **155.2** | 1,350.7 | | | | | | |
| 日本海側の気候（東北） | 秋田（6.3m） | 39°43′ | 140°06′ | 気温 | *0.4* | 0.8 | 4.0 | 9.6 | 15.6 | 19.6 | 23.4 | **25.0** | 21.0 | 15.0 | 8.3 | 2.4 | 12.1 | 38.2 1978.8.3 | -24.6 1888.2.5 | 187 1937.8.31 | 117 1945.2.26 | 1,527 | 76 |
| | | | | 降水 | 118.9 | *98.5* | 99.5 | 109.9 | 125.0 | 122.9 | **197.0** | 184.6 | 161.0 | 175.5 | 189.1 | 159.8 | 1,741.6 | | | | | | |
| 日本海側の気候（東北） | 山形（152.5m） | 38°15′ | 140°21′ | 気温 | -0.1 | *0.4* | 4.0 | 10.2 | 16.1 | 20.3 | 24.0 | **25.0** | 21.0 | 14.1 | 7.7 | 2.4 | 12.1 | 40.8 1933.7.25 | -20.0 1891.1.29 | 218 1913.8.27 | 113 1974.2.10 | 1,618 | 73 |
| | | | | 降水 | 87.8 | *63.0* | 72.1 | 63.9 | 74.5 | 104.8 | **187.2** | 153.0 | 123.8 | 105.1 | 74.4 | 97.2 | 1,206.7 | | | | | | |
| 日本海側の気候（北陸） | 新潟（4.1m） | 37°54′ | 139°01′ | 気温 | *2.5* | 3.1 | 6.2 | 11.3 | 16.7 | 20.9 | 24.9 | **26.5** | 22.5 | 16.7 | 10.5 | 5.3 | 13.9 | 39.9 2018.8.23 | -13.0 1942.2.12 | 265 1998.8.4 | 120 1961.1.18 | 1,640 | 74 |
| | | | | 降水 | 180.9 | 115.8 | 112.0 | 97.2 | *94.4* | 121.1 | 222.3 | 163.4 | 151.9 | 157.7 | 203.5 | **225.9** | 1,845.9 | | | | | | |
| 日本海側の気候（北陸） | 上越（高田）（12.9m） | 37°06′ | 138°15′ | 気温 | 2.5 | *2.5* | 6.1 | 11.7 | 17.2 | 21.1 | 25.0 | **26.4** | 22.3 | 16.4 | 10.5 | 5.3 | 13.9 | 40.3 2019.8.14 | -13.2 1942.2.12 | 176 1985.7.8 | 377 1945.2.26 | 1,592 | 72 |
| | | | | 降水 | 429.6 | 263.3 | 194.7 | 105.3 | *87.0* | 136.5 | 206.8 | 184.5 | 205.8 | 213.9 | 334.2 | **475.5** | 2,837.1 | | | | | | |
| 日本海側の気候（北陸） | 輪島（5.2m） | 37°23′ | 136°54′ | 気温 | *3.3* | 3.4 | 6.1 | 11.1 | 16.1 | 20.0 | 24.4 | **25.9** | 22.0 | 16.3 | 10.8 | 5.9 | 13.8 | 38.6 2020.9.3 | -10.4 1942.2.12 | 219 1966.7.12 | 110 1974.2.10 | 1,580 | 76 |
| | | | | 降水 | 118.4 | *82.5* | 122.1 | 116.2 | 136.7 | 173.0 | **234.1** | 150.9 | 204.1 | 126.1 | 176.0 | 154.5 | 1,794.6 | | | | | | |
| 日本海側の気候（北陸） | 富山（8.6m） | 36°43′ | 137°12′ | 気温 | *3.0* | 3.4 | 6.9 | 12.6 | 17.5 | 21.4 | 25.5 | **26.9** | 22.8 | 16.6 | 11.2 | 5.7 | 14.5 | 39.5 2020.9.3 | -11.9 1947.1.29 | 208 1948.7.25 | 208 1940.1.30 | 1,647 | 75 |
| | | | | 降水 | 259.0 | 171.7 | 164.6 | 134.5 | *122.8* | 172.6 | 245.6 | 207.0 | 218.1 | 171.9 | 224.8 | **281.6** | 2,374.2 | | | | | | |
| 日本海側の気候（北陸） | 金沢（5.7m） | 36°35′ | 136°38′ | 気温 | *4.0* | 4.2 | 7.3 | 12.6 | 17.7 | 21.6 | 25.8 | **27.3** | 23.2 | 17.6 | 11.9 | 6.8 | 15.0 | 38.5 2018.8.22 | -9.7 1904.1.27 | 234 1964.7.18 | 181 1963.1.27 | 1,714 | 73 |
| | | | | 降水 | 256.0 | 162.6 | 157.2 | 143.9 | *138.0* | 170.3 | 233.4 | 179.3 | 231.9 | 177.1 | 250.8 | **301.1** | 2,401.5 | | | | | | |
| 日本海側の気候（北陸） | 敦賀（1.6m） | 35°39′ | 136°04′ | 気温 | *4.7* | 5.1 | 8.3 | 13.4 | 18.2 | 22.1 | 26.3 | **27.7** | 23.7 | 18.1 | 12.7 | 7.4 | 15.6 | 38.5 2022.9.6 | -10.9 1904.1.27 | 211 1965.9.17 | 196 1981.1.15 | 1,598 | 71 |
| | | | | 降水 | 269.5 | 164.7 | 146.6 | *120.4* | 141.4 | 144.1 | 204.0 | 146.9 | 204.9 | 152.6 | 176.0 | **316.7** | 2,199.5 | | | | | | |
| 日本海側の気候（山陰） | 鳥取（7.1m） | 35°29′ | 134°14′ | 気温 | *4.2* | 4.7 | 7.9 | 13.2 | 18.1 | 22.0 | 26.2 | **27.3** | 22.9 | 17.2 | 11.9 | 6.8 | 15.2 | 39.2 2021.8.6 | -7.4 1981.2.26 | 204 2021.7.7 | 129 1947.2.22 | 1,670 | 70 |
| | | | | 降水 | 201.2 | 154.0 | 144.3 | *102.2* | 123.0 | 146.0 | 188.6 | 128.1 | **225.4** | 153.6 | 145.9 | 218.4 | 1,931.3 | | | | | | |
| 日本海側の気候（山陰） | 松江（16.9m） | 35°27′ | 133°04′ | 気温 | *4.6* | 5.0 | 8.0 | 13.1 | 18.0 | 21.7 | 25.8 | **27.1** | 22.9 | 17.4 | 12.0 | 7.0 | 15.2 | 38.5 1994.8.1 | -8.7 1977.2.19 | 264 1964.7.18 | 100 1971.2.4 | 1,705 | 71 |
| | | | | 降水 | 153.3 | 118.4 | 134.0 | *113.0* | 130.3 | 173.0 | **234.1** | 129.6 | 204.1 | 126.1 | 121.6 | 154.5 | 1,791.9 | | | | | | |
| 日本海側の気候（山陰） | 浜田（19.0m） | 34°54′ | 132°04′ | 気温 | *6.2* | 6.5 | 9.0 | 13.5 | 17.9 | 21.4 | 25.6 | **26.8** | 22.8 | 17.7 | 13.1 | 8.5 | 15.7 | 39.2 2017.8.6 | -7.6 1982.2.26 | 395 1988.7.15 | 53 1982.1.17 | 1,761 | 73 |
| | | | | 降水 | 97.8 | *82.5* | 122.1 | 116.2 | 136.7 | 185.3 | **239.7** | 150.9 | 192.2 | 111.3 | 105.5 | 114.5 | 1,654.6 | | | | | | |

自然

# 日本各地の月平均気温（上段℃）・月降水量（下段㎜）(Ⅱ)　太字は最高(大)値，斜体は最低(小)値

※1991〜2020年の平均値

| 気候区 | 観測地点（標高） | 緯度 経度 | 要素 | 1月 | 2月 | 3月 | 4月 | 5月 | 6月 | 7月 | 8月 | 9月 | 10月 | 11月 | 12月 | 全年 | 最高気温記録(℃) | 最低気温記録(℃) | 最大日降水量記録(㎜) | 最深積雪記録(cm) | 全日照時間(年積算値) | 年相対湿度(%) |
|---|---|---|---|---|---|---|---|---|---|---|---|---|---|---|---|---|---|---|---|---|---|---|
| 中央高地 | 福島 (67.4m) | 37°46′ 140°28′ | 気温 | *1.9* | 2.5 | 5.9 | 11.7 | 17.2 | 20.7 | 24.3 | **25.5** | 21.6 | 15.6 | 9.5 | 4.3 | 13.4 | 39.1 1942.8.15 | −18.5 1891.2.4 | 234 2019.10.12 | 80 1936.2.9 | 1,754 | 69 |
|  |  |  | 降水量 | 56.2 | *41.7* | 75.7 | 81.8 | 88.5 | 121.2 | **177.7** | 151.3 | 167.6 | 138.7 | 58.4 | 48.9 | 1,207.0 |  |  |  |  |  |  |
|  | 宇都宮 (119.4m) | 36°33′ 139°52′ | 気温 | *2.8* | 3.8 | 7.4 | 12.8 | 17.8 | 21.2 | 24.9 | **26.1** | 22.9 | 16.7 | 10.8 | 6.1 | 14.3 | 38.7 1997.7.5 | −14.8 | 357 2019.10.12 | 32 2014.2.15 | 1,961 | 70 |
|  |  |  | 降水量 | *37.5* | 38.5 | 87.7 | 121.5 | 149.2 | 175.2 | 215.4 | 198.5 | **217.2** | 174.4 | 71.1 | 38.5 | 1,524.7 |  |  |  |  |  |  |
|  | 前橋 (112.1m) | 36°24′ 139°04′ | 気温 | *3.7* | 4.5 | 7.9 | 13.4 | 18.6 | 22.1 | 25.8 | **26.8** | 22.3 | 17.1 | 11.2 | 6.1 | 15.0 | 40.0 2001.7.24 | −11.8 1902.1.24 | 132 2019.10.12 | 73 2014.2.15 | 2,154 | 62 |
|  |  |  | 降水量 | 29.7 | 26.5 | 58.3 | 73.8 | 99.4 | 147.8 | 202.1 | 195.6 | **204.3** | 142.2 | 43.0 | *23.8* | 1,247.4 |  |  |  |  |  |  |
|  | 長野 (418.2m) | 36°40′ 138°12′ | 気温 | *−0.4* | 0.4 | 4.3 | 10.6 | 16.4 | 20.4 | 24.3 | **25.4** | 20.4 | 14.4 | 7.9 | 2.5 | 12.3 | 38.7 1994.8.16 | −17.0 1923.1.3 | 156 1911.8.4 | 80 1946.12.11 | 1,970 | 72 |
|  |  |  | 降水量 | 54.6 | 49.1 | 60.1 | 56.9 | 69.3 | 106.1 | **137.7** | 111.8 | 125.5 | 100.3 | *44.4* | 49.4 | 965.1 |  |  |  |  |  |  |
|  | 松本 (610.0m) | 36°15′ 137°58′ | 気温 | *−0.8* | 0.6 | 4.6 | 10.9 | 16.5 | 20.6 | 24.1 | **25.1** | 20.4 | 14.4 | 7.8 | 2.5 | 12.3 | 38.5 1942.8.2 | −24.8 1934.1.24 | 245 1945.10.5 | 81 1946.3.3 | 2,135 | 68 |
|  |  |  | 降水量 | 39.8 | 45.8 | 81.4 | 81.1 | 94.5 | 114.9 | 131.3 | 101.6 | **148.0** | 128.3 | 56.3 | *32.7* | 1,045.1 |  |  |  |  |  |  |
|  | 甲府 (272.8m) | 35°40′ 138°33′ | 気温 | *3.1* | 4.7 | 8.6 | 14.0 | 18.8 | 22.3 | 26.0 | **27.1** | 23.2 | 17.1 | 10.8 | 5.4 | 15.1 | 40.7 2013.8.10 | −19.5 1900.1.27 | 266 1910.9.7 | 114 2014.2.15 | 2,226 | 64 |
|  |  |  | 降水量 | 42.7 | 44.1 | 86.2 | 79.5 | 85.4 | 113.4 | 148.8 | 133.1 | **178.7** | 158.5 | 52.7 | *37.6* | 1,160.7 |  |  |  |  |  |  |
|  | 高山 (560.0m) | 36°09′ 137°15′ | 気温 | *−1.2* | −0.6 | 3.4 | 9.7 | 15.6 | 19.7 | 23.5 | **24.4** | 20.0 | 13.5 | 7.1 | 1.6 | 11.4 | 37.7 2019.8.13 | −25.5 1921.1.16 | 289 1959.8.13 | 128 1981.1.8 | 1,638 | 77 |
|  |  |  | 降水量 | 101.9 | *93.5* | 122.5 | 123.9 | 125.2 | 170.4 | **260.9** | 197.9 | 225.9 | 155.5 | 94.4 | 104.4 | 1,776.5 |  |  |  |  |  |  |
| 瀬戸内 | 京都 (40.8m) | 35°01′ 135°44′ | 気温 | *4.8* | 5.4 | 8.8 | 14.4 | 19.5 | 23.3 | 27.3 | **28.5** | 24.4 | 18.4 | 12.5 | 7.2 | 16.2 | 39.8 2018.7.19 | −11.9 1891.1.16 | 251 1957.6.26 | 41 1954.1.26 | 1,794 | 65 |
|  |  |  | 降水量 | *53.3* | 65.1 | 106.2 | 117.0 | 151.4 | 199.7 | **223.6** | 153.8 | 178.5 | 143.2 | 73.9 | 57.3 | 1,522.9 |  |  |  |  |  |  |
|  | 大阪 (23.0m) | 34°41′ 135°31′ | 気温 | *6.2* | 6.6 | 9.9 | 15.2 | 20.1 | 23.6 | 27.7 | **29.0** | 25.2 | 19.5 | 13.8 | 8.7 | 17.1 | 39.1 1994.8.8 | −7.5 1945.1.28 |  2000.9.11 | 18 | 2,049 | 63 |
|  |  |  | 降水量 | *47.0* | 60.5 | 103.1 | 101.9 | 136.5 | **185.1** | 174.4 | 113.0 | 152.8 | 136.0 | 72.5 | 55.5 | 1,338.3 |  |  |  |  |  |  |
|  | 和歌山 (13.9m) | 34°14′ 135°10′ | 気温 | *6.2* | 6.7 | 9.4 | 15.1 | 20.0 | 22.9 | 27.2 | **28.4** | 24.9 | 19.3 | 13.8 | 8.6 | 16.7 | 38.5 | −6.0 | 354 2004.10.20 | 40 1907.2.11 | 2,100 | 66 |
|  |  |  | 降水量 | *48.7* | 62.0 | 96.9 | 98.4 | 146.6 | **183.5** | 175.8 | 101.8 | 181.3 | 160.8 | 95.9 | 62.7 | 1,414.4 |  |  |  |  |  |  |
|  | 高松 (9.4m) | 34°19′ 134°03′ | 気温 | *5.9* | 6.3 | 9.4 | 14.7 | 19.8 | 23.3 | 27.5 | **28.6** | 24.7 | 19.0 | 13.2 | 8.1 | 16.7 | 38.6 2013.8.11 | −7.7 1945.1.28 | 211 1926.9.11 | 19 1883.2.8 | 2,047 | 67 |
|  |  |  | 降水量 | *39.4* | 45.8 | 81.4 | 74.6 | 100.9 | 153.1 | 159.8 | 106.0 | **167.4** | 120.1 | 55.0 | 46.7 | 1,150.1 |  |  |  |  |  |  |
|  | 広島 (3.6m) | 34°24′ 132°28′ | 気温 | *5.4* | 6.2 | 9.5 | 14.8 | 19.6 | 23.2 | 27.2 | **28.5** | 24.7 | 19.0 | 12.9 | 7.5 | 16.5 | 38.7 2013.8.11 | −8.6 1945.1.28 | 340 1908.8.10 | 31 1984.1.31 | 2,033 | 67 |
|  |  |  | 降水量 | *46.2* | 64.0 | 118.3 | 141.0 | 169.8 | 226.5 | **279.8** | 131.4 | 162.7 | 109.2 | 69.3 | 54.0 | 1,572.2 |  |  |  |  |  |  |
|  | 大分 (4.6m) | 33°14′ 131°37′ | 気温 | *6.5* | 7.2 | 10.2 | 14.8 | 19.7 | 22.6 | 26.8 | **27.7** | 24.2 | 18.8 | 13.8 | 8.7 | 16.8 | 38.7 1994.7.17 | −7.8 1918.2.19 | 444 1908.8.10 | 15 1997.1.22 | 1,992 | 69 |
|  |  |  | 降水量 | 49.8 | 64.1 | 99.2 | 119.7 | 133.6 | **313.6** | 261.3 | 165.7 | 255.2 | 144.8 | 72.9 | *47.1* | 1,727.0 |  |  |  |  |  |  |
| 三陸 | 宮古 (42.5m) | 39°39′ 141°58′ | 気温 | *0.5* | 0.8 | 3.9 | 8.9 | 13.5 | 16.5 | 20.3 | **22.1** | 19.1 | 13.6 | 8.1 | 2.9 | 10.8 | 37.3 1933.7.23 | −17.3 1908.1.23 | 319 2000.7.8 | 101 1944.3.12 | 1,876 | 73 |
|  |  |  | 降水量 | 63.4 | *54.7* | 87.5 | 91.9 | 98.1 | 123.4 | 157.5 | 177.9 | **216.4** | 166.1 | 62.8 | 67.6 | 1,370.9 |  |  |  |  |  |  |
|  | 盛岡 (155.2m) | 39°42′ 141°10′ | 気温 | *−1.6* | −0.9 | 2.6 | 8.7 | 14.5 | 18.8 | 22.4 | **23.5** | 19.3 | 12.6 | 6.2 | 0.8 | 10.6 | 37.2 1924.7.12 | −20.6 | 198 2007.9.17 | 81 | 1,686 | 74 |
|  |  |  | 降水量 | 49.4 | *48.0* | 82.1 | 85.4 | 106.5 | 109.4 | **224.2** | 185.4 | 193.3 | 108.7 | 85.6 | 70.2 | 1,279.9 |  |  |  |  |  |  |
|  | 仙台 (38.9m) | 38°16′ 140°54′ | 気温 | *2.0* | 2.4 | 5.5 | 10.7 | 15.6 | 18.8 | 22.9 | **24.4** | 21.2 | 15.7 | 9.8 | 4.5 | 12.8 | 37.3 2018.8.1 | −11.7 1945.1.26 | 313 1948.9.16 | 41 1936.2.9 | 1,837 | 71 |
|  |  |  | 降水量 | 42.3 | *33.9* | 74.4 | 90.2 | 110.2 | 143.7 | 178.4 | 157.8 | **192.6** | 150.6 | 58.7 | 44.1 | 1,276.7 |  |  |  |  |  |  |
| 東海 | いわき(小名浜) (3.3m) | 36°57′ 140°54′ | 気温 | *4.1* | 4.3 | 7.1 | 11.6 | 15.8 | 19.1 | 22.5 | **24.5** | 22.0 | 16.9 | 11.5 | 6.6 | 13.8 | 37.7 1994.8.3 | −10.7 1952.2.5 | 227 1966.6.28 | 28 1945.2.26 | 2,069 | 72 |
|  |  |  | 降水量 | 57.3 | *54.0* | 108.4 | 125.2 | 146.1 | 149.5 | 160.7 | 122.6 | 192.3 | **193.1** | 80.3 | 57.3 | 1,440.7 |  |  |  |  |  |  |
|  | 銚子 (20.1m) | 35°44′ 140°51′ | 気温 | *6.9* | 6.9 | 9.7 | 12.5 | 17.4 | 20.2 | 22.4 | **25.5** | 23.4 | 18.9 | 12.5 | 7.7 | 15.8 | 35.3 1947.8.28 | −7.3 | 312 1947.8.28 | 17 | 2,018 | 76 |
|  |  |  | 降水量 | 105.5 | *90.5* | 149.1 | 127.3 | 135.8 | 166.2 | 128.3 | 94.9 | 216.3 | **272.5** | 133.2 | 92.9 | 1,712.4 |  |  |  |  |  |  |
|  | 水戸 (29.0m) | 36°23′ 140°28′ | 気温 | *3.3* | 4.1 | 7.4 | 12.3 | 17.0 | 20.3 | 24.2 | **25.6** | 22.1 | 16.6 | 10.8 | 5.6 | 14.1 | 38.4 1962.8.4 | −12.7 1952.2.5 | 277 1938.6.29 | 32 1936.3.2 | 2,001 | 74 |
|  |  |  | 降水量 | 54.5 | 53.8 | 102.8 | 116.7 | 144.5 | 135.7 | 141.8 | 116.9 | **221.0** | 185.4 | 79.7 | *49.6* | 1,367.7 |  |  |  |  |  |  |
|  | 東京 (25.2m) | 35°42′ 139°45′ | 気温 | *5.4* | 6.1 | 9.4 | 14.3 | 18.8 | 21.9 | 25.7 | **26.9** | 23.3 | 18.0 | 12.5 | 7.7 | 15.8 | 39.5 2004.7.20 | −9.2 1876.1.13 | 372 1958.9.26 | 46 1883.2.8 | 1,927 | 65 |
|  |  |  | 降水量 | 59.7 | *56.5* | 116.0 | 133.7 | 139.7 | 167.8 | 156.2 | 154.7 | 224.9 | **234.8** | 96.3 | 57.9 | 1,598.2 |  |  |  |  |  |  |
|  | 大島(伊豆) (74.0m) | 34°45′ 139°22′ | 気温 | *7.5* | 7.8 | 10.4 | 14.4 | 18.2 | 21.0 | 24.6 | **26.0** | 23.4 | 18.9 | 14.5 | 10.0 | 16.4 | 35.9 2020.8.16 | −4.0 1996.2.3 | 526 2013.10.16 | 32 1945.2.22 | 1,837 | 76 |
|  |  |  | 降水量 | 137.3 | 146.0 | 238.4 | 247.4 | 256.5 | 328.8 | 255.9 | 191.7 | 341.3 | **405.2** | 192.8 | *117.6* | 2,858,9 |  |  |  |  |  |  |

理科2024ほか

# 30　自　然

日本各地の月平均気温（上段℃）・月降水量（下段mm）（Ⅲ）　大字は最高(大)値，斜体は最低(小)値

※ 1991～2020年の平均値　　理科2024ほか

| 気候区 | 観測地点（緯度／経度／標高） |  | 1月 | 2月 | 3月 | 4月 | 5月 | 6月 | 7月 | 8月 | 9月 | 10月 | 11月 | 12月 | 全年 | 最高気温記録(℃) | 最低気温記録(℃) | 最大日降水量記録(mm) | 最深積雪記録(cm) | 全日照時間年間積算値 |
|---|---|---|---|---|---|---|---|---|---|---|---|---|---|---|---|---|---|---|---|---|
| 東海 | 浜松（34°45′／137°43′／45.9m） | 気温 | 6.3 | 6.8 | 10.3 | 15.0 | 19.3 | 22.6 | 26.3 | 27.8 | 24.9 | 19.6 | 14.2 | 8.8 | 16.8 | 41.1 (2020.8.17) | -6.0 (1923.1.2) | 344 (1910.8.9) | 27 (1907.2.11) | 2,238 |
|  |  | 降水量 | 59.2 | 76.8 | 147.1 | 179.2 | 191.9 | 224.5 | 209.3 | 126.8 | 246.1 | 207.1 | 112.6 | 62.7 | 1,843.2 |  |  |  |  |  |
| 東海 | 名古屋（35°10′／136°58′／51.1m） | 気温 | 4.8 | 5.5 | 9.2 | 14.6 | 19.4 | 23.0 | 26.9 | 28.2 | 24.5 | 18.6 | 12.6 | 7.2 | 16.2 | 40.3 (2018.8.3) | -10.3 (1927.1.24) | 428 (2000.9.11) | 49 (1945.12.19) | 2,141 |
|  |  | 降水量 | 50.8 | 64.7 | 116.2 | 127.5 | 150.3 | 186.5 | 211.4 | 139.5 | 231.6 | 164.7 | 79.1 | 56.6 | 1,578.9 |  |  |  |  |  |
| 東海 | 津（34°44′／136°31′／2.7m） | 気温 | 5.7 | 5.9 | 9.0 | 14.2 | 19.0 | 22.7 | 26.8 | 27.9 | 24.4 | 18.8 | 13.2 | 8.1 | 16.3 | 39.5 (1994.8.5) | -7.8 (1904.1.27) | 427 (2004.9.29) | 26 (1951.2.14) | 2,109 |
|  |  | 降水量 | 48.5 | 57.1 | 104.5 | 129.0 | 167.3 | 201.8 | 173.9 | 144.5 | 276.6 | 186.1 | 76.4 | 47.2 | 1,612.9 |  |  |  |  |  |
| 南海 | 尾鷲（34°04′／136°12′／15.3m） | 気温 | 6.5 | 7.2 | 10.3 | 14.7 | 18.7 | 21.9 | 25.8 | 26.8 | 23.8 | 18.8 | 13.7 | 8.8 | 16.4 | 38.6 (2016.7.3) | -6.9 (1963.1.24) | 806 (1968.9.26) | 5 (2005.2.1) | 1,966 |
|  |  | 降水量 | 106.0 | 118.8 | 233.8 | 295.4 | 360.5 | 436.6 | 405.2 | 427.3 | 745.7 | 507.6 | 211.5 | 121.3 | 3,969.6 |  |  |  |  |  |
| 南海 | 潮岬（33°27′／135°45′／67.5m） | 気温 | 8.3 | 8.8 | 11.6 | 15.6 | 19.3 | 22.1 | 25.7 | 26.9 | 24.6 | 20.3 | 15.5 | 10.6 | 17.5 | 36.1 (2020.8.16) | -5.0 (1981.2.26) | 421 (1939.10.17) | 5 (1948.1.16) | 2,256 |
|  |  | 降水量 | 97.7 | 118.1 | 185.5 | 212.3 | 236.7 | 364.7 | 298.4 | 260.3 | 339.2 | 286.6 | 152.0 | 102.9 | 2,654.3 |  |  |  |  |  |
| 南海 | 高知（33°34′／133°33′／0.5m） | 気温 | 6.7 | 7.8 | 11.2 | 15.8 | 20.0 | 23.1 | 27.0 | 27.9 | 25.0 | 19.9 | 14.2 | 8.8 | 17.3 | 38.4 (1965.8.22) | -7.9 (1977.2.17) | 629 (1998.9.24) | 10 (1987.1.13) | 2,160 |
|  |  | 降水量 | 59.1 | 107.8 | 174.8 | 225.3 | 280.4 | 359.5 | 357.3 | 284.1 | 398.1 | 207.5 | 129.6 | 83.1 | 2,666.4 |  |  |  |  |  |
| 南海 | 土佐清水（32°43′／133°01′／31.0m） | 気温 | 8.6 | 9.8 | 12.8 | 16.9 | 20.4 | 23.5 | 26.5 | 27.7 | 25.5 | 21.4 | 16.5 | 11.3 | 18.4 | 35.5 (1942.7.30) | -5.0 (1981.2.26) | 421 (1980.8.4) | 4 (1968.1.15) | 2,191 |
|  |  | 降水量 | 98.6 | 116.4 | 183.9 | 221.8 | 232.6 | 400.2 | 222.8 | 231.5 | 362.4 | 254.2 | 146.9 | 97.0 | 2,563.9 |  |  |  |  |  |
| 南海 | 宮崎（31°56′／131°25′／9.2m） | 気温 | 7.8 | 8.9 | 12.1 | 16.4 | 20.3 | 23.2 | 27.3 | 27.6 | 24.7 | 20.0 | 14.7 | 9.7 | 17.7 | 38.0 (2013.8.1) | -7.5 (1981.2.26) | 587 (1939.10.16) | 3 (1945.1.24) | 2,122 |
|  |  | 降水量 | 72.7 | 95.8 | 155.7 | 194.5 | 227.6 | 516.3 | 339.3 | 275.5 | 370.9 | 196.7 | 105.7 | 74.9 | 2,625.5 |  |  |  |  |  |
| 南海 | 鹿児島（31°33′／130°33′／3.9m） | 気温 | 8.7 | 9.9 | 12.9 | 16.4 | 20.3 | 23.9 | 27.3 | 28.8 | 25.5 | 21.6 | 16.2 | 10.9 | 18.8 | 37.4 (2016.8.22) | -6.7 (1901.2.11) | 375 (2019.7.3) | 29 (1959.1.17) | 1,942 |
|  |  | 降水量 | 78.3 | 112.7 | 161.0 | 194.9 | 205.2 | 570.0 | 365.1 | 224.3 | 222.9 | 104.6 | 102.5 | 93.2 | 2,434.7 |  |  |  |  |  |
| 九州 | 下関（33°57′／130°56′／3.3m） | 気温 | 7.2 | 7.5 | 10.3 | 15.1 | 19.5 | 22.5 | 26.5 | 27.9 | 24.6 | 19.6 | 13.5 | 8.0 | 17.0 | 37.0 (1960.8.10) | -6.5 (1901.2.3) | 337 (1904.6.25) | 39 (1900.1.26) | 1,876 |
|  |  | 降水量 | 80.0 | 75.9 | 121.2 | 130.8 | 154.2 | 253.6 | 309.4 | 190.0 | 162.6 | 83.7 | 81.9 | 69.7 | 1,712.3 |  |  |  |  |  |
| 九州 | 対馬（厳原）（34°12′／129°18′／4.6m） | 気温 | 6.9 | 6.9 | 9.4 | 14.9 | 18.2 | 21.3 | 25.6 | 26.8 | 23.4 | 18.7 | 13.3 | 8.0 | 16.0 | 36.9 (2018.7.26) | -8.6 (1895.2.22) | 393 (1916.9.24) | 9 (1901.2.21) | 1,863 |
|  |  | 降水量 | 80.1 | 94.7 | 172.3 | 218.4 | 241.2 | 294.4 | 370.5 | 326.4 | 235.5 | 120.8 | 100.6 | 68.0 | 2,302.6 |  |  |  |  |  |
| 九州 | 福岡（33°35′／130°23′／2.5m） | 気温 | 6.9 | 7.8 | 10.8 | 15.4 | 19.9 | 23.3 | 27.4 | 28.4 | 24.7 | 19.6 | 14.2 | 9.1 | 17.3 | 38.3 (2018.7.20) | -8.2 (1919.2.5) | 308 (1953.6.25) | 30 (1917.12.30) | 1,889 |
|  |  | 降水量 | 74.4 | 69.8 | 103.7 | 118.2 | 133.7 | 249.6 | 299.1 | 210.0 | 175.1 | 94.5 | 91.4 | 67.5 | 1,686.9 |  |  |  |  |  |
| 九州 | 佐賀（33°16′／130°18′／5.5m） | 気温 | 5.8 | 6.9 | 10.7 | 15.3 | 19.8 | 23.5 | 27.5 | 28.2 | 24.5 | 19.1 | 13.3 | 7.8 | 16.9 | 39.6 (1994.7.16) | -6.9 (1943.1.13) | 367 (1953.6.25) | 21 (1959.1.17) | 1,971 |
|  |  | 降水量 | 54.1 | 77.5 | 120.6 | 161.7 | 182.9 | 327.0 | 366.8 | 252.4 | 169.3 | 90.1 | 89.4 | 59.5 | 1,951.3 |  |  |  |  |  |
| 九州 | 熊本（32°49′／130°42′／37.7m） | 気温 | 6.0 | 7.4 | 10.9 | 15.8 | 20.4 | 23.7 | 27.5 | 28.4 | 25.2 | 19.6 | 13.5 | 8.0 | 17.2 | 38.8 (1994.7.17) | -9.2 (1929.2.11) | 481 (1957.7.25) | 13 (1945.2.7) | 1,996 |
|  |  | 降水量 | 57.2 | 83.2 | 124.8 | 144.9 | 160.9 | 448.5 | 386.8 | 195.4 | 172.6 | 87.1 | 84.4 | 61.2 | 2,007.0 |  |  |  |  |  |
| 九州 | 長崎（32°44′／129°52′／26.9m） | 気温 | 7.2 | 8.1 | 10.9 | 15.8 | 20.5 | 23.0 | 26.9 | 28.1 | 25.2 | 20.0 | 14.5 | 9.4 | 17.4 | 37.7 (2013.8.18) | -5.6 (1915.1.14) | 448 (1982.7.23) | 17 (2016.1.24) | 1,863 |
|  |  | 降水量 | 63.1 | 84.0 | 123.2 | 153.0 | 160.7 | 335.9 | 292.7 | 217.9 | 186.6 | 102.1 | 100.7 | 74.8 | 1,894.7 |  |  |  |  |  |
| 九州 | 福江（32°42′／128°50′／25.1m） | 気温 | 7.6 | 8.3 | 10.9 | 14.9 | 18.8 | 22.1 | 26.2 | 27.3 | 24.1 | 19.5 | 14.6 | 9.8 | 17.0 | 35.9 (2013.8.19) | -5.4 (1977.2.19) | 433 (2005.9.10) | 43 (1963.1.26) | 1,746 |
|  |  | 降水量 | 93.4 | 109.5 | 172.1 | 216.1 | 210.2 | 324.2 | 308.8 | 239.6 | 289.2 | 132.7 | 134.1 | 108.9 | 2,338.8 |  |  |  |  |  |
| 南西諸島の気候 | 奄美（名瀬）（28°23′／129°30′／2.8m） | 気温 | 15.0 | 15.3 | 17.1 | 19.8 | 22.8 | 26.2 | 28.8 | 28.5 | 27.0 | 23.9 | 20.4 | 16.7 | 21.8 | 37.3 (1960.7.9) | 3.1 (1901.2.12) | 622 (2010.10.20) | — | 1,332 |
|  |  | 降水量 | 184.1 | 161.6 | 210.1 | 213.9 | 278.1 | 427.4 | 214.9 | 294.4 | 346.0 | 261.3 | 173.6 | 170.4 | 2,935.7 |  |  |  |  |  |
| 南西諸島の気候 | 那覇（26°12′／127°41′／28.1m） | 気温 | 17.3 | 17.5 | 19.1 | 21.5 | 24.2 | 27.2 | 29.1 | 29.0 | 27.9 | 25.5 | 22.5 | 19.0 | 23.3 | 35.6 (2001.8.9) | 4.9 (1918.2.20) | 469 (1959.10.16) | — | 1,727 |
|  |  | 降水量 | 101.6 | 114.5 | 142.8 | 161.0 | 245.3 | 284.4 | 188.1 | 240.0 | 275.2 | 179.2 | 119.1 | 110.0 | 2,161.0 |  |  |  |  |  |
| — | 富士山（35°22′／138°44′／3,775.1m） | 気温 | -18.2 | -17.4 | -14.1 | -8.8 | -3.2 | 1.4 | 5.3 | 6.4 | 3.5 | -2.0 | -8.7 | -15.1 | -5.9 | 17.8 (1942.8.13) | -38.0 (1981.2.27) | — | 338 (1989.4.27) | — |
|  |  | 降水量 | — | — | — | — | — | — | — | — | — | — | — | — | — |  |  |  |  |  |

自
然

## ❶ 世界の気象記録　WMO資料ほか

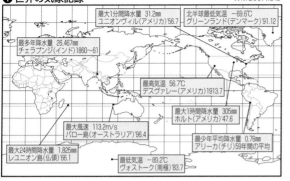

- 最大1分間降水量 31.2mm ユニオンヴィル（アメリカ）'56.7
- 北半球最低気温 −69.6℃ グリーンランド（デンマーク）'91.12
- 最多年降水量 26,467mm チェラプンジ（インド）1860〜61
- 最高気温 56.7℃ デスヴァレー（アメリカ）1913.7
- 最大1時間降水量 305mm ホルト（アメリカ）'47.6
- 最大風速 113.2m/s バロー島（オーストラリア）'96.4
- 最大24時間降水量 1,825mm レユニオン島（仏領）'66.1
- 最低気温 −89.2℃ ヴォストーク（南極）'83.7
- 最少年平均降水量 0.76mm アリーカ（チリ）59年間の平均

## ❷ 日本の気象記録　気象庁資料ほか

- 最低気温 −41.0℃ 旭川（北海道）1902.1
- 最少年平均降水量 710.6mm 常呂（北海道）'91〜20年の平均
- 最大風速 72.5m/s '42.4
- 最大瞬間風速 91.0m/s '66.9 富士山頂
- 最大日降雪量 230cm '75.1　最深積雪 1,182cm '27.2 伊吹山（滋賀）
- 最大1日降水量 922.5mm 箱根（神奈川）'19.10
- 最高気温 41.1℃ 熊谷（埼玉）18.7　浜松（静岡）20.8
- 最大1時間降水量 153mm 香取（千葉）'99.10
- 最多年平均降水量 4651.7mm 屋久島（鹿児島）'91〜20年の平均

## ❸ 日本のおもな災害（気象・地震・火山噴火）×は死者・行方不明者数（人）　理科2023ほか

| 年　月 | 気象事項 | 年　月 | 地震事項 | 年　月 | 火山噴火事項 |
|---|---|---|---|---|---|
| 1909. 7 | 火災，大阪市，焼失11365（戸） | 1605. 2 | 慶長地震　M7.9 ×3000余 | 553.− | 阿蘇山，日本最古の噴火記録 |
| 1934. 9 | 室戸台風，本州・四国・九州 | 1703.12 | 元禄地震　M8.2 ×5233余 | 888.− | 八ヶ岳（赤岳），松原湖形成 |
| 1940. 1 | 火災，静岡市，焼失5121 | 1707.10 | 宝永地震　M8.6 ×20000余 | 1235.− | 磐梯山 ×1235 |
| 1945. 9 | 枕崎台風，西日本（特に広島），×3756 | 1771. 4 | 八重山地震津波 M7.4 ×11741 | 1707.12 | 富士山，噴出物総量8億m³ |
| 1947. 4 | 火災，飯田市，焼失3984 | 1804. 7 | 象潟地震　M7.0 ×333余 | 1783. 5 | 浅間山，噴出物総量2億m³ |
| 　　 9 | カスリーン台風東海以北（特に東京埼玉），×1930 | 1847. 5 | 善光寺地震　M7.4 ×8600 | | 鬼押出し形成　×1151 |
| 1953.8〜9 | 冷害，全国（特に東日本） | 1854.12 | 安政東海地震　M8.4 ×600余 | 1792.− | 雲仙岳 ×15000　有史以来日本 |
| 1954. 9 | 洞爺丸台風，全国（特に北海道・四国），×1761（火災あり） | 　 12 | 安政南海地震　M8.4 ×3000余 | | 最大の噴火災害 |
| 1957. 7 | 水害（前線），九州（特に諫早周辺），×992 | 1855.11 | 江戸地震　M7.1 ×4000余 | 1801.− | 鳥海山，享和岳生成 ×8 |
| 1958. 9 | 狩野川台風，近畿以東（特に静岡），×1269 | 1872. 3 | 浜田地震　M7.1 ×552 | 1888. 7 | 磐梯山，諸村落埋没，檜原湖など |
| 1959. 9 | 伊勢湾台風，九州を除く各地（特に愛知），×5098 | 1891.10 | 濃尾地震　M8.0 ×7273 | | 生成　×461 |
| 1961. 9 | 第2室戸台風，全国（特に近畿），×202 | 1896. 6 | 三陸地震津波 M8.2 ×21959 | 1900. 7 | 安達太良山 ×82 |
| 1963. 1 | 豪雪，北陸・山陰・山形・滋賀・岐阜，×228 | 1923. 9 | 関東大地震　M7.9 ×142807 | 1902. 8 | 鳥島中央火口丘爆砕消失 |
| 1980. 7〜9 | 冷害，全国（沖縄を除く） | 1927. 3 | 北丹後地震　M7.3 ×2925 | | ×125（全島民）日本での火山観 |
| 1980.12〜2 | 雪害，全国（特に北陸・東北），×103 | 1933. 3 | 三陸地震津波 M8.1 ×3064 | | 測ぼっ発の契機となる |
| 1982. 7 | 水害（豪雨），長崎以西，×345 | 1943. 9 | 鳥取地震　M7.2 ×1083 | 1914. 1 | 桜島，大隅半島とつながる |
| 1983. 7 | 水害（豪雨），東北・中部・中国（特に島根），×117 | 1944.12 | 東南海地震　M7.9 ×1223 | | 噴出物総量20億m³ ×170 |
| 1991. 9 | 台風19号，全国，×62 | 1945. 1 | 三河地震　M6.8 ×2306 | 1915. 6 | 焼岳，大正池を出現 |
| 1993. 8 | 台風13号，全国，×48 | 1946.12 | 南海地震　M8.0 ×1330 | 1925. 5 | 十勝岳，2村落埋没 ×344 |
| 1999. 6 | 水害（豪雨），東北〜九州，×40 | 1948. 6 | 福井地震　M7.1 ×3769 | 1931〜34 | 口永良部島（古岳），1村落全焼 ×34 |
| 1999. 9 | 台風18号，全国，×36 | 1952. 3 | 十勝沖地震　M8.2 ×33 | 1944. 6 | 昭和新山生成 |
| 2004.10 | 台風23号，東北〜沖縄，×99 | 1960. 5 | チリ地震津波 M8.5 ×142 | 1957.10 | 三原山 ×1 |
| 2005. 9 | 台風14号，全国，×29 | 1964. 6 | 新潟地震　M7.5 ×26 | 1958. 6 | 阿蘇山 ×40 |
| 2005.12〜3 | 平成18年豪雪，北海道〜四国，×152 | 1968. 5 | 十勝沖地震　M7.9 ×52 | 1962. 8 | 雄山 ×2 |
| 2009. 7 | 水害（豪雨），中国・九州，×35 | 1978. 1 | 伊豆大島近海地震 M7.0 ×25 | 1973. 9 | 海底火山，西之島形成 |
| 2009. 8 | 台風9号，東北〜九州，×28 | 　 6 | 宮城県沖地震　M7.4 ×28 | 1974. 7 | 焼山（新潟）割れ目噴火 ×3 |
| 2010. 7 | 水害（豪雨），東北〜九州，×14 | 1983. 5 | 日本海中部地震 M7.7 ×104 | 1977. 8 | 有珠山，有珠新山形成 |
| 2011.8〜9 | 台風12号，北海道〜四国，×98 | 1984. 9 | 長野県西部地震 M6.8 ×29 | 1983.10 | 雄山（三宅島），家屋埋没400（棟） |
| 2012. 7 | 水害（豪雨），九州北部を中心，×32 | 1993. 7 | 北海道南西沖地震 M7.8 ×230 | 1986.11 | 三原山（伊豆大島），島民島外避難 |
| 2014.7〜8 | 水害（豪雨），全国，×91 | 1994.12 | 三陸はるか沖地震 M7.6 ×3 | 1989. 7 | 静岡県伊東沖で海底火山が噴火 |
| 2016.12 | 火災，糸魚川市，焼失147（棟） | 1995. 1 | 兵庫県南部地震 M7.3 ×6437 | 1991. 5 | 雲仙岳 ×44（火砕流） |
| 2017. 7 | 水害（豪雨），九州北部，×41 | 2001. 3 | 芸予地震　M6.7 ×2 | 2000. 3 | 有珠山 |
| 2018.6〜7 | 水害（豪雨），西日本，×271 | 2004.10 | 新潟県中越地震 M6.8 ×68 | 2000. 7 | 雄山（三宅島），島民島外避難 |
| 2019. 9 | 房総半島台風(15号，暴風)，関東，×9 | 2007. 3 | 能登半島地震　M6.9 ×1 | 2011. 2 | 霧島山 |
| 2019.10 | 東日本台風(19号，豪雨)，東日本，×107 | 2007. 7 | 新潟県中越沖地震 M6.8 ×15 | 2013.11 | 西之島火山，西之島拡大 |
| 2020. 7 | 水害（豪雨），西〜東日本・東北，×86 | 2008. 6 | 岩手・宮城内陸地震 M7.2 ×23 | 2014. 9 | 御嶽山 ×63 |
| 2021. 8 | 水害（豪雨），西〜東日本，×13（熱海土砂災害） | 2011. 3 | 東北地方太平洋沖地震 M9.0 ×22252① | 2015. 5 | 口之永良部島（新岳），島民島外避難 |
| | | 2016. 4 | 熊本地震　M7.3 ×273② | 2018. 1 | 草津白根山 ×1 |
| | | 2018. 9 | 北海道胆振東部地震 M6.7 ×43③ | | |
| | | 2021. 2 | 能登半島地震　M7.6 | | |

①2019年3月現在　②2019年4月現在　③2019年8月現在

## ❹ 世界のおもな大地震（1900年以降）　理科2023ほか

| 地震年月日 | 地　震　名 | マグニチュード | 死者数 | 地震年月日 | 地　震　名 | マグニチュード | 死者数 |
|---|---|---|---|---|---|---|---|
| 1908.12.28 | メッシナ地震（イタリア） | 7.1 | 82,000 | 1990. 7.16 | ルソン島地震（フィリピン） | 7.8 | 2,430 |
| 1920.12.16 | 海原地震（中国・寧夏） | 8.5 | 235,502 | 1995. 1.17 | 兵庫県南部地震（日本） | 7.3 | 6,434 |
| 1923. 9. 1 | 関東大震災（日本） | 7.9 | 142,807 | 1995. 5.27 | サハリン地震（ロシア） | 7.5 | 1,989 |
| 1933. 3. 3 | 三陸沖地震（日本）＊ | 8.1 | 3,064 | 1999. 8.17 | コジャエリ／イズミット地震（トルコ） | 7.8 | 17,118 |
| 1935. 5.30 | クエッタ地震（パキスタン） | 7.5 | 60,000 | 1999. 9.21 | 集集地震（台湾） | 7.7 | 2,413 |
| 1952.11. 4 | カムチャツカ地震（ロシア） | 9.0 | 不明 | 2003.12.26 | バム地震（イラン） | 6.8 | 43,200 |
| 1960. 5.22 | チリ地震（チリ）＊ | 9.5 | 5,700 | 2004.12.26 | スマトラ沖地震（インドネシア）＊ | 9.1 | 227,898 |
| 1964. 3.27 | アラスカ地震（アメリカ） | 9.2 | 131 | 2005.10. 8 | パキスタン地震（パキスタン） | 7.7 | 86,000 |
| 1970. 5.31 | ペルビアン地震（ペルー） | 7.8 | 66,794 | 2006. 5.26 | ジャワ島中部地震（インドネシア） | 6.2 | 5,749 |
| 1976. 2. 4 | グアテマラ地震（グアテマラ） | 7.5 | 22,870 | 2008. 5.12 | 四川大地震（中国） | 8.1 | 69,227 |
| 1976. 7.28 | 唐山地震（中国・河北） | 7.8 | 242,800 | 2010. 1.12 | ハイチ地震（ハイチ） | 7.3 | 316,000 |
| 1976. 8.16 | ミンダナオ地震（フィリピン） | 7.9 | 8,000 | 2011. 3.11 | 東北地方太平洋沖地震（日本）＊ | 9.0 | ①②22,252 |
| 1985. 9.19 | ミチョアカン地震（メキシコ） | 8.1 | 9,500 | 2015. 4.25 | ネパール地震（ネパール） | ＊7.8 | ①9,164 |
| 1987. 3. 6 | エクアドル／コロンビア地震（エクアドル） | 6.9 | 5,000 | 2016. 4.16 | エクアドル地震（エクアドル） | ＊7.8 | 673 |
| 1988.12. 7 | アルメニア地震（アルメニア） | 6.8 | 25,000 | 2018. 9.28 | インドネシアスラウェシ島地震＊ | ＊7.5 | ①③3,390 |

＊津波被害が大きかった地震　＊モーメントマグニチュード　①不明者を含む　②2019年3月現在

2020年12月現在

## ❶ 地球温暖化への温室効果ガスの影響

IPCC資料ほか

| 項　目 | 二酸化炭素 | メタン | 一酸化二窒素 | 六フッ化硫黄 | ハイドロフルオロカーボン |
|---|---|---|---|---|---|
| 2019年の濃度 | 409.9±0.4ppm | 1866.3±3.3ppb | 332.1±0.4ppb | 9.95±0.03ppt | 32.4±0.1ppt |
| 濃度の年増加率① | 2.4ppm | 7.9ppb | 1.0ppb | 0.33ppt | 1.0ppt |
| 大気中の寿命(年) | ー | 11.8 | 109 | 1000 | 228 |
| 総排出量に占める割合(%) | 75.0 | 18.0 | 4.0 | ②2.0 | |

濃度単位：ppm(百万分の1)，ppb(10億分の1)，ppt(1兆分の1)
①2011年～2019年の平均値　②フッ素系温室効果ガス

## ❷ メタンの発生源別放出量 $(10^{12}gCH_4)$

| 発生源 | 年間放出量 | 発生源 | 年間放出量 |
|---|---|---|---|
| 合　計 | **540** | 人為発生源 | ー |
| 自然発生源 | ー | 水　田 | 110 |
| 湿　地 | 115 | 家　畜 | 80 |
| 海　洋 | 10 | バイオマス燃焼 | 55 |
| 淡　水 | 5 | 埋め立て | 40 |
| シロアリ | 40 | 炭　鉱 | 35 |
| 水和物分解 | 5(?) | 天然ガス | 45 |

地球環境の危機

## ❸ メタン・フロンガス純排出量 (1987年炭素換算)

| メタン排出国 | 百万t | フロン排出国 | 百万t |
|---|---|---|---|
| アメリカ合衆国 | 130 | アメリカ合衆国 | 350 |
| イ　ン　ド | 98 | ソ　　連 | 180 |
| 中　　国 | 90 | 日　本 | 100 |
| ソ　　連 | 60 | 西 ド イ ツ | 75 |
| カ ナ ダ | 33 | イ ギ リ ス | 71 |
| ブ ラ ジ ル | 28 | イ タ リ ア | 71 |
| メ キ シ コ | 20 | フ ラ ン ス | 69 |
| バングラデシュ | 20 | ス ペ イ ン | 48 |
| インドネシア | 19 | カ ナ ダ | 36 |
| タ　　イ | 16 | 中　国 | 32 |

メタン，フロンを赤外線吸収における相対的温室効果に応じて計算することにより，便宜的にCO₂温暖化当量として比較することができる。
世界の資源と環境

## ❹ 南極におけるオゾンホールの変化

気象庁資料

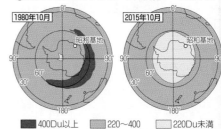

■ 400Du以上　▨ 220～400　□ 220Du未満

※Du(ドブソン)…オゾン層の厚さをはかる単位。数値が小さいほどオゾン層が薄い。220未満をオゾンホールとよぶ。

## ❺ 地域別・国別二酸化炭素排出量（CO₂換算，百万t）

IEA資料

| 地域・国名 | 1971 | 1980 | 1990 | 2000 | 2010 | 計(2021) | %(2021) | 石炭(2021) | 石油(2021) | 天然ガス(2021) | 1人あたり排出量(t/人)(2021) | 増減率%(2000-2021年) |
|---|---|---|---|---|---|---|---|---|---|---|---|---|
| 世　界① | **13,961** | **17,708** | **20,540** | **23,266** | **30,616** | **33,572** | **100** | **15,094** | **10,731** | **7,506** | **4.26** | **44.3** |
| ア ジ ア | 2,160 | 3,453 | 5,861 | 8,188 | 15,021 | 19,515 | 58.1 | 12,108 | 4,393 | 2,928 | 4.16 | 138.3 |
| ア フ リ カ | 250 | 395 | 525 | 661 | 1,023 | 1,218 | 3.6 | 392 | 538 | 288 | 0.88 | 84.3 |
| ヨ ー ロ ッ パ | 5,708 | 7,236 | 7,181 | 5,761 | 5,646 | 4,954 | 14.8 | 1,239 | 1,671 | 1,915 | 6.64 | − 14.0 |
| 北 ア メ リ カ | 4,792 | 5,305 | 5,568 | 6,724 | 6,457 | 5,569 | 16.6 | 1,075 | 2,423 | 2,049 | 9.43 | − 17.2 |
| 南 ア メ リ カ | 291 | 444 | 492 | 710 | 920 | 939 | 2.8 | 116 | 575 | 244 | 2.17 | 32.2 |
| オ セ ア ニ ア | 157 | 223 | 281 | 364 | 422 | 392 | 1.2 | 165 | 146 | 81 | 12.70 | 7.8 |
| 中　　国 | 780 | 1,364 | 2,089 | 3,097 | 7,831 | 10,649 | 31.7 | 8,375 | 1,555 | 698 | 7.54 | 243.8 |
| アメリカ合衆国 | 4,289 | 4,596 | 4,803 | 5,730 | 5,352 | 4,549 | 13.6 | 995 | 1,888 | 1,648 | 13.76 | − 20.6 |
| EU（27か国） | ー | ー | 3,483 | 3,269 | 3,138 | 2,579 | 7.7 | 643 | 1,102 | 768 | 5.76 | − 21.1 |
| イ ン ド | 181 | 263 | 530 | 890 | 1,572 | 2,279 | 6.8 | 1,627 | 567 | 82 | 1.62 | 156.1 |
| ロ シ ア | ②1,942 | ②2,936 | 2,164 | 1,474 | 1,529 | 1,678 | 5.0 | 434 | 316 | 880 | 11.70 | 13.8 |
| 日　　本 | 751 | 871 | 1,052 | 1,149 | 1,133 | 998 | 3.0 | 403 | 354 | 207 | 7.95 | − 13.2 |
| イ ラ ン | 39 | 88 | 171 | 312 | 499 | 643 | 1.9 | 6 | 184 | 453 | 7.31 | 105.8 |
| ド イ ツ | 978 | 1,048 | 940 | 812 | 759 | 624 | 1.9 | 206 | 217 | 183 | 7.50 | − 23.2 |
| 韓　　国 | 53 | 126 | 232 | 422 | 551 | 559 | 1.7 | 261 | 154 | 126 | 10.75 | 32.2 |
| インドネシア | 25 | 68 | 131 | 255 | 392 | 557 | 1.7 | 286 | 201 | 69 | 2.03 | 118.3 |
| カ ナ ダ | 340 | 422 | 409 | 504 | 521 | 506 | 1.5 | 42 | 229 | 233 | 13.22 | 0.4 |
| サウジアラビア | 13 | 99 | 151 | 235 | 418 | 497 | 1.5 | 0 | 315 | 182 | 13.83 | 111.9 |
| ブ ラ ジ ル | 87 | 168 | 185 | 295 | 374 | 439 | 1.3 | 68 | 289 | 79 | 2.05 | 49.0 |
| ト ル コ | 42 | 72 | 129 | 201 | 268 | 401 | 1.2 | 165 | 118 | 111 | 4.76 | 99.2 |
| 南アフリカ共和国 | 157 | 208 | 244 | 281 | 420 | 392 | 1.2 | 324 | 63 | 4 | 6.60 | 39.6 |

①国際輸送燃料(バンカー油)からの排出を含むため，全地域の合計と一致しない　②ソ連

## ❻ おもな国・地域の部門別二酸化炭素排出量 (2021年，CO₂換算)

IEA資料

| 国　名 | 合計(百万t) | 電力・熱生産(%) | 工業(%) | 運輸(%) | 家庭(%) | その他(%) | 国　名 | 合計(百万t) | 電力・熱生産(%) | 工業(%) | 運輸(%) | 家庭(%) | その他(%) |
|---|---|---|---|---|---|---|---|---|---|---|---|---|---|
| 世　界 | **33,572** | **38.6** | **18.9** | **22.7** | **5.9** | **13.9** | 日　本 | 998 | 42.3 | 18.2 | 18.4 | 5.1 | 16.0 |
| 中　国 | 10,649 | 51.6 | 26.6 | 9.1 | 3.1 | 9.6 | イ ラ ン | 643 | 24.9 | 18.9 | 20.9 | 21.2 | 14.1 |
| アメリカ合衆国 | 4,549 | 34.7 | 9.8 | 36.6 | 6.7 | 12.2 | ド イ ツ | 624 | 31.4 | 14.8 | 23.6 | 13.5 | 16.7 |
| EU（27か国） | 2,579 | 26.4 | 14.7 | 29.7 | 11.8 | 17.4 | 韓　国 | 559 | 44.7 | 11.7 | 18.5 | 5.7 | 19.4 |
| イ ン ド | 2,279 | 47.2 | 24.5 | 12.9 | 4.2 | 11.2 | インドネシア | 557 | 27.4 | 23.5 | 24.4 | 4.6 | 20.1 |
| ロ シ ア | 1,678 | 32.1 | 17.1 | 15.1 | 11.9 | 23.8 | カ ナ ダ | 506 | 12.0 | 13.4 | 31.0 | 7.1 | 36.5 |

## ❶ 乾燥地域における砂漠化（土地劣化）の要因（1997年）

| 地　域 | 土地劣化面積（百万ha） | 土地劣化の要因（%） | | | | |
|---|---|---|---|---|---|---|
| | | 過放牧 | 森林減少 | 過耕作 | 過開拓 | 生物産業 |
| 世　　界 | 1,035 | 46.1 | 20.2 | 22.7 | 10.8 | 0.2 |
| ア ジ ア | 370 | 32.1 | 30.1 | 26.1 | 11.4 | 0.3 |
| ア フ リ カ | 319 | 57.8 | 5.8 | 19.5 | 16.9 | 0.0 |
| ヨ ー ロ ッ パ | 99 | 41.5 | 39.1 | 18.4 | 0.0 | 1.0 |
| 北 ア メ リ カ | 80 | 34.8 | 5.4 | 52.1 | 7.7 | 0.0 |
| 南 ア メ リ カ | 79 | 34.1 | 14.7 | 14.7 | 11.5 | 0.0 |
| オーストラリアなど* | 88 | 89.7 | 4.8 | 5.5 | 0.0 | 0.0 |

*ニュージーランド，近海諸島を含む　　　World Atlas of Desertification

## ❸ ヨーロッパの森林被害（2015年）

| 国　名 | 調査面積（千ha） | 調査本数（本） | 被害割合（%）* |
|---|---|---|---|
| チ ェ コ | 2,666 | 5,218 | 52.0 |
| イ ギ リ ス | 10)① 2,665 | 10)① 1,912 | 10)48.5 |
| フ ラ ン ス | ① 15,549 | 8,871 | 43.4 |
| ス ロ ベ ニ ア | 1,248 | 1,051 | 37.8 |
| ス ロ バ キ ア | 2,014 | 3,630 | 34.5 |
| ルクセンブルク | 86 | 1,200 | 32.6 |
| イ タ リ ア | ① 8,675 | 4,757 | 29.8 |
| ク ロ ア チ ア | ① 2,061 | 2,280 | 29.7 |
| ブ ル ガ リ ア | 4,202 | 5,513 | 26.2 |
| モ ル ド バ | 375 | 14,239 | 26.1 |
| モ ン テ ネ グ ロ | 827 | 1,176 | 25.4 |
| ス イ ス | ① 1,279 | 1,051 | 24.8 |

*調査木のうち，深刻な落葉もしくは枯死したものの割合
①森林面積　　　　　　　　　　　　　　　　　ICP資料

## ❺ おもな国の森林面積の変化（2010〜2020年，千ha）

| 国　名 | 年平均増減面積 | 国　名 | 年平均増減面積 |
|---|---|---|---|
| ブ ラ ジ ル | −1,496 | ザ ン ビ ア | −188 |
| コ ン ゴ 民 主 | −1,101 | ス ー ダ ン | −172 |
| イ ン ド ネ シ ア | −753 | ペ ル ー | −172 |
| ア ン ゴ ラ | −555 | コ ロ ン ビ ア | −167 |
| タ ン ザ ニ ア | −421 | ア ル ゼ ン チ ン | −164 |
| パ ラ グ ア イ | −347 | ナ イ ジ ェ リ ア | −163 |
| ミ ャ ン マ ー | −290 | ベ ネ ズ エ ラ | −127 |
| カ ン ボ ジ ア | −252 | メ キ シ コ | −125 |
| ボ リ ビ ア | −225 | チ ャ ド | −122 |
| モ ザ ン ビ ー ク | −223 | ボ ツ ワ ナ | −118 |

日本−3.1　　　　　　　　　　　　　　　　　FAO資料

## ❼ 世界の絶滅種・絶滅危惧種（2023年1月）

| 分　類 | 総　数 | 絶滅① | 野生絶滅② | 絶滅危惧③ | 準絶滅危惧④ | その他 |
|---|---|---|---|---|---|---|
| 評価種数* | 157,172 | 834 | 84 | 23,250 | 5,204 | 127,800 |
| 動　　物 | 89,856 | 780 | 39 | 17,416 | 5,071 | 66,550 |
| 植　　物 | 66,535 | 129 | 45 | 26,276 | 4,034 | 36,051 |
| 菌　　類 | 781 | | | 318 | 65 | 398 |

*「国際自然保護連合（IUCN）レッドリスト」掲載種数　①すでに絶滅したと考えられる種　②飼育・栽培下あるいは自然分布域の明らかに外側で野生化した状態でのみ存続している種　③絶滅の危機に瀕している，あるいは絶滅の危険が増大している種　④現時点での絶滅危険度は小さいが，生息条件の変化によっては絶滅危惧に移行する可能性のある種
IUCN RED LIST

## ❷ 世界の捕鯨数

農水省資料ほか

| クジラ名 | 1980 | 1983 | 1987 | 1990 | 2000 | 2017 |
|---|---|---|---|---|---|---|
| 合　　　　計 | 14,779 | 11,490 | 1,868 | 656 | 1,344 | 1,380 |
| ミンククジラ | 10,910 | 9,796 | 1,040 | 429 | 1,123 | 1,056 |
| イワシクジラ | 102 | 100 | 20 | — | — | 134 |
| コククジラ | 181 | 171 | 158 | 163 | 115 | 120 |
| ホッキョククジラ | 34 | 18 | 31 | 44 | 48 | 59 |
| ナガスクジラ | 471 | 278 | 89 | 19 | 7 | 8 |
| ザトウクジラ | 18 | 16 | 2 | 1 | 2 | 3 |
| マッコウクジラ | 2,092 | 414 | 211 | — | 5 | — |
| ニタリクジラ | 970 | 697 | 317 | — | 44 | — |

## ❹ 地域別森林面積の変化（百万ha）

| 地　域 | 1990 | 2000 | 2010 | 2020 | 増減面積（万ha）* |
|---|---|---|---|---|---|
| 世　　界 | 4,236 | 4,158 | 4,106 | 4,059 | −474 |
| ア ジ ア | 585 | 587 | 611 | 623 | 117 |
| 東 ア ジ ア | 210 | 229 | 252 | 271 | 190 |
| 南・東南アジア | 327 | 308 | 305 | 296 | −94 |
| 西・中央アジア | 49 | 50 | 53 | 55 | 21 |
| ア フ リ カ | 743 | 710 | 676 | 637 | −394 |
| 北 ア フ リ カ | 40 | 38 | 37 | 35 | −17 |
| 中央・西アフリカ | 357 | 339 | 324 | 306 | −186 |
| 東・南アフリカ | 346 | 333 | 315 | 296 | −191 |
| ヨ ー ロ ッ パ | 994 | 1,002 | 1,014 | 1,017 | 35 |
| 北 ア メ リ カ | 755 | 752 | 750 | 753 | −15 |
| 南 ア メ リ カ | 974 | 923 | 870 | 844 | −260 |
| オ セ ア ニ ア | 185 | 183 | 181 | 185 | 42 |

*2010〜2020年の年平均　　　　　　　　　FAO資料

## ❻ 日本の動植物の現状（2020年）

環境省資料

| 分　類 | 掲載種数① | 絶滅② | 野生絶滅③ | 絶滅危惧 | I類④ | II類⑤ | 準絶滅危惧⑥ | 種数評価対象* |
|---|---|---|---|---|---|---|---|---|
| 13分類群合計 | 5,748 | 110 | 14 | 3,716 | 2,110 | 1,606 | 1,364 | — |
| 動 物 計 | 2,787 | 49 | 1 | 1,446 | 749 | 697 | 943 | — |
| 哺 乳 類 | 63 | 7 | 0 | 34 | 25 | 9 | 17 | 160 |
| 鳥 類 | 152 | 15 | 0 | 98 | 55 | 43 | 22 | 700 |
| 爬 虫 類 | 57 | 0 | 0 | 37 | 14 | 23 | 17 | 100 |
| 両 生 類 | 67 | 0 | 0 | 47 | 25 | 22 | 19 | 91 |
| 汽水・淡水魚類 | 245 | 3 | 1 | 169 | 125 | 44 | 35 | 400 |
| 昆 虫 類 | 875 | 4 | 0 | 367 | 182 | 185 | 351 | 32,000 |
| 貝 類 | 1,177 | 19 | 0 | 629 | 301 | 328 | 440 | 3,200 |
| その他無脊椎動物 | 152 | 1 | 0 | 65 | 22 | 43 | 42 | 5,300 |
| 植 物 等 計 | 2,961 | 61 | 13 | 2,270 | 1,361 | 909 | 421 | — |
| 維管束植物 | 2,163 | 28 | 11 | 1,790 | 1,049 | 741 | 297 | 7,000 |
| 蘇 苔 類 | 282 | 6 | 0 | 240 | 137 | 103 | 21 | 1,800 |
| 藻 類 | 202 | 4 | 1 | 116 | 95 | 21 | 41 | 3,000 |
| 地 衣 類 | 154 | 4 | 0 | 63 | 43 | 20 | 41 | 1,600 |
| 菌 類 | 159 | 25 | 1 | 61 | 37 | 24 | 21 | 3,000 |

①環境省版「レッドリスト」掲載種数　②日本ではすでに絶滅したと考えられる種　③❼の注記②と同じ　④絶滅の危機に瀕している種　⑤絶滅の危険が増大している種　⑥❼の注記④と同じ　*日本産の種・亜種の概数。肉眼で確認のできない種は除く

---

発展途上国では，①人口爆発に対処するための焼畑の拡大や過放牧，②外貨獲得のための開発，牧場などへの転換により森林伐採が進行している。これに対して先進国では，工業化に伴う大量の化石燃料の消費により，酸性雨に起因する森林枯死が進んでいる。

化石燃料の消費は大気中の二酸化炭素の濃度を上昇させる。二酸化炭素をはじめとする温室効果ガスは，地表から大気中に放射された熱エネルギーの大部分を吸収して地表に戻すことで，地球の温暖化を引き起こす。

地球環境問題

### ❶ おもな河川の水質（BOD＊）

OECD資料　（　）は測定国

（mgO₂/L）＊水中の微生物が有機物の分解に要する酸素量。
値が大きいほど汚染が進んでいる。

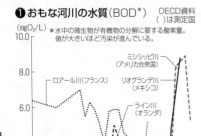

### ❷ おもな湖沼の水質

OECD資料　（　）は測定国

全窒素　（mgN/L）　　全リン　（mgP/L）

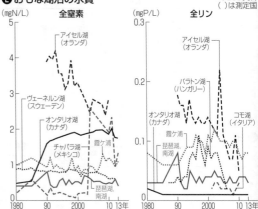

### ❸ 日本のおもな地点の酸性雨（pH値）

| 地　点 | 2003 | 2010 | 2020 |
|---|---|---|---|
| 利　　　　尻 | 4.85 | 4.75 | (17)4.79 |
| 札　　　　幌 | 4.76 | 4.86 | 4.99 |
| 箟岳(宮城県涌谷町) | 4.77 | 4.95 | 5.13 |
| 新　　　　潟 | 4.60 | 4.68 | 4.96 |
| 東　　　　京 | (07)4.77 | 4.95 | 5.11 |
| 尼　　　　崎 | 4.71 | 4.84 | 5.02 |
| 潮　　岬 | 4.74 | (11)4.81 | (13)4.81 |
| 隠　　　　岐 | 4.80 | 4.66 | 4.86 |
| 蟠竜湖(島根県益田市) | 4.65 | 4.69 | (16)4.91 |
| 筑紫小郡(福岡県小郡市) | 4.85 | 4.80 | 4.92 |
| 大　分　久　住 | 4.59 | 4.66 | (16)4.66 |
| 屋　　久　　島 | 4.67 | 4.66 | 4.68 |

酸性度が強いほどpHは低くなる。pH5.6が酸
性雨の一つの目安　　　環境省資料

### ❹ 日本の海洋汚染＊（確認件数）

赤字は各項目の最大値　　海上保安庁資料

| 海域 | 1990 総数 | 油の汚染 | 廃棄物他 | 2000 総数 | 油の汚染 | 廃棄物他 | 2010 総数 | 油の汚染 | 廃棄物他 | 2022 総数 | 油の汚染 | 廃棄物ほか |
|---|---|---|---|---|---|---|---|---|---|---|---|---|
| 合　　　　計 | 937 | 583 | 354 | 579 | 307 | 272 | 465 | 300 | 165 | 468 | 299 | 169 |
| 北海道沿岸 | 42 | 34 | 8 | 24 | 13 | 11 | 78 | 39 | 39 | 50 | 24 | 26 |
| 本州東岸 | 59 | 55 | 4 | 34 | 23 | 11 | 76 | 46 | 30 | 66 | 33 | 33 |
| 東京湾 | 77 | 69 | 8 | 84 | 78 | 6 | 35 | 32 | 3 | 45 | 29 | 16 |
| 伊勢湾 | 33 | 26 | 7 | 23 | 17 | 46 | 48 | 10 | 38 | 31 | 6 | 25 |
| 大阪湾 | 44 | 36 | 8 | 21 | 16 | 5 | 11 | 10 | 1 | 15 | 7 | 8 |
| 瀬戸内海① | 231 | 104 | 127 | 91 | 44 | 47 | 80 | 66 | 14 | 84 | 65 | 19 |
| 本州南岸 | 118 | 96 | 22 | 85 | 45 | 40 | 31 | 23 | 8 | 28 | 25 | 3 |
| 九州沿岸 | 195 | 80 | 115 | 71 | 31 | 40 | 31 | 24 | 7 | 69 | 51 | 18 |
| 日本海沿岸 | 75 | 46 | 29 | 78 | 13 | 65 | 53 | 30 | 23 | 52 | 35 | 17 |
| 南西海域 | 63 | 37 | 26 | 28 | 27 | 1 | 22 | 20 | 2 | 28 | 24 | 4 |

＊赤潮・青潮による汚染は除く　　①大阪湾を除く

### ❺ 日本の水質の環境基準達成率＊（％）

環境省資料

| 水　域 | 1975 | 1980 | 1990 | 2000 | 2010 | 2021 |
|---|---|---|---|---|---|---|
| 全　　体 | **59.6** | **68.7** | **73.1** | **79.4** | **87.8** | **88.3** |
| 河　　　　川 | 57.1 | 67.2 | 73.6 | 82.4 | 92.5 | 93.1 |
| 湖　　　　沼 | 38.6 | 41.6 | 44.2 | 42.3 | 53.2 | 53.6 |
| 海　　　　域 | 72.4 | 79.8 | 77.6 | 75.3 | 78.3 | 78.6 |
| 　東　京　湾 | ( 44) | ( 61) | ( 63) | ( 63) | ( 63) | ( 68) |
| 　伊　勢　湾 | ( 53) | ( 53) | ( 59) | ( 56) | ( 56) | ( 56) |
| 　瀬戸内海① | ( 69) | ( 72) | ( 75) | ( 76) | ( 80) | ( 69) |
| 　有　明　海 | ( 81) | ( 88) | ( 94) | ( 87) | ( 87) | ( 87) |
| 　八　代　海 | (100) | ( 79) | (100) | ( 43) | ( 79) | ( 79) |

＊河川はBOD(生物化学的酸素要求量)、湖沼・海域はCOD(化学的酸素
要求量)についての環境基準達成率　①大阪湾を含む

### ❻ 都道府県別大気汚染

| 測定項目 | 都道府県名 | 1985 | 2000 | 2010 | 2021 |
|---|---|---|---|---|---|
| 二酸化窒素 (NO₂) (ppb) | 東　京 | 26.18 | 28.11 | 19.47 | 12.18 |
|  | 神奈川 | 26.38 | 27.23 | 17.75 | 11.88 |
|  | 大　阪 | 22.61 | 24.26 | 16.67 | 11.11 |
|  | 埼　玉 | 22.14 | 23.45 | 16.62 | 9.54 |
|  | 兵　庫 | 16.96 | 19.18 | 13.76 | 9.03 |
| 二酸化硫黄 (SO₂) (ppb) | 岡　山 | 6.84 | 6.00 | 4.44 | 3.08 |
|  | 鹿児島 | 8.69 | 5.16 | 4.27 | 2.67 |
|  | 大　分 | 5.24 | 4.83 | 3.92 | 2.63 |
|  | 愛　媛 | 7.51 | 6.61 | 4.46 | 2.33 |
|  | 香　川 | 8.88 | 7.50 | 5.81 | 1.94 |
| 光化学オキシダント (OX) (ppb) | 石　川 | 31.72 | 34.32 | 37.48 | 38.06 |
|  | 島　根 | 29.00 | 38.00 | 38.43 | 37.50 |
|  | 富　山 | 27.92 | 33.36 | 37.00 | 37.19 |
|  | 秋　田 | 26.75 | 36.20 | 35.83 | 36.75 |
|  | 長　崎 | 26.88 | 31.20 | 36.20 | 36.60 |
| 微小粒子状物質 (PM2.5) (μg/m³) | 福　岡 | — | — | 19.80 | 10.66 |
|  | 佐　賀 | — | — | 16.60 | 10.61 |
|  | 熊　本 | — | — | 19.00 | 10.52 |
|  | 岡　山 | — | — | 20.80 | 10.47 |
|  | 鹿児島 | — | — | — | 10.31 |

2021年の大気中の年平均濃度上位5都道府県

### ❼ 日本の公害別苦情件数

総務省資料

| 種　類 | 1980 | 1990 | 2000 | 2010 | 2022 | ％ |
|---|---|---|---|---|---|---|
| 合　　　　計 | **64,690** | **74,294** | **83,881** | **80,095** | **71,590** | **100** |
| 騒　　音 | 21,063 | 18,287 | 13,505 | 15,678 | 19,391 | 27.1 |
| 大気汚染 | 9,282 | 9,496 | 26,013 | 17,612 | 15,555 | 21.7 |
| 悪　　臭 | 12,900 | 11,423 | 14,013 | 12,061 | 10,118 | 14.1 |
| 水質汚濁 | 8,269 | 7,739 | 8,272 | 7,574 | 4,893 | 6.8 |
| 振　　動 | 3,031 | 2,144 | 1,640 | 1,675 | 2,411 | 3.4 |
| 土壌汚染 | 230 | 233 | 308 | 222 | 200 | 0.3 |
| 地盤沈下 | 34 | 37 | 31 | 23 | 16 | 0.0 |
| そ　の　他　① | 9,881 | 24,935 | 20,099 | 25,250 | 20,867 | 29.2 |

典型7公害

①廃棄物投棄9,018件（2022年）、日照不足、通風妨害、夜間照明など

国立環境研究所環境展望台資料

交通・通信

## ❶世界のおもな橋
上段：全長順／下段：径間長順＊　　橋梁年鑑ほか

| 橋　名 | 所在地 | 長さ(m) |
|---|---|---|
| 第2レイク・ポンチャートレイン・コーズウェイ | アメリカ合衆国 | 38,422 |
| 第1レイク・ポンチャートレイン・コーズウェイ | アメリカ合衆国 | 38,352 |
| チンタオチャオチョウ(青島膠州湾)海大橋 | 中　国 | 36,480 |
| ハンチョウ(杭州)湾跨海大橋 | 中　国 | 35,673 |
| スワムランド・エクスプレスウェイ | アメリカ合衆国 | 28,952 |
| テンブロン橋 | ブルネイ | 26,300 |
| チェサピーク湾橋 | アメリカ合衆国 | 25,230 |
| 港珠澳大橋(主要部) | 中　国 | 22,900 |
| ク　リ　ミ　ア　橋 | ロシア・ウクライナ | 18,118 |
| リオ・ニテロイ橋 | ブラジル | 13,900 |
| ペ　ナ　ン　大　橋 | マレーシア | 13,500 |
| インチョン(仁川)大橋 | 韓　国 | 12,343 |
| 第2サンマテオ・ヘイワード橋 | アメリカ合衆国 | 10,895 |
| セ　ブ　ン　マ　イ　ル　橋 | アメリカ合衆国 | 10,887 |
| 西候門大橋 | 中　国 | 1,650 |
| グレートベルトリンク(東橋) | デンマーク | 1,624 |
| オスマンガ　ズィー大橋 | トルコ | 1,550 |
| 李　舜　臣　大　橋 | 韓　国 | 1,545 |
| 潤揚長江大橋(北橋) | 中　国 | 1,490 |
| 南京長江第4大橋 | 中　国 | 1,418 |
| ハ　ン　バ　ー　橋 | イギリス | 1,410 |
| ヤヴズスルタンセリム橋 | トルコ | 1,408 |
| 江陰長江大橋 | 中　国 | 1,385 |
| ゴールデンゲート | アメリカ合衆国 | 1,280 |
| 第2ボスポラス | トルコ | 1,090 |

＊長大橋の定義は必ずしも明確ではないが、径間の長さを目安とする見方がある。この見方では長大橋の上位は吊橋が占める。

## ❷日本のおもな橋
上段：全長順／下段：径間長順＊　　橋梁年鑑ほか

| 橋　名 | 所在地 | 型式＊ | 長さ(m) |
|---|---|---|---|
| 東京湾アクアブリッジ | 神奈川・千葉 | GT | 4,424 |
| 第1北上川① | 東北新幹線 | GT | 3,868 |
| 関空連絡橋② | 大　阪 | TGT | 3,750 |
| 伊良部大橋 | 沖　縄 | GT | 3,540 |
| 東京ゲートブリッジ | 東　京 | T | 2,618 |
| 海田大橋 | 広　島 | S | 1,856 |
| 南備讃瀬戸大橋 | 香　川 | S | 1,723 |
| 来　間　大　橋 | 沖　縄 | G | 1,690 |
| 大鳴門橋 | 兵庫・徳島 | S | 1,629 |
| 北備讃瀬戸大橋 | 香　川 | S | 1,611 |
| 上　江　橋 | 埼　玉 | G | 1,609 |
| 明石海峡大橋 | 兵　庫 | S | 1,991 |
| 南備讃瀬戸大橋 | 香　川 | S | 1,100 |
| 来島海峡第三大橋 | 愛　媛 | S | 1,030 |
| 来島海峡第二大橋 | 愛　媛 | S | 1,020 |
| 北備讃瀬戸大橋 | 香　川 | S | 990 |
| 下津井瀬戸大橋 | 岡　山 | S | 940 |
| 多々羅大橋 | 広　島 | C | 890 |
| 大　鳴　門　橋 | 兵庫・徳島 | S | 876 |
| 因　島　大　橋 | 広　島 | S | 770 |
| 安芸灘大橋 | 広　島 | S | 750 |
| 白　鳥　大　橋 | 北　海　道 | S | 720 |

＊S：吊橋，C：斜張橋，T：トラス橋，G：コンクリート桁橋　①鉄道橋　②関西国際空港連絡橋(スカイゲートブリッジ)，鉄道、道路共用

## ❸日本のおもな鉄道トンネル

| トンネル名 | 鉄道路線名(区間) |
|---|---|
| 青　函 53,850 | 北海道新幹線・海峡線 (奥津軽いまべつ〜木古内) |
| 八甲田 26,455 | 東　北　新　幹　線 (七戸十和田〜新青森) |
| 岩手一戸 25,808 | 東　北　新　幹　線 (いわて沼宮内〜二戸) |
| 飯　山 22,251 | 北　陸　新　幹　線 (飯山〜上越妙高) |
| 大清水 22,221 | 上　越　新　幹　線 (上毛高原〜越後湯沢) |
| 新関門 18,713 | 山　陽　新　幹　線 (新下関〜小倉) |
| 六　甲 16,250 | 山　陽　新　幹　線 (新大阪〜新神戸) |
| 榛　名 15,350 | 上　越　新　幹　線 (高崎〜上毛高原) |
| 五里ヶ峰 15,175 | 北　陸　新　幹　線 (上田〜長野) |
| 中　山 14,857 | 上　越　新　幹　線 (高崎〜上毛高原) |
| 北　陸 13,870 | 北　陸　新　幹　線 (敦賀〜南今庄) |
| 新清水 13,500 | 上　越　線 (水上〜土樽) |

日本トンネル技術協会資料ほか

## ❹日本のおもな道路トンネル

| トンネル名 | 所在地 | 長さ(m) |
|---|---|---|
| 山　手 | 東　京 | 18,200 |
| 関越 | 群馬・新潟 | 11,055 |
| 飛驒 | 岐　阜 | 10,710 |
| 東京湾アクア | 神奈川・千葉 | 9,547 |
| 栗子 | 福島・山形 | 8,972 |
| 恵那山(上り) | 長野・岐阜 | 8,649 |
| 第2神戸 | 兵　庫 | 7,175 |
| 新神戸 | 兵　庫 | 6,910 |
| 雁坂 | 山梨・埼玉 | 6,625 |
| 肥後 | 熊　本 | 6,340 |
| 加久藤 | 宮崎・熊本 | 6,260 |
| 月山 | 山　形 | 6,022 |
| 袴腰 | 富　山 | 5,932 |
| 奈良山 | 大阪・奈良 | 5,578 |
| 寒風 | 愛媛・高知 | 5,432 |
| 関電 | 長野・富山 | 5,400 |
| 箕輪 | 長　野 | 5,260 |
| えりも黄金 | 北　海　道 | 4,941 |

国土交通省資料ほか

## ❺世界のおもなトンネル

| トンネル名 | 所在地 | 長さ(km) |
|---|---|---|
| ゴタルドベース | スイス | 57.1 |
| ユーロ | イギリス・フランス | 50.5 |
| ユルヒョン | 韓　国 | 50.3 |
| レッチベルクベース | スイス | 34.6 |
| グアダラマ | スペイン | 28.4 |
| ＊ラウダール | ノルウェー | 24.5 |
| ウーシャオリン(烏鞘嶺)Ⅰ・Ⅱ | 中　国 | 20.1 |
| シンプロンⅠ・Ⅱ | スイス・イタリア | 19.8 |
| フェライナ | スイス | 19.1 |
| ヴァーリア | イタリア | 18.6 |
| ア　ペ　ニ　ノ | イタリア | 18.5 |
| チンリン(秦嶺)Ⅰ・Ⅱ | 中　国 | 18.5 |
| ＊サンゴタルド | スイス | 16.4 |
| フルカベース | スイス | 15.4 |
| セベロムイスキー | ロシア | 15.3 |
| モンテサントマルコ | イタリア | 15.0 |
| サンゴタルド | スイス | 15.0 |

＊は道路トンネル，他は鉄道トンネル
Information Please Almanacほか

## ❻世界と日本のおもな峠

| 峠　名 | 所在地 | 標高(m) |
|---|---|---|
| カラコルム | 中国・インド | 5,575 |
| 大サンベルナール | イタリア・スイス | 2,473 |
| サンゴタルド | スイス | 2,108 |
| サンベルナルディーノ | スイス | 2,065 |
| ブレンナー | イタリア・オーストリア | 1,375 |
| カイバー | パキスタン・アフガニスタン | 1,080 |
| 針ノ木 | 長野・富山 | 2,536 |
| 渋　峠 | 群馬・長野 | 2,152 |
| 徳本 | 長　野 | 2,135 |
| 麦草 | 長　野 | 2,120 |
| 雁坂 | 埼玉・山梨 | 2,082 |
| 大菩薩 | 山　梨 | 1,897 |
| 大野田 | 岐阜・長野 | 1,673 |
| 和田 | 長　野 | 1,650 |

タイムズアトラスほか

## ❼世界のおもな運河
Information Please Almanacほか

| 運河名 | 長さ(km) | 国名 | 区間 |
|---|---|---|---|
| ター　(大) | 1,794 | 中　国 | ペキン〜ハンチョウ |
| カラクーム | ①1,500 | トルクメニスタン | アムダリア川〜カスピ海 |
| ヴォルガ・バルト水路 | ②1,122 | ロシア | ― |
| ニューヨークステート・バージ | 835 | アメリカ合衆国 | エリー湖〜ニューヨーク |
| サダム川 | 565 | イラク | バグダッド〜バスラ |
| バーレドーブ | ③560 | パキスタン | パンジャブ地方 |
| ミッテルラント | 464 | ドイツ | デュースブルク〜マクデブルク |
| ブレスト・ナント | 360 | フランス | ブレスト〜ナント |
| ローヌ・ライン | 347 | フランス | ストラスブール〜モンベリアール |
| マルヌ・ライン | 312 | フランス | ストラスブール〜エベルネー |
| ドルトムント・エムス | 264 | ドイツ | ドルトムント〜エムデン |
| ベ　レ　ー | 248 | フランス | モンリュソン〜ロアール川(モンタルジー) |
| ブルゴーニュ | 240 | フランス | ソーヌ川〜ヨンヌ川 |
| ス　エ　ズ | 193 | エジプト | スエズ〜ポートサイド |
| パ　ナ　マ | 82 | パナマ | パナマ〜コロン |

①現在キジルアルバートまで　②河川も含む　③灌漑水路

## ❽スエズ，パナマ運河の通過量

| 年 | スエズ運河 船数 | スエズ運河 重量(万t) | パナマ運河 船数 | パナマ運河 重量(万t) |
|---|---|---|---|---|
| 1980 | 20,795 | 28,148 | 13,507 | 16,990 |
| 1982 | 22,545 | 36,372 | 14,009 | 18,843 |
| 1985 | 19,791 | 35,252 | 11,230 | 14,272 |
| 1987 | 17,541 | 34,699 | 12,230 | 15,108 |
| 1990 | 17,664 | 41,127 | 11,941 | 15,959 |
| 1992 | 16,629 | 36,962 | 12,454 | 16,183 |
| 1994 | 16,370 | 36,449 | 12,337 | 17,328 |
| 1995 | 15,051 | 36,037 | 13,459 | 19,335 |
| 1996 | 14,731 | 35,497 | 13,700 | 20,118 |
| 1998 | 13,472 | 38,610 | 13,025 | 19,518 |
| 2000 | 14,142 | 43,904 | 13,653 | 19,370 |
| 2010 | 17,993 | 84,639 | 12,582 | 20,810 |
| 2022 | 19)18,880 | 19)120,709 | 13,003 | 29,643 |

SCA資料ほか

交通・通信

## ❶ おもな国の道路延長，鉄道・海上・航空輸送量

世界の統計2019ほか

| 国　名 | 調査年 | 道路延長(百km) | | | 舗装率(%) | 鉄道総延長'18(千km) | 鉄道輸送量('17) | | 海上輸送量('17) | | | 航空輸送量('15) | |
|---|---|---|---|---|---|---|---|---|---|---|---|---|---|
| | | 総計 | 国道・主要道路 | 1km²あたり道路延長(km) | | | 旅客キロ(億) | 貨物トンキロ(億) | 保有商船量('16)(万t) | 積荷量(月平均,万t) | 揚荷量(月平均,万t) | 旅客人キロ(千万) | 貨物トンキロ(千万) |
| 日　　本 | '80 | 11,134 | 428 | | | 45.9 | | 3,133 | 393 | 4,096 | 696 | 5,103 | 5,122 | ③187 |
| | '15 | ①3,481 | ①605 | ①0.92 | 80.1 | ②17)19.2 | 4,374 | 217 | 2,458 | 04)1,487 | 04)6,909 | 16,791 | 887 |
| 中　　国 | '15 | 45,773 | 2,145 | 0.48 | 72.1 | 67.5 | 6,852 | 21,465 | 4,542 | 06)20,300 | — | 72,590 | 1,981 |
| イ　ン　ド | '15 | 54,721 | ④980 | 1.66 | 61.1 | 68.4 | 11,498 | 6,202 | 1,064 | — | — | 14,047 | 183 |
| 韓　　国 | '15 | 990 | 179 | 0.99 | 92.1 | 3.6 | 219 | 82 | 1,108 | 07)2,384 | 07)4,804 | 11,974 | 1,130 |
| タ　　イ | '06 | 1,801 | 519 | 0.35 | | 11)5.3 | 10)82 | 10)27 | 338 | — | — | 8,712 | 213 |
| エジプト | '14 | 1,552 | ④242 | 0.15 | 94.9 | 16)5.2 | 08)408 | 10)16 | 107 | 05)177 | 05)353 | 2,051 | 40 |
| 南アフリカ共和国 | '01 | 3,641 | 31 | 0.30 | 17.3 | 17)21.0 | 07)139 | 08)1,133 | 95)34 | 03)1,071 | 03)349 | 3,108 | 89 |
| イ ギ リ ス | '15 | 4,213 | 528 | 1.73 | 100.0 | 16.0 | 14)652 | 08)201 | 3,032 | — | — | 28,318 | 547 |
| イ タ リ ア | '05 | 4,877 | 282 | 1.62 | | 16.8 | 390 | 100 | 1,613 | — | — | 3,843 | 45 |
| オ ラ ン ダ | '15 | 1,841 | 130 | 4.44 | 75.5 | 14)2.8 | 180 | 05)50 | 816 | 04)940 | 04)2,926 | 10,352 | 529 |
| スウェーデン | '01 | 2,130 | 153 | 0.52 | 78.6 | 9.7 | 15)63 | 05)218 | 227 | 581 | 679 | 09)893 | ③101 |
| ド イ ツ | '15 | 6,426 | 513 | 1.80 | | 33.4 | 775 | 706 | 962 | 964 | 1,460 | 24,466 | 699 |
| ノルウェー | '09 | 939 | 280 | 0.29 | 80.7 | 17)4.1 | 15)31 | 05)31 | 1,739 | 1,049 | 234 | 09)882 | 09)96 |
| フ ラ ン ス | '15 | 10,724 | 202 | 1.95 | 100.0 | 17)29.2 | 15)847 | 14)246 | 633 | 926 | 1,730 | 18,415 | 410 |
| ポーランド | '15 | 4,196 | 193 | 1.34 | 69.3 | 18.5 | 16)95 | 05)55 | 03)28 | 286 | 396 | 768 | 12 |
| ロ シ ア | '15 | 14,806 | 519 | 0.09 | 70.6 | 85.6 | 1,229 | 24,919 | 889 | ⑤11)1,577 | ⑤11)182 | 17,968 | 476 |
| アメリカ合衆国 | '15 | 66,414 | 1,053 | 0.68 | 66.3 | 17)149.9 | 107 | 24,451 | 1,212 | 05)3,378 | 05)7,847 | 145,169 | 3,722 |
| メ キ シ コ | '15 | 3,903 | 507 | 0.20 | 40.2 | 09)26.7 | 08)2 | 15)739 | 157 | 1,029 | 1,025 | 6,492 | 71 |
| オーストラリア | '15 | 8,736 | 2,332 | 0.11 | 09)43.5 | 11)8.8 | 10)15 | 10)642 | 142 | 12,192 | 842 | 14,436 | 189 |

①幅員5.5m以上のみ　②JR各社合計　③旅客を含む　④高速道路を除く　⑤海上輸出品：外国の貨物船荷を含む

## ❷ おもな国の自動車保有台数(2021年,万台)

| 国　名 | 総台数 | ％ | うち乗用車 |
|---|---|---|---|
| 世　界 | 157,130 | 100 | 113,406 |
| 中　　国 | 29,419 | 18.7 | 24,239 |
| アメリカ合衆国 | 29,288 | 18.6 | 11,496 |
| 日　　本 | 7,845 | 5.0 | 6,216 |
| イ ン ド | 7,445 | 4.7 | 4,081 |
| ロ シ ア | 6,626 | 4.2 | 5,688 |
| ド イ ツ | 5,273 | 3.4 | 4,854 |
| ブ ラ ジ ル | 4,597 | 2.9 | 3,798 |
| イ タ リ ア | 4,520 | 2.9 | 3,982 |
| メ キ シ コ | 4,433 | 2.8 | 3,314 |
| フ ラ ン ス | 4,104 | 2.6 | 3,269 |

日本の自動車工業2023

## ❸ おもな国の保有船舶腹量(万総t)

| 国　名 | 1960 | 1980 | 2000 | 2023* | ％ |
|---|---|---|---|---|---|
| 世　界 | 12,977 | 41,991 | 55,805 | 153,686 | 100 |
| パ ナ マ | 424 | 2,419 | 11,438 | 23,876 | 15.5 |
| リ ベ リ ア | 1,128 | 8,029 | 5,145 | 23,335 | 15.2 |
| マーシャル諸島 | — | — | 975 | 18,401 | 12.0 |
| (ホンコン) | 43 | 172 | 1,024 | 12,688 | 8.3 |
| シンガポール | — | 766 | 2,149 | 9,203 | 6.0 |
| マ ル タ | — | 13 | 2,817 | 8,155 | 5.3 |
| 中　　国 | 40 | 687 | 1,650 | 8,131 | 5.3 |
| バ ハ マ | 10 | 9 | 3,145 | 6,141 | 4.0 |
| ギ リ シ ャ | 453 | 3,947 | 2,640 | 3,525 | 2.3 |
| 日　　本 | 693 | 4,096 | 1,526 | 3,082 | 2.0 |

*年初　☞p.92④⑤　　UNCTADstatほか

❸：すべての船舶は船籍(船舶の国籍)を得なければならず，船籍は船主が有利と考える国におくことができる。船舶にかかる税金が安く，乗組員の国籍要件などの規制がゆるいパナマやリベリアなどに船籍をおく船が多く，このような船舶を便宜置籍船という。

## ❹ おもな空港の利用実績(2017年)

| 空 港 名 | 発着回数(千回) | 乗降客数(10万) | | 取扱貨物(千t) | |
|---|---|---|---|---|---|
| | | 合計 | 国際便 | 合計 | 国際便 |
| 成 田 国 際 | 253 | 406 | 331 | 2,336 | 2,263 |
| 東京国際(羽田) | 453 | 854 | 170 | 1,365 | 542 |
| 関西国際(大阪) | 185 | 280 | 211 | 865 | 815 |
| タイペイ, 台湾桃園 | 246 | 449 | 448 | 2,270 | 2,253 |
| ホンコン国際 | 432 | 727 | 725 | 5,050 | 4,937 |
| ソウル, インチョン | 363 | 622 | 615 | 2,922 | 2,826 |
| シンガポール, チャンギ | 378 | 622 | 620 | 2,165 | 2,125 |
| バンコク, スワンナプーム | 352 | 609 | 488 | 1,440 | 1,393 |
| イスタンブール, アタテュルク* | 461 | 641 | 445 | 1,159 | 1,100 |
| ド バ イ 国 際 | 408 | 882 | 877 | 2,654 | 2,654 |
| アムステルダム, スキポール | 515 | 685 | 684 | 1,778 | 1,753 |
| パリ, シャルル・ド・ゴール | 483 | 695 | 637 | 2,195 | 1,968 |
| フランクフルト国際 | 476 | 645 | 571 | 2,194 | 2,066 |
| ローマ, フィウミチーノ | 297 | 410 | 294 | 186 | 178 |
| ロンドン, ヒースロー | 476 | 780 | 732 | 1,794 | 1,697 |
| モスクワ, シェレメチェボ | 308 | 401 | 221 | 260 | 159 |
| ロサンゼルス国際 | 700 | 846 | 242 | 2,158 | 1,301 |
| ニューヨーク, J・F・ケネディ | 446 | 594 | 324 | 1,351 | 1,047 |
| サンパウロ, グアルーリョス | 266 | 380 | 140 | 543 | 338 |

*2019年閉鎖　　航空統計要覧'18

## ❺ おもな港のコンテナ取扱量(万TEU*)

| 港 名 | 国 名 | 1990 | 2000 | 2010 | 2020 |
|---|---|---|---|---|---|
| シャンハイ〔上海〕 | 中　国 | 46 | 561 | 2,907 | 4,350 |
| シンガポール | シンガポール | 522 | 1,704 | 2,843 | 3,687 |
| ニンポー〔寧波〕 | 中　国 | | | 1,314 | 2,872 |
| シェンチェン〔深圳〕 | 中　国 | | 399 | 2,251 | 2,655 |
| コワンチョウ〔広州〕 | 中　国 | | | 1,255 | 2,351 |
| チンタオ〔青島〕 | 中　国 | | 212 | 1,201 | 2,201 |
| プサン〔釜山〕 | 韓　国 | 235 | 754 | 1,419 | 2,182 |
| テンチン〔天津〕 | 中　国 | | | 1,008 | 1,835 |
| ホンコン〔香港〕 | 中　国 | 510 | 1,810 | 2,370 | 1,795 |
| ロッテルダム | オランダ | 367 | 628 | 1,115 | 1,435 |
| ド バ イ | アラブ首長国連邦 | — | 306 | 1,160 | 1,349 |
| ポートクラン | マレーシア | 50 | 321 | 887 | 1,324 |
| アントウェルペン | ベルギー | 155 | 408 | 847 | 1,203 |
| アモイ〔厦門〕 | 中　国 | | | 582 | 1,141 |
| タンジュンペラパス | マレーシア | | | 653 | 980 |
| カオシュン〔高雄〕 | (台湾) | 349 | 743 | 918 | 962 |
| ロサンゼルス | アメリカ合衆国 | 212 | 488 | — | 921 |
| ハンブルク | ドイツ | 197 | 425 | 790 | 826 |
| 東　京 | 日　本 | 156 | 290 | 429 | 426 |

*TEU(Twenty-foot Equivalent Unit):20フィートのコンテナに換算したコンテナ数の単位　日本港湾協会資料

**❶ おもな国の輸送機関別国内輸送量（2009～10年）**

| | 輸送機関 | 日本 | アメリカ合衆国 | イギリス | ドイツ | フランス |
|---|---|---|---|---|---|---|
| 旅客（億人キロ） | 鉄 道 | 3,939 | 103 | 625 | 989 | 992 |
| | バ ス | 874 | 4,704 | 385 | 624 | 489 |
| | 乗用車 | 8,113 | 45,288 | 6,802 | 8,868 | 7,239 |
| | 航 空 | 753 | 9,089 | 83 | 65 | 97 |
| | その他 | 31 | 18,312 | 0 | 0 | 0 |
| | 合 計 | 13,710 | 77,496 | 7,895 | 10,546 | 8,817 |
| 貨物（億トンキロ） | 鉄 道 | 206 | 22,370 | 212 | 958 | 321 |
| | 道 路 | 3,347 | | 1,316 | 2,456 | 1,560 |
| | 水 運 | ① 1,673 | 6,966 | ② 2 | 557 | 87 |
| | 航 空 | 10 | 176 | 7 | 6 | 9 |
| | その他 | 0 | | 101 | 159 | 183 |
| | 合 計 | 5,236 | — | 1,638 | 4,136 | 2,160 |

①内航海運。②内航水路のみ。（参考）海運672（02年）
国土交通省資料

**❸ 宅配便取扱量の推移（百万個）** 国土交通省資料

| | 1981 | 1990 | 2000 | 2010 | 2022 |
|---|---|---|---|---|---|
| 宅 配 便*計 | 107 | 1,101 | 2,574 | 3,220 | 5,006 |
| トラック運送 | 107 | 1,101 | 2,540 | 3,193 | 4,925 |
| 航空等利用運送① | | | 34 | 27 | 81 |

＊重量30kg以下の一口一個口の貨物　①鉄道，海上，航空運送
等とトラック輸送を組み合わせた運送

**❹ 国内電子商取引の市場規模（兆円）**

| | 2005 | 2010 | 2015 | 2022 |
|---|---|---|---|---|
| 消費者向け市場 | 3.5 | 7.8 | 13.8 | 22.7 |
| ＥＣ化率（％）① | 1.0 | 2.8 | 4.8 | 9.1 |
| スマホ率（％）② | — | — | 27.4 | 56.0 |

①電子商取引（EC）化率。すべての商取引金額に対する電子商
取引市場規模の割合で，算出対象は物販系分野のみ　②物販の
うち，スマートフォン経由市場の割合　経済産業省資料

p.36 ❶鉄道輸送量は，日本では旅客は多いが
貨物は少ない。アメリカ合衆国では，穀物・
石炭など貨物が多いが，旅客は少ない。英
領時代に鉄道網が整備されたインドは，旅
客・貨物とも輸送量が多い。
p.37 ❸❹1970年代に始まった宅配便のサー
ビスは，高速道路の延伸と，おもな窓口で
あるコンビニエンスストアの店舗数増加に
伴い，80年代に取扱量が急増した。近年は，
インターネットの普及により電子商取引が
増え，宅配便の需要はさらに拡大している。

**❷ 日本の輸送機関別輸送量の推移** 日本の統計'22ほか

| 種類 | | | 1970 | 1980 | 1990 | 2000 | 2010 | 2020 |
|---|---|---|---|---|---|---|---|---|
| 国内貨物 | 輸送トン数（百万トン） | | 5259 | 5981 | 6776 | 6371 | 4682 | 4132 |
| | 輸送トンキロ（億トンキロ） | | 3507 | 4388 | 5468 | 5780 | 4876 | 3860 |
| | 構成比（％） | 自 | 38.8 | 40.8 | 50.2 | 54.2 | ＊58.7 | ＊55.3(2134) |
| | | 鉄 | 18.1 | 8.5 | 5.0 | 3.8 | 4.2 | 4.7 (183) |
| | | 船 | 43.1 | 50.6 | 44.7 | 41.8 | 36.9 | 39.9(1538) |
| | | 空 | 0.02 | 0.1 | 0.1 | 0.2 | 0.2 | 0.1 (5) |
| 国内旅客 | 輸送人員（百万人） | | 40606 | 51720 | 77934 | 84691 | 29077 | 21749 |
| | 輸送人キロ（億人キロ） | | 5872 | 7820 | 12984 | 14197 | 5493 | 3218 |
| | 構成比（％） | 自 | 48.4 | 55.2 | 65.7 | 67.0 | ＊14.4 | ＊7.9 (256) |
| | | 鉄 | 49.2 | 40.2 | 29.8 | 27.1 | 71.6 | 81.8(2632) |
| | | 船 | 0.8 | 0.8 | 0.5 | 0.3 | 0.6 | 0.5 (15) |
| | | 空 | 1.6 | 3.8 | 4.0 | 5.6 | 13.4 | 9.8 (315) |

自＝自動車，鉄＝鉄道，船＝内航海運，空＝国内航空（ ）内は2020
年の実数値で単位は億トンキロ（国内貨物）および億人キロ（国内旅客）
＊調査方法変更により，自動車のうち自家用乗用車，軽自動車が調査
対象から除外され，営業用自動車のみに変更されたため以前の数値と
は連続しない

**❺ 国内航空路線の輸送実績（2014年）**

| 区 間 | 距離（km） | 旅客数（千人） | 座席利用率（％） | 貨物重量（t） |
|---|---|---|---|---|
| 東京－新千歳（幹） | 894 | 8,862 | 71.1 | 189,256 |
| 東京－福岡（幹） | 1,041 | 8,184 | 68.8 | 166,325 |
| 東京－大阪（幹） | 514 | 5,226 | 68.1 | 81,105 |
| 東京－那覇（幹） | 1,687 | 4,928 | 68.9 | 129,291 |
| 東京－鹿児島（ロ） | 1,111 | 2,256 | 59.5 | 22,507 |
| 東京－熊本（ロ） | 1,086 | 1,972 | 64.5 | 14,657 |
| 東京－広島（ロ） | 790 | 1,788 | 59.7 | 17,986 |
| 東京－小松（ロ） | 528 | 1,644 | 63.7 | 3,246 |
| 東京－長崎（ロ） | 1,143 | 1,606 | 66.7 | 12,269 |
| 福岡－那覇（幹） | 1,008 | 1,544 | 69.4 | 18,720 |
| 東京－松山（ロ） | 859 | 1,413 | 62.0 | 7,039 |
| 東京－宮崎（ロ） | 1,023 | 1,374 | 58.3 | 7,988 |
| 関西－新千歳（幹） | 1,309 | 1,284 | 77.5 | 3,083 |
| 成田－新千歳（幹） | 892 | 1,265 | 70.8 | 2,529 |
| 中部－新千歳（ロ） | 1,084 | 1,233 | 65.8 | 6,183 |
| 東京－高松（ロ） | 711 | 1,172 | 56.6 | 6,607 |
| 那覇－石垣（ロ） | 472 | 1,167 | 63.3 | 14,480 |
| 東京－北九州（ロ） | 958 | 1,157 | 59.8 | 10,887 |
| 東京－大分（ロ） | 928 | 1,137 | 62.9 | 7,019 |
| 関西－那覇（幹） | 1,261 | 1,117 | 76.4 | 27,228 |

（幹）＝幹線，（ロ）＝ローカル線　　航空輸送統計年報'14

**❻ 三大都市圏の輸送機関別旅客輸送量（百万人）** 交通経済統計要覧2013/14

| 都市圏 | 年度 | 合計 | JR | | | 私鉄 | | | 地下鉄 | | | 路面電車 | 乗合バス | タクシー | 自家用車 |
|---|---|---|---|---|---|---|---|---|---|---|---|---|---|---|---|
| | | | 計 | 定期外 | 定期 | 計 | 定期外 | 定期 | 計 | 定期外 | 定期 | | | | |
| 首都圏 | 1955 | 5,142 | 1,858 | 715 | 1,143 | 1,168 | 441 | 727 | 151 | 80 | 71 | 836 | 788 | 340 | |
| | 1975 | 15,875 | 4,066 | 1,378 | 2,688 | 3,594 | 1,164 | 2,430 | 1,761 | 593 | 1,167 | 49 | 2,509 | 821 | 3,074 |
| | 1995 | 24,021 | 5,374 | 1,819 | 3,555 | 5,135 | 1,749 | 3,386 | 2,771 | 1,042 | 1,730 | 40 | 2,025 | 748 | 7,928 |
| | 2010 | ＊16,409 | 5,555 | 2,088 | 3,467 | 5,405 | 2,158 | 3,247 | 3,369 | 1,439 | 1,930 | 38 | 1,447 | 595 | |
| 中京圏 | 1955 | 788 | 66 | 33 | 32 | 249 | 110 | 133 | — | — | — | 282 | 144 | 48 | |
| | 1975 | 3,085 | 199 | 124 | 74 | 493 | 168 | 325 | 260 | 114 | 146 | 11 | 579 | 142 | 1,403 |
| | 1995 | 4,892 | 221 | 74 | 147 | 497 | 168 | 330 | 381 | 195 | 187 | 5 | 341 | 127 | 3,320 |
| | 2010 | ＊ 1,373 | 239 | 81 | 158 | 453 | 164 | 289 | 421 | 224 | 197 | — | 182 | 78 | |
| 京阪神圏 | 1955 | 2,934 | 440 | 160 | 280 | 1,128 | 360 | 767 | 149 | 75 | 74 | 683 | 376 | 159 | |
| | 1975 | 7,975 | 1,148 | 468 | 680 | 2,410 | 856 | 1,554 | 759 | 339 | 421 | 150 | 1,207 | 445 | 1,858 |
| | 1995 | 10,587 | 1,381 | 506 | 875 | 2,590 | 1,010 | 1,580 | 1,158 | 537 | 621 | 53 | 973 | 364 | 4,069 |
| | 2010 | ＊ 5,442 | 1,344 | 477 | 867 | 2,052 | 957 | 1,095 | 1,251 | 777 | 474 | 24 | 612 | 159 | |

＊調査方法変更により自家用車の公表値がないため，合計値は以前と連続しない

## ❶ICT市場，IoT関連製品・サービス市場の国・地域別シェア

総務省資料

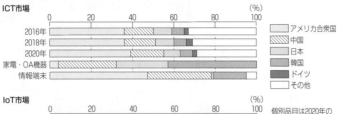

ICT市場

IoT市場

個別品目は2020年の数値
*生体認証システム，ウェアラブルカメラなども含む

> ❶ ICT（情報通信技術）市場ではICT関連サービスが発達するアメリカ合衆国のシェアが最も高く，情報端末などの製品シェアが高い中国がこれに次ぐ。IoT（モノのインターネット）市場では監視カメラなどが多い中国のシェアが増加している。

## ❷おもな国の人工衛星打上げ数

世界の航空宇宙工業'21

| 衛星 | 世界計② | アメリカ合衆国 | ロシア③ | 中国 | 日本 | イギリス | インド | ドイツ | フランス | カナダ |
|---|---|---|---|---|---|---|---|---|---|---|
| 2020年 | 1,227 | 958 | 22 | 71 | 7 | 104 | 3 | 5 | 4 | 5 |
| 累計① | 9,710 | 3,953 | 3,422 | 584 | 254 | 193 | 115 | 92 | 82 | 64 |
| (%) | 100 | 40.7 | 35.2 | 6.0 | 2.6 | 2.0 | 1.2 | 0.9 | 0.8 | 0.7 |

①2020年12月末現在　②国際機関, 多国籍企業を含む　③旧ソ連諸国を含む

## ❸おもな国の通信メディア

| 国名 | 郵便数2012年(百万通) | 固定電話契約数2014年(千契約) | 100人あたり契約数 | 日刊新聞発行部数2013年(千部) | テレビ保有世帯率(%) |
|---|---|---|---|---|---|
| 日本 | 18,861 | 63,610 | 50.1 | 46,999 | (08)98.9 |
| インド | (08)5,722 | 27,000 | 2.1 | (12)112,892 | (11)47.2 |
| インドネシア | (08)455 | 29,638 | 11.7 | 9,583 | (09)71.6 |
| 韓国 | (11)4,345 | 29,481 | 59.5 | (12)10,929 | (12)98.8 |
| シンガポール | (96)567 | 1,960 | 35.5 | 873 | 98.6 |
| タイ | 2,341 | 5,690 | 8.5 | (11)7,625 | (11)98.1 |
| 中国 | (11)26,626 | 249,430 | 17.9 | (12)116,321 | (06)89.0 |
| フィリピン | (96)851 | 3,093 | 3.1 | (11)3,900 | (09)73.6 |
| イギリス | 17,964 | 33,238 | 52.4 | 9,852 | (06)99.0 |
| イタリア | 4,395 | 20,570 | 33.7 | 3,723 | (06)94.0 |
| スイス | 5,452 | 4,375 | 53.6 | 1,810 | (10)92.7 |
| ドイツ | ①19,308 | 47,021 | 56.9 | 17,242 | (09)95.0 |
| フランス | (00)26,357 | 38,805 | 60.0 | 6,537 | (09)98.4 |
| アメリカ合衆国 | ①154,938 | 129,418 | 40.1 | 40,712 | (05)98.9 |
| カナダ | (96)10,900 | 16,572 | 46.6 | 4,190 | (10)98.9 |
| ブラジル | (11)8,725 | 44,128 | 21.8 | 8,480 | (10)98.1 |
| オーストラリア | 4,519 | 9,190 | 38.9 | 2,281 | (10)99.0 |

①国内郵便数のみ　世図会2015/16ほか

## ❹おもな国の携帯端末の回線契約数

| 国名 | 契約数(千契約) 2000 | 2021 | 100人あたり契約数 |
|---|---|---|---|
| 世界 | 738,876 | 8,390,800 | 106.5 |
| 中国 | 85,260 | 1,733,010 | 121.5 |
| インド | 3,577 | 1,154,050 | 82.0 |
| インドネシア | 3,669 | 365,873 | 133.7 |
| アメリカ合衆国 | 109,478 | 361,664 | 107.3 |
| ロシア | 3,263 | 246,569 | 169.0 |
| ブラジル | 23,188 | 219,661 | 102.5 |
| 日本 | 66,784 | 200,479 | 160.9 |
| ナイジェリア | 30 | 195,128 | 91.4 |
| ベトナム | 789 | 135,349 | 138.9 |
| メキシコ | 14,078 | 126,469 | 99.8 |
| ドイツ | 3,056 | 120,850 | 168.8 |
| イタリア | 48,202 | 106,400 | 127.6 |
| イギリス | 43,452 | 79,773 | 118.6 |
| フランス | 29,052 | 75,304 | 116.7 |
| 韓国 | 26,816 | 72,856 | 140.6 |
| サウジアラビア | 1,376 | 45,427 | 126.4 |

ITU資料ほか

## ❺日本の情報通信機器の保有率(世帯)

総務省資料

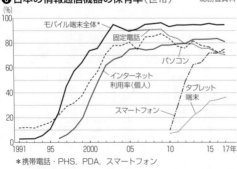

モバイル端末全体*
固定電話
パソコン
インターネット利用率(個人)
タブレット端末
スマートフォン

*携帯電話・PHS, PDA, スマートフォン

## ❻おもな国のインターネット利用者率(%)

| 国名 | 1997 | 2000 | 2010 | 2021 |
|---|---|---|---|---|
| 世界(利用者数:百万人) | 96 | 351 | 1,991 | 4,914 |
| 韓国 | 3.6 | 44.7 | 83.7 | 97.6 |
| イギリス | 7.4 | 26.8 | 85.0 | 96.7 |
| オーストラリア | 16.4 | 46.8 | 76.0 | 96.2 |
| スウェーデン | 23.7 | 45.7 | 90.0 | 94.7 |
| スペイン | 2.8 | 13.6 | 65.8 | 93.9 |
| (ホンコン) | 10.5 | 27.8 | 72.0 | 93.1 |
| カナダ | 15.1 | 51.3 | 80.3 | 92.8 |
| フィンランド | 19.5 | 37.2 | 86.9 | 92.1 |
| オランダ | 14.1 | 44.0 | 90.7 | 92.1 |
| アメリカ合衆国 | 21.6 | 43.1 | 71.7 | 91.8 |
| ドイツ | 6.7 | 30.2 | 82.0 | 91.4 |
| (台湾) | 7.6 | 28.1 | 71.5 | 90.1 |
| フランス | 4.3 | 14.3 | 77.3 | 86.1 |
| ポーランド | 2.1 | 7.3 | 62.3 | 85.4 |
| 日本 | 9.2 | 30.0 | 78.2 | 82.9 |
| ブラジル | 0.8 | 2.9 | 40.7 | 80.7 |
| ロシア | 2.3 | 23.1 | 53.7 | 74.9 |
| 中国 | 0.03 | 1.8 | 34.3 | 73.1 |
| インド | 0.1 | 0.5 | 7.5 | 46.3 |

ITU資料ほか

## ❶ 世界の地域別年央推計人口・将来推計人口

World Population Prospects'22ほか

| 地域名 | 面積(万km²)2022 | 1750 | 1800 | 1850 | 1900 | 1950 | 1970 | 1990 | 2000 | 2022 | 将来推計人口(百万人) 2050 | 2100 | 年平均人口増加率(%) 2020 | 2050 | 人口密度(人/km²)2022 |
|---|---|---|---|---|---|---|---|---|---|---|---|---|---|---|---|
| 世　界 | 13,009 | 791 | 978 | 1,262 | 1,650 | 2,532 | 3,695 | 5,316 | 6,148 | 7,975 | 9,709 | 10,349 | 0.92 | 0.45 | 61 |
| アジア | 3,103 | 502 | 635 | 809 | 947 | 1,403 | 2,145 | 3,211 | 3,736 | 4,722 | 5,292 | 4,674 | 0.71 | 0.11 | 152 |
| ヨーロッパ | 2,213 | 163 | 203 | 276 | 408 | 547 | 656 | 721 | 727 | 743 | 703 | 586 | -0.10 | -0.33 | 34 |
| アングロアメリカ① | 1,865 | 2 | 7 | 26 | 82 | 171 | 221 | 275 | 313 | 376 | 421 | 448 | 0.37 | 0.19 | 20 |
| ラテンアメリカ | 2,014 | 16 | 24 | 38 | 74 | 167 | 286 | 442 | 522 | 660 | 749 | 647 | 0.71 | 0.12 | 33 |
| アフリカ | 2,965 | 106 | 107 | 111 | 133 | 229 | 365 | 638 | 819 | 1,426 | 2,485 | 3,924 | 2.44 | 1.56 | 48 |
| オセアニア | 849 | 2 | 2 | 2 | 6 | 12 | 19 | 26 | 31 | 45 | 57 | 68 | 1.28 | 0.63 | 5 |

①グリーンランドを含む

## ❷ 世界の地域別出生率・死亡率・自然増加率・平均寿命の推移

| 地域 | 出生率(‰) 1950 | 2020 | 2050 | 死亡率(‰) 1950 | 2020 | 2050 | 自然増加率(‰) 1950 | 2020 | 2050 | 平均寿命(男女総合①)(歳) 1950 | 2020 | 2050 |
|---|---|---|---|---|---|---|---|---|---|---|---|---|
| 世　界 | 36.8 | 17.2 | 14.0 | 19.5 | 8.1 | 9.4 | 17.3 | 9.2 | 4.5 | 46.5 | 72.0 | 77.2 |
| 日　本 | 28.3 | 6.6 | 6.8 | 11.1 | 12.1 | 14.6 | 17.3 | -5.5 | -7.8 | 59.2 | 84.7 | 88.3 |
| 先進地域 | 23.0 | 9.5 | 9.0 | 11.2 | 11.3 | 12.5 | 11.8 | -1.7 | -3.5 | 63.5 | 78.6 | 84.3 |
| 発展途上地域 | 43.4 | 18.7 | 14.7 | 23.5 | 7.4 | 9.0 | 19.9 | 11.3 | 5.7 | 41.3 | 70.6 | 76.2 |
| アフリカ | 48.1 | 32.9 | 22.9 | 26.6 | 8.4 | 7.2 | 21.5 | 24.6 | 15.8 | 37.6 | 62.2 | 68.3 |
| ラテンアメリカ | 43.6 | 15.1 | 10.7 | 17.4 | 7.8 | 9.2 | 26.3 | 7.4 | 1.5 | 48.6 | 73.1 | 80.6 |
| アングロアメリカ② | 23.2 | 10.8 | 9.8 | 9.6 | 9.5 | 10.9 | 13.6 | 1.3 | -1.1 | 68.0 | 77.9 | 84.0 |
| アジア | 41.7 | 14.8 | 11.3 | 22.9 | 7.2 | 9.9 | 18.8 | 7.5 | 1.4 | 42.0 | 73.7 | 79.5 |
| 東アジア | 39.5 | 8.4 | 6.9 | 23.1 | 7.6 | 13.4 | 16.3 | 0.8 | -6.5 | 43.0 | 79.0 | 84.1 |
| 中央アジア | 37.5 | 24.4 | 16.6 | 15.7 | 5.3 | 8.1 | 21.8 | 17.0 | 8.5 | 54.3 | 69.8 | 75.0 |
| 南アジア | 44.3 | 18.3 | 12.9 | 23.8 | 7.1 | 8.3 | 20.5 | 11.2 | 4.6 | 40.5 | 69.8 | 77.0 |
| 東南アジア | 42.8 | 16.6 | 12.3 | 20.7 | 7.5 | 10.1 | 22.1 | 9.2 | 2.2 | 42.4 | 71.7 | 76.9 |
| 西アジア | 44.5 | 19.8 | 14.4 | 21.6 | 5.5 | 6.8 | 22.9 | 14.3 | 7.6 | 45.1 | 73.1 | 79.9 |
| ヨーロッパ | 22.2 | 9.3 | 8.8 | 11.8 | 12.2 | 13.3 | 10.4 | -2.9 | -4.5 | 62.8 | 77.7 | 83.8 |
| オセアニア | 27.7 | 15.7 | 12.5 | 11.9 | 6.3 | 8.8 | 15.9 | 9.4 | 3.8 | 61.4 | 79.5 | 82.1 |

①男女数比を1:1として計算　②グリーンランドを含む　World Population Prospects'22

❸：発展途上国では乳児死亡率の高い国ほど出生率・死亡率が高い。先進国は少産少死型だが、出産育児と就業が両立可能な社会を実現したスウェーデンや、若年層移民の多い新大陸の出生率はやや高い。先進国の死亡率は人口の高齢化を反映し、多産少死型の発展途上国より高い。

## ❸ おもな国の推計人口・出生率・死亡率・平均寿命

World Population Prospects'22ほか

| 国名 | 推計人口(百万人) 1950 | 2020 | 2050 | 出生率(‰) 1950 | 2020 | 2050 | 死亡率(‰) 1950 | 2020 | 2050 | 自然増加率(‰) 1950 | 2020 | 2050 | 平均寿命(歳)2020 男 | 女 | 乳児死亡率①2021 | 幼児死亡率②2021 | 合計特殊出生率2020 |
|---|---|---|---|---|---|---|---|---|---|---|---|---|---|---|---|---|---|
| インド | 357 | 1,396 | 1,670 | 43.8 | 16.6 | 11.5 | 22.3 | 7.4 | 8.8 | 21.6 | 9.2 | 2.7 | 68.6 | 71.8 | 25.5 | 30.6 | 2.05 |
| インドネシア | 69 | 271 | 317 | 40.6 | 16.7 | 12.4 | 21.6 | 9.0 | 10.6 | 19.0 | 7.7 | 1.8 | 66.7 | 71.0 | 18.9 | 22.2 | 2.19 |
| タ　イ | 20 | 71 | 67 | 43.8 | 9.2 | 7.1 | 20.4 | 7.3 | 13.1 | 23.4 | 1.9 | -6.0 | 75.0 | 83.7 | 7.1 | 8.3 | 1.34 |
| 韓　国 | 20 | 51 | 45 | 40.0 | 5.7 | 4.8 | 49.3 | 6.2 | 15.0 | -9.3 | -0.5 | -10.2 | 80.2 | 86.7 | 2.5 | 2.9 | 0.89 |
| 中　国 | 543 | 1,424 | 1,312 | 41.1 | 8.6 | 6.9 | 23.2 | 7.3 | 13.2 | 17.9 | 1.3 | -6.3 | 75.3 | 81.1 | 5.1 | 6.9 | 1.28 |
| 日　本 | 84 | 125 | 103 | 28.3 | 6.6 | 6.8 | 11.1 | 12.1 | 14.6 | 17.3 | -5.5 | -7.8 | 81.6 | 87.7 | 1.7 | 2.3 | 1.29 |
| パキスタン | 37 | 227 | 367 | 43.7 | 28.0 | 19.0 | 31.1 | 7.1 | 6.9 | 12.6 | 20.9 | 12.0 | 63.9 | 66.8 | 52.8 | 63.3 | 3.55 |
| バングラデシュ | 39 | 167 | 203 | 46.5 | 18.1 | 11.6 | 27.0 | 5.8 | 7.4 | 19.5 | 12.2 | 4.2 | 70.2 | 74.0 | 22.9 | 27.3 | 2.00 |
| エジプト | 21 | 107 | 160 | 54.2 | 23.1 | 16.5 | 31.9 | 5.9 | 6.8 | 22.3 | 17.2 | 9.7 | 68.7 | 73.4 | 16.2 | 19.0 | 2.96 |
| ナイジェリア | 37 | 208 | 377 | 45.6 | 37.5 | 24.6 | 27.1 | 13.0 | 9.8 | 18.5 | 24.5 | 14.7 | 52.5 | 53.3 | 70.6 | 110.8 | 5.31 |
| 南アフリカ共和国 | 13 | 58 | 73 | 41.7 | 20.3 | 14.2 | 21.4 | 9.4 | 10.0 | 20.2 | 10.9 | 4.2 | 62.2 | 68.0 | 26.4 | 32.8 | 2.40 |
| イタリア | 46 | 59 | 52 | 19.7 | 6.9 | 6.7 | 9.8 | 12.1 | 14.7 | 10.0 | -5.2 | -7.9 | 80.0 | 84.7 | 2.2 | 2.6 | 1.26 |
| オランダ | 10 | 17 | 17 | 22.8 | 9.9 | 8.0 | 7.5 | 9.6 | 12.2 | 15.3 | 0.3 | -3.4 | 79.9 | 83.3 | 3.5 | 4.1 | 1.59 |
| イギリス | 50 | 67 | 71 | 16.6 | 10.9 | 9.4 | 11.8 | 10.1 | 11.0 | 4.7 | 0.1 | -1.6 | 78.4 | 82.4 | 3.7 | 4.2 | 1.56 |
| スウェーデン | 7 | 10 | 11 | 16.4 | 10.9 | 10.0 | 10.0 | 9.5 | 9.8 | 6.6 | 1.4 | 0.1 | 80.6 | 84.3 | 2.0 | 2.5 | 1.67 |
| スペイン | 28 | 47 | 44 | 20.0 | 7.5 | 7.6 | 11.0 | 10.4 | 13.2 | 9.0 | -3.0 | -6.4 | 79.6 | 85.0 | 2.6 | 3.0 | 1.24 |
| ド イ ツ | 70 | 83 | 76 | 16.2 | 9.1 | 8.5 | 10.6 | 11.7 | 13.8 | 5.6 | -2.6 | -5.3 | 78.7 | 83.6 | 3.0 | 3.6 | 1.52 |
| フランス | 41 | 64 | 65 | 20.8 | 10.6 | 9.6 | 12.8 | 10.2 | 11.7 | 8.0 | 0.4 | -2.1 | 79.2 | 85.2 | 3.4 | 4.4 | 1.79 |
| ポーランド | 24 | 38 | 34 | 30.9 | 9.7 | 8.2 | 12.1 | 12.3 | 14.0 | 18.7 | -2.6 | -5.8 | 73.0 | 81.0 | 3.7 | 4.3 | 1.45 |
| ルーマニア | 16 | 19 | 17 | 25.2 | 10.2 | 9.4 | 12.3 | 14.5 | 13.9 | 12.9 | -4.3 | -4.4 | 71.5 | 79.4 | 5.3 | 6.4 | 1.75 |
| ロ シ ア | 102 | 146 | 133 | 28.8 | 9.9 | 10.2 | 12.9 | 14.2 | 14.2 | 16.0 | -4.3 | -4.1 | 66.2 | 76.4 | 4.1 | 5.1 | 1.49 |
| アメリカ合衆国 | 148 | 335 | 375 | 22.1 | 10.9 | 9.9 | 9.6 | 9.7 | 11.0 | 13.2 | 1.3 | -1.1 | 74.6 | 80.2 | 5.4 | 6.2 | 1.64 |
| メキシコ | 27 | 125 | 143 | 49.3 | 15.6 | 10.4 | 21.5 | 9.3 | 9.5 | 27.9 | 6.2 | 0.9 | 66.3 | 74.3 | 11.4 | 13.2 | 1.91 |
| アルゼンチン | 17 | 45 | 51 | 26.0 | 14.1 | 10.9 | 9.8 | 8.5 | 8.7 | 16.2 | 5.6 | 2.2 | 72.5 | 79.3 | 6.1 | 6.9 | 1.91 |
| ブラジル | 53 | 213 | 230 | 44.0 | 13.6 | 9.7 | 17.3 | 7.4 | 10.1 | 29.1 | 5.7 | -0.2 | 70.7 | 77.4 | 12.9 | 14.4 | 1.65 |
| ベネズエラ | 5 | 28 | 35 | 47.1 | 16.2 | 12.6 | 14.4 | 7.6 | 8.9 | 32.7 | 8.6 | 3.6 | 66.7 | 75.8 | 21.1 | 24.2 | 2.23 |
| オーストラリア | 8 | 25 | 32 | 23.3 | 11.6 | 9.6 | 9.6 | 6.3 | 8.8 | 13.7 | 5.3 | 0.9 | 82.9 | 85.7 | 3.2 | 3.7 | 1.59 |

①生存出生児1,000人のうち1歳未満で死亡する人数　②生存出生児1,000人のうち5歳未満で死亡する人数

## ❶おもな国の年齢別人口構成（2022年）

世人口'22ほか

日本
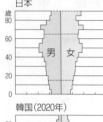

インド（2021年）
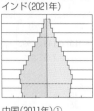

インドネシア
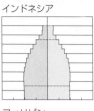

サウジアラビア
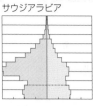

韓国（2020年）
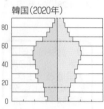

中国（2011年）①
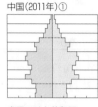

フィリピン
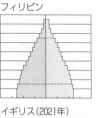

エジプト
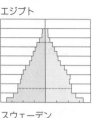

エチオピア
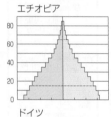

南アフリカ共和国
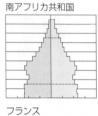

イギリス（2021年）
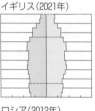

スウェーデン
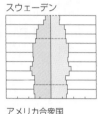

ドイツ
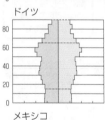

フランス
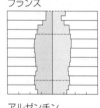

ロシア（2012年）
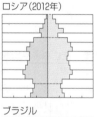

アメリカ合衆国
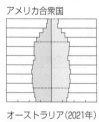

メキシコ
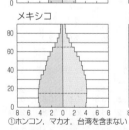

アルゼンチン
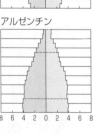

ブラジル
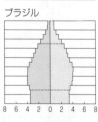

オーストラリア（2021年）
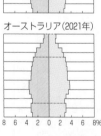

①ホンコン，マカオ，台湾を含まない

## ❷老年人口（65歳以上）割合の推移と予測（%）

| 国　名 | 1950 | 1970 | 1990 | 2000 | 2020 | 2050 | 2100 |
|---|---|---|---|---|---|---|---|
| 日　　　　本 | 4.9 | 7.2 | 12.4 | 17.8 | 29.6 | 37.5 | 38.7 |
| 中　　　国① | 5.0 | 3.7 | 5.3 | 6.9 | 12.6 | 30.1 | 40.9 |
| 韓　　　　国 | 2.7 | 3.5 | 4.9 | 7.1 | 15.8 | 39.4 | 44.4 |
| アメリカ合衆国 | 8.2 | 9.8 | 12.3 | 12.3 | 16.2 | 23.6 | 30.5 |
| イ ギ リ ス | 10.8 | 13.0 | 15.7 | 15.7 | 18.7 | 26.1 | 32.6 |
| フ ラ ン ス | 11.4 | 12.9 | 14.1 | 16.2 | 21.0 | 28.5 | 34.2 |
| ド イ ツ | 9.5 | 13.6 | 14.9 | 16.4 | 22.0 | 30.5 | 33.7 |
| イ タ リ ア | 8.1 | 11.1 | 15.0 | 18.3 | 23.4 | 37.1 | 38.2 |
| スウェーデン | 10.2 | 13.7 | 17.8 | 17.3 | 20.0 | 24.8 | 31.8 |
| ス イ ス | 9.5 | 11.4 | 14.6 | 15.3 | 18.7 | 29.3 | 32.6 |
| オーストラリア | 8.2 | 8.4 | 11.1 | 12.4 | 16.2 | 23.8 | 31.4 |

①ホンコン，マカオを含まない　　World Population Prospects'22

## ❸老年人口（65歳以上）割合の到達年次

| 国　名 | 以下の割合に到達した（する）年次 | | |
|---|---|---|---|
| | 7% | 14% | 21% |
| 日　　　　本 | 1970 | 1994 | 2007 |
| 中　　　国 | 2001 | 2023 | 2034 |
| 韓　　　　国 | 2000 | 2018 | 2026 |
| アメリカ合衆国 | 1942 | 2014 | 2032 |
| イ ギ リ ス | 1929 | 1975 | 2028 |
| フ ラ ン ス | 1864 | 1979 | 2020 |
| ド イ ツ | 1932 | 1972 | 2016 |
| イ タ リ ア | 1927 | 1988 | 2013 |
| スウェーデン | 1887 | 1972 | 2027 |
| ス イ ス | 1931 | 1985 | 2027 |
| オーストラリア | 1939 | 2012 | 2036 |

人口の動向'2

人口

## ❶ おもな国の産業別人口構成・産業別国内総生産（GDP）の割合(%)

ILOSTATほか

| 国名 | 産業別人口*(2013～18年)(万人) | 1次 | 2次 | 3次 | 産業別GDP(2016～19年)(億ドル) | 1次 | 2次 | 3次 | 国名 | 産業別人口*(2013～18年)(万人) | 1次 | 2次 | 3次 | 産業別GDP(2016～19年)(億ドル) | 1次 | 2次 | 3次 |
|---|---|---|---|---|---|---|---|---|---|---|---|---|---|---|---|---|---|
| インド | 36,057 | 43.3 | 24.9 | 31.8 | 28,689 | 16.0 | 24.8 | 59.2 | イギリス | 3,235 | 1.1 | 18.0 | 80.9 | 28,291 | 0.6 | 17.4 | 82.0 |
| インドネシア | 12,554 | 29.6 | 22.3 | 48.1 | 11,192 | 12.7 | 38.9 | 48.4 | スウェーデン | 511 | 1.7 | 18.1 | 80.2 | 5,309 | 1.4 | 22.2 | 76.4 |
| サウジアラビア | 1,328 | 2.5 | 24.8 | 72.7 | 7,930 | 2.2 | 47.4 | 50.4 | スペイン | 1,933 | 4.2 | 20.3 | 75.5 | 13,935 | 2.6 | 20.5 | 76.9 |
| シンガポール | 220 | 0.0 | 15.1 | 84.9 | 3,721 | 0.0 | 24.5 | 75.5 | ドイツ | 4,191 | 1.2 | 27.3 | 71.5 | 38,611 | 0.7 | 26.7 | 72.6 |
| タイ | 3,786 | 32.1 | 22.8 | 45.1 | 5,435 | 8.0 | 33.4 | 58.6 | ハンガリー | 447 | 4.8 | 32.4 | 62.8 | 1,635 | 3.4 | 25.0 | 71.6 |
| 韓国 | 2,692 | 5.0 | 25.1 | 69.9 | 16,467 | 1.6 | 32.8 | 65.6 | フランス | 2,712 | 2.5 | 20.0 | 77.5 | 27,155 | 1.6 | 17.1 | 81.3 |
| 中国 | 77,586 | 26.1 | 27.6 | 46.3 | 143,429 | 7.1 | 39.0 | 53.9 | ポーランド | 1,648 | 9.6 | 31.7 | 58.8 | 5,959 | 2.3 | 28.8 | 69.1 |
| 日本 | 6,664 | 3.4 | 23.9 | 72.7 | 49,548 | 1.2 | 29.1 | 69.7 | ルーマニア | 869 | 22.3 | 30.0 | 47.7 | 2,501 | 4.1 | 28.2 | 67.7 |
| ベトナム | 5,425 | 37.7 | 26.7 | 35.6 | 2,619 | 14.0 | 34.5 | 51.5 | ロシア | 7,253 | 5.9 | 26.8 | 67.3 | 16,999 | 3.4 | 32.2 | 64.4 |
| マレーシア | 1,448 | 11.3 | 27.7 | 61.0 | 3,647 | 7.3 | 37.4 | 55.3 | アメリカ合衆国 | 15,576 | 1.4 | 19.9 | 78.7 | 205,802 | 0.9 | 18.6 | 80.5 |
| エジプト | 2,605 | 25.0 | 26.5 | 48.5 | 3,031 | 11.0 | 35.6 | 53.4 | カナダ | 1,866 | 1.5 | 19.6 | 78.9 | 15,282 | 1.9 | 23.3 | 74.8 |
| タンザニア | 2,116 | 68.1 | 6.3 | 25.6 | 533 | 28.7 | 25.1 | 46.2 | メキシコ | 5,372 | 12.7 | 25.9 | 61.4 | 12,689 | 3.4 | 30.9 | 65.7 |
| ナイジェリア | 5,848 | 37.8 | 11.7 | 50.5 | 4,481 | 21.9 | 27.4 | 50.7 | コロンビア | 2,237 | 16.7 | 20.0 | 63.3 | 3,236 | 6.7 | 26.3 | 67.0 |
| 南アフリカ共和国 | 1,661 | 5.2 | 23.1 | 71.7 | 3,514 | 1.9 | 26.0 | 72.1 | チリ | 839 | 9.2 | 22.3 | 68.5 | 2,823 | 3.5 | 29.3 | 67.2 |
| モロッコ | 1,065 | 37.2 | 17.7 | 45.1 | 1,197 | 12.2 | 25.3 | 62.5 | ブラジル | 9,076 | 9.3 | 20.1 | 70.6 | 18,398 | 4.4 | 17.9 | 77.7 |
| イタリア | 2,321 | 3.8 | 26.1 | 70.1 | 20,036 | 1.9 | 21.4 | 76.7 | オーストラリア | 1,260 | 2.6 | 19.9 | 77.5 | 13,966 | 2.1 | 25.4 | 72.5 |
| オランダ | 880 | 1.9 | 14.6 | 83.5 | 9,071 | 1.6 | 17.7 | 80.7 | ニュージーランド | 264 | 5.8 | 19.8 | 74.4 | 2,054 | 5.8 | 20.4 | 73.8 |

＊おもに15歳以上。調査対象年齢は国によって異なる

## ❷ おもな国の産業別人口構成

ILOSTATほか

●● 1950～2000年
○○ 2018年（エジプト2017年）

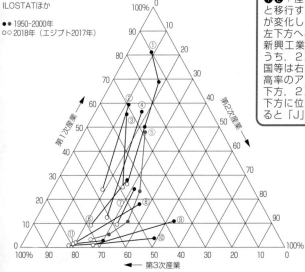

第1次産業　第2次産業　第3次産業

❶❷：産業の中心が1次→2次→3次へと移行するにしたがって産業別人口構成が変化し、三角グラフでも上方→下方→左下方へと移動する。発展途上国は上方、新興工業経済地域は中央付近にくるが、うち、2次の比率が高い東ヨーロッパ諸国等は右に寄る。先進国のうち、3次が高率のアメリカ合衆国、イギリス等は左下方、2次が高率の日本、ドイツは中央下方に位置する。一般に、経済が成長すると「J」の字型の動きとなる。

①中国（'65-'80-'00-'18）
②フィリピン（'65-'18）
③エジプト（'60-'17）
④メキシコ（'60-'18）
⑤日本（'50-'65-'80-'00-'18）
⑥チリ（'60-'18）
⑦ポーランド（'94-'18）
⑧フランス（'62-'18）
⑨西ドイツ→ドイツ（'65-'18）
⑩イギリス（'51-'18）
⑪アメリカ合衆国（'65-'18）

## ❸ おもな国の合計特殊出生率

World Population Prospects'22

| 地域・国名 | 1950年 | 1960年 | 1970年 | 1980年 | 1990年 | 2000年 | 2010年 | 2020年 | 2030年 | 2040年 | 2050年 |
|---|---|---|---|---|---|---|---|---|---|---|---|
| 世界 | 4.86 | 4.70 | 4.83 | 3.75 | 3.31 | 2.73 | 2.59 | 2.35 | 2.27 | 2.20 | 2.15 |
| 先進地域 | 2.84 | 2.71 | 2.32 | 1.89 | 1.78 | 1.57 | 1.69 | 1.51 | 1.58 | 1.61 | 1.64 |
| 発展途上地域 | 5.94 | 5.64 | 5.87 | 4.40 | 3.71 | 2.98 | 2.74 | 2.47 | 2.36 | 2.27 | 2.20 |
| 日本 | 3.66 | 2.01 | 2.09 | 1.75 | 1.52 | 1.37 | 1.39 | 1.29 | 1.37 | 1.43 | 1.47 |
| 中国① | 5.81 | 4.45 | 6.09 | 2.74 | 2.51 | 1.63 | 1.69 | 1.28 | 1.27 | 1.34 | 1.39 |
| 韓国 | 5.97 | 5.95 | 4.41 | 2.72 | 1.60 | 1.42 | 1.22 | 0.89 | 0.97 | 1.09 | 1.17 |
| インド | 5.73 | 5.92 | 5.62 | 4.78 | 4.04 | 3.35 | 2.60 | 2.05 | 1.91 | 1.83 | 1.78 |
| イギリス | 2.24 | 2.74 | 2.44 | 1.89 | 1.83 | 1.64 | 1.92 | 1.56 | 1.59 | 1.62 | 1.64 |
| フランス | 2.99 | 2.73 | 2.50 | 1.96 | 1.78 | 1.88 | 2.02 | 1.79 | 1.78 | 1.78 | 1.77 |
| ドイツ | 2.09 | 2.38 | 2.04 | 1.54 | 1.44 | 1.38 | 1.39 | 1.52 | 1.55 | 1.56 | 1.58 |
| スウェーデン | 2.30 | 2.18 | 1.94 | 1.67 | 2.12 | 1.54 | 1.98 | 1.67 | 1.68 | 1.68 | 1.69 |
| アメリカ合衆国 | 2.93 | 3.55 | 2.47 | 1.83 | 2.07 | 2.05 | 1.93 | 1.64 | 1.67 | 1.68 | 1.70 |
| コンゴ民主 | 5.97 | 6.08 | 6.34 | 6.47 | 6.70 | 6.72 | 6.59 | 6.21 | 5.56 | 4.62 | 3.75 |

①ホンコン，マカオを含まない　＊2030年以降は中位推計

合計特殊出生率：ある年の年齢別出生率が変わらないという仮定で、一人の女性が生涯に出産する子供の数の平均を示す推計数値。この数値が2.1を下まわると、将来人口は減り始める（夫婦1組に平均して子供が2人の場合、成人するまでに病気やけがで死ぬ子供がいるため）。

人
口

人

口

## ❶日本の人口推移

人口の動向'23ほか

| 年　次 | 人口（千人） 総数 | 人口（千人） 男 | 人口（千人） 女 | 年平均人口 増減率（‰） | 人口密度 （人/km²） |
|---|---|---|---|---|---|
| 1908(明41) | 47,965 | 24,041 | 23,924 | 12.3 | 125.6 |
| 1920(大 9) | 55,963 | 28,044 | 27,919 | … | 146.6 |
| 1930(昭 5) | 64,450 | 32,390 | 32,060 | 15.6 | 168.6 |
| 1940( 〃 15) | 71,933 | 35,387 | 36,546 | 7.8 | 188.0 |
| 1947( 〃 22) | 78,101 | 38,129 | 39,972 | 31.0 | 212.0 |
| 1950( 〃 25) | 84,115 | 41,241 | 42,873 | 17.4 | 226.2 |
| 1955( 〃 30) | 90,077 | 44,243 | 45,834 | 11.7 | 242.1 |
| 1960( 〃 35) | 94,302 | 46,300 | 48,001 | 8.4 | 253.5 |
| 1965( 〃 40) | 99,209 | 48,692 | 50,517 | 11.3 | 266.6 |
| 1970( 〃 45) | 104,665 | 51,369 | 53,296 | 11.5 | 281.1 |
| 1975( 〃 50) | 111,940 | 55,091 | 56,849 | 12.4 | 300.5 |
| 1980( 〃 55) | 117,060 | 57,594 | 59,467 | 7.8 | 314.1 |
| 1985( 〃 60) | 121,049 | 59,497 | 61,552 | 6.2 | 324.7 |
| 1990(平 2) | 123,611 | 60,697 | 62,914 | 3.3 | 331.6 |
| 1995( 〃 7) | 125,570 | 61,574 | 63,996 | 2.4 | 336.8 |
| 2000( 〃 12) | 126,926 | 62,111 | 64,815 | 2.0 | 340.4 |
| 2005( 〃 17) | 127,768 | 62,349 | 65,419 | −0.1 | 342.7 |
| 2010( 〃 22) | 128,057 | 62,328 | 65,730 | 0.2 | 343.4 |
| **2015( 〃 27)** | **127,095** | **61,842** | **65,253** | **−1.1** | **340.8** |
| 2025 | 122,544 | 59,449 | 63,095 | −5.0 | 329 |
| 2040 | 110,919 | 53,595 | 57,323 | −7.9 | 297 |
| 2050 | 101,923 | 49,257 | 52,667 | −8.7 | 273 |
| 2060 | 92,840 | 44,744 | 48,095 | −9.6 | 249 |

## ❷日本の年齢別人口割合

人口の動向'23

| 年　次 | 人口割合（%）* 0〜14歳 | 人口割合（%）* 15〜64歳 | 人口割合（%）* 65歳以上 | 平均年齢 （歳） |
|---|---|---|---|---|
| 1908 | 34.2 | 60.5 | 5.3 | 27.7 |
| 1920 | 36.5 | 58.3 | 5.3 | 26.7 |
| 1930 | 36.6 | 58.7 | 4.8 | 26.3 |
| 1940 | 36.7 | 58.5 | 4.8 | 26.6 |
| 1947 | 35.3 | 59.9 | 4.8 | 26.6 |
| 1950 | 35.4 | 59.7 | 4.9 | 26.6 |
| 1955 | 33.4 | 61.3 | 5.3 | 27.6 |
| 1960 | 30.0 | 64.2 | 5.7 | 29.1 |
| 1965 | 25.6 | 68.1 | 6.3 | 30.4 |
| 1970 | 23.9 | 69.0 | 7.1 | 31.5 |
| 1975 | 24.3 | 67.7 | 7.9 | 32.5 |
| 1980 | 23.5 | 67.4 | 9.1 | 33.9 |
| 1985 | 21.5 | 68.2 | 10.3 | 35.7 |
| 1990 | 18.2 | 69.7 | 12.1 | 37.6 |
| 1995 | 16.0 | 69.5 | 14.6 | 39.6 |
| 2000 | 14.6 | 68.1 | 17.4 | 41.4 |
| 2005 | 13.8 | 66.1 | 20.2 | 43.3 |
| 2010 | 13.1 | 63.8 | 23.0 | 45.0 |
| 2015 | 12.5 | 60.8 | 26.6 | 46.4 |
| 2025 | 11.5 | 58.5 | 30.0 | 49.0 |
| 2040 | 10.8 | 53.9 | 35.3 | 51.4 |
| 2050 | 10.6 | 51.8 | 37.7 | 52.3 |
| 2060 | 10.2 | 51.6 | 38.1 | 53.2 |

*年齢不詳人口を年齢別に按分した人口による

## ❸おもな国・地域の都市人口率（%）

World Urbanization Prospects 2018

| 地域・国名 | 1950 | 1970 | 1990 | 2010 | 2018 % | 2018 都市人口（万人） | 地域・国名 | 1950 | 1970 | 1990 | 2010 | 2018 % | 2018 都市人口（万人） |
|---|---|---|---|---|---|---|---|---|---|---|---|---|---|
| 世　界 | 29.6 | 36.6 | 43.0 | 51.7 | 55.3 | 421,982 | マレーシア | 20.4 | 33.5 | 49.8 | 70.9 | 76.0 | 2,436 |
| ア ジ ア | 17.5 | 23.7 | 32.3 | 44.8 | 49.9 | 226,613 | エジプト | 31.9 | 41.5 | 43.5 | 43.0 | 42.7 | 4,244 |
| アフリカ | 14.3 | 22.6 | 31.5 | 38.9 | 42.5 | 54,760 | コンゴ民主 | 19.1 | 24.6 | 30.6 | 40.0 | 44.5 | 3,735 |
| ヨーロッパ | 51.7 | 63.1 | 69.9 | 72.9 | 74.5 | 55,291 | ナイジェリア | 9.4 | 17.8 | 29.7 | 43.5 | 50.3 | 9,861 |
| アングロアメリカ | 63.9 | 73.8 | 75.4 | 80.8 | 82.2 | 29,899 | 南アフリカ共和国 | 42.2 | 47.8 | 52.0 | 62.2 | 66.4 | 3,809 |
| ラテンアメリカ | 41.3 | 57.3 | 70.7 | 78.6 | 80.7 | 52,606 | イギリス | 79.0 | 77.1 | 78.1 | 81.3 | 83.4 | 5,552 |
| オセアニア | 62.5 | 70.2 | 70.3 | 68.1 | 68.2 | 2,813 | スウェーデン | 65.7 | 81.0 | 83.1 | 85.1 | 87.4 | 873 |
| イ ラ ン | 27.5 | 41.2 | 56.3 | 70.6 | 74.9 | 6,143 | スペイン | 51.9 | 66.0 | 75.4 | 78.4 | 80.3 | 3,727 |
| イ ン ド | 17.0 | 19.8 | 25.5 | 30.9 | 34.0 | 46,078 | ド イ ツ | 67.9 | 72.3 | 73.1 | 77.0 | 77.3 | 6,362 |
| インドネシア | 12.4 | 17.1 | 30.6 | 49.9 | 55.3 | 14,760 | フランス | 55.2 | 71.1 | 74.1 | 78.4 | 80.4 | 5,248 |
| サウジアラビア | 21.3 | 48.7 | 76.6 | 82.1 | 83.8 | 2,813 | ポーランド | 38.3 | 52.1 | 61.3 | 60.9 | 60.1 | 2,288 |
| タ イ | 16.5 | 20.9 | 29.4 | 43.9 | 49.9 | 3,456 | ロ シ ア | 44.1 | 62.5 | 73.4 | 73.7 | 74.4 | 10,716 |
| 韓 国 | 21.4 | 40.7 | 73.8 | 81.9 | 81.5 | 4,168 | アメリカ合衆国 | 64.2 | 73.6 | 75.3 | 80.8 | 82.3 | 26,879 |
| 中 国 | 11.8 | 17.4 | 26.4 | 49.2 | 59.2 | 83,702 | カ ナ ダ | 60.9 | 75.7 | 76.6 | 80.9 | 81.4 | 3,008 |
| ト ル コ | 24.8 | 38.2 | 59.2 | 70.8 | 75.1 | 6,155 | メ キ シ コ | 42.7 | 59.0 | 71.4 | 77.8 | 80.2 | 10,481 |
| 日 本 | 53.4 | 71.9 | 77.3 | 90.8 | 91.6 | 11,652 | アルゼンチン | 65.3 | 78.9 | 87.0 | 90.8 | 91.9 | 4,106 |
| パキスタン | 17.5 | 24.8 | 30.6 | 35.0 | 36.7 | 7,363 | コロンビア | 32.6 | 56.6 | 69.5 | 78.0 | 80.8 | 3,996 |
| バングラデシュ | 4.3 | 7.6 | 19.8 | 30.5 | 36.6 | 6,094 | ブ ラ ジ ル | 36.2 | 55.9 | 73.9 | 84.3 | 86.6 | 18,255 |
| フィリピン | 27.1 | 33.0 | 47.0 | 45.3 | 46.9 | 4,996 | ペ ル ー | 41.0 | 57.4 | 68.9 | 76.4 | 77.2 | 2,536 |
| ベトナム | 11.6 | 18.3 | 20.3 | 30.4 | 35.9 | 3,466 | オーストラリア | 77.0 | 84.0 | 85.4 | 85.2 | 86.0 | 2,131 |

## ❹おもな国のスラム人口の割合（2020年、%）

| 国　名 | スラム 人口率* | スラム人口 （万人） |
|---|---|---|
| コンゴ民主 | 78.4 | 3,200 |
| スーダン | 73.7 | 1,131 |
| アフガニスタン | 73.3 | 725 |
| ミャンマー | 58.3 | 994 |
| パキスタン | 56.0 | 4,334 |
| バングラデシュ | 51.9 | 3,361 |
| ケ ニ ア | 50.8 | 760 |
| イ ン ド | 49.0 | 23,677 |
| ナイジェリア | 49.0 | 5,246 |
| フィリピン | 36.6 | 1,904 |
| 南アフリカ共和国 | 24.2 | 957 |
| インドネシア | 19.4 | 2,992 |
| メ キ シ コ | 17.6 | 1,902 |
| ブ ラ ジ ル | (16)14.9 | (16)2,661 |
| タ イ | 6.8 | 242 |

*都市人口に占めるスラム人口の割合
都市部やその周辺に居住し、衛生的な水道やトイレ施設の欠如、耐久性のない住宅、1部屋（4m²程度）に3人以上の過密な住環境のうち、ひとつでも該当する世帯人口。　UN Habitat

## ❺世界の大都市圏*人口

| 1950 | （万人） | 1980 | （万人） | 2015 | （万人） |
|---|---|---|---|---|---|
| ニューヨーク | 1,234 | 東　　京 | 2,855 | 東　　京 | 3,726 |
| 東　　京 | 1,127 | 大　阪① | 1,703 | デリー | 2,587 |
| ロンドン | 836 | ニューヨーク | 1,560 | シャンハイ | 2,348 |
| 大　阪① | 701 | メキシコシティ | 1,303 | メキシコシティ | 2,134 |
| パ　　リ | 628 | サンパウロ | 1,209 | サンパウロ | 2,088 |
| モスクワ | 536 | ブエノスアイレス | 992 | ムンバイ | 1,932 |
| ブエノスアイレス | 517 | ロサンゼルス | 951 | 大　阪① | 1,930 |
| シ カ ゴ | 500 | ムンバイ | 920 | ペキン | 1,882 |
| コルカタ | 460 | コルカタ | 910 | ニューヨーク | 1,865 |
| シャンハイ | 429 | リオデジャネイロ | 878 | ペキン | 1,842 |

*定義は国により異なる　①神戸、京都、奈良、周辺都市を含む近畿圏
World Urbanization Prospects 2018

❸❹：先進国の都市化は、経済成長に伴う都市での労働需要の増加に対して、農村から労働力が供給されるPull型の人口移動によるものだった。一方、発展途上国の都市化は、人口爆発が起きた農村の余剰労働力が、産業が未成熟で労働需要の少ない都市へ流入するというPush型の人口移動である。このため都市でのインフラの整備が追いつかず、スラムなどの都市問題が発生している。

## ❶ 日本の三大都市地域50キロ圏の人口動態(2022年)

住民基本台帳人口・世帯数表'23

| 区分 | | 三大都市合計 | 東京50キロ圏 | | | | | | 名古屋50キロ圏 | | | | | | 大阪50キロ圏 | | | | | |
|---|---|---|---|---|---|---|---|---|---|---|---|---|---|---|---|---|---|---|---|---|
| | | | 0〜10 | 10〜20 | 20〜30 | 30〜40 | 40〜50 | 計 | 0〜10 | 10〜20 | 20〜30 | 30〜40 | 40〜50 | 計 | 0〜10 | 10〜20 | 20〜30 | 30〜40 | 40〜50 | 計 |
| 人口増加 (千人) | 転入 | 3,410 | 433 | 632 | 483 | 366 | 215 | 2,130 | 170 | 103 | 83 | 92 | 20 | 469 | 287 | 171 | 112 | 123 | 115 | 809 |
| | 出生 | 395 | 32 | 66 | 55 | 44 | 25 | 224 | 17 | 16 | 12 | 14 | 3 | 64 | 30 | 26 | 16 | 17 | 15 | 106 |
| | その他 | 36 | 4 | 8 | 5 | 4 | 1 | 24 | 2 | 1 | 0.7 | 0.8 | 0.1 | 4 | 2 | 1 | 0.9 | 1 | 1 | 7 |
| | 計(A) | 3,842 | 470 | 708 | 543 | 415 | 242 | 2,380 | 189 | 121 | 96 | 107 | 23 | 538 | 319 | 199 | 130 | 142 | 131 | 923 |
| 人口減少 (千人) | 転出 | 3,116 | 376 | 590 | 433 | 325 | 191 | 1,916 | 156 | 100 | 82 | 87 | 20 | 446 | 252 | 162 | 108 | 119 | 108 | 752 |
| | 死亡 | 661 | 38 | 96 | 81 | 83 | 57 | 357 | 28 | 25 | 18 | 25 | 6 | 103 | 55 | 44 | 31 | 38 | 31 | 200 |
| | その他 | 78 | 12 | 16 | 9 | 7 | 5 | 50 | 3 | 2 | 3 | 2 | 1 | 11 | 8 | 2 | 1 | 2 | 0 | 16 |
| | 計(B) | 3,856 | 427 | 703 | 523 | 417 | 254 | 2,325 | 187 | 128 | 103 | 114 | 27 | 561 | 316 | 209 | 141 | 160 | 142 | 969 |
| 増減数(A)−(B) | | −13 | 43 | 4 | 20 | −1 | −11 | 55 | 2 | −6 | −6 | −7 | −4 | −22 | 3 | −10 | −10 | −17 | −10 | −46 |

## ❷ 人口の多い市・町村(2023年, 千人)

| 市(都道府県) | 人口 | 町村(都道府県) | 人口 |
|---|---|---|---|
| 東京23区(東京) | 9,569.2 | 府中町(広島) | 52.8 |
| 横浜(神奈川) | 3,753.6 | 東浦町(愛知) | 50.2 |
| 大阪(大阪) | 2,741.5 | 阿見町(茨城) | 49.1 |
| 名古屋(愛知) | 2,294.8 | 寒川町(神奈川) | 49.0 |
| 札幌(北海道) | 1,959.5 | 粕屋町(福岡) | 48.9 |
| 福岡(福岡) | 1,581.3 | 志免町(福岡) | 46.5 |
| 川崎(神奈川) | 1,524.0 | 伊奈町(埼玉) | 45.2 |
| 神戸(兵庫) | 1,510.9 | 杉戸町(埼玉) | 44.1 |
| 京都(京都) | 1,385.1 | 東郷町(愛知) | 43.7 |
| さいたま(埼玉) | 1,339.3 | 菊陽町(熊本) | 43.7 |

2023年1月1日現在　住民基本台帳人口・世帯数表'23

## ❹ 人口の少ない市・町村(2023年, 人)

| 市(都道府県) | 人口 | 町村(都道府県) | 人口 |
|---|---|---|---|
| 歌志内(北海道) | 2,790 | 青ヶ島村(東京) | 168 |
| 夕張(北海道) | 6,729 | 御蔵島村(東京) | 292 |
| 三笠(北海道) | 7,722 | 利島村(東京) | 317 |
| 赤平(北海道) | 9,008 | 渡名喜村(沖縄) | 317 |
| 芦別(北海道) | 11,976 | 粟島浦村(新潟) | 329 |

2023年1月1日現在　住民基本台帳人口・世帯数表'23

## ❸ 在留外国人数(人)

在留外国人統計

| 国籍 | 1980 | 1990 | 2000 | 2010 | 2022 |
|---|---|---|---|---|---|
| 総数 | 782,910 | 1,075,317 | 1,686,444 | 2,134,151 | 3,075,213 |
| 中国 | ①52,896 | ①150,339 | ①335,575 | ①687,156 | 761,563 |
| ベトナム | 2,742 | 6,233 | 16,908 | 41,781 | 489,312 |
| 韓国・朝鮮 | 664,536 | 687,940 | 635,269 | 565,989 | ②411,312 |
| フィリピン | 5,547 | 49,092 | 144,871 | 210,181 | 298,740 |
| ブラジル | 1,492 | 56,429 | 254,394 | 230,552 | 209,430 |
| ネパール | 108 | 447 | 3,649 | 17,525 | 139,393 |
| インドネシア | 1,448 | 3,623 | 19,346 | 24,895 | 98,865 |
| アメリカ合衆国 | 22,401 | 38,364 | 44,856 | 50,667 | 60,804 |
| (台湾) | — | — | — | — | 57,294 |
| タイ | 1,276 | 6,724 | 29,289 | 41,279 | 56,701 |
| ミャンマー | 186 | 1,221 | 4,851 | 8,577 | 56,239 |
| ペルー | 348 | 10,279 | 46,171 | 54,636 | 48,914 |

2010年以前は外国人登録者数　①台湾を含む　②韓国のみ

## ❺ おもな都道府県の国籍別在留外国人割合(2022年)

| 県名 | 総数(千人) | 在留外国人数の国籍別割合(%) |
|---|---|---|
| 東京 | 596 | 中国(39.4) 韓国(14.7) ベトナム(6.4) 比(5.8) ネパール(4.8) |
| 愛知 | 286 | ブラジル(21.1) ベトナム(17.3) 中国(15.3) 比(14.6) 韓国(9.4) |
| 大阪 | 272 | 韓国(32.8) 中国(25.4) ベトナム(17.5) 比(3.7) ネパール(3.7) |
| 神奈川 | 245 | 中国(25.4) ベトナム(12.2) 韓国(11.1) 比(10.1) ネパール(3.9) |
| 埼玉 | 212 | 中国(35.4) ベトナム(10.6) 韓国(7.3) 比(7.3) ネパール(4.8) |
| 静岡 | 106 | ブラジル(29.9) 比(17.3) ベトナム(14.7) 中国(9.4) ペルー(4.5) |
| 群馬 | 66 | ブラジル(19.8) ベトナム(18.3) 比(12.6) 中国(9.5) ペルー(7.3) |
| 岐阜 | 62 | 比(23.2) ブラジル(19.3) ベトナム(18.9) 中国(14.3) 韓国(5.3) |
| 三重 | 58 | ブラジル(23.2) ベトナム(18.8) 比(13.3) 中国(10.5) 韓国(6.6) |
| 滋賀 | 37 | ブラジル(26.1) ベトナム(12.5) 中国(10.5) 比(7.8) 韓国(7.8) |
| 岡山 | 32 | ベトナム(32.5) 中国(20.8) 韓国(13.7) 比(6.7) インドネシア(6.1) |
| 沖縄 | 21 | ネパール(15.3) 中国(12.3) 米(12.3) 比(10.8) ベトナム(10.3) |

☞ p.43③, 48①　在留外国人統計

## ❻ 海外在留邦人数(人)　赤字は各年次の最大値

| 所在国 | 1960 | 1980 | 2000 | 2020 |
|---|---|---|---|---|
| 総数 | 241,102 | 445,372 | 811,712 | 1,357,724 |
| アメリカ合衆国 | 38,114 | 121,180 | 297,968 | 426,354 |
| 中国 | — | 6,199 | 46,090 | 111,769 |
| オーストラリア | 611 | 5,007 | 38,427 | 97,532 |
| タイ | 673 | 6,424 | 21,154 | 81,187 |
| カナダ | 3,963 | 12,280 | 34,066 | 70,937 |
| イギリス | 792 | 10,943 | 53,114 | 63,030 |
| ブラジル | 156,848 | 141,580 | 75,318 | 49,689 |
| ドイツ | ①847 | ①13,991 | 25,021 | 41,757 |
| 韓国 | — | 3,040 | 16,446 | 40,500 |
| フランス | 514 | 6,842 | 25,574 | 37,134 |
| シンガポール | 279 | 8,140 | 23,063 | 36,585 |
| マレーシア | — | 3,201 | 11,625 | 30,973 |

①西ドイツ　海外在留邦人数調査統計'21ほか

## ❼ 日本の年齢別人口構成(人口ピラミッド)

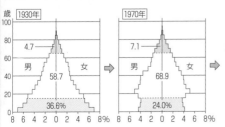

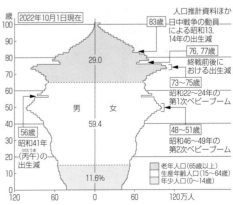

❶世界のおもな都市の人口（千人）　　　　日本を除く。各国の首都人口はp.124～143世界の国々を参照

| 地域 | 都市名 | 国名 | (調査年) | 人口 |
|---|---|---|---|---|
| アジア | ドバイ | アラブ首長国連邦 | 21) | *3,478 |
| | モスル | イラク | 15) | 1,384 |
| | マシュハド | イラン | 16) | 2,987 |
| | イスファハーン | イラン | 16) | 1,961 |
| | ムンバイ(ボンベイ) | インド | 11) | 12,442 |
| | ベンガルール(バンガロール) | インド | 11) | 8,443 |
| | ハイデラバード | インド | 11) | 6,731 |
| | アーメダバード | インド | 11) | 5,577 |
| | チェンナイ(マドラス) | インド | 11) | 4,646 |
| | コルカタ(カルカッタ) | インド | 11) | 4,496 |
| | スーラト | インド | 11) | 4,467 |
| | プネ | インド | 11) | 3,124 |
| | ジャイプル | インド | 11) | 3,046 |
| | スラバヤ | インドネシア | 20) | 2,874 |
| | バンドン | インドネシア | 20) | 2,444 |
| | メダン | インドネシア | 20) | 2,435 |
| | スマラン | インドネシア | 18) | 459 |
| | パレンバン | インドネシア | 18) | 1,649 |
| | マカッサル | インドネシア | 18) | 1,502 |
| | アルマティ | カザフスタン | 22) | 2,147 |
| | ジッダ | サウジアラビア | 10) | 3,430 |
| | メッカ(マッカ) | サウジアラビア | 10) | 1,534 |
| | ハラブ(アレッポ) | シリア | 11) | 5,927 |
| | コロンボ | スリランカ | 12) | 561 |
| | プサン〔釜山〕 | 韓　　国 | 21) | 3,324 |
| | インチョン〔仁川〕 | 韓　　国 | 21) | 2,957 |
| | テグ〔大邱〕 | 韓　　国 | 21) | 2,387 |
| | チョンチン〔重慶〕 | 中　　国 | 21) | 24,876 |
| | シャンハイ〔上海〕 | 中　　国 | 21) | 14,929 |
| | テンチン〔天津〕 | 中　　国 | 21) | 11,515 |
| | コワンチョウ〔広州〕 | 中　　国 | 21) | 10,115 |
| | チョントゥー〔成都〕 | 中　　国 | 21) | 9,651 |
| | ホンコン〔香港〕 | 中　　国 | 21) | 7,401 |
| | ナンキン〔南京〕 | 中　　国 | 21) | 7,337 |
| | シーアン〔西安〕 | 中　　国 | 21) | 8,637 |
| | シェンヤン〔瀋陽〕 | 中　　国 | 21) | 6,247 |
| | スワトウ〔汕頭〕 | 中　　国 | 21) | 5,700 |
| | ハルビン〔哈爾浜〕 | 中　　国 | 21) | 5,519 |
| | ハンチョウ〔杭州〕 | 中　　国 | 21) | 6,965 |
| | ウーハン〔武漢〕 | 中　　国 | 21) | 9,341 |
| | チャンチュン〔長春〕 | 中　　国 | 21) | 4,477 |
| | フォーシャン〔仏山〕 | 中　　国 | 21) | 4,841 |
| | ターリエン〔大連〕 | 中　　国 | 21) | 4,141 |
| | シェンチェン〔深圳〕 | 中　　国 | 21) | 6,279 |
| | チンタオ〔青島〕 | 中　　国 | 21) | 5,473 |
| | シンペイ〔新北〕 | (台　湾) | 23) | 4,004 |
| | タイジョン〔台中〕 | (台　湾) | 23) | 2,819 |
| | カオシュン〔高雄〕 | (台　湾) | 23) | 2,731 |
| | タイペイ〔台北〕 | (台　湾) | 23) | 2,488 |
| | イスタンブール | トルコ | 22) | *15,907 |
| | イズミル | トルコ | 22) | *3,868 |
| | カラチ | パキスタン | 17) | 14,916 |
| | ラホール | パキスタン | 17) | 11,126 |
| | チッタゴン | バングラデシュ | 22) | 3,227 |
| | ケソンシティ | フィリピン | 22) | 2,960 |
| | ダヴァオ | フィリピン | 20) | 1,776 |
| | ホーチミン | ベトナム | 19) | 7,004 |
| | ヤンゴン | ミャンマー | 14) | 5,160 |
| アフリカ | アレクサンドリア | エジプト | 17) | 5,095 |
| | ギーザ(アルギザ) | エジプト | 17) | 4,132 |
| | アビジャン | コートジボワール | 21) | 5,616 |

| 地域 | 都市名 | 国名 | (調査年) | 人口 |
|---|---|---|---|---|
| アフリカ | オムドゥルマン | スーダン | 08) | 1,849 |
| | ラゴス | ナイジェリア | 10) | 10,788 |
| | ヨハネスバーグ | 南アフリカ共和国 | 16) | 4,949 |
| | ケープタウン | 南アフリカ共和国 | 16) | 4,004 |
| | カサブランカ | モロッコ | 20) | 3,566 |
| ヨーロッパ | ミラノ | イタリア | 23) | 1,354 |
| | ナポリ | イタリア | 23) | 913 |
| | ハルキウ | ウクライナ | 22) | 1,421 |
| | オデーサ | ウクライナ | 22) | 1,010 |
| | ロッテルダム | オランダ | 22) | 655 |
| | バーミンガム | イギリス | 21) | 1,142 |
| | チューリヒ | スイス | 21) | 423 |
| | イェーテボリ | スウェーデン | 21) | 596 |
| | バルセロナ | スペイン | 21) | 1,627 |
| | ハンブルク | ドイツ | 21) | 1,853 |
| | ミュンヘン | ドイツ | 21) | 1,487 |
| | マルセイユ | フランス | 20) | 870 |
| | リヨン | フランス | 20) | 522 |
| | アントウェルペン | ベルギー | 21) | 530 |
| | サンクトペテルブルク | ロシア | 22) | 5,377 |
| | ノヴォシビルスク | ロシア | 22) | 1,621 |
| | エカテリンブルク | ロシア | 22) | 1,493 |
| | ニジニーノヴゴロド | ロシア | 22) | 1,233 |
| 北アメリカ | ニューヨーク | アメリカ合衆国 | 22) | 8,335 |
| | ロサンゼルス | アメリカ合衆国 | 22) | 3,822 |
| | シカゴ | アメリカ合衆国 | 22) | 2,665 |
| | ヒューストン | アメリカ合衆国 | 22) | 2,302 |
| | フェニックス | アメリカ合衆国 | 22) | 1,644 |
| | フィラデルフィア | アメリカ合衆国 | 22) | 1,567 |
| | サンディエゴ | アメリカ合衆国 | 22) | 1,381 |
| | ダラス | アメリカ合衆国 | 22) | 1,299 |
| | サンフランシスコ | アメリカ合衆国 | 22) | 808 |
| | シアトル | アメリカ合衆国 | 22) | 749 |
| | デトロイト | アメリカ合衆国 | 22) | 620 |
| | トロント | カナダ | 21) | 3,025 |
| | モントリオール | カナダ | 21) | 1,791 |
| | カルガリー | カナダ | 21) | 1,413 |
| | ヴァンクーヴァー | カナダ | 21) | 706 |
| | ティファナ | メキシコ | 20) | 1,810 |
| | プエブラ | メキシコ | | 1,542 |
| | シウダーファレス | メキシコ | | 1,501 |
| | グアダラハラ | メキシコ | | 1,385 |
| 南アメリカ | コルドバ | アルゼンチン | 22) | 1,565 |
| | ロサリオ | アルゼンチン | 22) | 1,342 |
| | グアヤキル | エクアドル | 22) | 2,652 |
| | メデジン | コロンビア | 22) | 2,530 |
| | カリ | コロンビア | 22) | 2,229 |
| | サンパウロ | ブラジル | 22) | 12,200 |
| | リオデジャネイロ | ブラジル | 22) | 6,625 |
| | サルヴァドル | ブラジル | 22) | 2,610 |
| | フォルタレーザ | ブラジル | 22) | 2,596 |
| | ベロオリゾンテ | ブラジル | 22) | 2,392 |
| | マナオス | ブラジル | 22) | 2,054 |
| | マラカイボ | ベネズエラ | 15) | 1,653 |
| | サンタクルス | ボリビア | 12) | 1,441 |
| オセアニア | シドニー | オーストラリア | 21) | 4,698 |
| | メルボルン | オーストラリア | 21) | 4,585 |
| | ブリズベン | オーストラリア | 21) | 2,287 |
| | パース | オーストラリア | 21) | 2,043 |
| | アデレード | オーストラリア | 21) | 1,245 |
| | オークランド | ニュージーランド | 22) | 1,440 |

＊都市的地域の人口　中国の都市人口は市轄区の戸籍人口の数値（中国人口和就業統計年鑑）

各国統計年鑑ほか

# ❶日本の市の面積(2023年1月1日)・人口(2023年1月1日)(Ⅰ)

赤字は都道府県庁所在地　・は政令指定都市
＊境界未定があるため、数値は概算値

| 市名 | 面積(km²) | 人口(万人) | 市名 | 面積(km²) | 人口(万人) | 市名 | 面積(km²) | 人口(万人) | 市名 | 面積(km²) | 人口(万人) | 市名 | 面積(km²) | 人口(万人) |
|---|---|---|---|---|---|---|---|---|---|---|---|---|---|---|
| 北海道 | 83,424 | 513.9 | 久慈 | 624 | 3.2 | 伊達 | 265 | 5.7 | 高崎 | ＊459 | 36.9 | 松戸 | 61 | 49.7 |
| ・札幌 | 1,121 | 195.9 | 釜石 | ＊440 | 3.0 | 南相馬 | 399 | 5.7 | 前橋 | 312 | 33.1 | 市川 | ＊57 | 49.1 |
| 旭川 | 748 | 32.4 | 二戸 | 420 | 2.5 | 二本松 | 344 | 5.2 | 太田 | 176 | 22.2 | 柏 | 115 | 43.3 |
| 函館 | 678 | 24.4 | 遠野 | 826 | 2.5 | 喜多方 | 555 | 4.5 | 伊勢崎 | 139 | 21.2 | 市原 | 368 | 27.0 |
| 苫小牧 | ＊562 | 16.8 | 八幡平 | 862 | 2.3 | 田村 | 458 | 3.4 | 桐生 | 274 | 10.4 | 流山 | 35 | 20.8 |
| 帯広 | 619 | 16.0 | 陸前高田 | 232 | 1.7 | 相馬 | 198 | 3.3 | 館林 | 61 | 7.4 | 八千代 | 51 | 20.4 |
| 釧路 | 1,363 | 16.0 | 宮城 | 7,282 | 225.7 | 本宮 | 88 | 2.9 | 渋川 | 240 | 7.3 | 習志野 | 21 | 17.4 |
| 江別 | 187 | 11.9 | ・仙台 | 786 | 106.7 | 茨城 | 6,098 | 287.9 | 藤岡 | 180 | 6.2 | 佐倉 | 104 | 17.1 |
| 北見 | 1,427 | 11.3 | 石巻 | 555 | 13.6 | 水戸 | ＊217 | 27.0 | 安中 | 276 | 5.5 | 浦安 | ＊17 | 16.9 |
| 小樽 | 244 | 10.8 | 大崎 | 797 | 12.5 | つくば | 284 | 25.2 | みどり | 208 | 4.9 | 野田 | 104 | 15.3 |
| 千歳 | ＊595 | 9.7 | 名取 | 98 | 7.9 | 日立 | 226 | 16.9 | 富岡 | 123 | 4.6 | 木更津 | 139 | 13.6 |
| 室蘭 | 81 | 7.8 | 登米 | 536 | 7.4 | ひたちなか | 100 | 15.6 | 沼田 | 443 | 4.5 | 我孫子 | 43 | 13.0 |
| 岩見沢 | 481 | 7.6 | 栗原 | 805 | 6.3 | 土浦 | 123 | 14.1 | 埼玉 | 3,798 | 738.1 | 成田 | 214 | 13.0 |
| 恵庭 | ＊295 | 7.0 | 多賀城 | 20 | 6.2 | 古河 | 124 | 14.0 | ・さいたま | 217 | 133.9 | 印西 | 124 | 10.9 |
| 石狩 | 722 | 5.7 | 気仙沼 | 332 | 5.8 | 取手 | 70 | 10.6 | 川口 | 62 | 60.4 | 鎌ケ谷 | 21 | 10.9 |
| 北広島 | 119 | 5.7 | 塩竈 | 17 | 5.2 | 筑西 | 205 | 10.1 | 川越 | 109 | 35.3 | 四街道 | 35 | 9.6 |
| 登別 | 212 | 4.5 | 富谷 | 49 | 5.2 | 神栖 | 147 | 9.4 | 所沢 | 72 | 34.4 | 茂原 | 100 | 8.7 |
| 北斗 | 397 | 4.4 | 岩沼 | 60 | 4.3 | 牛久 | 59 | 8.4 | 越谷 | 60 | 34.4 | 君津 | 319 | 8.1 |
| 滝川 | 116 | 3.8 | 東松島 | 101 | 3.8 | 龍ケ崎 | 79 | 7.5 | 草加 | 27 | 25.0 | 香取 | 262 | 7.1 |
| 網走 | 471 | 3.3 | 白石 | 286 | 3.1 | 笠間 | 240 | 7.1 | 春日部 | 66 | 23.1 | 八街 | 75 | 6.7 |
| 伊達 | ＊444 | 3.2 | 角田 | 148 | 2.7 | 石岡 | 216 | 7.1 | 上尾 | 46 | 23.0 | 袖ケ浦 | 95 | 6.5 |
| 稚内 | 761 | 3.1 | 秋田 | 11,638 | 94.1 | 守谷 | 36 | 7.0 | 熊谷 | 160 | 19.3 | 旭 | 130 | 6.3 |
| 名寄 | 535 | 2.6 | 秋田 | 906 | 30.0 | 鹿嶋 | 106 | 6.6 | 新座 | 23 | 16.5 | 白井 | 35 | 6.2 |
| 根室 | 506 | 2.3 | 横手 | 693 | 8.4 | 常総 | 124 | 6.1 | 久喜 | 82 | 15.0 | 東金 | 89 | 5.7 |
| 紋別 | ＊831 | 2.0 | 大仙 | 867 | 7.6 | 那珂 | 98 | 5.3 | 狭山 | 49 | 14.9 | 銚子 | 84 | 5.6 |
| 富良野 | 601 | 2.0 | 由利本荘 | 1,210 | 7.2 | つくばみらい | 79 | 5.3 | 入間 | 45 | 14.4 | 富里 | 54 | 4.9 |
| 美唄 | 278 | 1.9 | 大館 | 913 | 6.8 | 坂東 | 123 | 5.2 | 朝霞 | 18 | 14.4 | 山武 | 147 | 4.9 |
| 留萌 | 298 | 1.9 | 能代 | 427 | 4.9 | 結城 | 66 | 5.0 | 三郷 | ＊30 | 14.2 | 大網白里 | 58 | 4.8 |
| 深川 | 529 | 1.9 | 湯沢 | 791 | 4.1 | 小美玉 | 145 | 4.9 | 戸田 | 18 | 14.1 | 館山 | 110 | 4.4 |
| 士別 | 1,119 | 1.7 | 潟上 | 98 | 3.1 | 常陸太田 | 372 | 4.8 | 深谷 | 138 | 14.1 | 富津 | 205 | 4.1 |
| 砂川 | 79 | 1.5 | 北秋田 | 1,153 | 2.9 | 鉾田 | 208 | 4.7 | 鴻巣 | 67 | 11.7 | いすみ | 158 | 3.5 |
| 芦別 | 865 | 1.1 | 鹿角 | 708 | 2.8 | 下妻 | 81 | 4.2 | ふじみ野 | 15 | 11.4 | 南房総 | 230 | 3.5 |
| 赤平 | 130 | 0.9 | 男鹿 | 241 | 2.4 | 北茨城 | 187 | 4.1 | 富士見 | 20 | 11.2 | 匝瑳 | 101 | 3.4 |
| 三笠 | 303 | 0.7 | 仙北 | 1,094 | 2.4 | かすみがうら | 157 | 4.0 | 加須 | 133 | 11.2 | 鴨川 | 191 | 3.1 |
| 夕張 | 763 | 0.6 | にかほ | 241 | 2.3 | 常陸大宮 | 348 | 3.9 | 坂戸 | 41 | 9.9 | 勝浦 | ＊94 | 1.6 |
| 歌志内 | 56 | 0.2 | 山形 | 9,323 | 104.2 | 桜川 | 180 | 3.9 | 八潮 | 18 | 9.2 | 東京 | 2,194 | 1,384.1 |
| 青森 | 9,646 | 122.5 | 山形 | ＊381 | 24.0 | 稲敷 | 206 | 3.8 | 東松山 | 65 | 9.0 | 東京23区 | ＊628 | 956.9 |
| 青森 | 825 | 27.1 | 鶴岡 | ＊1,312 | 12.0 | 行方 | 222 | 3.2 | 和光 | 11 | 8.3 | 八王子 | 186 | 56.2 |
| 八戸 | 306 | 22.1 | 酒田 | 603 | 9.7 | 潮来 | 71 | 2.6 | 行田 | 67 | 7.8 | 町田 | 72 | 43.0 |
| 弘前 | 524 | 16.4 | 米沢 | 549 | 7.7 | 高萩 | 194 | 2.6 | 飯能 | 193 | 7.8 | 府中 | 29 | 25.9 |
| 十和田 | 726 | 5.9 | 天童 | 113 | 6.1 | 栃木 | 6,408 | 192.9 | 本庄 | 90 | 7.7 | 調布 | 22 | 23.8 |
| むつ | 864 | 5.3 | 東根 | 207 | 4.7 | 宇都宮 | 417 | 51.7 | 志木 | 9 | 7.6 | 西東京 | 16 | 20.5 |
| 五所川原 | 404 | 5.1 | 寒河江 | 139 | 4.0 | 小山 | 172 | 16.7 | 蕨 | 5 | 7.5 | 小平 | 21 | 19.6 |
| 三沢 | 120 | 3.8 | 新庄 | 223 | 3.3 | 栃木 | 332 | 15.5 | 桶川 | 25 | 7.4 | 三鷹 | 18 | 18.9 |
| 黒石 | 217 | 3.0 | 南陽 | 161 | 2.9 | 足利 | 178 | 14.2 | 吉川 | 32 | 7.3 | 日野 | 18 | 18.7 |
| つがる | 254 | 3.0 | 上山 | ＊241 | 2.8 | 那須塩原 | 593 | 11.6 | 鶴ヶ島 | 18 | 7.0 | 立川 | 24 | 18.5 |
| 平川 | 346 | 3.0 | 長井 | 215 | 2.5 | 佐野 | 356 | 11.5 | 北本 | 20 | 6.5 | 東村山 | 17 | 15.1 |
| 岩手 | 15,275 | 118.9 | 村山 | 197 | 2.2 | 鹿沼 | 491 | 9.4 | 蓮田 | 27 | 6.1 | 多摩 | 21 | 14.8 |
| 盛岡 | 886 | 28.2 | 尾花沢 | 373 | 1.4 | 真岡 | 167 | 7.9 | 秩父 | ＊578 | 5.9 | 武蔵野 | 11 | 14.7 |
| 奥州 | ＊993 | 11.1 | 福島 | 13,784 | 181.8 | 日光 | 1,450 | 7.7 | 日高 | 47 | 5.4 | 青梅 | 103 | 13.0 |
| 一関 | 1,256 | 10.9 | 郡山 | 757 | 31.7 | 大田原 | 354 | 6.9 | 羽生 | 59 | 5.3 | 国分寺 | 11 | 12.8 |
| 花巻 | 908 | 9.2 | いわき | 1,233 | 31.0 | 下野 | 75 | 6.0 | 白岡 | 25 | 5.2 | 小金井 | 11 | 12.4 |
| 北上 | 438 | 9.2 | 福島 | 768 | 27.0 | さくら | 170 | 4.9 | 幸手 | 34 | 4.9 | 東久留米 | 13 | 11.6 |
| 滝沢 | 182 | 5.5 | 会津若松 | ＊383 | 11.4 | 矢板 | 170 | 3.0 | 千葉 | 5,157 | 631.0 | 昭島 | 17 | 11.4 |
| 宮古 | 1,259 | 4.8 | 須賀川 | 279 | 7.4 | 那須烏山 | 174 | 2.4 | ・千葉 | 272 | 97.7 | 稲城 | 18 | 9.3 |
| 大船渡 | ＊323 | 3.3 | 白河 | 305 | 5.8 | 群馬 | 6,362 | 193.0 | 船橋 | 86 | 64.7 | 東大和 | 13 | 8.4 |

人
口

## ❶日本の市の面積・人口（Ⅱ）（続き）

赤字は都道府県庁所在地　・は政令指定都市
＊境界未定があるため、数値は概算値

| 市名 | 面積(km²) | 人口(万人) | 市名 | 面積(km²) | 人口(万人) | 市名 | 面積(km²) | 人口(万人) | 市名 | 面積(km²) | 人口(万人) | 市名 | 面積(km²) | 人口(万人) |
|---|---|---|---|---|---|---|---|---|---|---|---|---|---|---|
| 狛江 | 6 | 8.2 | 魚津 | 201 | 3.9 | 東御 | 112 | 2.9 | 安城 | 86 | 18.8 | 栗東 | 53 | 7.0 |
| あきる野 | 73 | 7.9 | 滑川 | 55 | 3.2 | 大町 | 565 | 2.6 | 豊川 | 161 | 18.6 | 湖南 | 70 | 5.4 |
| 国立 | 8 | 7.6 | 小矢部 | 134 | 2.8 | 飯山 | *202 | 1.9 | 西尾 | 161 | 17.0 | 野洲 | 80 | 5.0 |
| 清瀬 | 10 | 7.4 | 石川 | 4,186 | 111.7 | 岐阜 | 10,621 | 198.2 | 刈谷 | 50 | 15.2 | 高島 | 693 | 4.6 |
| 武蔵村山 | 15 | 7.1 | 金沢 | 469 | 44.7 | 岐阜 | 204 | 40.2 | 小牧 | 63 | 15.0 | 米原 | *250 | 3.7 |
| 福生 | 10 | 5.6 | 白山 | 755 | 11.2 | 大垣 | 207 | 15.9 | 稲沢 | 79 | 13.4 | 京都 | 4,612 | 250.1 |
| 羽村 | 10 | 5.4 | 小松 | 371 | 10.6 | 各務原 | 88 | 14.5 | 瀬戸 | 111 | 12.8 | ・京都 | 828 | 138.5 |
| 神奈川 | 2,416 | 921.2 | 加賀 | 306 | 6.3 | 多治見 | *91 | 10.7 | 半田 | 47 | 11.7 | 宇治 | 68 | 18.2 |
| ・横浜 | 438 | 375.3 | 野々市 | 14 | 5.4 | 可児 | 88 | 10.0 | 東海 | 43 | 11.3 | 亀岡 | 225 | 8.7 |
| ・川崎 | 143 | 152.4 | 能美 | 84 | 4.9 | 関 | 472 | 8.5 | 江南 | 30 | 9.9 | 長岡京 | 19 | 8.1 |
| ・相模原 | 329 | 71.9 | 七尾 | 318 | 4.9 | 高山 | 2,178 | 8.4 | 日進 | 35 | 9.3 | 木津川 | 85 | 8.0 |
| 藤沢 | 70 | 44.5 | かほく | 64 | 3.5 | 中津川 | *676 | 7.5 | 大府 | 34 | 9.2 | 福知山 | 553 | 7.8 |
| 横須賀 | 101 | 38.8 | 輪島 | *426 | 2.4 | 羽島 | 54 | 6.7 | あま | 27 | 8.8 | 城陽 | 33 | 7.4 |
| 平塚 | *68 | 25.6 | 羽咋 | 82 | 2.0 | 美濃加茂 | 75 | 5.7 | 北名古屋 | 18 | 8.6 | 京田辺 | 43 | 7.1 |
| 茅ヶ崎 | *36 | 24.6 | 珠洲 | 247 | 1.2 | 瑞穂 | 28 | 5.5 | 知多 | 46 | 8.4 | 八幡 | 24 | 6.9 |
| 大和 | 27 | 24.4 | 福井 | 4,191 | 75.9 | 土岐 | *116 | 5.5 | 尾張旭 | 21 | 8.3 | 向日 | 8 | 5.6 |
| 厚木 | 94 | 22.3 | 福井 | 536 | 25.7 | 恵那 | *504 | 4.7 | 蒲郡 | 57 | 7.8 | 京丹後 | *501 | 5.1 |
| 小田原 | 114 | 18.7 | 坂井 | 210 | 8.9 | 郡上 | 1,031 | 3.9 | 犬山 | 75 | 7.2 | 綾部 | 347 | 3.1 |
| 鎌倉 | 40 | 17.6 | 越前 | 231 | 8.0 | 瑞浪 | 175 | 3.6 | 碧南 | 37 | 7.2 | 南丹 | 616 | 3.0 |
| 秦野 | 104 | 15.9 | 鯖江 | 85 | 6.8 | 本巣 | 375 | 3.4 | 知立 | 16 | 7.2 | 宮津 | *173 | 1.6 |
| 海老名 | 27 | 13.8 | 敦賀 | 251 | 6.3 | 海津 | 112 | 3.2 | 清須 | 17 | 6.9 | 大阪 | 1,905 | 878.4 |
| 座間 | 18 | 13.1 | 大野 | 872 | 3.0 | 下呂 | 851 | 3.0 | 豊明 | *23 | 6.8 | ・大阪 | *225 | 274.1 |
| 伊勢原 | 56 | 9.9 | 小浜 | 233 | 2.8 | 山県 | 222 | 2.5 | 愛西 | 67 | 6.1 | ・堺 | 150 | 82.1 |
| 綾瀬 | 22 | 8.4 | あわら | 117 | 2.6 | 飛騨 | 793 | 2.2 | みよし | 32 | 6.1 | 東大阪 | 62 | 48.0 |
| 逗子 | 17 | 5.8 | 勝山 | 254 | 2.1 | 美濃 | 254 | 2.1 | 長久手 | *22 | 6.0 | 豊中 | *36 | 40.7 |
| 三浦 | 32 | 4.1 | 山梨 | 4,465 | 81.2 | 静岡 | 7,777 | 363.3 | 津島 | 25 | 6.0 | 枚方 | 65 | 39.6 |
| 南足柄 | 77 | 4.1 | 甲府 | 212 | 18.6 | ・浜松 | *1,558 | 79.2 | 田原 | 191 | 5.9 | 吹田 | 36 | 38.1 |
| 新潟 | 12,584 | 216.3 | 甲斐 | 72 | 7.6 | ・静岡 | *1,412 | 68.3 | 常滑 | 56 | 5.8 | 高槻 | 105 | 34.8 |
| ・新潟 | 726 | 77.3 | 南アルプス | 264 | 7.1 | 富士 | 245 | 24.9 | 高浜 | 13 | 4.9 | 茨木 | 76 | 28.4 |
| 長岡 | *891 | 26.1 | 笛吹 | 202 | 6.7 | 沼津 | 187 | 18.9 | 岩倉 | 10 | 4.7 | 八尾 | 42 | 26.1 |
| 上越 | 974 | 18.4 | 富士吉田 | *122 | 4.7 | 磐田 | *163 | 16.7 | 弥富 | *49 | 4.3 | 寝屋川 | 25 | 22.7 |
| 新発田 | 533 | 9.4 | 北杜 | 602 | 4.5 | 藤枝 | 194 | 14.2 | 新城 | 499 | 4.3 | 岸和田 | 73 | 18.9 |
| 三条 | 432 | 9.3 | 山梨 | 290 | 3.3 | 焼津 | 70 | 13.7 | 三重 | 5,774 | 177.2 | 和泉 | 85 | 18.3 |
| 柏崎 | 442 | 7.8 | 中央 | 32 | 3.0 | 富士宮 | *389 | 12.9 | 四日市 | 207 | 30.9 | 守口 | 13 | 14.2 |
| 燕 | *111 | 7.7 | 甲州 | 264 | 2.9 | 掛川 | 266 | 11.5 | 津 | 711 | 27.2 | 箕面 | 48 | 13.9 |
| 村上 | *1,174 | 5.5 | 都留 | 162 | 2.9 | 三島 | 62 | 10.7 | 鈴鹿 | 194 | 19.6 | 門真 | 12 | 11.7 |
| 南魚沼 | 585 | 5.3 | 韮崎 | 144 | 2.8 | 島田 | 316 | 9.6 | 松阪 | 624 | 15.9 | 大東 | 11 | 11.7 |
| 佐渡 | 856 | 5.0 | 大月 | 280 | 2.2 | 袋井 | 108 | 8.8 | 桑名 | 137 | 13.9 | 松原 | 17 | 11.6 |
| 十日町 | *590 | 4.7 | 上野原 | 171 | 2.2 | 御殿場 | 195 | 8.5 | 伊勢 | 208 | 12.1 | 羽曳野 | 26 | 10.8 |
| 五泉 | *352 | 4.7 | 長野 | 13,562 | 204.3 | 伊東 | 124 | 6.6 | 伊賀 | 558 | 8.7 | 富田林 | 40 | 10.8 |
| 阿賀野 | *193 | 4.0 | 長野 | 835 | 36.8 | 湖西 | 87 | 5.8 | 名張 | 130 | 7.6 | 池田 | 22 | 10.3 |
| 糸魚川 | *746 | 3.9 | 松本 | 978 | 23.6 | 裾野 | 138 | 4.9 | 亀山 | 191 | 4.9 | 河内長野 | 110 | 10.0 |
| 見附 | 78 | 3.9 | 上田 | 552 | 15.3 | 菊川 | 94 | 4.7 | 志摩 | 179 | 4.6 | 泉佐野 | 57 | 9.8 |
| 小千谷 | 155 | 3.3 | 佐久 | 424 | 9.8 | 伊豆の国 | 95 | 4.7 | いなべ | *220 | 4.4 | 摂津 | 15 | 8.6 |
| 魚沼 | 947 | 3.3 | 飯田 | 659 | 9.7 | 牧之原 | 112 | 4.3 | 鳥羽 | 107 | 1.7 | 貝塚 | 44 | 8.3 |
| 妙高 | 446 | 3.0 | 安曇野 | 332 | 9.6 | 熱海 | 62 | 3.4 | 尾鷲 | 193 | 1.6 | 交野 | 17 | 7.3 |
| 胎内 | 265 | 2.7 | 塩尻 | *290 | 6.6 | 御前崎 | 66 | 3.0 | 熊野 | 373 | 1.5 | 泉大津 | 14 | 7.5 |
| 加茂 | 134 | 2.5 | 伊那 | 668 | 6.6 | 伊豆 | 364 | 2.8 | 滋賀 | 4,017 | 141.3 | 柏原 | 25 | 6.7 |
| 富山 | 4,248 | 102.8 | 千曲 | 120 | 5.9 | 下田 | 104 | 2.0 | 大津 | 465 | 34.4 | 藤井寺 | 9 | 6.3 |
| 富山 | *1,242 | 40.9 | 茅野 | *267 | 5.4 | 愛知 | 5,173 | 751.2 | 草津 | 68 | 13.8 | 泉南 | 49 | 5.9 |
| 高岡 | 210 | 16.5 | 須坂 | 150 | 4.9 | ・名古屋 | *327 | 229.4 | 長浜 | 681 | 11.5 | 大阪狭山 | 12 | 5.8 |
| 射水 | 109 | 9.1 | 諏訪 | *109 | 4.8 | 豊田 | 918 | 41.7 | 東近江 | 388 | 11.2 | 高石 | 11 | 5.6 |
| 南砺 | 669 | 4.7 | 岡谷 | *85 | 4.7 | 岡崎 | 387 | 38.4 | 彦根 | 197 | 11.1 | 四條畷 | 19 | 5.6 |
| 砺波 | 127 | 4.7 | 中野 | 112 | 4.3 | 一宮 | 114 | 38.0 | 甲賀 | 482 | 8.9 | 阪南 | 36 | 5.1 |
| 氷見 | 231 | 4.4 | 小諸 | 99 | 4.1 | 豊橋 | 262 | 37.0 | 守山 | 56 | 8.5 | 兵庫 | 8,401 | 545.9 |
| 黒部 | *426 | 4.0 | 駒ヶ根 | *166 | 3.1 | 春日井 | 93 | 30.8 | 近江八幡 | 177 | 8.2 | | | |

住民基本台帳人口・世帯数表2023，全国都道府県市区町村別面積調2023

赤字は都道府県庁所在地　・は政令指定都市
＊境界未定があるため、数値は概算値

# ❶日本の市の面積・人口（Ⅲ）（続き）

| 市名 | 面積(km²) | 人口(万人) | 市名 | 面積(km²) | 人口(万人) | 市名 | 面積(km²) | 人口(万人) | 市名 | 面積(km²) | 人口(万人) | 市名 | 面積(km²) | 人口(万人) |
|---|---|---|---|---|---|---|---|---|---|---|---|---|---|---|
| ・神戸 | ＊557 | 151.0 | 境港 | 29 | 3.2 | 徳島 | 192 | 24.9 | 八女 | 482 | 6.0 | 大分 | 502 | 47.6 |
| 姫路 | 535 | 52.8 | 島根 | 6,708 | 65.8 | 阿南 | 279 | 6.9 | 小郡 | 46 | 5.9 | 別府 | ＊125 | 11.3 |
| 西宮 | ＊100 | 48.2 | 松江 | 573 | 19.7 | 鳴門 | 136 | 5.4 | 古賀 | 42 | 5.9 | 中津 | ＊491 | 8.3 |
| 尼崎 | 51 | 45.8 | 出雲 | 624 | 17.3 | 吉野川 | 144 | 3.8 | 直方 | ＊62 | 5.5 | 佐伯 | 903 | 6.7 |
| 明石 | 49 | 30.5 | 浜田 | 691 | 5.0 | 小松島 | 45 | 3.5 | 朝倉 | 247 | 5.0 | 日田 | 666 | 6.2 |
| 加古川 | 138 | 25.9 | 益田 | 733 | 4.4 | 阿波 | 191 | 3.4 | 那珂川 | 75 | 4.9 | 宇佐 | 439 | 5.3 |
| 宝塚 | ＊102 | 23.0 | 安来 | 421 | 3.6 | 美馬 | 367 | 2.7 | 筑後 | 42 | 4.9 | 臼杵 | 291 | 3.6 |
| 伊丹 | 25 | 20.2 | 雲南 | 553 | 3.5 | 三好 | 721 | 2.3 | 田川 | ＊55 | 4.5 | 由布 | ＊319 | 3.3 |
| 川西 | 53 | 15.5 | 大田 | 435 | 3.2 | 香川 | 1,877 | 95.6 | 中間 | 16 | 3.9 | 豊後大野 | 603 | 3.3 |
| 三田 | 210 | 10.8 | 江津 | 268 | 2.2 | 高松 | 376 | 42.2 | 嘉麻 | 135 | 3.5 | 杵築 | 280 | 2.7 |
| 芦屋 | ＊18 | 9.5 | 岡山 | 7,115 | 186.5 | 丸亀 | 112 | 11.1 | みやま | 105 | 3.5 | 国東 | 318 | 2.6 |
| 高砂 | 34 | 8.8 | ・岡山 | 790 | 70.2 | 三豊 | 223 | 6.2 | 大川 | 34 | 3.2 | 豊後高田 | 206 | 2.2 |
| 豊岡 | 698 | 7.7 | 倉敷 | 356 | 47.7 | 観音寺 | 118 | 5.7 | うきは | 117 | 2.8 | 竹田 | ＊478 | 1.9 |
| 三木 | 177 | 7.4 | 津山 | 506 | 9.7 | 坂出 | 92 | 5.0 | 宮若 | 140 | 2.6 | 津久見 | 79 | 1.5 |
| たつの | ＊211 | 7.4 | 総社 | 212 | 6.9 | さぬき | 159 | 4.5 | 豊前 | 111 | 2.4 | 宮崎 | 7,734 | 106.8 |
| 丹波 | 493 | 6.1 | 玉野 | ＊104 | 5.5 | 善通寺 | 40 | 3.0 | 佐賀 | 2,441 | 80.6 | 宮崎 | 644 | 39.9 |
| 小野 | ＊93 | 4.7 | 笠岡 | 136 | 4.5 | 東かがわ | 153 | 2.8 | 佐賀 | ＊432 | 22.9 | 都城 | ＊653 | 16.1 |
| 赤穂 | 127 | 4.5 | 赤磐 | 209 | 4.3 | 愛媛 | 5,676 | 132.7 | 唐津 | 488 | 11.6 | 延岡 | 868 | 11.7 |
| 南あわじ | 229 | 4.5 | 真庭 | 829 | 4.2 | 松山 | 429 | 50.3 | 鳥栖 | 72 | 7.4 | 日向 | 337 | 5.9 |
| 淡路 | 184 | 4.2 | 井原 | 244 | 3.8 | 今治 | 419 | 15.1 | 伊万里 | 255 | 5.2 | 日南 | 536 | 4.9 |
| 加西 | ＊151 | 4.2 | 瀬戸内 | 125 | 3.6 | 新居浜 | 234 | 11.5 | 武雄 | 195 | 4.7 | 小林 | ＊563 | 4.3 |
| 洲本 | 182 | 4.1 | 浅口 | 66 | 3.3 | 西条 | 510 | 10.5 | 小城 | 96 | 4.4 | 西都 | 439 | 2.9 |
| 丹波篠山 | 378 | 3.9 | 備前 | 258 | 3.2 | 四国中央 | 421 | 8.3 | 神埼 | ＊125 | 3.0 | えびの | ＊283 | 1.8 |
| 加東 | 158 | 3.9 | 高梁 | 547 | 2.7 | 宇和島 | 468 | 7.0 | 鹿島 | 112 | 2.7 | 串間 | 295 | 1.6 |
| 西脇 | 132 | 3.8 | 新見 | 793 | 2.7 | 大洲 | 432 | 4.0 | 嬉野 | 126 | 2.5 | 鹿児島 | 9,186 | 159.1 |
| 宍粟 | 659 | 3.5 | 美作 | 429 | 2.6 | 伊予 | 194 | 3.5 | 多久 | 97 | 1.8 | 鹿児島 | 548 | 59.7 |
| 朝来 | 403 | 2.8 | 広島 | 8,479 | 277.0 | 西予 | 514 | 3.5 | 長崎 | 4,131 | 130.6 | 霧島 | 602 | 12.4 |
| 相生 | 90 | 2.7 | ・広島 | 907 | 118.4 | 東温 | 211 | 3.3 | 長崎 | 406 | 40.1 | 鹿屋 | 448 | 10.0 |
| 養父 | 423 | 2.1 | 福山 | 518 | 46.0 | 八幡浜 | 133 | 3.1 | 佐世保 | 426 | 24.0 | 薩摩川内 | 683 | 9.2 |
| 奈良 | 3,691 | 132.5 | 呉 | 353 | 20.9 | 高知 | 7,103 | 68.4 | 諫早 | 342 | 13.4 | 姶良 | 231 | 7.8 |
| 奈良 | 277 | 35.1 | 東広島 | 635 | 19.0 | 高知 | 309 | 31.9 | 大村 | 127 | 9.8 | 出水 | 330 | 5.2 |
| 橿原 | 40 | 11.9 | 尾道 | 285 | 13.0 | 南国 | 125 | 4.6 | 島原 | 83 | 4.3 | 日置 | 253 | 4.6 |
| 生駒 | 53 | 11.7 | 廿日市 | 489 | 11.6 | 香南 | 126 | 3.2 | 南島原 | 170 | 4.2 | 奄美 | 308 | 4.1 |
| 大和郡山 | 43 | 8.3 | 三原 | 472 | 8.9 | 四万十 | 632 | 3.2 | 雲仙 | 214 | 4.1 | 指宿 | 149 | 3.8 |
| 香芝 | 24 | 7.8 | 三次 | 778 | 4.9 | 土佐 | 92 | 2.6 | 五島 | 420 | 3.5 | 曽於 | 390 | 3.3 |
| 大和高田 | 16 | 6.2 | 府中 | 196 | 3.6 | 香美 | 538 | 2.5 | 平戸 | 235 | 2.9 | 南九州 | 358 | 3.2 |
| 天理 | 86 | 6.2 | 庄原 | 1,246 | 3.2 | 須崎 | 135 | 2.0 | 対馬 | 707 | 2.8 | 南さつま | 284 | 2.9 |
| 桜井 | 99 | 5.5 | 安芸高田 | 538 | 2.6 | 宿毛 | 286 | 1.9 | 西海 | 242 | 2.5 | 志布志 | 290 | 2.9 |
| 葛城 | 34 | 3.7 | 大竹 | 79 | 2.6 | 安芸 | 317 | 1.6 | 壱岐 | 139 | 2.4 | いちき串木野 | 112 | 2.6 |
| 五條 | 292 | 2.7 | 竹原 | 118 | 2.3 | 土佐清水 | 266 | 1.2 | 松浦 | 131 | 2.1 | 伊佐 | 393 | 2.3 |
| 宇陀 | 248 | 2.7 | 江田島 | 101 | 2.1 | 室戸 | 248 | 1.2 | 熊本 | 7,409 | 173.7 | 枕崎 | 75 | 1.9 |
| 御所 | 61 | 2.4 | 山口 | 6,113 | 132.6 | 福岡 | 4,988 | 510.4 | ・熊本 | 390 | 73.1 | 阿久根 | 134 | 1.8 |
| 和歌山 | 4,725 | 92.4 | 下関 | 716 | 25.0 | ・福岡 | 343 | 158.1 | 八代 | 681 | 12.2 | 西之表 | 206 | 1.4 |
| 和歌山 | 209 | 35.9 | 山口 | 1,023 | 18.8 | ・北九州 | 493 | 92.9 | 天草 | 684 | 7.5 | 垂水 | 162 | 1.3 |
| 田辺 | 1,027 | 6.9 | 宇部 | 287 | 16.0 | 久留米 | 230 | 30.2 | 合志 | 53 | 6.4 | 沖縄 | 2,282 | 148.5 |
| 橋本 | 131 | 6.0 | 周南 | 656 | 13.8 | 飯塚 | 214 | 12.5 | 玉名 | 153 | 6.4 | 那覇 | 41 | 31.7 |
| 紀の川 | 228 | 5.9 | 岩国 | 874 | 12.8 | 春日 | 14 | 11.2 | 宇城 | 189 | 5.7 | 沖縄 | 49 | 14.2 |
| 岩出 | 39 | 5.4 | 防府 | 189 | 11.3 | 大牟田 | 81 | 10.8 | 荒尾 | 57 | 5.0 | うるま | 87 | 12.5 |
| 海南 | 101 | 4.7 | 山陽小野田 | 133 | 6.0 | 筑紫野 | 88 | 10.6 | 山鹿 | 300 | 4.9 | 浦添 | 19 | 11.5 |
| 新宮 | ＊255 | 2.6 | 下松 | 89 | 5.7 | 糸島 | 216 | 10.3 | 菊池 | 277 | 4.7 | 宜野湾 | 20 | 10.0 |
| 有田 | 37 | 2.6 | 光 | 92 | 4.9 | 大野城 | 27 | 10.2 | 宇土 | 74 | 3.6 | 豊見城 | 19 | 6.5 |
| 御坊 | 44 | 2.4 | 萩 | 698 | 4.3 | 宗像 | 120 | 9.7 | 人吉 | 211 | 3.0 | 名護 | 211 | 6.4 |
| 鳥取 | 3,507 | 54.6 | 長門 | 357 | 3.1 | 行橋 | 70 | 7.1 | 上天草 | 127 | 2.5 | 糸満 | 47 | 6.2 |
| 鳥取 | 765 | 18.3 | 柳井 | 140 | 3.0 | 太宰府 | 30 | 7.1 | 阿蘇 | ＊376 | 2.4 | 宮古島 | 204 | 5.5 |
| 米子 | 132 | 14.6 | 美祢 | 473 | 2.2 | 福津 | 53 | 6.8 | 水俣 | 163 | 2.2 | 石垣 | 229 | 4.9 |
| 倉吉 | 272 | 4.4 | 徳島 | 4,147 | 71.8 | 柳川 | 77 | 6.3 | 大分 | 6,341 | 112.3 | 南城 | 50 | 4.5 |

住民基本台帳人口・世帯数表2023，全国都道府県市区町村別面積調2023

❶都道府県別面積・人口・人口密度・産業別人口　　　赤字は各項目の上位1位，太字は2〜5位

| 都道府県名 | 面積① 2023年 (km²) | 2020.10.1 国勢調査 人口(千人) | 人口 2023.1.1 (千人) | 人口密度② (人/km²) | 市部人口の割合 2023(%) | 出生率 2022年(‰) | 死亡率 2022年(‰) | 人口増減率③ 2022年(‰) | 社会増減率④ 2022年(‰) | 老年人口割合⑤ 2023(%) | 在留外国人数 2022年(百人) | 産業別人口構成⑥ 2020年(%) 第1次産業 | 第2次産業 | 第3次産業 |
|---|---|---|---|---|---|---|---|---|---|---|---|---|---|---|
| 全　国 | 377,974 | 126,146 | 125,416 | 332 | 91.7 | 6.3 | 12.5 | −4.1 | 2.2 | 28.6 | 30,752 | 3.5 | 23.7 | 72.8 |
| 北海道 | 83,424 | 5,224 | 5,139 | 62 | 82.6 | 5.1 | 14.3 | −8.4 | 0.8 | 32.5 | 454 | 6.8 | 17.0 | 76.2 |
| 青　森 | 9,646 | 1,237 | 1,225 | 127 | 77.7 | 4.8 | 16.2 | −14.1 | −2.8 | 34.3 | 67 | 11.4 | 20.0 | 68.6 |
| 岩　手 | *15,275 | 1,210 | 1,189 | 78 | 82.5 | 4.8 | 16.0 | −13.9 | −2.7 | 34.3 | 83 | 9.7 | 24.8 | 65.5 |
| 宮　城 | *7,282 | 2,301 | 2,257 | 310 | 84.8 | 5.7 | 12.4 | −4.8 | 1.8 | 28.9 | 245 | 4.2 | 22.5 | 73.3 |
| 秋　田 | 11,638 | 959 | 941 | 81 | 90.8 | 4.2 | 18.1 | −16.5 | −2.6 | 38.3 | 45 | 8.8 | 24.0 | 67.2 |
| 山　形 | *9,323 | 1,068 | 1,042 | 112 | 80.4 | 5.4 | 16.0 | −13.5 | −2.9 | 34.5 | 81 | 8.8 | 28.7 | 62.6 |
| 福　島 | 13,784 | 1,833 | 1,818 | 132 | 80.1 | 5.3 | 14.9 | −12.3 | −2.7 | 32.4 | 158 | 6.3 | 29.7 | 64.0 |
| 茨　城 | 6,098 | 2,867 | 2,879 | 472 | 90.9 | 5.7 | 12.9 | −3.7 | 3.6 | 29.9 | 814 | 5.2 | 28.8 | 66.0 |
| 栃　木 | 6,408 | 1,933 | 1,929 | 301 | 87.9 | 5.6 | 12.9 | −6.7 | 0.6 | 29.6 | 459 | 5.4 | 31.3 | 63.3 |
| 群　馬 | 6,362 | 1,939 | 1,930 | 304 | 85.3 | 5.8 | 13.7 | −6.5 | 1.4 | 30.3 | 669 | 4.6 | 31.2 | 64.2 |
| 埼　玉 | *3,798 | 7,344 | 7,381 | 1,944 | 93.5 | 6.1 | 11.2 | −0.7 | 4.4 | 26.8 | 2,126 | 1.5 | 23.0 | 75.5 |
| 千　葉 | *5,157 | 6,284 | 6,310 | 1,224 | 96.9 | 6.1 | 11.5 | −0.1 | 5.3 | 27.5 | 1,821 | 2.5 | 19.1 | 78.4 |
| 東　京 | 2,194 | 14,047 | 13,841 | 6,309 | 99.4 | 6.8 | 10.2 | 3.4 | 6.7 | 22.7 | 5,961 | 0.4 | 15.2 | 84.4 |
| 神奈川 | 2,416 | 9,237 | 9,212 | 3,812 | 96.8 | 6.3 | 10.8 | −0.3 | 4.1 | 25.4 | 2,457 | 0.8 | 20.1 | 79.0 |
| 新　潟 | *12,584 | 2,201 | 2,163 | 172 | 96.6 | 5.4 | 14.8 | −11.2 | −1.9 | 33.3 | 191 | 5.2 | 28.4 | 66.3 |
| 富　山 | *4,248 | 1,034 | 1,028 | 242 | 92.1 | 6.0 | 14.5 | −8.6 | 0.0 | 32.5 | 201 | 3.0 | 33.3 | 63.7 |
| 石　川 | 4,186 | 1,132 | 1,117 | 267 | 87.4 | 6.0 | 12.8 | −6.4 | 0.0 | 30.1 | 171 | 2.7 | 28.0 | 69.3 |
| 福　井 | 4,191 | 766 | 759 | 181 | 88.0 | 6.3 | 13.8 | −10.1 | −2.8 | 30.7 | 167 | 3.3 | 31.6 | 65.1 |
| 山　梨 | *4,465 | 809 | 812 | 182 | 85.1 | 6.0 | 13.6 | −4.6 | 3.1 | 31.2 | 199 | 6.7 | 28.0 | 65.2 |
| 長　野 | *13,562 | 2,048 | 2,043 | 151 | 80.0 | 5.8 | 13.8 | −6.4 | 1.5 | 32.1 | 392 | 8.5 | 28.8 | 62.7 |
| 岐　阜 | *10,621 | 1,978 | 1,982 | 187 | 84.9 | 5.8 | 13.2 | −7.2 | 0.2 | 30.5 | 627 | 2.9 | 32.6 | 64.5 |
| 静　岡 | 7,777 | 3,633 | 3,633 | 467 | 93.9 | 5.8 | 12.9 | −6.7 | 0.4 | 30.4 | 1,063 | 3.5 | 32.7 | 63.8 |
| 愛　知 | *5,173 | 7,542 | 7,512 | 1,452 | 94.6 | 7.1 | 10.9 | −2.1 | 1.7 | 25.2 | 2,866 | 2.0 | 32.4 | 65.6 |
| 三　重 | *5,774 | 1,770 | 1,772 | 307 | 87.6 | 6.1 | 13.2 | −7.0 | 0.1 | 30.0 | 589 | 3.2 | 31.8 | 64.9 |
| 滋　賀 | *4,017 | 1,413 | 1,413 | 352 | 94.7 | 7.0 | 10.7 | −0.9 | 2.1 | 26.6 | 373 | 2.9 | 32.9 | 64.6 |
| 京　都 | 4,612 | 2,578 | 2,501 | 542 | 94.9 | 6.1 | 12.7 | −4.1 | 2.6 | 29.4 | 684 | 2.0 | 22.5 | 75.5 |
| 大　阪 | 1,905 | 8,837 | 8,784 | 4,610 | 98.0 | 6.7 | 12.3 | −1.9 | 3.7 | 27.0 | 2,724 | 0.5 | 22.6 | 76.9 |
| 兵　庫 | 8,401 | 5,465 | 5,459 | 650 | 95.5 | 6.2 | 12.3 | −5.2 | 0.8 | 28.9 | 1,231 | 1.9 | 25.0 | 73.1 |
| 奈　良 | 3,691 | 1,324 | 1,325 | 359 | 79.2 | 5.5 | 12.9 | −7.5 | −0.1 | 31.8 | 155 | 2.2 | 22.1 | 75.5 |
| 和歌山 | 4,725 | 922 | 924 | 196 | 78.6 | 5.6 | 15.3 | −11.4 | −1.6 | 33.3 | 80 | 8.4 | 22.2 | 69.4 |
| 鳥　取 | 3,507 | 553 | 546 | 156 | 74.5 | 6.8 | 14.6 | −9.5 | −1.6 | 32.7 | 50 | 7.9 | 21.7 | 70.4 |
| 島　根 | 6,708 | 671 | 658 | 98 | 90.1 | 6.4 | 15.7 | −11.3 | −2.0 | 34.6 | 98 | 6.6 | 23.5 | 69.9 |
| 岡　山 | *7,115 | 1,888 | 1,865 | 262 | 94.1 | 6.7 | 13.2 | −7.3 | −0.8 | 30.5 | 320 | 4.2 | 27.0 | 68.7 |
| 広　島 | 8,479 | 2,799 | 2,770 | 327 | 93.7 | 6.5 | 12.6 | −6.5 | −0.4 | 29.7 | 560 | 2.8 | 26.1 | 71.2 |
| 山　口 | 6,113 | 1,342 | 1,326 | 217 | 96.1 | 5.8 | 15.5 | −10.6 | −1.0 | 34.8 | 173 | 4.1 | 24.7 | 71.2 |
| 徳　島 | 4,147 | 719 | 718 | 173 | 74.4 | 5.7 | 15.1 | −10.8 | −1.0 | 34.0 | 70 | 7.7 | 23.3 | 69.0 |
| 香　川 | *1,877 | 950 | 956 | 510 | 84.7 | 6.1 | 14.1 | −8.4 | −0.4 | 31.6 | 150 | 4.8 | 25.1 | 70.1 |
| 愛　媛 | 5,676 | 1,334 | 1,327 | 234 | 90.9 | 5.4 | 14.9 | −10.7 | −1.4 | 33.3 | 137 | 7.0 | 23.9 | 69.1 |
| 高　知 | 7,103 | 691 | 684 | 96 | 82.2 | 5.4 | 16.5 | −12.1 | −1.0 | 35.6 | 53 | 10.5 | 17.0 | 72.5 |
| 福　岡 | *4,988 | 5,135 | 5,104 | 1,024 | 88.2 | 7.1 | 12.0 | −0.7 | 4.2 | 27.9 | 895 | 2.5 | 20.0 | 77.5 |
| 佐　賀 | 2,441 | 811 | 806 | 331 | 82.7 | 6.9 | 13.8 | −6.5 | 0.3 | 30.9 | 79 | 7.6 | 24.0 | 68.4 |
| 長　崎 | 4,131 | 1,312 | 1,306 | 316 | 89.3 | 6.4 | 14.7 | −10.6 | −2.3 | 33.6 | 112 | 6.8 | 19.3 | 73.9 |
| 熊　本 | *7,409 | 1,738 | 1,737 | 235 | 80.7 | 6.8 | 14.0 | −5.5 | 1.7 | 31.8 | 206 | 8.9 | 21.2 | 69.9 |
| 大　分 | *6,341 | 1,123 | 1,123 | 177 | 95.3 | 6.1 | 14.4 | −6.7 | 1.6 | 33.5 | 155 | 6.3 | 23.1 | 70.7 |
| 宮　崎 | *7,734 | 1,069 | 1,068 | 138 | 83.8 | 6.6 | 14.9 | −8.8 | −0.5 | 33.0 | 83 | 10.1 | 20.8 | 69.2 |
| 鹿児島 | *9,186 | 1,588 | 1,591 | 173 | 89.1 | 6.6 | 14.8 | −8.5 | −0.0 | 32.9 | 139 | 8.5 | 19.1 | 72.4 |
| 沖　縄 | 2,282 | 1,467 | 1,485 | 651 | 77.1 | 9.2 | 10.2 | −0.1 | 0.8 | 23.2 | 217 | 4.2 | 14.3 | 81.5 |

①都道府県面積中＊印のある県は，境界未定地域を含み，数値は推計値
②人口／面積
③2022年の（自然増減数＋社会増減数）の2021年の総人口に対する割合
④（転入者数等−転出者数等）／（前年人口）×1000
⑤65歳以上
⑥分類不能は除く

住民基本台帳人口・世帯数表2023ほか

従来は東京大都市圏などで社会増減率に高い傾向がみられた。しかし，2021年にはコロナ禍でリモートワークが定着したことなどの影響により，沖縄を除いた都道府県の人口増減率が軒並み減少に転じた。2022年は東京大都市圏などで回復傾向がみられる。出生率については沖縄が飛び抜けて高く，第3次産業人口は大都市中心の都県と沖縄で高率である。

# ❶ 世界の言語別人口（2017年，百万人）

母語として話す数　The World Almanac 2018

| 言語名 | 人口 | おもな使用地域 | 言語名 | 人口 | おもな使用地域 | 言語名 | 人口 | おもな使用地域 |
|---|---|---|---|---|---|---|---|---|
| 中 国 語 | 1,284 | 中国 | ベンガル語 | 242 | インド東部，バングラデシュ | フランス語 | 76 | フランス，カナダ，スイス一部 |
| （北京語） | (898) | 中国北部 | ポルトガル語 | 219 | ポルトガル，ブラジル | テルグ語 | 74 | インド・ハイデラバード周辺 |
| （呉 語） | ( 80) | 中国上海周辺 | ロシア語 | 154 | ロシア | マラーティー語 | 72 | インド・ムンバイ周辺 |
| （広東語） | ( 73) | 中国広東省，（ホンコン） | 日 本 語 | 128 | 日本 | トルコ語 | 71 | トルコ |
| スペイン語 | 437 | スペイン，ラテンアメリカ | パンジャブ語 | 122 | パキスタン，インド・パンジャブ地方 | ウルドゥー語 | 69 | パキスタン，インド・カシミール地方 |
| 英 語 | 372 | イギリス，アングロアメリカ | ジャワ語 | 84 | インドネシア | ベトナム語 | 68 | ベトナム |
| アラビア語 | 295 | 西アジア，北アフリカ | 朝 鮮 語 | 77 | 韓国，北朝鮮，中国東北部一部 | タミル語 | 68 | インド・チェンナイ周辺，スリランカ |
| ヒンディー語 | 260 | インド | ドイツ語 | 77 | ドイツ，オーストリア | イタリア語 | 63 | イタリア，スイス一部 |

# ❷ 世界の宗教別人口（2015年，千人）

赤字は各項目の最大値　The World Almanac 2017

| 宗　教 | 世界計 | (%) | アジア | アフリカ | ヨーロッパ | 北アメリカ | 中南アメリカ | オセアニア |
|---|---|---|---|---|---|---|---|---|
| キリスト教 | **2,412,635** | 32.9 | 378,934 | 565,079 | 580,488 | 277,667 | 581,674 | 28,793 |
| （ローマ・カトリック） | (1,238,305) | (16.9) | (148,545) | (204,994) | (276,864) | (89,275) | (509,190) | (9,437) |
| （プロテスタント） | (541,100) | (7.4) | (95,138) | (213,790) | (94,055) | (60,906) | (64,200) | (13,011) |
| （正 教 会）① | (283,072) | (3.9) | (18,716) | (51,714) | (202,554) | (7,900) | (1,120) | (1,068) |
| イスラーム（イスラム教） | **1,701,295** | 23.2 | 1,162,911 | 484,829 | 45,774 | 5,471 | 1,689 | 621 |
| （スンナ派） | (1,486,329) | (20.3) | (959,717) | (477,481) | (43,598) | (3,783) | (1,238) | (512) |
| （シーア派） | (200,224) | (2.7) | (193,612) | (2,836) | (2,143) | (1,089) | (438) | (106) |
| ヒンドゥー教 | **984,673** | 13.4 | 977,037 | 3,211 | 1,146 | 1,923 | 800 | 556 |
| 仏 教 | **520,362** | 7.1 | 511,984 | 277 | 1,905 | 4,766 | 802 | 628 |
| 無 神 論 | 137,716 | 1.9 | 114,998 | 652 | 14,679 | 3,759 | 3,052 | 576 |
| 新 宗 教 | 66,472 | 0.9 | 61,047 | 217 | 654 | 2,488 | 1,944 | 123 |
| シ ク 教 | 24,701 | 0.3 | 23,029 | 84 | 619 | 858 | 8 | 104 |
| ユ ダ ヤ 教 | 14,634 | 0.2 | 6,380 | 132 | 1,465 | 6,093 | 439 | 125 |
| 儒 教 | 8,468 | 0.1 | 8,377 | 21 | 16 | — | 1 | 53 |
| 神 道 | 2,827 | 0.04 | 2,753 | — | — | 66 | 8 | — |
| そ の 他 | 1,450,999 | 20.0 | 1,137,394 | 111,737 | 96,377 | 58,037 | 39,673 | 7,780 |

①ギリシャ正教・ロシア正教など

# ❸ 世界の難民数（2021年12月末現在，千人）

UNHCR資料ほか

| 発生地域・国名 | 流出難民数 | % | 受入地域・国名 | 受入難民数 | % | 難民のおもな発生国 |
|---|---|---|---|---|---|---|
| 世　界① | 21,327 | 100 | 世　　界 | 21,327 | 100 | |
| ア ジ ア | 12,433 | 58.3 | ア ジ ア | 9,846 | 46.2 | |
| シ リ ア | 6,849 | 32.1 | ト ル コ | 3,760 | 17.6 | シリア，アフガニスタン |
| アフガニスタン | 2,713 | 12.7 | パ キ ス タ ン | 1,491 | 7.0 | アフガニスタン |
| ミャンマー | 1,177 | 5.5 | バングラデシュ | 919 | 4.3 | ミャンマー |
| イ ラ ク | 344 | 1.6 | レ バ ノ ン | 846 | 4.0 | シリア |
| ベ ト ナ ム | 318 | 1.5 | イ ラ ン | 798 | 3.7 | アフガニスタン，イラク |
| 中　　国 | 170 | 0.8 | ヨ ル ダ ン | 713 | 3.3 | シリア，イラク |
| ア フ リ カ | 8,002 | 37.5 | ア フ リ カ | 7,483 | 35.1 | |
| 南 ス ー ダ ン | 2,363 | 11.1 | ウ ガ ン ダ | 1,530 | 7.2 | 南スーダン，コンゴ民主，ブルンジ，ソマリア，ルワンダ，エリトリア |
| コ ン ゴ 民 主 | 908 | 4.3 | ス ー ダ ン | 1,104 | 5.2 | 南スーダン，エリトリア，シリア，エチオピア，中央アフリカ |
| ス ー ダ ン | 825 | 3.9 | エ チ オ ピ ア | 821 | 3.9 | 南スーダン，ソマリア，エリトリア，スーダン |
| ソ マ リ ア | 777 | 3.6 | チ ャ ド | 556 | 2.6 | スーダン，中央アフリカ，カメルーン，ナイジェリア |
| 中央アフリカ | 738 | 3.5 | コ ン ゴ 民 主 | 524 | 2.5 | 中央アフリカ，ルワンダ，南スーダン，ブルンジ |
| エ リ ト リ ア | 512 | 2.4 | ケ ニ ア | 481 | 2.3 | ソマリア，南スーダン，コンゴ民主，エチオピア，ブルンジ |
| ナイジェリア | 384 | 1.8 | カ メ ル ー ン | 457 | 2.1 | 中央アフリカ，ナイジェリア |
| ブ ル ン ジ | 324 | 1.5 | 南 ス ー ダ ン | 334 | 1.6 | スーダン，コンゴ民主 |
| ル ワ ン ダ | 248 | 1.2 | ヨ ー ロ ッ パ | 3,189 | 14.9 | |
| マ リ | 183 | 0.9 | ド イ ツ | 1,256 | 5.9 | シリア，アフガニスタン，イラク，エリトリア，イラン，トルコ，ソマリア，ナイジェリア，ロシア，パキスタン，エチオピア，セルビア，コンゴ民主 |
| ヨ ー ロ ッ パ | 204 | 1.0 | フ ラ ン ス | 500 | 2.3 | アフガニスタン，シリア，スリランカ，ロシア，コンゴ民主，コソボ，ギニア，セルビア，コンゴ，トルコ，イラク，カンボジア，コートジボワール |
| 南北アメリカ | 530 | 2.5 | 南北アメリカ | 739 | 3.5 | |
| ベ ネ ズ エ ラ | 199 | 0.9 | アメリカ合衆国 | 339 | 1.6 | 中国，エルサルバドル，グアテマラ，ベネズエラ，ホンジュラス，ハイチ，エジプト，メキシコ，インド，シリア，エチオピア，ロシア，ネパール |
| オ セ ア ニ ア | 1 | 0.005 | オ セ ア ニ ア | 70 | 0.3 | |

）無国籍者などを含むため各地域の合計と一致しない

# ❹ アメリカ合衆国の人種・民族別人口の推移（%）

| 年 | 総人口（万人） | ヨーロッパ系 | アフリカ系 | ネイティブアメリカン | 中国系 | 日 系 | ヒスパニック② |
|---|---|---|---|---|---|---|---|
| 1790 | 393 | 80.73 | 19.27 | — | — | — | — |
| 1830 | 1,287 | 81.90 | 18.10 | — | — | — | — |
| 1870 | 3,856 | 87.11 | 12.66 | 0.07 | 0.16 | — | — |
| 1900 | 7,599 | 87.91 | 11.63 | 0.31 | 0.12 | 0.03 | — |
| 1930 | 12,278 | 89.83 | 9.68 | 0.27 | 0.06 | 0.11 | — |
| 1950 | 15,070 | 89.55 | 9.98 | 0.23 | 0.08 | 0.09 | — |
| 1970 | 20,321 | 87.47 | 11.11 | 0.39 | 0.21 | 0.29 | 4.46 |
| 1990 | 24,871 | 80.28 | 12.06 | 0.79 | 0.66 | 0.34 | 8.81 |
| 2010 | 30,934 | 74.15 | 12.57 | ① 0.99 | 1.12 | 0.25 | 16.40 |
| 2022 | 33,328 | 60.88 | 12.18 | ① 1.16 | 1.36 | 0.19 | 19.07 |

①太平洋諸島先住民を含む　②他の人種・民族と重複する　U.S. Census Bureau

p.50❶：急増中のヒスパニックとアジア系が重要である。いずれも大都市に多いほか，アフリカ系は南部に，ヒスパニックはメキシコ国境に近い太平洋沿岸からテキサスまでとカリブ海諸国に近いフロリダに，アジア系は太平洋沿岸に多い。北東部のニューイングランド地方と中西部ではヨーロッパ系比率が特に高い。

民

族

民
族

## ❶ アメリカ合衆国の地域・都市別の人種・民族（2022年，％）　太字は人口（千人）　U.S.Census Bureau

| 地域・都市 | 合計(千人) | ヨーロッパ系 | アフリカ系 | ネイティブアメリカン① | アジア系 | インド系 | 中国系 | フィリピン系 | ベトナム系 | 朝鮮系 | 日系 | ヒスパニック② |
|---|---|---|---|---|---|---|---|---|---|---|---|---|
| 総人口（千人） | 333,287 | 202,889 | 40,603 | 3,871 | 19,696 | 4,534 | 4,521 | 2,969 | 1,887 | 1,501 | 717 | ③63,553 |
| 総人口（％） | 100 | 60.9 | 12.2 | 1.2 | 5.9 | 1.4 | 1.4 | 0.9 | 0.6 | 0.5 | 0.2 | 19.1 |
| 北　東　部 | 57,040 | 64.0 | 11.1 | 0.5 | 7.0 | 2.0 | 2.2 | 0.5 | 0.3 | 0.5 | 0.1 | 15.6 |
| 中　西　部 | 68,787 | 74.6 | 10.0 | 0.7 | 3.5 | 1.0 | 0.6 | 0.4 | 0.2 | 0.2 | 0.1 | 8.6 |
| 南　　　部 | 128,716 | 57.7 | 18.5 | 0.9 | 3.7 | 1.1 | 0.6 | 0.5 | 0.4 | 0.3 | 0.1 | 19.0 |
| 西　　　部 | 78,743 | 51.9 | 4.5 | 2.5 | 10.8 | 1.6 | 2.7 | 2.4 | 1.2 | 0.8 | 0.6 | 30.8 |
| ニューヨーク | 8,335 | 33.4 | 21.9 | 0.9 | 14.9 | 2.4 | 7.2 | 0.8 | 0.5 | 1.1 | 0.2 | 29.1 |
| シ カ ゴ | 2,665 | 35.5 | 27.6 | 1.4 | 7.4 | 1.9 | 2.3 | 1.1 | 0.4 | 0.5 | 0.1 | 30.1 |
| マ イ ア ミ | 449 | 24.0 | 12.3 | 0.7 | 1.9 | 0.4 | 0.5 | 0.5 | 0.1 | 0.1 | 0.02 | 70.6 |
| ニューオーリンズ | 369 | 31.6 | 55.4 | 0.1 | 2.8 | 0.6 | 0.5 | 0.1 | 1.1 | 0.2 | 0.04 | 5.9 |
| ロサンゼルス | 3,822 | 32.5 | 8.2 | 1.5 | 12.0 | 1.1 | 2.2 | 3.1 | 0.7 | 2.9 | 0.6 | 47.8 |

①太平洋島嶼先住民を含む　②スペイン語を母語とするラテンアメリカ諸国出身の移民とその子孫。人種による区分ではないため，ヨーロッパ系やアフリカ系などさまざまな人種からなる　③（内訳）メキシコ系37,414千人，プエルトリコ系5,905千人，キューバ系2,435千人など

## ❷ アメリカ合衆国の移民数*の推移（万人）　U.S.Census Bureauほか

| 出生国 | 1880 | 出生国 | 1920 | 出生国 | 1960 | 出生国 | 2000 | 出生国 | 2016 |
|---|---|---|---|---|---|---|---|---|---|
| 移民数計 | 668 | 移民数計 | 1,392 | 移民数計 | 974 | 移民数計 | 3,111 | 移民数計 | 4,374 |
| ド イ ツ | 197 | イ タ リ ア | 169 | イ タ リ ア | 126 | メ キ シ コ | 918 | メ キ シ コ | 1,157 |
| アイルランド | 186 | ド イ ツ | 161 | ド イ ツ | 99 | 中　国② | 152 | 中　国② | 272 |
| イ ギ リ ス | 92 | ソ　連 | 140 | カ ナ ダ | 95 | フィリピン | 137 | イ ン ド | 243 |
| カ ナ ダ | 72 | ポーランド | 114 | イ ギ リ ス | 77 | イ ン ド | 102 | フィリピン | 194 |
| スウェーデン | 19 | カ ナ ダ | 114 | ポーランド | 75 | ベ ト ナ ム | 99 | エルサルバドル | 139 |
| ノルウェー | 18 | イ ギ リ ス | 114 | ソ　連 | 69 | キ ュ ー バ | 87 | ベ ト ナ ム | 135 |
| フ ラ ン ス | 11 | アイルランド | 104 | メ キ シ コ | 58 | 朝　鮮③ | 86 | キ ュ ー バ | 127 |
| 中　国① | 10 | スウェーデン | 63 | アイルランド | 34 | カ ナ ダ | 82 | ドミニカ共和国 | 109 |
| 人口比（％） | 13.3 | 人口比（％） | 13.2 | 人口比（％） | 5.4 | 人口比（％） | 11.1 | 人口比（％） | 13.5 |

*外国生まれ人口。各年の入国者数　①台湾を含む　②ホンコン，台湾を含む　③北朝鮮，韓国の計

## ❸ おもな国の移民（外国生まれ人口）（2015年現在，千人）　OECD資料

| オランダ | | イギリス | | スイス | | スウェーデン | | スペイン | |
|---|---|---|---|---|---|---|---|---|---|
| 移民数計 | 2,056 | 移民数計 | 8,988 | 移民数計 | 2,416 | 移民数計 | 1,676 | 移民数計 | 6,109 |
| ト ル コ | 191 | ポーランド | 936 | ド イ ツ | 350 | フィンランド | 156 | モ ロ ッ コ | 786 |
| ス リ ナ ム | 179 | イ ン ド | 755 | イ タ リ ア | 263 | イ ラ ク | 131 | ルーマニア | 639 |
| モ ロ ッ コ | 168 | パキスタン | 482 | ポルトガル | 222 | シ リ ア | 98 | エクアドル | 410 |
| インドネシア | 123 | アイルランド | 365 | フ ラ ン ス | 158 | ポーランド | 85 | コロンビア | 354 |
| ド イ ツ | 118 | ド イ ツ | 337 | ト ル コ | 78 | イ ラ ン | 69 | イ ギ リ ス | 259 |
| 人口比（％） | 12.2 | 人口比（％） | 13.9 | 人口比（％） | 29.1 | 人口比（％） | 17.1 | 人口比（％） | 13.2 |

| ドイツ | | フランス¹²⁾ | | ベルギー | | カ ナ ダ¹¹⁾ | | オーストラリア | |
|---|---|---|---|---|---|---|---|---|---|
| 移民数計 | 11,453 | 移民数計 | 7,590 | 移民数計 | 1,877 | 移民数計 | 6,775 | 移民数計 | 6,710 |
| ト ル コ | 1,364 | アルジェリア | 1,363 | モ ロ ッ コ | 211 | イ ン ド | 547 | イ ギ リ ス | 1,207 |
| ポーランド | 1,334 | モ ロ ッ コ | 924 | フ ラ ン ス | 184 | 中　国 | 545 | ニュージーランド | 611 |
| ロ シ ア | 957 | ポルトガル | 633 | オ ラ ン ダ | 129 | イ ギ リ ス | 537 | 中　国 | 481 |
| カザフスタン | 737 | チュニジア | 387 | イ タ リ ア | 120 | フィリピン | 454 | イ ン ド | 432 |
| ルーマニア | 547 | イ タ リ ア | 327 | ト ル コ | 98 | アメリカ合衆国 | 263 | フィリピン | 236 |
| 人口比（％） | 14.2 | 人口比（％） | 11.9 | 人口比（％） | 16.6 | 人口比（％） | 19.6 | 人口比（％） | 28.0 |

## ❹ カナダの民族別人口（2016年）Statistics Canada

| 民族 | 万人 |
|---|---|
| 総　人　口 | 3,446 |
| カ ナ ダ 系 | 1,113 |
| イングランド系 | 632 |
| スコットランド系 | 479 |
| フ ラ ン ス 系 | 468 |
| アイルランド系 | 462 |
| ド イ ツ 系 | 332 |
| 北米インディアン他* | 213 |
| 中　国　系 | 176 |
| イ タ リ ア 系 | 158 |
| イ ン ド 系 | 158 |

各民族人口には2つ以上の民族に該当する場合を含む。＊メティス（先住民族とヨーロッパ系の混血），イヌイットを含む

## ❺ ロシアの民族別人口（2010年）

| 民族 | 万人 |
|---|---|
| 総　人　口 | 14,285 |
| ロ シ ア | 11,101 |
| タ タ ー ル | 531 |
| ウクライナ | 192 |
| バシキール | 158 |
| チュヴァシ | 143 |
| チェチェン | 143 |
| アルメニア | 118 |
| アヴァール | 91 |
| モルドヴァ | 74 |
| カ ザ フ | 64 |

ロシア国勢調査2010

## ❻ おもなアジア諸国の宗教別人口（％）　Time Almanac 201

| 国　名 | イスラーム | キリスト教 | 仏教 | ヒンドゥー教 | ユダヤ教 | その他の宗教 |
|---|---|---|---|---|---|---|
| アラブ首長国連邦 | ①62.0 | 9.0 | 4.0 | 21.0 | — | |
| イスラエル | 17.7 | 2.1 | — | — | 76.3 | |
| イ ラ ン | ②98.2 | 0.4 | — | — | — | （バハイ教（0.5）（ゾロアスター教（0.1） |
| イ ン ド | 12.3 | 6.8 | 0.8 | 72.0 | — | （伝統的信仰（3.8）（シク教（1.9） |
| インドネシア | 77.0 | 13.2 | — | 3.2 | — | 伝統的信仰（2.6） |
| スリランカ | ①7.0 | ③8.0 | 70.0 | 15.0 | — | |
| タ イ | ①9.0 | — | 83.0 | — | — | 伝統的信仰（2.5） |
| パキスタン | ①96.1 | 2.5 | — | 1.2 | — | |
| バングラデシュ | ①88.3 | ③0.3 | 0.6 | 10.5 | — | |
| フィリピン | 5.1 | ③87.6 | — | — | — | 伝統的信仰（2.2） |
| マレーシア | 60.4 | 9.1 | 19.2 | 6.3 | — | （中国民族宗教（0.8）（精霊信仰（0.8） |
| ミャンマー | 3.0 | ④6.0 | 74.0 | 2.0 | — | 伝統的信仰（11.0） |

①おもにスンナ派　②おもにシーア派　③おもにカトリック　④おもにプロテスタント　調査年はおもに2005年

## ❶ おもなアジア諸国の民族　世界年鑑2017ほか

### 国名・民族別割合

| | |
|---|---|
| アフガニスタン | パシュトゥン人42%，タジク系27%，ハザラ人9%，ウズベク系9% |
| ブルネイ | マレー系66%，中国系10%，先住民3% |
| ミャンマー | ビルマ人68%，シャン人9%，カレン人など135の少数民族 |
| インドネシア | ジャワ人40%，スンダ人16%，マレー人4%，バタク人4%（約300の民族） |
| イラク | アラブ人65%，クルド人23%，アゼルバイジャン系6%，トルクメン系1% |
| ラオス | ラオ人53%，クムー人11%，モン人9%など約50民族 |
| ネパール | チェトリ人17%，ブラーマン人12%，マガール人7%，タルー人7%，タマン人6% |
| スリランカ | シンハラ人75%，タミル人15%，ムーア人9% |
| タイ | タイ人81%（シャム系35%，ラオ系27%），中国人（漢人）11%，マレー人4% |
| ベトナム | ベトナム人（キン人）86%，タイー人，ターイ人，ムオン人，クメール人など53の少数民族 |

## ❷ 中国の民族構成（2010年，千人）　中国年鑑2015ほか

| | |
|---|---|
| 中国総人口 | **1,339,724（100%）** |
| 漢族 | 1,225,932（91.5%） |
| 少数民族 | 113,792（ 8.5%） |

| 民族 | 人口 | 民族 | 人口 |
|---|---|---|---|
| チョワン(壮)族 | 16,926 | リース(傈僳)族 | 703 |
| ホ イ(回)族 | 10,586 | トンシアン(東郷)族 | 622 |
| 満 州 族 | 10,388 | コーラオ(仡佬)族 | 551 |
| ウイグル(維吾爾)族 | 10,069 | ラ フ(拉祜)族 | 486 |
| ミャ オ(苗)族 | 9,426 | ワ (佤)族 | 430 |
| イ (彝)族 | 8,714 | シュ イ(水)族 | 412 |
| トゥチャ(土家)族 | 8,354 | ナ シ(納西)族 | 326 |
| チベット(蔵)族 | 6,282 | チャン(羌)族 | 310 |
| モンゴル(蒙古)族 | 5,982 | ト ウ(土)族 | 290 |
| トン(侗)族 | 2,880 | モーラオ(仏佬)族 | 216 |
| プ イ(布依)族 | 2,870 | シ ボ(錫伯)族 | 190 |
| ヤ オ(瑶)族 | 2,796 | キルギス(柯爾克孜)族 | 187 |
| ペ ー(白)族 | 1,934 | ジンポー(景頗)族 | 148 |
| 朝 鮮 族 | 1,831 | ダオール(達斡爾)族 | 132 |
| ハ ニ(哈尼)族 | 1,661 | サ ラ(撤拉)族 | 131 |
| リ (黎)族 | 1,463 | プーラン(布朗)族 | 120 |
| カザフ(哈薩克)族 | 1,463 | マオナン(毛南)族 | 101 |
| タ イ(傣)族 | 1,261 | タジク(塔吉克)族 | 51 |
| ショ ー(畬)族 | 709 | プ ミ(普米)族 | 43 |

## ❸ シンガポールの民族別人口の割合　Statistics Singapore

| 民族 | 1901 | 1947 | 1970 | 1980 | 2000 | 2016 |
|---|---|---|---|---|---|---|
| 総計*（千人） | **228** | **938** | **2,013** | **2,282** | **3,273** | **3,933** |
| 中国系(%) | 72.1 | 77.8 | 77.0 | 78.3 | 76.8 | 74.3 |
| マレー系(%) | 15.8 | 12.1 | 14.8 | 14.4 | 13.9 | 13.4 |
| インド系(%) | 7.5 | 7.4 | 7.0 | 6.3 | 7.9 | 9.1 |

*国民，永住民数　中国人（華僑）が国の主導権を握っている

## ❹ マレーシアの民族別人口の割合

| 民族 | 1980 | 1990 | 2000 | 2010 | 2022 |
|---|---|---|---|---|---|
| 総計①（万人） | **1,387** | **1,810** | **2,208** | **2,626** | **3,019** |
| マレー系②(%) | 57.1 | 61.8 | 65.0 | 67.3 | 69.9 |
| 中国系(%) | 32.1 | 27.6 | 26.1 | 24.5 | 22.8 |
| インド系(%) | 8.6 | 7.8 | 7.7 | 7.3 | 6.6 |

①国民数　②ブミプトラほか　　Statistics Malaysia

## ❺ おもなラテンアメリカ諸国の民族

### 国名・民族別構成

| | |
|---|---|
| アルゼンチン | ヨーロッパ系86%，メスチーソ7% |
| ボリビア | 先住民55%，メスチーソ30% |
| ブラジル | ヨーロッパ系48%，ムラート43%，アフリカ系8%，アジア系1% |
| チリ | メスチーソ72%，ヨーロッパ系22% |
| コロンビア | メスチーソ58%，ヨーロッパ系20%，ムラート14%，アフリカ系4% |
| グアテマラ | 混血60%，マヤ系先住民39% |
| メキシコ | メスチーソ64%，先住民18%，ヨーロッパ系15% |
| ニカラグア | メスチーソ63%，ヨーロッパ系14%，アフリカ系8%，先住民5% |
| ペルー | 先住民52%，メスチーソ32%，ヨーロッパ系12% |

世界年鑑2017ほか

## ❻ おもなアフリカ諸国の民族（部族）別割合

### 国名・民族（部族）別割合

| | |
|---|---|
| アンゴラ | オヴィンブンドゥ人37%，キンブンドゥ人25%，コンゴ人15% |
| ウガンダ | バカンダ人17%，バニャンコレ人10%，バソガ人9%，バキガ人7% |
| コンゴ共和国 | コンゴ人48%，サンガ人20%，テケ人17%，ンボチ人12% |
| スーダン | アフリカ系52%（南部中心），アラブ系39%（北部中心），ベジャ人6% |
| ソマリア | ソマリ人92%，アラブ人2% |
| ナイジェリア | ヨルバ人18%，ハウサ人17%，イボ人13%，フラ人11% |
| ブルンジ | フツ人81%，ツチ人16%，リンガラ人2% |
| モザンビーク | マクア・ロムウェ人52%，ソンガ・ロンガ人24%，ニャンジャ・セナ人12% |
| リベリア | クペレ人20%，バサ人13%，グレボ人10% |
| ルワンダ | フツ人85%，ツチ人14%，ツワ人1% |

世界年鑑2017ほか

## ❼ 南アフリカ共和国の州別人種・民族別人口の割合（2016年，%）

Statistics South Africa

| 州名（州都） | 人口（千人） | アフリカ系 | カラード（混血） | ヨーロッパ系 | インド・アジア系 | 州名（州都） | 人口（千人） | アフリカ系 | カラード（混血） | ヨーロッパ系 | インド・アジア系 |
|---|---|---|---|---|---|---|---|---|---|---|---|
| **南アフリカ共和国計** | **55,653** | **80.7** | **8.7** | **8.1** | **2.5** | リンポポ(ポロクワネ) | 5,799 | 97.1 | 0.3 | 2.3 | 0.3 |
| ハウテン(ヨハネスバーグ) | 13,399 | 80.4 | 3.3 | 13.6 | 2.7 | ムプマランガ(ムボンベラ) | 4,335 | 93.6 | 0.8 | 5.2 | 0.4 |
| クワズール・ナタール(ピーターマリッツバーグ) | 11,065 | 87.0 | 1.2 | 3.9 | 7.9 | ノースウェスト(マフィケン) | 3,748 | 91.6 | 1.6 | 6.4 | 0.4 |
| イースタンケープ(ビショ) | 6,996 | 86.4 | 8.6 | 4.6 | 0.4 | フリーステート(ブルームフォンテーン) | 2,834 | 88.7 | 2.5 | 8.5 | 0.3 |
| ウェスタンケープ(ケープタウン) | 6,279 | 35.7 | 47.5 | 16.0 | 0.8 | ノーザンケープ(キンバリー) | 1,193 | 48.1 | 43.7 | 7.7 | 0.5 |

## ❶ おもな国の食料生産指数・穀物生産指数・穀物生産量

FAOSTAT

| 国　名 | 1人あたり食料生産指数(2014〜2016年=100) | | | | 1人あたり穀物生産指数(2014〜2016年=100) | | | | 穀物生産量（万 t） | | | |
|---|---|---|---|---|---|---|---|---|---|---|---|---|
| | 1990 | 2000 | 2010 | 2021 | 1990 | 2000 | 2010 | 2021 | 1990 | 2000 | 2010 | 2021 |
| 世　　界 | 80 | 85 | 94 | 103 | 97 | 90 | 94 | 101 | 195,172 | 205,946 | 246,148 | 307,065 |
| 日　　本 | 114 | 102 | 95 | 103 | 122 | 107 | 95 | 99 | 1,445 | 1,280 | 1,145 | 1,190 |
| バングラデシュ | 66 | 77 | 96 | 108 | 76 | 89 | 102 | 104 | 2,775 | 3,950 | 5,186 | 6,216 |
| 中　　国 | 44 | 71 | 91 | 106 | 89 | 81 | 89 | 102 | 40,193 | 40,522 | 49,634 | 63,207 |
| イ ン ド | 73 | 78 | 90 | 116 | 103 | 101 | 98 | 115 | 19,392 | 23,493 | 26,784 | 35,635 |
| サウジアラビア | 156 | 121 | 113 | 145 | 582 | 226 | 120 | 70 | 414 | 217 | 157 | 119 |
| タ　　イ | 72 | 87 | 97 | 97 | 73 | 94 | 119 | 108 | 2,117 | 3,053 | 4,093 | 3,938 |
| アルジェリア | 48 | 53 | 84 | 94 | 68 | 35 | 129 | 71 | 163 | 93 | 421 | 278 |
| ケ ニ ア | 105 | 89 | 113 | 99 | 133 | 93 | 116 | 85 | 279 | 259 | 435 | 397 |
| マ　　リ | 71 | 69 | 94 | 105 | 45 | 50 | 77 | 88 | 177 | 231 | 534 | 882 |
| タンザニア | 73 | 61 | 88 | 94 | 83 | 59 | 114 | 101 | 396 | 362 | 864 | 1,132 |
| ザ ン ビ ア | 76 | 75 | 108 | 107 | 79 | 63 | 114 | 103 | 121 | 121 | 310 | 395 |
| フランス | 116 | 113 | 101 | 95 | 94 | 107 | 101 | 99 | 5,511 | 6,573 | 6,584 | 6,688 |
| ド イ ツ | 104 | 94 | 95 | 93 | 78 | 93 | 91 | 85 | 3,758 | 4,527 | 4,404 | 4,236 |
| イタリア | 112 | 122 | 103 | 101 | 100 | 115 | 100 | 92 | 1,741 | 2,066 | 1,850 | 1,657 |
| ポーランド | 120 | 93 | 91 | 112 | 98 | 78 | 92 | 113 | 2,801 | 2,234 | 2,723 | 3,400 |
| スウェーデン | 127 | 111 | 95 | 91 | 122 | 105 | 77 | 82 | 638 | 560 | 428 | 498 |
| イギリス | 113 | 106 | 98 | 96 | 108 | 113 | 92 | 91 | 2,257 | 2,399 | 2,095 | 2,237 |
| ロ シ ア | − | 68 | 75 | 111 | − | 59 | 57 | 109 | ① 20,911 | 6,424 | 5,962 | 11,757 |
| カ ナ ダ | 86 | 91 | 91 | 90 | 135 | 108 | 88 | 79 | 5,681 | 5,109 | 4,612 | 4,674 |
| メ キ シ コ | 81 | 88 | 95 | 108 | 105 | 95 | 102 | 94 | 2,556 | 2,800 | 3,493 | 3,658 |
| アメリカ合衆国 | 90 | 95 | 96 | 102 | 91 | 87 | 92 | 94 | 31,241 | 34,263 | 40,113 | 45,246 |
| アルゼンチン | 68 | 81 | 93 | 103 | 48 | 82 | 76 | 148 | 1,914 | 3,798 | 3,977 | 8,769 |
| ブラジル | 52 | 66 | 93 | 107 | 50 | 61 | 83 | 109 | 3,249 | 4,653 | 7,516 | 11,222 |
| チ　　リ | 68 | 83 | 98 | 98 | 112 | 85 | 101 | 75 | 298 | 259 | 359 | 304 |
| オーストラリア | 88 | 109 | 93 | 98 | 89 | 123 | 97 | 125 | 2,305 | 3,539 | 3,346 | 5,108 |

①ソ連

❶世界の穀物生産量は，先進国で停滞の反面，中国・インド・ブラジルなど BRICS 諸国の増産により伸びている。一方，人口が急増するアフリカは，砂漠化などの環境悪化や内戦等で食料事情が悪化している国が多い。❷日本の肉類・乳製品などの自給率は，飼料となる粗粒穀物（とうもろこし等）の輸入で支えられている。オーストラリアやフランスは穀類・砂糖類，イタリアやスペインは野菜類・果実類の自給率が高い。❸アジアやアフリカの発展途上国では，動物性食料は少なく，でんぷん質食料が多い。

## ❷ おもな国の食料自給率（2019年，％）

食需2

| 国　名 | 食料自給率① | 穀　　　　類 | | | いも類 | 豆類 | 野菜類 | 果実類 | 肉類 | 卵類 | 牛乳・乳製品 | 魚介類 | 砂糖類 | 油脂類 |
|---|---|---|---|---|---|---|---|---|---|---|---|---|---|---|
| | | 食用穀物② | 小麦 | 粗粒穀物③ | | | | | | | | | | |
| 日　本* | 38 | 29 | 63 | 17 | 1 | 72 | 8 | 79 | 39 | 53 | 97 | 63 | 57 | 36 | 14 |
| イタリア | 58 | 61 | 72 | 62 | 52 | 55 | 39 | 151 | 104 | 81 | 99 | 86 | 17 | 15 | 33 |
| イギリス | 70 | 97 | 94 | 99 | 104 | 89 | 53 | 42 | 12 | 75 | 94 | 89 | 65 | 57 | 54 |
| フランス | 131 | 187 | 183 | 200 | 194 | 138 | 79 | 68 | 64 | 102 | 98 | 104 | 29 | 204 | 85 |
| ド イ ツ | 84 | 101 | 114 | 125 | 83 | 124 | 13 | 41 | 31 | 120 | 70 | 106 | 27 | 126 | 94 |
| オランダ | 61 | 16 | 17 | 19 | 5 | 181 | 0 | 325 | 39 | 326 | 165 | 162 | 129 | 161 | 48 |
| スペイン | 82 | 57 | 61 | 55 | 55 | 65 | 10 | 216 | 139 | 145 | 117 | 89 | 59 | 31 | 63 |
| スウェーデン | 81 | 137 | 137 | 140 | 136 | 85 | 83 | 34 | 5 | 70 | 102 | 83 | 69 | 95 | 21 |
| ス イ ス | 50 | 45 | 42 | 44 | 52 | 84 | 38 | 48 | 40 | 78 | 63 | 101 | 2 | 66 | 37 |
| オーストラリア | 169 | 181 | 191 | 204 | 167 | 92 | 198 | 93 | 103 | 166 | 98 | 106 | 33 | 331 | 92 |
| カ ナ ダ | 233 | 185 | 327 | 351 | 122 | 138 | 314 | 59 | 24 | 139 | 91 | 95 | 93 | 11 | 297 |
| アメリカ合衆国 | 121 | 116 | 167 | 158 | 111 | 102 | 172 | 84 | 61 | 114 | 101 | 101 | 64 | 65 | 89 |

①カロリーベース　②小麦・ライ麦・米など（日本はそばを含む）　③大麦・とうもろこし，ソルガムなどの雑穀　＊2021年　☞ p.69①

## ❸ おもな国の供給栄養量（1人1日あたり，2021年）

FAOSTAT

| 国　名 | 熱量(kcal) | 脂質(g) でんぷん質食料の割合(%)① | 脂質(g) 動物性食料の割合(%)② | 脂質(g) 採油用作物 | 脂質(g) 動物性油脂 | たんぱく質(g) | たんぱく質 動物性たんぱく質の割合(%)② | 国　名 | 熱量(kcal) | でんぷん質食料の割合(%)① | 動物性食料の割合(%)② | 脂質(g) 採油用作物 | 脂質(g) 動物性油脂 | たんぱく質(g) | 動物性たんぱく質の割合(%)② |
|---|---|---|---|---|---|---|---|---|---|---|---|---|---|---|---|
| 日　　本 | 2,659 | 38.5 | 24.8 | 30 | 15 | 92.0 | 56.7 | デンマーク | 3,584 | 25.6 | 42.0 | 19 | 59 | 113.2 | 66. |
| 韓　　国 | 3,398 | 32.9 | 22.9 | 34 | 14 | 108.3 | 56.6 | イタリア | 3,733 | 31.3 | 27.8 | 15 | 25 | 118.0 | 58. |
| 中　　国 | 3,406 | 51.2 | 20.6 | 38 | 7 | 124.9 | 39.0 | ド イ ツ | 3,634 | 23.4 | 33.6 | 20 | 36 | 110.5 | 66. |
| イ ン ド | 2,569 | 54.9 | 13.5 | 30 | 9 | 70.5 | 24.6 | イギリス | 3,362 | 33.4 | 28.0 | 16 | 14 | 109.6 | 58. |
| 北 朝 鮮 | 1,982 | 68.3 | 6.6 | 5 | 1 | 55.1 | 19.7 | ロ シ ア | 3,382 | 40.0 | 27.3 | 6 | 13 | 114.4 | 55. |
| アルジェリア | 3,496 | 49.3 | 12.0 | 14 | 4 | 93.7 | 28.0 | アメリカ合衆国 | 3,911 | 23.3 | 28.7 | 22 | 11 | 124.3 | 68. |
| エ ジ プ ト | 3,127 | 63.8 | 11.0 | 23 | 4 | 91.5 | 30.1 | アルゼンチン | 3,341 | 32.1 | 31.7 | 10 | 16 | 120.0 | 63. |
| ケ ニ ア | 2,218 | 52.2 | 11.6 | 6 | 3 | 55.6 | 26.6 | ブラジル | 3,299 | 31.4 | 26.9 | 35 | 11 | 101.8 | 63. |
| コンゴ共和国 | 2,194 | 59.3 | 13.7 | 9 | 1 | 55.3 | 53.5 | ニュージーランド | 3,128 | 31.6 | 29.5 | 25 | 37 | 95.3 | 57. |
| ザ ン ビ ア | 2,220 | 70.0 | 7.2 | 9 | 22 | 46.7 | 28.8 | オーストラリア | 3,454 | 22.8 | 31.6 | 19 | 19 | 119.6 | 65. |

①穀類，いも類，でんぷんの合計　②動物性食料にはすべての動物性油脂類を含む

● おもな国の1人あたり供給食料(2021年, kg /年)　FAOSTAT

| 国 名 | 穀物計 | 小麦* | 米* | とうもろこし* | きび・ひえ・あわ* | じゃがいも* | キャッサバ* | てんさい・さとうきび | 豆類 | 採油用作物 | 野菜 | 果実 |
|---|---|---|---|---|---|---|---|---|---|---|---|---|
| 世　界 | 178.6 | 68.8 | 81.2 | 17.9 | 2.7 | 33.0 | 22.2 | 5.3 | 7.4 | 9.8 | 148.0 | 87.0 |
| 日　本 | 131.5 | 42.3 | 74.3 | 12.8 | 0.1 | 22.1 | 0.0 | ― | 1.1 | 10.9 | 114.8 | 43.8 |
| 韓　国 | 153.4 | 54.2 | 81.5 | 16.0 | 0.2 | 14.7 | 0.1 | 0.0 | 1.5 | 12.4 | 235.0 | 54.6 |
| イ ン ド | 185.4 | 64.1 | 104.8 | 5.2 | 7.7 | 25.4 | 4.6 | 15.6 | 14.7 | 10.9 | 90.8 | 63.5 |
| カザフスタン | 119.3 | 88.4 | 20.1 | 1.2 | 0.5 | 105.2 | 0.0 | 0.0 | 5.0 | 2.5 | 269.1 | 62.8 |
| サウジアラビア | 182.4 | 97.6 | 53.8 | 24.2 | 0.4 | 31.1 | ― | 0.4 | 4.8 | 11.0 | 117.5 | 93.9 |
| タ イ | 196.8 | 13.6 | 170.6 | 10.8 | ― | 5.6 | 1.8 | 23.2 | 2.8 | 6.4 | 40.1 | 71.8 |
| 中　国 | 216.9 | 72.2 | 129.0 | 8.5 | 0.9 | 46.6 | 2.2 | ― | 1.9 | 13.8 | 399.0 | 109.2 |
| マ レ ー シ ア | 175.8 | 36.0 | 120.9 | 13.8 | ― | 17.2 | 2.1 | 0.0 | 2.6 | 12.8 | 73.6 | 48.9 |
| モ ン ゴ ル | 151.5 | 116.7 | 17.9 | 2.1 | ― | 50.5 | 0.2 | 0.0 | 0.4 | 1.8 | 84.2 | 32.8 |
| ベ ト ナ ム | 264.7 | 15.4 | 232.0 | 17.1 | ― | 4.6 | 9.3 | 5.9 | 3.2 | 10.5 | 179.1 | 92.8 |
| エ ジ プ ト | 242.9 | 134.4 | 47.3 | 57.1 | 0.0 | 38.4 | 0.0 | 33.2 | 3.9 | 8.3 | 132.5 | 86.8 |
| コ ン ゴ 共 和 国 | 69.6 | 48.3 | 16.8 | 3.2 | ― | 1.6 | 256.0 | 0.0 | 2.7 | 3.3 | 15.1 | 44.7 |
| ナ イ ジ ェ リ ア | 132.1 | 29.1 | 33.4 | 33.8 | 7.7 | 4.1 | 165.4 | 2.8 | 11.0 | 12.2 | 66.7 | 51.4 |
| 南アフリカ共和国 | 157.3 | 55.9 | 21.5 | 76.4 | 0.1 | 37.2 | 0.0 | ― | 1.7 | 2.3 | 39.7 | 40.3 |
| イ ギ リ ス | 153.1 | 124.0 | 13.8 | 5.2 | ― | 68.5 | ― | ― | 1.6 | 5.9 | 170.1 | 107.8 |
| イ タ リ ア | 158.3 | 143.8 | 8.5 | 3.3 | ― | 45.5 | ― | ― | 8.1 | 5.6 | 136.3 | 128.4 |
| ス ペ イ ン | 117.4 | 100.6 | 11.9 | 2.1 | ― | 59.7 | ― | ― | 4.8 | 7.2 | 107.8 | 116.8 |
| ス ウ ェ ー デ ン | 123.9 | 99.3 | 10.9 | 1.5 | ― | 60.0 | ― | ― | 1.5 | 9.2 | 175.2 | 105.5 |
| ド イ ツ | 101.3 | 73.7 | 8.0 | 4.7 | 0.1 | 62.2 | ― | ― | 0.7 | 7.2 | 201.0 | 102.3 |
| フ ラ ン ス | 131.7 | 105.2 | 9.7 | 12.5 | ― | 65.1 | ― | ― | 1.5 | 10.2 | 120.2 | 126.3 |
| ポ ー ラ ン ド | 146.2 | 104.5 | 6.4 | ― | ― | 98.7 | ― | 0.0 | 0.6 | 3.5 | 140.5 | 63.2 |
| ル ー マ ニ ア | 183.1 | 144.1 | 3.9 | 32.3 | ― | 58.7 | ― | ― | 1.8 | 9.1 | 168.6 | 108.0 |
| ロ シ ア | 160.8 | 138.4 | 8.2 | 0.7 | 0.9 | 86.0 | ― | ― | 2.9 | 2.0 | 112.5 | 80.3 |
| アメリカ合衆国 | 124.4 | 88.0 | 11.7 | 12.5 | ― | 48.7 | 0.1 | ― | 3.2 | 8.0 | 126.5 | 181.8 |
| カ ナ ダ | 128.4 | 86.9 | 14.6 | 23.5 | ― | 79.3 | 0.2 | ― | 6.8 | 9.2 | 126.2 | 130.1 |
| メ キ シ コ | 168.7 | 35.7 | 7.5 | 123.5 | ― | 17.0 | 0.1 | 0.5 | 10.0 | 2.2 | 54.3 | 123.0 |
| アルゼンチン | 146.5 | 115.4 | 17.5 | 12.0 | ― | 44.5 | 1.8 | ― | 8.7 | 3.6 | 73.3 | 76.6 |
| ブ ラ ジ ル | 128.7 | 53.6 | 39.8 | 29.9 | ― | 20.4 | 30.5 | 15.0 | 12.3 | 12.7 | 49.6 | 96.9 |
| オーストラリア | 108.3 | 88.7 | 14.3 | 3.6 | ― | 57.6 | 0.1 | ― | 9.2 | 6.9 | 163.2 | 87.5 |

| 国 名 | コーヒー* | 茶① | 肉類計 | 牛肉 | 豚肉 | 羊・ヤギ肉 | 鶏肉② | 動物性油脂 | 牛乳 | 卵 | 魚介類 | 供給熱量(kcal)③ |
|---|---|---|---|---|---|---|---|---|---|---|---|---|
| 世　界 | 1.5 | 0.3 | 43.1 | 9.4 | 14.0 | 2.0 | 17.1 | 3.3 | 87.6 | 10.4 | 20.2 | 2,978 |
| 日　本 | 4.1 | 0.0 | 57.2 | 9.5 | 21.9 | 0.1 | 25.5 | 1.0 | 61.7 | 19.8 | 45.1 | 2,659 |
| 韓　国 | 2.4 | 0.1 | 81.5 | 20.5 | 38.3 | 0.4 | 22.2 | 5.0 | 32.1 | 12.9 | 55.6 | 3,398 |
| イ ン ド | 0.0 | 0.0 | 5.7 | 2.3 | 0.2 | 0.6 | 2.6 | 3.4 | 81.1 | 4.1 | 8.0 | 2,569 |
| カザフスタン | 4.9 | 1.4 | 71.8 | 27.1 | 8.8 | 9.1 | 20.1 | 5.6 | 275.2 | 8.2 | 3.7 | 3,366 |
| サウジアラビア | 6.2 | 0.9 | 55.1 | 5.9 | ― | 4.6 | 41.5 | 4.7 | 39.1 | 9.1 | 11.4 | 3,250 |
| タ イ | 0.5 | 0.5 | 26.0 | 1.5 | 13.1 | 0.0 | 11.3 | 1.4 | 29.9 | 12.0 | 28.7 | 2,856 |
| 中　国 | 0.2 | 0.8 | 62.8 | 7.6 | 33.6 | 3.8 | 17.3 | 2.7 | 34.2 | 22.0 | 39.9 | 3,406 |
| マ レ ー シ ア | 0.0 | 0.8 | 65.3 | 7.4 | 7.3 | 1.0 | 49.7 | 2.5 | 20)5.6 | 17.2 | 52.7 | 2,962 |
| モ ン ゴ ル | 7.2 | 0.8 | 115.6 | 26.5 | 2.2 | 64.8 | 5.4 | 6.9 | 193.0 | 6.7 | 1.1 | 3,052 |
| ベ ト ナ ム | 5.8 | 0.2 | 52.6 | 5.2 | 27.3 | 0.2 | 19.6 | 2.2 | 50.1 | 3.6 | 39.5 | 3,048 |
| エ ジ プ ト | 0.7 | 0.0 | 29.1 | 6.3 | 0.0 | 0.6 | 21.3 | 1.3 | 49.3 | 4.0 | 25.3 | 3,127 |
| コ ン ゴ 共 和 国 | 0.7 | 0.1 | 46.0 | 2.5 | 8.8 | 0.3 | 25.9 | 0.2 | 6.6 | 0.4 | 23.1 | 2,194 |
| ナ イ ジ ェ リ ア | 0.0 | 0.0 | 7.0 | 1.6 | 1.5 | 1.9 | 1.1 | 0.6 | 8.3 | 2.7 | 8.4 | 2,503 |
| 南アフリカ共和国 | 2.1 | 0.3 | 71.6 | 17.4 | 5.7 | 3.4 | 44.3 | 0.5 | 54.2 | 7.0 | 6.5 | 2,776 |
| イ ギ リ ス | 2.7 | 0.3 | 82.3 | 18.0 | 25.3 | 3.0 | 34.1 | 5.2 | 213.1 | 11.5 | 18.1 | 3,362 |
| イ タ リ ア | 5.5 | 0.1 | 74.3 | 16.0 | 35.9 | 0.8 | 20.6 | 9.1 | 230.3 | 11.3 | 29.5 | 3,733 |
| ス ペ イ ン | 2.9 | 0.1 | 100.3 | 12.7 | 52.5 | 1.8 | 30.5 | 4.4 | 169.6 | 15.3 | 40.1 | 3,390 |
| ス ウ ェ ー デ ン | 10.8 | 0.4 | 66.9 | 21.6 | 27.8 | 1.1 | 16.3 | 14.0 | 218.2 | 12.8 | 30.9 | 3,268 |
| ド イ ツ | 6.1 | 0.3 | 76.6 | 14.0 | 43.3 | 0.7 | 17.6 | 13.1 | 208.4 | 16.0 | 13.2 | 3,634 |
| フ ラ ン ス | 6.0 | 0.2 | 86.1 | 23.0 | 33.5 | 2.4 | 26.6 | 18.8 | 271.0 | 13.8 | 33.6 | 3,604 |
| ポ ー ラ ン ド | 2.2 | 0.4 | 89.3 | 1.7 | 56.2 | 0.0 | 31.3 | 14.3 | 182.4 | 9.8 | 11.3 | 3,554 |
| ル ー マ ニ ア | 6.9 | 0.1 | 67.1 | 5.1 | 36.9 | 2.8 | 22.2 | 7.3 | 218.8 | 12.8 | 8.1 | 3,665 |
| ロ シ ア | 2.5 | 0.0 | 78.4 | 13.3 | 28.4 | 1.5 | 31.4 | 4.0 | 154.8 | 16.5 | 21.8 | 3,382 |
| アメリカ合衆国 | 4.7 | 0.2 | 126.8 | 37.8 | 29.7 | 0.7 | 57.7 | 4.0 | 231.4 | 15.8 | 22.4 | 3,911 |
| カ ナ ダ | 7.0 | 0.0 | 86.9 | 25.9 | 18.4 | 1.1 | 40.9 | 15.7 | 162.8 | 15.5 | 20.5 | 3,589 |
| メ キ シ コ | 0.7 | 0.0 | 75.4 | 15.3 | 20.3 | 0.8 | 38.5 | 2.3 | 115.9 | 21.4 | 13.9 | 3,278 |
| アルゼンチン | 2.3 | 18.7 | 115.5 | 48.5 | 16.0 | 1.3 | 48.4 | 5.7 | 181.5 | 16.8 | 6.8 | 3,341 |
| ブ ラ ジ ル | 1.9 | 2.4 | 98.8 | 34.7 | 12.6 | 0.7 | 50.6 | 4.0 | 150.0 | 12.8 | 8.0 | 3,299 |
| オーストラリア | 5.7 | 0.5 | 110.2 | 26.3 | 25.2 | 8.5 | 49.4 | 6.8 | 221.8 | 8.5 | 24.3 | 3,454 |

*製品を含む　①マテ茶を含む　②家禽類　③1人1日あたり供給熱量

農業

### ❶ 米（もみ）の生産（万ｔ）　FAOSTAT

| 国　名 | 1990 | 2021 | % |
|---|---|---|---|
| 世　界 | **51,857** | **78,729** | **100** |
| 中　国 | 18,933 | 21,284 | 27.0 |
| イ ン ド | 11,152 | 19,543 | 24.8 |
| バングラデシュ | 2,678 | 5,694 | 7.2 |
| インドネシア | 4,518 | 5,442 | 6.9 |
| ベトナム | 1,923 | 4,385 | 5.6 |
| タ　イ | 1,719 | 3,358 | 4.3 |
| ミャンマー | 1,397 | 2,491 | 3.2 |
| フィリピン | 989 | 1,996 | 2.5 |
| パキスタン | 489 | 1,398 | 1.8 |
| ブラジル | 742 | 1,166 | 1.5 |

日本1,053　☞p.55「解説」

### ❷ 米の輸出入（万ｔ）　FAOSTAT

| 輸出国 | 1990 | 2021 | % | 輸入国 | 1990 | 2021 | % |
|---|---|---|---|---|---|---|---|
| 世　界 | **1,241** | **5,065** | **100** | 世　界 | **1,206** | **5,092** | **100** |
| イ ン ド | 51 | 2,103 | 41.5 | 中　国 | 6 | 492 | 9.7 |
| タ イ | 401 | 607 | 12.0 | フィリピン | 59 | 297 | 5.8 |
| ベトナム | 162 | 464 | 9.2 | バングラデシュ | 38 | 258 | 5.1 |
| パキスタン | 74 | 393 | 7.8 | モザンビーク | 7 | 154 | 3.0 |
| アメリカ合衆国 | 243 | 284 | 5.6 | コートジボワール | 34 | 142 | 2.8 |
| 中　国 | 33 | 241 | 4.8 | エチオピア | － | 140 | 2.8 |
| ミャンマー | 25 | 160 | 3.2 | ベ ナ ン | 13 | 139 | 2.7 |
| ブラジル | 0.1 | 77 | 1.5 | ブラジル | 38 | 126 | 2.5 |
| ウルグアイ | 29 | 71 | 1.4 | セネガル | 39 | 119 | 2.3 |
| イタリア | 57 | 70 | 1.4 | サウジアラビア | 28 | 119 | 2.3 |

日本4（出）　66（入）　☞p.55「解説」

### ❸ 小麦の生産（万ｔ）　FAOSTAT

| 国　名 | 1990 | 2021 | % |
|---|---|---|---|
| 世　界 | **59,133** | **77,088** | **100** |
| 中　国 | 9,823 | 13,695 | 17.8 |
| イ ン ド | 4,985 | 10,959 | 14.2 |
| ロ シ ア | ①10,189 | 7,606 | 9.9 |
| アメリカ合衆国 | 7,429 | 4,479 | 5.8 |
| フランス | 3,335 | 3,656 | 4.7 |
| ウクライナ | － | 3,218 | 4.2 |
| オーストラリア | 1,507 | 3,192 | 4.1 |
| パキスタン | 1,432 | 2,746 | 3.6 |
| カ ナ ダ | 3,210 | 2,230 | 2.9 |
| ド イ ツ | 1,524 | 2,146 | 2.8 |

日本110　①ソ連　☞p.55「解説」

### ❹ 小麦の輸出入（万ｔ）　FAOSTAT

| 輸出国 | 1990 | 2021 | % | 輸入国 | 1990 | 2021 | % |
|---|---|---|---|---|---|---|---|
| 世　界 | **9,860** | **19,814** | **100** | 世　界 | **9,588** | **20,101** | **100** |
| ロ シ ア | ①83 | 2,737 | 13.8 | インドネシア | 172 | 1,148 | 5.7 |
| オーストラリア | 1,151 | 2,556 | 12.9 | 中　国 | 1,253 | 971 | 4.8 |
| アメリカ合衆国 | 2,756 | 2,401 | 12.1 | ト ル コ | 218 | 888 | 4.4 |
| カ ナ ダ | 1,795 | 2,155 | 10.9 | アルジェリア | 261 | 803 | 4.0 |
| ウクライナ | － | 1,939 | 9.8 | イタリア | 466 | 730 | 3.5 |
| フランス | 1,717 | 1,609 | 8.1 | イ ラ ン | 338 | 708 | 3.5 |
| アルゼンチン | 584 | 949 | 4.8 | バングラデシュ | 116 | 698 | 3.5 |
| ド イ ツ | 215 | 710 | 3.6 | ナイジェリア | 3 | 637 | 3.2 |
| ルーマニア | － | 691 | 3.5 | ブラジル | 196 | 623 | 3.1 |
| イ ン ド | 14 | 609 | 3.1 | フィリピン | 153 | 603 | 3.0 |

日本513（入）　①ソ連　☞p.55「解説」

### ❺ 米と小麦の比較（2021年）　FAOSTAT

| 種　類 | | 米 万t | 米 % | 小麦 万t | 小麦 % |
|---|---|---|---|---|---|
| 地域別収穫量 | 世　界 | **78,729** | **100** | **77,088** | **100** |
| | ア ジ ア | 70,815 | 89.9 | 34,046 | 44.2 |
| | アフリカ | 3,719 | 4.7 | 2,922 | 3.8 |
| | ヨーロッパ | 378 | 0.5 | 26,918 | 34.9 |
| | 北アメリカ | 1,152 | 1.5 | 7,037 | 9.1 |
| | 南アメリカ | 2,622 | 3.3 | 2,929 | 3.8 |
| | オセアニア | 44 | 0.1 | 3,235 | 4.2 |
| 地域別輸入量 | 世　界 | **5,092** | **100** | **20,101** | **100** |
| | ア ジ ア | 2,257 | 44.3 | 9,639 | 48.0 |
| | アフリカ | 1,763 | 34.6 | 4,492 | 22.3 |
| | ヨーロッパ | 451 | 8.9 | 3,571 | 17.7 |
| | 北アメリカ | 381 | 7.5 | 925 | 4.6 |
| | 南アメリカ | 168 | 3.3 | 1,380 | 6.9 |
| | オセアニア | 72 | 1.4 | 95 | 0.5 |
| 栽培面積（万ha） | | **16,525** | | **22,076** | |

### ❻ 米の生産量上位15か国の1haあたり収量（2021年）

| 国　名 | t /ha |
|---|---|
| 世 界 平 均 | **4.76** |
| アメリカ合衆国 | 8.64 |
| 日　　本 | 7.50 |
| 中　　国 | 7.11 |
| ブ ラ ジ ル | 6.90 |
| ベ ト ナ ム | 6.07 |
| インドネシア | 5.23 |
| バングラデシュ | 4.87 |
| イ ン ド | 4.21 |
| フィリピン | 4.15 |
| パ キ ス タ ン | 3.95 |
| ネ パ ー ル | 3.82 |
| ミャンマー | 3.81 |
| カ ン ボ ジ ア | 3.51 |
| タ イ | 2.99 |
| ナイジェリア | 1.93 |

FAOSTAT　日本4.99

### ❼ 小麦の生産量上位15か国の1haあたり収量（2021年）

| 国　名 | t /ha |
|---|---|
| 世 界 平 均 | **3.49** |
| イ ギ リ ス | 7.81 |
| ド イ ツ | 7.30 |
| フ ラ ン ス | 6.93 |
| 中　　国 | 5.81 |
| ポ ー ラ ン ド | 4.98 |
| ウ ク ラ イ ナ | 4.53 |
| イ ン ド | 3.47 |
| パ キ ス タ ン | 3.00 |
| アメリカ合衆国 | 2.98 |
| アルゼンチン | 2.76 |
| ロ シ ア | 2.72 |
| ト ル コ | 2.66 |
| オーストラリア | 2.52 |
| カ ナ ダ | 2.41 |
| カザフスタン | 0.93 |

FAOSTAT

### ❽ とうもろこしの生産（万ｔ）

| 国　名 | 1990 | 2021 | % |
|---|---|---|---|
| 世　界 | **48,362** | **121,024** | **100** |
| アメリカ合衆国 | 20,153 | 38,394 | 31.7 |
| 中　国 | 9,682 | 27,255 | 22.5 |
| ブラジル | 2,135 | 8,846 | 7.3 |
| アルゼンチン | 540 | 6,053 | 5.0 |
| ウクライナ | － | 4,211 | 3.5 |
| イ ン ド | 896 | 3,165 | 2.6 |
| メキシコ | 1,464 | 2,750 | 2.3 |
| インドネシア | 673 | 2,001 | 1.7 |
| 南アフリカ共和国 | 918 | 1,687 | 1.4 |
| フランス | 940 | 1,536 | 1.3 |

日本0.02　☞p.55,56「解説」　FAOSTAT

### ❾ とうもろこしの輸出入（万ｔ）

| 輸出国 | 1990 | 2021 | % | 輸入国 | 1990 | 2021 | % |
|---|---|---|---|---|---|---|---|
| 世　界 | **7,204** | **19,608** | **100** | 世　界 | **7,350** | **19,932** | **100** |
| アメリカ合衆国 | 5,217 | 7,004 | 35.7 | 中　国 | 37 | 2,835 | 14.2 |
| アルゼンチン | 300 | 3,691 | 18.8 | メキシコ | 410 | 1,740 | 8.7 |
| ウクライナ | － | 2,454 | 12.5 | 日　本 | 1,601 | 1,524 | 7.6 |
| ブラジル | 0.01 | 2,043 | 10.4 | 韓　国 | 616 | 1,165 | 5.8 |
| ルーマニア | 0.03 | 690 | 3.5 | ベトナム | 0.2 | 1,060 | 5.3 |
| フランス | 719 | 430 | 2.2 | イ ラ ン | 94 | 978 | 4.9 |
| イ ン ド | 0 | 362 | 1.8 | スペイン | 181 | 829 | 4.2 |
| 南アフリカ共和国 | 200 | 333 | 1.7 | エジプト | 190 | 698 | 3.5 |
| ハンガリー | 16 | 327 | 1.7 | コロンビア | 3 | 604 | 3.0 |
| ロ シ ア | ① 32 | 294 | 1.5 | イタリア | 114 | 521 | 2.6 |

日本0.0004（出）　①ソ連　☞p.55,56「解説」　FAOSTAT

## ❶ 大豆の生産（万 t）　FAOSTAT

| 国　名 | 1990 | 2021 | % |
|---|---|---|---|
| 世　　界 | 10,846 | 37,169 | 100 |
| ブラジル | 1,990 | 13,493 | 36.3 |
| アメリカ合衆国 | 5,242 | 12,071 | 32.5 |
| アルゼンチン | 1,070 | 4,622 | 12.4 |
| 中　　国 | 1,100 | 1,640 | 4.4 |
| イ ン ド | 260 | 1,261 | 3.4 |
| パラグアイ | 179 | 1,054 | 2.8 |
| カ ナ ダ | 126 | 627 | 1.7 |
| ロ シ ア | ①88 | 476 | 1.3 |
| ウクライナ | － | 349 | 0.9 |
| ボリビア | 23 | 332 | 0.9 |

日本25　①ソ連　☞p.56「解説」
ブラジル，アルゼンチンの増加が著しい。

## ❷ 大豆の輸出入（万 t）　FAOSTAT

| 輸出国 | 1990 | 2021 | % | 輸入国 | 1990 | 2021 | % |
|---|---|---|---|---|---|---|---|
| 世　界 | 2,588 | 16,121 | 100 | 世　界 | 2,633 | 16,336 | 100 |
| ブラジル | 408 | 8,611 | 53.4 | 中　国 | 0.1 | 9,652 | 59.1 |
| アメリカ合衆国 | 1,547 | 5,305 | 32.9 | アルゼンチン | 0.004 | 487 | 3.0 |
| パラグアイ | 141 | 633 | 3.9 | メキシコ | 90 | 460 | 2.8 |
| カ ナ ダ | 17 | 450 | 2.8 | オ ラ ン ダ | 412 | 416 | 2.5 |
| アルゼンチン | 321 | 428 | 2.7 | タ　イ | 0.002 | 400 | 2.4 |
| ウルグアイ | 3 | 177 | 1.1 | エ ジ プ ト | 2 | 377 | 2.3 |
| ウクライナ | － | 114 | 0.7 | ス ペ イ ン | 262 | 366 | 2.2 |
| オ ラ ン ダ | 29 | 99 | 0.6 | ド イ ツ | 272 | 359 | 2.2 |
| ロ シ ア | － | 98 | 0.6 | 日　本 | 468 | 327 | 2.0 |
| クロアチア | － | 19 | 0.1 | (台　湾) | 199 | 259 | 1.6 |

日本0.01（出）

## ❸ 大麦の生産（万 t）　FAOSTAT

| 国　名 | 1990 | 2021 | % |
|---|---|---|---|
| 世　　界 | 17,807 | 14,562 | 100 |
| ロ シ ア | ①5,254 | 1,800 | 12.4 |
| オーストラリア | 411 | 1,465 | 10.1 |
| フランス | 1,000 | 1,132 | 7.8 |
| ド イ ツ | 1,399 | 1,041 | 7.1 |
| ウクライナ | － | 944 | 6.5 |
| スペイン | 938 | 928 | 6.4 |
| イ ギ リ ス | 790 | 696 | 4.8 |
| カ ナ ダ | 1,344 | 685 | 4.7 |
| ト ル コ | 730 | 575 | 3.9 |
| アルゼンチン | 33 | 404 | 2.8 |

日本23　①ソ連　☞p.56「解説」

## ❹ ライ麦の生産（万 t）　FAOSTAT

| 国　名 | 1990 | 2021 | % |
|---|---|---|---|
| 世　　界 | 3,819 | 1,322 | 100 |
| ド イ ツ | 399 | 333 | 25.1 |
| ポーランド | 604 | 247 | 18.7 |
| ロ シ ア | ①2,218 | 172 | 13.0 |
| ベラルーシ | － | 85 | 6.4 |
| デンマーク | 55 | 67 | 5.1 |
| ウクライナ | － | 59 | 4.5 |
| 中　　国 | 120 | 51 | 3.9 |
| カ ナ ダ | 60 | 47 | 3.6 |
| スペイン | 27 | 32 | 2.4 |
| アメリカ合衆国 | 26 | 25 | 1.9 |

①ソ連　☞p.56「解説」

## ❺ えん麦の生産（万 t）　FAOSTAT

| 国　名 | 1990 | 2021 | % |
|---|---|---|---|
| 世　　界 | 3,992 | 2,257 | 100 |
| ロ シ ア | ①1,555 | 378 | 16.7 |
| カ ナ ダ | 269 | 281 | 12.4 |
| オーストラリア | 153 | 190 | 8.4 |
| ポーランド | 212 | 163 | 7.2 |
| スペイン | 51 | 119 | 5.3 |
| イ ギ リ ス | 53 | 112 | 5.0 |
| ブラジル | 18 | 109 | 4.8 |
| フィンランド | 166 | 80 | 3.6 |
| ド イ ツ | 211 | 77 | 3.4 |
| 中　　国 | 89 | 60 | 2.7 |

日本0.03　①ソ連　☞p.56「解説」

## ❻ じゃがいもの生産（万 t）　FAOSTAT

| 国　名 | 1990 | 2021 | % |
|---|---|---|---|
| 世　　界 | 26,683 | 37,612 | 100 |
| 中　　国 | 3,200 | 9,430 | 25.1 |
| イ ン ド | 1,477 | 5,423 | 14.4 |
| ウクライナ | － | 2,136 | 5.7 |
| アメリカ合衆国 | 1,824 | 1,858 | 4.9 |
| ロ シ ア | ①6,361 | 1,830 | 4.9 |
| ド イ ツ | 1,447 | 1,131 | 3.0 |
| バングラデシュ | 107 | 989 | 2.6 |
| フランス | 475 | 899 | 2.4 |
| ポーランド | 3,631 | 708 | 1.9 |
| エ ジ プ ト | 164 | 690 | 1.8 |

日本213　①ソ連　☞p.56「解説」

## ❼ タロいもの生産（万 t）　FAOSTAT

| 国　名 | 1990 | 2021 | % |
|---|---|---|---|
| 世　　界 | 503 | 1,240 | 100 |
| ナイジェリア | 73 | 322 | 25.9 |
| エチオピア | － | 211 | 17.0 |
| 中　　国 | 110 | 187 | 15.1 |
| カメルーン | 75 | 181 | 14.6 |
| ガ ー ナ | 82 | 111 | 8.9 |
| パプアニューギニア | 22 | 28 | 2.2 |
| マダガスカル | 11 | 23 | 1.9 |
| ルワンダ | 8 | 20 | 1.6 |
| 日　本 | 32 | 14 | 1.1 |
| 中央アフリカ | 5 | 14 | 1.1 |

サトイモ属

## ❽ ヤムいもの生産（万 t）　FAOSTAT

| 国　名 | 1990 | 2021 | % |
|---|---|---|---|
| 世　　界 | 2,177 | 7,514 | 100 |
| ナイジェリア | 1,362 | 5,038 | 67.0 |
| ガ ー ナ | 88 | 831 | 11.1 |
| コートジボワール | 318 | 785 | 10.5 |
| ベ ナ ン | 105 | 320 | 4.3 |
| ト ー ゴ | 39 | 89 | 1.2 |
| カメルーン | 9 | 61 | 0.8 |
| 中央アフリカ | 23 | 49 | 0.6 |
| チ ャ ド | 24 | 46 | 0.6 |
| コロンビア | 3 | 41 | 0.5 |
| パプアニューギニア | 21 | 37 | 0.5 |

日本17（やまのいも，ながいもなど）
ヤマノイモ属

p.54：米・小麦・とうもろこし
は三大穀物とよばれ，各々年
間7〜12億 t 生産される。ア
ジア原産の米はモンスーンア
ジアで9割が生産されるが，
生産国内でほとんど消費され
るため，小麦やとうもろこしに
比べて貿易量は少ない。小麦
は，西アジア原産で乾燥・冷
涼気候での生産に適する。オー
ストラリアやアルゼンチンで
は北半球の端境期に収穫でき
ることが強みとなっている。

## ❾ キャッサバの生産（万 t）

| 国　名 | 1990 | 2021 | % |
|---|---|---|---|
| 世　　界 | 15,236 | 31,481 | 100 |
| ナイジェリア | 1,904 | 6,303 | 20.0 |
| コンゴ民主 | 1,872 | 4,567 | 14.5 |
| タ　イ | 2,070 | 3,011 | 9.6 |
| ガ ー ナ | 272 | 2,268 | 7.2 |
| ブラジル | 2,432 | 1,810 | 5.7 |
| インドネシア | 1,583 | 1,775 | 5.6 |
| ベトナム | 228 | 1,057 | 3.4 |
| アンゴラ | 160 | 987 | 3.1 |
| カンボジア | 6 | 772 | 2.5 |
| コートジボワール | 139 | 696 | 2.2 |

イモノキ属。タピオカの原料　☞p.56「解説」
FAOSTAT

## ❿ さつまいもの生産（万 t）

| 国　名 | 1990 | 2021 | % |
|---|---|---|---|
| 世　　界 | 12,277 | 8,887 | 100 |
| 中　　国 | 10,470 | 4,762 | 53.6 |
| マラウイ | － | 745 | 8.4 |
| タンザニア | 40 | 499 | 5.6 |
| ナイジェリア | 14 | 394 | 4.4 |
| アンゴラ | 16 | 179 | 2.0 |
| エチオピア | ① 15 | 170 | 1.9 |
| インドネシア | 197 | 165 | 1.9 |
| ルワンダ | 82 | 133 | 1.5 |
| アメリカ合衆国 | 57 | 131 | 1.5 |
| ウガンダ | 169 | 127 | 1.4 |

日本67　①エリトリアを含む　FAOSTAT

農
業

p.54, 55：とうもろこしは原産地である中南米での生産が多い。飼料として重要で，とくに中国の輸入が多い。大豆と生産国が似ているが，生産量の違いで区別する。大麦，ライ麦，えん麦，じゃがいもは冷涼地域，キャッサバは熱帯（焼畑農業）での生産が多い。

p.56：さとうきびの生産は熱帯から亜熱帯の人口の多い国で多く，バイオ燃料（エタノール）としての利用も多いブラジルが4割を占めている。

## ❶ きび・ひえ・あわの生産（万 t）

| 国　名 | 1990 | 2021 | % |
|---|---|---|---|
| 世　　界 | 3,000 | 3,009 | 100 |
| イ ン ド | 1,042 | 1,321 | 43.9 |
| 中　　国 | 458 | 270 | 9.0 |
| ニ ジ ェ ー ル | 177 | 215 | 7.1 |
| ナイジェリア | 514 | 192 | 6.4 |
| ス ー ダ ン | ①11 | 150 | 5.0 |
| マ リ | 74 | 149 | 4.9 |
| セ ネ ガ ル | 50 | 104 | 3.5 |
| エチオピア | ②15 | 100 | 3.3 |
| ブルキナファソ | 45 | 72 | 2.4 |
| チ ャ ド | 17 | 62 | 2.1 |

日本0.02　①南スーダンを含む　②エリトリアを含む　FAOSTAT

## ❷ もろこし（ソルガム）の生産（万 t）

| 国　名 | 1990 | 2021 | % |
|---|---|---|---|
| 世　　界 | 5,681 | 6,136 | 100 |
| アメリカ合衆国 | 1,456 | 1,137 | 18.5 |
| ナイジェリア | 419 | 673 | 11.0 |
| イ ン ド | 1,168 | 481 | 7.8 |
| エチオピア | ①97 | 445 | 7.3 |
| メ キ シ コ | 598 | 437 | 7.1 |
| ス ー ダ ン | ②118 | 353 | 5.8 |
| アルゼンチン | 205 | 332 | 5.4 |
| 中　　国 | 568 | 300 | 4.9 |
| ブ ラ ジ ル | 24 | 251 | 4.1 |
| オーストラリア | 95 | 164 | 2.7 |

①エリトリアを含む　②南スーダンを含む　FAOSTAT

## ❸ さとうきびの生産（万 t）FAOSTAT

| 国　名 | 1990 | 2021 | % |
|---|---|---|---|
| 世　　界 | 105,300 | 185,939 | 100 |
| ブ ラ ジ ル | 26,267 | 71,566 | 38.5 |
| イ ン ド | 22,557 | 40,540 | 21.8 |
| 中　　国 | 5,762 | 10,666 | 5.7 |
| パ キ ス タ ン | 3,549 | 8,865 | 4.8 |
| タ イ | 3,356 | 6,628 | 3.6 |
| メ キ シ コ | 3,992 | 5,549 | 3.0 |
| インドネシア | 2,798 | 3,220 | 1.7 |
| オーストラリア | 2,437 | 3,113 | 1.7 |
| アメリカ合衆国 | 2,552 | 2,996 | 1.6 |
| グアテマラ | 960 | 2,776 | 1.5 |

日本131

## ❹ てんさいの生産（万 t）FAOSTAT

| 国　名 | 1990 | 2021 | % |
|---|---|---|---|
| 世　　界 | 30,919 | 27,016 | 100 |
| ロ シ ア | ①8,298 | 4,120 | 15.3 |
| フ ラ ン ス | 3,175 | 3,437 | 12.7 |
| アメリカ合衆国 | 2,496 | 3,334 | 12.3 |
| ド イ ツ | 3,037 | 3,195 | 11.8 |
| ト ル コ | 1,399 | 1,825 | 6.8 |
| ポ ー ラ ン ド | 1,672 | 1,527 | 5.7 |
| エ ジ プ ト | 57 | 1,483 | 5.5 |
| ウクライナ | － | 1,085 | 4.0 |
| 中　　国 | 1,452 | 785 | 2.9 |
| イ ギ リ ス | 790 | 742 | 2.7 |

日本406　①ソ連

## ❺ 砂糖（粗糖）の生産（万 t）FAOSTAT

| 国　名 | 1990 | 2021 | % |
|---|---|---|---|
| 世　　界 | 11,172 | 17,695 | 100 |
| ブ ラ ジ ル | 794 | 3,596 | 20.3 |
| イ ン ド | 1,258 | 3,376 | 19.1 |
| 中　　国 | 688 | 1,060 | 6.0 |
| アメリカ合衆国 | 634 | 837 | 4.7 |
| タ イ | 351 | 762 | 4.3 |
| メ キ シ コ | 328 | 624 | 3.5 |
| ロ シ ア | ①943 | 590 | 3.3 |
| パ キ ス タ ン | 202 | 570 | 3.2 |
| ド イ ツ | 468 | 501 | 2.8 |
| フ ラ ン ス | 474 | 490 | 2.7 |

日本79　①ソ連

## ❻ 砂糖*の輸出入（万 t）FAOSTAT

| 輸 出 国 | 1990 | 2021 | % | 輸 入 国 | 1990 | 2021 | % |
|---|---|---|---|---|---|---|---|
| 世　　界 | 2,864 | 6,521 | 100 | 世　　界 | 2,831 | 6,353 | 100 |
| ブ ラ ジ ル | 154 | 2,726 | 41.8 | 中　　国 | 113 | 567 | 8.9 |
| イ ン ド | 3 | 914 | 14.0 | インドネシア | 28 | 546 | 8.6 |
| タ イ | 237 | 356 | 5.5 | アメリカ合衆国 | 184 | 282 | 4.4 |
| オーストラリア | 285 | 349 | 5.4 | バングラデシュ | 9 | 249 | 3.9 |
| フ ラ ン ス | 260 | 169 | 2.6 | アルジェリア | 73 | 236 | 3.7 |
| ド イ ツ | 128 | 166 | 2.5 | マ レ ー シ ア | 81 | 212 | 3.3 |
| アラブ首長国連邦 | 13 | 138 | 2.1 | 韓　　国 | 110 | 196 | 3.1 |
| グアテマラ | 40 | 132 | 2.0 | ス ー ダ ン | ①1 | 188 | 3.0 |
| メ キ シ コ | 0.5 | 104 | 1.6 | ナイジェリア | 31 | 186 | 2.9 |
| エスワティニ | 42 | 68 | 1.0 | イ タ リ ア | 19 | 160 | 2.5 |

日本0.2（出）　99（入）　＊精製糖，含蜜糖，加工糖の合計　①南スーダンを含む

## ❼ 砂糖の消費（2012年, g）

| 国　名 | 1人1日あたり | 国　名 | 1人1日あたり |
|---|---|---|---|
| ブラジル（オランダ領アンティル） | 184 | ベ リ ー ズ | 140 |
| イスラエル | 178 | モーリタニア | 140 |
| キ ュ ー バ | 159 | フ ィ ジ ー | 137 |
| シンガポール | 153 | オーストラリア | 134 |
| バルバドス | 148 | グアテマラ | 134 |
| トリニダード・トバゴ | 145 | ニュージーランド | 134 |
| コスタリカ | 142 | スワジランド | 134 |
| ガ ン ビ ア | 142 | チ リ | 129 |
| マ レ ー シ ア | 142 | ヨ ル ダ ン | 129 |

世界平均68　日本47　　世界統計年鑑2012

## ❽ 葉たばこの生産（千 t）FAOSTAT

| 国　名 | 1990 | 2021 | % |
|---|---|---|---|
| 世　　界 | 7,138 | 5,889 | 100 |
| 中　　国 | 2,627 | 2,128 | 36.1 |
| イ ン ド | 552 | 758 | 12.9 |
| ブ ラ ジ ル | 445 | 744 | 12.6 |
| インドネシア | 156 | 237 | 4.0 |
| アメリカ合衆国 | 738 | 217 | 3.7 |
| パ キ ス タ ン | 68 | 168 | 2.9 |
| ジンバブエ | 130 | 162 | 2.8 |
| マ ラ ウ イ | 101 | 105 | 1.8 |
| アルゼンチン | 68 | 102 | 1.7 |
| モザンビーク | 3 | 93 | 1.6 |

日本14

## ❾ 葉たばこの輸出入（千 t）FAOSTAT

| 輸 出 国 | 1990 | 2021 | % | 輸 入 国 | 1990 | 2021 | % |
|---|---|---|---|---|---|---|---|
| 世　　界 | 1,511 | 2,224 | 100 | 世　　界 | 1,463 | 2,182 | 100 |
| ブ ラ ジ ル | 188 | 434 | 19.5 | ベ ル ギ ー | ①41 | 185 | 8.5 |
| ベ ル ギ ー | ①10 | 205 | 9.2 | ド イ ツ | 162 | 153 | 7.0 |
| 中　　国 | 32 | 192 | 8.6 | 中　　国 | 13 | 148 | 6.8 |
| イ ン ド | 70 | 190 | 8.5 | ロ シ ア | ②36 | 144 | 6.6 |
| ジンバブエ | 116 | 177 | 8.0 | ポ ー ラ ン ド | 15 | 135 | 6.2 |
| マ ラ ウ イ | 87 | 108 | 4.9 | アメリカ合衆国 | 199 | 130 | 6.0 |
| アメリカ合衆国 | 230 | 105 | 4.7 | インドネシア | 27 | 117 | 5.4 |
| イ タ リ ア | 138 | 60 | 2.7 | アラブ首長国連邦 | 0.1 | 88 | 4.0 |
| モザンビーク | 0 | 53 | 2.4 | オ ラ ン ダ | 92 | 87 | 4.0 |
| ド イ ツ | 16 | 52 | 2.4 | ト ル コ | 3 | 74 | 3.4 |

日本2（出）　23（入）　①ルクセンブルクを含む　②ソ連

**❶ 茶（茶葉）の生産（千t）** FAOSTAT

| 国　名 | 1990* | 2021 | % |
|---|---|---|---|
| 世　　界 | 2,525 | 30,265 | 100 |
| 中　国 | 540 | 13,757 | 45.5 |
| イ　ン　ド | 688 | 5,864 | 19.4 |
| ケ　ニ　ア | 197 | 3,050 | 10.1 |
| スリランカ | 233 | 1,800 | 5.9 |
| ト　ル　コ | 123 | 1,450 | 4.8 |
| ベ ト ナ ム | 32 | 1,091 | 3.6 |
| インドネシア | 156 | 599 | 2.0 |
| バングラデシュ | 39 | 410 | 1.4 |
| ウ ガ ン ダ | 7 | 400 | 1.3 |
| 日　　本 | 90 | 340 | 1.1 |

＊製茶生産量

**❷ 茶の輸出入（千t）** FAOSTAT

| 輸出国 | 1990 | 2021 | % | 輸入国 | 1990 | 2021 | % |
|---|---|---|---|---|---|---|---|
| 世　界 | 1,227 | 2,053 | 100 | 世　界 | 1,230 | 1,931 | 100 |
| ケ　ニ　ア | 166 | 557 | 27.1 | パキスタン | 108 | 260 | 13.5 |
| 中　国 | 195 | 369 | 18.0 | ロ シ ア | ① 256 | 155 | 8.0 |
| スリランカ | 216 | 283 | 13.8 | アメリカ合衆国 | 77 | 116 | 6.0 |
| イ　ン　ド | 198 | 197 | 9.6 | イ ギ リ ス | 178 | 108 | 5.6 |
| ベ ト ナ ム | 16 | 82 | 4.0 | エ ジ プ ト | 70 | 73 | 3.8 |
| アルゼンチン | 46 | 64 | 3.1 | アラブ首長国連邦 | 18 | 68 | 3.5 |
| アラブ首長国連邦 | 7 | 60 | 2.9 | モ ロ ッ コ | 29 | 66 | 3.4 |
| インドネシア | 111 | 43 | 2.1 | イ ラ ク | 32 | 59 | 3.1 |
| ル ワ ン ダ | 12 | 39 | 1.9 | ド イ ツ | 42 | 55 | 2.9 |
| マ ラ ウ イ | 41 | 37 | 1.8 | ド イ ツ | 24 | 47 | 2.5 |

日本6（出）　28（入）　①ソ連

**❸ コーヒー豆（生豆）の生産（千t）** FAOSTAT

| 国　名 | 1990 | 2021 | % |
|---|---|---|---|
| 世　　界 | 6,063 | 9,917 | 100 |
| ブラジル | 1,465 | 2,994 | 30.2 |
| ベトナム | 92 | 1,845 | 18.6 |
| インドネシア | 413 | 765 | 7.7 |
| コロンビア | 845 | 560 | 5.7 |
| エチオピア | ① 204 | 456 | 4.6 |
| ホンジュラス | 120 | 401 | 4.0 |
| ウ ガ ン ダ | 129 | 375 | 3.8 |
| ペ ル ー | 81 | 366 | 3.7 |
| イ ン ド | 118 | 334 | 3.4 |
| グアテマラ | 202 | 227 | 2.3 |

①エリトリアを含む　FAOSTAT

**❹ コーヒー豆（生豆）の輸出入（千t）** FAOSTAT

| 輸出国 | 1990 | 2021 | % | 輸入国 | 1990 | 2021 | % |
|---|---|---|---|---|---|---|---|
| 世　界 | 4,844 | 7,810 | 100 | 世　界 | 4,729 | 7,583 | 100 |
| ブラジル | 853 | 2,283 | 29.2 | アメリカ合衆国 | 1,174 | 1,470 | 19.4 |
| ベトナム | 90 | 1,218 | 15.6 | ド イ ツ | 829 | 1,112 | 14.7 |
| コロンビア | 811 | 688 | 8.8 | イ タ リ ア | 307 | 619 | 8.2 |
| ホンジュラス | 106 | 388 | 5.0 | 日　　本 | 291 | 402 | 5.3 |
| インドネシア | 422 | 380 | 4.9 | ベ ル ギ ー | ② 116 | 340 | 4.5 |
| ド イ ツ | 94 | 344 | 4.4 | ス ペ イ ン | 176 | 310 | 4.1 |
| エチオピア | ① 64 | 304 | 3.9 | フ ラ ン ス | 313 | 228 | 3.0 |
| ウ ガ ン ダ | 141 | 301 | 3.9 | ロ シ ア | ③ 58 | 205 | 2.7 |
| ベ ル ギ ー | ② 6 | 265 | 3.4 | ス イ ス | 67 | 205 | 2.7 |
| イ ン ド | 83 | 263 | 3.4 | カ ナ ダ | 112 | 201 | 2.7 |

日本0.002（出）　①エリトリアを含む　②ルクセンブルクを含む　③ソ連

**❺ カカオ豆の生産（千t）** FAOSTAT

| 国　名 | 1990 | 2021 | % |
|---|---|---|---|
| 世　　界 | 2,532 | 5,580 | 100 |
| コートジボワール | 808 | 2,200 | 39.4 |
| ガ ー ナ | 293 | 822 | 14.7 |
| インドネシア | 142 | 728 | 13.0 |
| ブラジル | 256 | 302 | 5.4 |
| エクアドル | 97 | 302 | 5.4 |
| カメルーン | 115 | 290 | 5.2 |
| ナイジェリア | 244 | 280 | 5.0 |
| ペ ル ー | 15 | 160 | 2.9 |
| ドミニカ共和国 | 43 | 71 | 1.3 |
| コロンビア | 56 | 65 | 1.2 |

**❻ カカオ豆の輸出入（千t）** FAOSTAT

| 輸出国 | 1990 | 2021 | % | 輸入国 | 1990 | 2021 | % |
|---|---|---|---|---|---|---|---|
| 世　　界 | 1,896 | 4,187 | 100 | 世　　界 | 1,766 | 4,064 | 100 |
| コートジボワール | 676 | 1,681 | 40.2 | オ ラ ン ダ | 314 | 847 | 20.8 |
| ガ ー ナ | 249 | 586 | 14.0 | マ レ ー シ ア | 0.1 | 479 | 11.8 |
| ナイジェリア | 148 | 345 | 8.2 | アメリカ合衆国 | 337 | 472 | 11.6 |
| エクアドル | 68 | 330 | 7.9 | ド イ ツ | 297 | 447 | 11.0 |
| カメルーン | 104 | 251 | 6.0 | ベ ル ギ ー | ① 57 | 336 | 8.3 |
| オ ラ ン ダ | 18 | 234 | 5.6 | インドネシア | 0.001 | 252 | 6.2 |
| ベ ル ギ ー | ① 1 | 215 | 5.1 | フ ラ ン ス | 67 | 161 | 4.0 |
| マ レ ー シ ア | 163 | 104 | 2.5 | カ ナ ダ | 23 | 133 | 3.3 |
| ドミニカ共和国 | 46 | 71 | 1.7 | ト ル コ | 5 | 124 | 3.1 |
| ペ ル ー | 0 | 58 | 1.4 | イ タ リ ア | 54 | 107 | 2.6 |

日本38（入）　①ルクセンブルクを含む

**❼ コプラ油の生産（千t）** FAOSTAT

| 国　名 | 1990 | 2021 | % |
|---|---|---|---|
| 世　　界 | 3,350 | 2,702 | 100 |
| フィリピン | 1,463 | 997 | 36.9 |
| インドネシア | 760 | 619 | 22.9 |
| イ　ン　ド | 288 | 366 | 13.5 |
| ベ ト ナ ム | 120 | 169 | 6.2 |
| メ キ シ コ | 126 | 132 | 4.9 |
| スリランカ | 75 | 58 | 2.2 |
| マレーシア | 32 | 54 | 2.0 |
| パプアニューギニア | 33 | 42 | 1.6 |
| タ　　イ | 43 | 29 | 1.1 |
| モザンビーク | 38 | 28 | 1.0 |

ココやしから採った油

**❽ パーム油の生産（万t）** FAOSTAT

| 国　名 | 1990 | 2021 | % |
|---|---|---|---|
| 世　　界 | 1,145 | 8,058 | 100 |
| インドネシア | 241 | 4,971 | 61.7 |
| マレーシア | 609 | 1,812 | 22.5 |
| タ　　イ | 23 | 294 | 3.6 |
| コロンビア | 25 | 175 | 2.2 |
| ナイジェリア | 73 | 135 | 1.7 |
| グアテマラ | 1 | 80 | 1.0 |
| パプアニューギニア | 15 | 77 | 0.9 |
| ホンジュラス | 8 | 65 | 0.8 |
| コートジボワール | 25 | 60 | 0.7 |
| ブラジル | 7 | 58 | 0.7 |

油やしから採った油

茶は中国～インド原産で，傾斜地に適し，中国を除く生産上位国は旧イギリス領である。コーヒー（Awの高原が適地）はエチオピア高原，カカオ豆・天然ゴム（Afの低地が適地）はアマゾンが原産地だが，主要産地は異なっている。コプラ油（ココやし）・パーム油（油やし）は熱帯で生産される。

農業

農
業

### ❶ なつめやしの生産（千t）FAOSTAT

| 国　名 | 1990 | 2021 | % |
|---|---|---|---|
| 世　　界 | 3,431 | 9,656 | 100 |
| エ ジ プ ト | 542 | 1,748 | 18.1 |
| サウジアラビア | 528 | 1,566 | 16.2 |
| イ ラ ン | 516 | 1,304 | 13.5 |
| アルジェリア | 206 | 1,189 | 12.3 |
| イ ラ ク | 545 | 750 | 7.8 |
| パ キ ス タ ン | 287 | 533 | 5.5 |
| ス ー ダ ン | ①110 | 460 | 4.8 |
| オ マ ー ン | 120 | 374 | 3.9 |
| アラブ首長国連邦 | 141 | 351 | 3.6 |
| チ ュ ニ ジ ア | 81 | 345 | 3.6 |

①南スーダンを含む　☞p.59「解説」

### ❷ 落花生の生産（万t）FAOSTAT

| 国　名 | 1990 | 2021 | % |
|---|---|---|---|
| 世　　界 | 2,309 | 5,393 | 100 |
| 中 国 | 637 | 1,831 | 33.9 |
| イ ン ド | 751 | 1,024 | 19.0 |
| ナイジェリア | 117 | 461 | 8.5 |
| アメリカ合衆国 | 163 | 290 | 5.4 |
| ス ー ダ ン | ①12 | 236 | 4.4 |
| セ ネ ガ ル | 70 | 168 | 3.1 |
| ミ ャ ン マ ー | 46 | 160 | 3.0 |
| アルゼンチン | 23 | 127 | 2.4 |
| ギ ニ ア | 8 | 91 | 1.7 |
| チ ャ ド | 11 | 80 | 1.5 |

日本1　①南スーダンを含む

### ❸ ひまわりの種子の生産（万t）FAOSTAT

| 国　名 | 1990 | 2021 | % |
|---|---|---|---|
| 世　　界 | 2,271 | 5,819 | 100 |
| ウクライナ | － | 1,639 | 28.2 |
| ロ シ ア | ①640 | 1,566 | 26.9 |
| アルゼンチン | 390 | 343 | 5.9 |
| 中 国 | 134 | 285 | 4.9 |
| ル ー マ ニ ア | 56 | 284 | 4.9 |

①ソ連　　FAOSTAT

### ❹ なたねの生産（万t）FAOSTAT

| 国　名 | 1990 | 2021 | % |
|---|---|---|---|
| 世　　界 | 2,443 | 7,133 | 100 |
| 中 国 | 696 | 1,471 | 20.6 |
| カ ナ ダ | 327 | 1,376 | 19.3 |
| イ ン ド | 413 | 1,021 | 14.3 |
| オーストラリア | 10 | 476 | 6.7 |
| ド イ ツ | 209 | 350 | 4.9 |

日本0.3

### ❺ オリーブの生産（千t）FAOSTAT

| 国　名 | 1990 | 2021 | % |
|---|---|---|---|
| 世　　界 | 9,024 | 23,054 | 100 |
| ス ペ イ ン | 3,369 | 8,257 | 35.8 |
| イ タ リ ア | 913 | 2,271 | 9.8 |
| ト ル コ | 1,100 | 1,739 | 7.5 |
| モ ロ ッ コ | 396 | 1,591 | 6.9 |
| ポ ル ト ガ ル | 198 | 1,376 | 6.0 |
| エ ジ プ ト | 42 | 976 | 4.2 |
| アルジェリア | 178 | 705 | 3.1 |
| チ ュ ニ ジ ア | 825 | 700 | 3.0 |
| シ リ ア | 461 | 566 | 2.5 |
| サウジアラビア | － | 382 | 1.7 |

☞p.59「解説」

### ❻ レモン・ライムの生産（千t）

| 国　名 | 1990 | 2021 | % |
|---|---|---|---|
| 世　　界 | 7,251 | 20,829 | 100 |
| イ ン ド | 752 | 3,548 | 17.0 |
| メ キ シ コ | 696 | 2,984 | 14.3 |
| 中 国 | 110 | 2,572 | 12.3 |
| ト ル コ | 357 | 1,550 | 7.4 |
| ブ ラ ジ ル | 312 | 1,500 | 7.2 |
| アルゼンチン | 534 | 1,378 | 6.6 |
| ス ペ イ ン | 630 | 1,017 | 4.9 |
| アメリカ合衆国 | 706 | 802 | 3.9 |
| 南アフリカ共和国 | 64 | 656 | 3.2 |
| イ ラ ン | 394 | 479 | 2.3 |

日本8　☞p.59「解説」　FAOSTAT

### ❼ ごまの生産（千t）FAOSTAT

| 国　名 | 1990 | 2021 | % |
|---|---|---|---|
| 世　　界 | 2,379 | 6,354 | 100 |
| ス ー ダ ン | ①80 | 1,119 | 17.6 |
| イ ン ド | 835 | 817 | 12.9 |
| タ ン ザ ニ ア | 29 | 700 | 11.0 |
| ミ ャ ン マ ー | 207 | 642 | 10.1 |
| 中 国 | 469 | 455 | 7.2 |

日本0.01　①南スーダンを含む

### ❽ オレンジ類の生産（万t）FAOSTAT

| 国　名 | 1990 | 2021 | % |
|---|---|---|---|
| 世　　界 | 6,225 | 11,752 | 100 |
| 中 国 | 442 | 3,255 | 27.7 |
| ブ ラ ジ ル | 1,818 | 1,730 | 14.7 |
| イ ン ド | 201 | 1,027 | 8.7 |
| ス ペ イ ン | 418 | 561 | 4.8 |
| アメリカ合衆国 | 735 | 507 | 4.3 |
| メ キ シ コ | 230 | 505 | 4.3 |
| エ ジ プ ト | 183 | 399 | 3.4 |
| ト ル コ | 108 | 356 | 3.0 |
| イ ラ ン | 183 | 267 | 2.3 |
| イ タ リ ア | 215 | 260 | 2.2 |

日本74　☞p.59「解説」

### ❾ オレンジ類の輸出入（万t）FAOSTAT

| 輸出国 | 1990 | 2021 | % | 輸入国 | 1990 | 2021 | % |
|---|---|---|---|---|---|---|---|
| 世　界 | 568 | 1,317 | 100 | 世　界 | 585 | 1,285 | 100 |
| ス ペ イ ン | 199 | 278 | 21.1 | ロ シ ア | ①29 | 137 | 10.7 |
| 南アフリカ共和国 | 31 | 180 | 13.7 | ド イ ツ | 110 | 89 | 6.9 |
| エ ジ プ ト | 14 | 146 | 11.1 | オ ラ ン ダ | 52 | 85 | 6.6 |
| ト ル コ | 20 | 118 | 9.0 | フ ラ ン ス | 92 | 82 | 6.4 |
| 中 国 | 7 | 77 | 5.8 | アメリカ合衆国 | 3 | 62 | 4.8 |
| モ ロ ッ コ | 47 | 59 | 4.4 | イ ギ リ ス | 53 | 53 | 4.1 |
| アメリカ合衆国 | 54 | 53 | 4.0 | サウジアラビア | 25 | 53 | 4.1 |
| オ ラ ン ダ | 13 | 50 | 3.8 | カ ナ ダ | 28 | 35 | 2.6 |
| ギ リ シ ャ | 26 | 46 | 3.5 | アラブ首長国連邦 | 13 | 34 | 2.6 |
| パ キ ス タ ン | 2 | 40 | 3.1 | ポ ー ラ ン ド | 3 | 33 | 2.6 |

日本0.2(出)　10(入)　①ソ連

### ❿ ぶどうの生産（万t）FAOSTAT

| 国　名 | 1990 | 2021 | % |
|---|---|---|---|
| 世　　界 | 5,975 | 7,352 | 100 |
| 中 国 | 86 | 1,120 | 15.2 |
| イ タ リ ア | 844 | 815 | 11.1 |
| ス ペ イ ン | 647 | 609 | 8.3 |
| アメリカ合衆国 | 514 | 549 | 7.5 |
| フ ラ ン ス | 821 | 507 | 6.9 |
| ト ル コ | 350 | 367 | 5.0 |
| イ ン ド | 41 | 336 | 4.6 |
| チ リ | 117 | 258 | 3.5 |
| アルゼンチン | 234 | 224 | 3.0 |
| 南アフリカ共和国 | 132 | 200 | 2.7 |

日本17　☞p.90②③, p.59「解説」

### ⓫ ぶどうの輸出入（万t）FAOSTAT

| 輸出国 | 1990 | 2021 | % | 輸入国 | 1990 | 2021 | % |
|---|---|---|---|---|---|---|---|
| 世　界 | 163 | 513 | 100 | 世　界 | 162 | 504 | 100 |
| チ リ | 47 | 54 | 10.6 | アメリカ合衆国 | 37 | 66 | 13.0 |
| ペ ル ー | 0.2 | 49 | 9.6 | オ ラ ン ダ | 8 | 46 | 9.1 |
| イ タ リ ア | 41 | 46 | 9.0 | ロ シ ア | ①0.01 | 40 | 7.9 |
| オ ラ ン ダ | 4 | 38 | 7.4 | ド イ ツ | 34 | 33 | 6.6 |
| 南アフリカ共和国 | 5 | 37 | 7.2 | イ ギ リ ス | 12 | 27 | 5.3 |
| 中 国 | 0.05 | 35 | 6.8 | 中 国 | 0.001 | 19 | 3.9 |
| アメリカ合衆国 | 25 | 31 | 6.1 | （ホンコン） | 3 | 19 | 3.9 |
| イ ン ド | 1 | 27 | 5.2 | カ ナ ダ | 18 | 18 | 3.7 |
| ト ル コ | 2 | 26 | 5.2 | パ キ ス タ ン | 0.4 | 15 | 3.0 |
| ス ペ イ ン | 9 | 20 | 3.9 | フ ラ ン ス | 13 | 13 | 2.7 |

日本0.2(出)　4(入)　①ソ連　☞p.90②③

## ❶ バナナの生産（万t）

| 国　名 | 1990 | 2021 | % |
|---|---|---|---|
| 世　界 | 4,994 | 12,498 | 100 |
| イ ン ド | 715 | 3,306 | 26.5 |
| 中　　国 | 146 | 1,172 | 9.4 |
| インドネシア | 241 | 874 | 7.0 |
| ブ ラ ジ ル | 573 | 681 | 5.5 |
| エクアドル | 305 | 668 | 5.3 |
| フィリピン | 354 | 594 | 4.8 |
| ア ン ゴ ラ | 27 | 435 | 3.5 |
| グアテマラ | 45 | 427 | 3.4 |
| タンザニア | 16 | 359 | 2.9 |
| コスタリカ | 174 | 256 | 2.0 |

FAOSTAT

## ❷ バナナの輸出入（万t）

| 輸出国 | 1990 | 2021 | % |
|---|---|---|---|
| 世　　界 | 903 | 2,458 | 100 |
| エクアドル | 216 | 681 | 27.7 |
| グアテマラ | 36 | 249 | 10.1 |
| フィリピン | 84 | 243 | 9.9 |
| コスタリカ | 143 | 231 | 9.4 |
| コロンビア | 115 | 210 | 8.6 |
| オ ラ ン ダ | 4 | 91 | 3.7 |
| ベ ル ギ ー | ①1 | 84 | 3.4 |
| アメリカ合衆国 | 34 | 58 | 2.4 |
| パ ナ マ | 75 | 58 | 2.4 |
| メ キ シ コ | 15 | 49 | 2.0 |

| 輸入国 | 1990 | 2021 | % |
|---|---|---|---|
| 世　　界 | 888 | 2,334 | 100 |
| アメリカ合衆国 | 310 | 464 | 19.9 |
| 中　　国 | 1 | 186 | 8.0 |
| ロ シ ア | ②7 | 146 | 6.3 |
| オ ラ ン ダ | 14 | 144 | 6.1 |
| ド イ ツ | 123 | 141 | 6.1 |
| 日　　本 | 76 | 111 | 4.8 |
| ベ ル ギ ー | ①18 | 108 | 4.6 |
| イ ギ リ ス | 47 | 92 | 3.9 |
| イ タ リ ア | 43 | 78 | 3.3 |
| フ ラ ン ス | 50 | 75 | 3.2 |

①ルクセンブルクを含む　②ソ連　FAOSTAT

## ❸ グレープフルーツの生産（千t）

| 国　名 | 1990 | 2021 | % |
|---|---|---|---|
| 世　界 | 4,149 | 9,557 | 100 |
| 中　国 | 85 | 5,200 | 54.4 |
| ベトナム | 80 | 1,035 | 10.8 |
| メキシコ | 107 | 453 | 4.7 |
| アメリカ合衆国 | 1,794 | 386 | 4.0 |
| 南アフリカ共和国 | 101 | 353 | 3.7 |
| ス ー ダ ン | ①45 | 278 | 2.9 |
| タ イ | 25 | 267 | 2.8 |
| ト ル コ | 33 | 249 | 2.6 |
| イスラエル | 404 | 129 | 1.3 |
| アルゼンチン | 167 | 116 | 1.2 |

①南スーダンを含む　FAOSTAT

## ❹ りんごの生産（万t）

| 国　名 | 1990 | 2021 | % |
|---|---|---|---|
| 世　界 | 4,105 | 9,314 | 100 |
| 中　国 | 432 | 4,598 | 49.4 |
| ト ル コ | 190 | 449 | 4.8 |
| アメリカ合衆国 | 438 | 447 | 4.8 |
| ポーランド | 81 | 407 | 4.4 |
| イ ン ド | 109 | 228 | 2.4 |
| イ ラ ン | 152 | 224 | 2.4 |
| ロ シ ア | ①603 | 222 | 2.4 |
| イ タ リ ア | 205 | 221 | 2.4 |
| フ ラ ン ス | 233 | 163 | 1.8 |
| チ リ | 70 | 156 | 1.7 |

日本73　①ソ連　FAOSTAT

## ❺ なしの生産（千t）

| 国　名 | 1990 | 2021 | % |
|---|---|---|---|
| 世　界 | 9,597 | 25,659 | 100 |
| 中　国 | 2,354 | 18,876 | 73.6 |
| アメリカ合衆国 | 874 | 636 | 2.5 |
| アルゼンチン | 236 | 634 | 2.5 |
| ト ル コ | 413 | 530 | 2.1 |
| 南アフリカ共和国 | 195 | 460 | 1.8 |

日本206　FAOSTAT

## ❻ キャベツ類の生産（万t）

| 国　名 | 1990 | 2021 | % |
|---|---|---|---|
| 世　界 | 3,935 | 7,171 | 100 |
| 中　国 | 779 | 3,448 | 48.1 |
| イ ン ド | 237 | 956 | 13.3 |
| 韓　国 | 352 | 247 | 3.4 |
| ロ シ ア | ①864 | 235 | 3.3 |
| ウクライナ | — | 172 | 2.4 |

日本140　①ソ連　FAOSTAT

## ❼ パイナップルの生産（万t）

| 国　名 | 1990 | 2021 | % |
|---|---|---|---|
| 世　界 | 1,184 | 2,865 | 100 |
| コスタリカ | 42 | 294 | 10.3 |
| インドネシア | 39 | 289 | 10.1 |
| フィリピン | 142 | 286 | 10.0 |
| ブ ラ ジ ル | 110 | 232 | 8.1 |
| 中　国 | 46 | 190 | 6.6 |
| タ イ | 187 | 180 | 6.3 |
| イ ン ド | 88 | 180 | 6.3 |
| ナイジェリア | 76 | 154 | 5.4 |
| メ キ シ コ | 45 | 127 | 4.4 |
| コロンビア | 34 | 93 | 3.2 |

日本0.7　FAOSTAT

## ❽ トマトの生産（万t）

| 国　名 | 1990 | 2021 | % |
|---|---|---|---|
| 世　界 | 7,631 | 18,913 | 100 |
| 中　国 | 750 | 6,754 | 35.7 |
| イ ン ド | 460 | 2,118 | 11.2 |
| ト ル コ | 600 | 1,310 | 6.9 |
| アメリカ合衆国 | 1,093 | 1,048 | 5.5 |
| イ タ リ ア | 547 | 664 | 3.5 |
| エ ジ プ ト | 423 | 625 | 3.3 |
| ス ペ イ ン | 316 | 475 | 2.5 |
| メ キ シ コ | 216 | 415 | 2.2 |
| ブ ラ ジ ル | 226 | 368 | 1.9 |
| ナイジェリア | 38 | 358 | 1.9 |

日本71

## ❾ サイザル麻の生産（千t）

| 国　名 | 1990 | 2021 | % |
|---|---|---|---|
| 世　界 | 380 | 220 | 100 |
| ブ ラ ジ ル | 185 | 98 | 44.7 |
| タンザニア | 34 | 36 | 16.4 |
| ケ ニ ア | 40 | 23 | 10.3 |
| マダガスカル | 20 | 18 | 8.0 |
| 中　国 | 30 | 14 | 6.4 |

ロープや敷物に加工される　FAOSTAT

## ❿ 亜麻の生産（千t）　FAOSTAT

| 国　名 | 1990 | 2021 | % |
|---|---|---|---|
| 世　界 | 688 | 897 | 100 |
| フ ラ ン ス | 77 | 678 | 75.7 |
| ベ ル ギ ー | ①12 | 87 | 9.7 |
| ベラルーシ | — | 36 | 4.0 |
| 中　国 | 242 | 27 | 3.0 |
| ロ シ ア | ②245 | 26 | 2.9 |

①ルクセンブルクを含む　②ソ連
衣類などリネン製品に加工される

p.58：西アジア・北アフリカのオアシスにおいては，灌漑農業が行われており，ドライフルーツにして食されるなつめやし（デーツ）の栽培がさかん。オリーブ，レモン，オレンジ類，ぶどうは地中海性気候に適し，オリーブの生産は地中海周辺に集中している。ぶどうは，ほとんどがワインに利用される。また近年，中国において広大な農地を活用したぶどうの生産が増加している。
p.59：バナナは熱帯では いも類と並ぶ重要な食料で，生産はインドや中国で多いが，輸出は多国籍企業のプランテーションが多い中南米諸国とフィリピンが中心である。

農
業

## ❶ ジュートの生産（千t）FAOSTAT

| 国　名 | 1990 | 2021 | % |
|---|---|---|---|
| 世　界 | 2,779 | 3,458 | 100 |
| インド | 1,425 | 1,720 | 49.7 |
| バングラデシュ | 842 | 1,682 | 48.6 |
| ウズベキスタン | — | 19 | 0.6 |
| 中　国 | 400 | 16 | 0.5 |
| ネパール | 16 | 10 | 0.3 |

## ❷ 生糸（上繭）の生産（t）

| 国　名 | 1990 | 2021 | % |
|---|---|---|---|
| 世　界 | 364,220 | 435,471 | 100 |
| インド | 78,000 | 225,203 | 51.7 |
| 中　国 | 158,000 | 157,000 | 36.1 |
| ウズベキスタン | — | 22,770 | 5.2 |
| ベトナム | 3,335 | 16,457 | 3.8 |
| タ　イ | 5,000 | 3,700 | 0.8 |

日本69
FAOSTAT

## ❸ 生糸の輸出入（t）FAOSTAT

| | 国　名 | 1990 | 2021 | % |
|---|---|---|---|---|
| | 世　界 | 14,890 | 5,003 | 100 |
| 輸 | 中　国 | 8,594 | 1,863 | 37.2 |
| | ベトナム | 40 | 1,360 | 27.2 |
| | ウズベキスタン | — | 461 | 9.2 |
| 出 | イタリア | 28 | 438 | 8.8 |
| | 北朝鮮 | 440 | 266 | 5.3 |
| | 世　界 | 14,635 | 5,413 | 100 |
| 輸 | インド | 1,598 | 2,031 | 37.5 |
| | ルーマニア | — | 625 | 11.5 |
| | 中　国 | 51 | 542 | 10.0 |
| 入 | イタリア | 2,914 | 520 | 9.6 |
| | ベトナム | 0 | 401 | 7.4 |

日本185(入)

> 生糸は中国が生産・輸出とも多く，綿花生産上位国では綿工業が盛ん。アメリカ合衆国の綿花生産は輸出中心で，中国は生産・輸入ともに多い。品目判定の際，綿花ではパキスタン，ジュートではバングラデシュの存在が目印となる。羊毛は南半球での生産・輸出が多く，毛織物工業は北半球で盛んである。

## ❹ 綿花の生産（万t）FAOSTAT

| 国　名 | 1990 | 2021 | % |
|---|---|---|---|
| 世　界 | 1,852 | 2,542 | 100 |
| インド | 167 | 599 | 23.6 |
| 中　国 | 451 | 573 | 22.5 |
| アメリカ合衆国 | 338 | 382 | 15.0 |
| ブラジル | 63 | 223 | 8.8 |
| パキスタン | 164 | 142 | 5.6 |
| トルコ | 65 | 83 | 3.3 |
| ウズベキスタン | — | 78 | 3.1 |
| オーストラリア | 31 | 57 | 2.2 |
| ギリシャ | 22 | 53 | 2.1 |
| アルゼンチン | 30 | 34 | 1.3 |

## ❺ 綿花の輸出入（万t）FAOSTAT

| 輸出の国 | 1990 | 2021 | % | 輸入国 | 1990 | 2021 | % |
|---|---|---|---|---|---|---|---|
| 世　界 | 512 | 948 | 100 | 世　界 | 510 | 923 | 100 |
| アメリカ合衆国 | 170 | 298 | 31.4 | 中　国 | 42 | 214 | 23.2 |
| ブラジル | 11 | 202 | 21.3 | ベトナム | 3 | 147 | 15.9 |
| インド | 34 | 129 | 13.6 | バングラデシュ | 11 | 143 | 15.5 |
| オーストラリア | 30 | 72 | 7.6 | トルコ | 8 | 119 | 12.9 |
| ギリシャ | 7 | 38 | 4.0 | パキスタン | 0.4 | 90 | 9.8 |
| ベナン | 4 | 36 | 3.8 | インドネシア | 33 | 56 | 6.1 |
| ブルキナファソ | 6 | 26 | 2.7 | インド | 0.02 | 19 | 2.1 |
| トルコ | 10 | 14 | 1.4 | エジプト | 6 | 17 | 1.9 |
| コートジボワール | 9 | 14 | 1.4 | エチオピア | — | 16 | 1.7 |
| アゼルバイジャン | — | 12 | 1.3 | 韓　国 | 43 | 13 | 1.4 |

日本0.02(出)　4(入)

## ❻ 羊毛（脂付）*の生産（千t）FAOSTAT

| 国　名 | 1990 | 2021 | % |
|---|---|---|---|
| 世　界 | 3,350 | 1,763 | 100 |
| 中　国 | 239 | 356 | 20.2 |
| オーストラリア | 1,102 | 349 | 19.8 |
| ニュージーランド | 309 | 126 | 7.1 |
| トルコ | 61 | 86 | 4.9 |
| イギリス | 74 | 70 | 4.0 |
| モロッコ | 35 | 63 | 3.6 |
| イラン | 45 | 53 | 3.0 |
| ロシア | ①474 | 48 | 2.7 |
| パキスタン | 47 | 43 | 2.5 |
| 南アフリカ共和国 | 97 | 42 | 2.4 |

*羊から刈り取った原毛　①ソ連
☞p.90「解説」
FAOSTAT

## ❼ 羊毛の輸出入（2021年，千t）FAOSTAT

| 輸出国 | 洗上羊毛 | 脂付羊毛 | %* | 輸入国 | 洗上羊毛 | 脂付羊毛 | %* |
|---|---|---|---|---|---|---|---|
| 世　界 | 231 | 551 | 100 | 世　界 | 192 | 419 | 100 |
| オーストラリア | 14 | 312 | 56.5 | 中　国 | 42 | 244 | 58.3 |
| ニュージーランド | 116 | 54 | 9.7 | インド | 52 | 52 | 12.4 |
| 南アフリカ共和国 | 0.2 | 52 | 9.4 | チェコ | 0.1 | 30 | 7.2 |
| スペイン | 2 | 10 | 1.8 | イギリス | 17 | 19 | 4.5 |
| ルーマニア | 0.03 | 10 | 1.8 | イタリア | 12 | 12 | 3.0 |
| ウルグアイ | 4 | 8 | 1.5 | ウルグアイ | — | 12 | 2.9 |
| レソト | 0.01 | 8 | 1.5 | トルコ | 2 | 10 | 2.3 |
| シリア | 9 | 7 | 1.2 | ブルガリア | 0.1 | 7 | 1.7 |
| アルゼンチン | 0.05 | 7 | 1.2 | 南アフリカ共和国 | 0.1 | 6 | 1.5 |
| チュニジア | 1 | 6 | 1.1 | ベルギー | 3 | 6 | 1.4 |

日本3(洗・入)　0.002(脂・入)　*脂付の割合

## ❽ 天然ゴムの生産（千t）FAOSTAT

| 国　名 | 1990 | 2021 | % |
|---|---|---|---|
| 世　界 | 5,225 | 14,022 | 100 |
| タ　イ | 1,418 | 4,644 | 33.1 |
| インドネシア | 1,275 | 3,121 | 22.3 |
| ベトナム | 58 | 1,272 | 9.1 |
| 中　国 | 264 | 749 | 5.3 |
| インド | 297 | 749 | 5.3 |
| コートジボワール | 74 | 730 | 5.2 |
| マレーシア | 1,292 | 470 | 3.3 |
| フィリピン | 61 | 431 | 3.1 |
| カンボジア | 32 | 374 | 2.7 |
| ミャンマー | 15 | 260 | 1.9 |

東南アジアで世界の75％以上を生産する。
☞p.57「解説」

## ❾ 天然ゴム*の輸出入（千t）FAOSTAT

| 輸出国 | 1990 | 2021 | % | 輸入国 | 1990 | 2021 | % |
|---|---|---|---|---|---|---|---|
| 世　界 | 4,055 | 10,512 | 100 | 世　界 | 4,271 | 9,936 | 100 |
| タ　イ | 1,133 | 3,417 | 32.5 | 中　国 | 340 | 2,385 | 24.0 |
| インドネシア | 1,077 | 2,335 | 22.2 | マレーシア | 136 | 1,207 | 12.2 |
| コートジボワール | 68 | 1,323 | 12.6 | アメリカ合衆国 | 837 | 1,001 | 10.1 |
| ベトナム | 76 | 697 | 6.6 | 日　本 | 663 | 698 | 7.0 |
| マレーシア | 1,322 | 653 | 6.2 | インド | 52 | 525 | 5.3 |
| ラオス | — | 293 | 2.8 | ベトナム | — | 398 | 4.0 |
| カンボジア | 24 | 256 | 2.4 | 韓　国 | 254 | 349 | 3.5 |
| フィリピン | 18 | 203 | 1.9 | ドイツ | 236 | 279 | 2.8 |
| ベルギー | ①1 | 187 | 1.8 | トルコ | 47 | 274 | 2.8 |
| ミャンマー | 1 | 154 | 1.5 | ブラジル | 92 | 234 | 2.4 |

日本0.3(出)　*乾燥天然ゴムなどを含む　①ルクセンブルクを含む

### ❶ 羊の頭数（万頭） FAOSTAT

| 国　名 | 1990 | 2021 | % |
|---|---|---|---|
| 世　界 | 120,552 | 128,485 | 100 |
| 中　国 | 11,124 | 18,638 | 14.5 |
| イ ン ド | 4,870 | 7,429 | 5.8 |
| オーストラリア | 17,030 | 6,805 | 5.3 |
| ナイジェリア | 1,246 | 4,864 | 3.8 |
| イ ラ ン | 4,458 | 4,527 | 3.5 |
| ト ル コ | 4,365 | 4,518 | 3.5 |
| チ ャ ド | 193 | 4,177 | 3.3 |
| ス ー ダ ン | ①2,070 | 4,101 | 3.2 |
| エチオピア | ②2,296 | 3,861 | 3.0 |
| イギリス | 4,383 | 3,296 | 2.6 |

日本2　①南スーダンを含む　②エリトリアを含む

### ❷ 羊肉の生産（万t） FAOSTAT

| 国　名 | 1990 | 2021 | % |
|---|---|---|---|
| 世　界 | 703 | 996 | 100 |
| 中　国 | 55 | 262 | 26.3 |
| オーストラリア | 63 | 66 | 6.6 |
| ニュージーランド | 53 | 45 | 4.6 |
| ト ル コ | 30 | 39 | 3.9 |
| アルジェリア | 13 | 34 | 3.4 |
| イ ン ド | 18 | 28 | 2.8 |
| ス ー ダ ン | ①7 | 27 | 2.7 |
| イギリス | 37 | 27 | 2.7 |
| パキスタン | 19 | 25 | 2.5 |
| イ ラ ン | 24 | 24 | 2.4 |

日本0.02　①南スーダンを含む

### ❸ ヤギの頭数（万頭） FAOSTAT

| 国　名 | 1990 | 2021 | % |
|---|---|---|---|
| 世　界 | 58,882 | 111,128 | 100 |
| イ ン ド | 11,320 | 14,875 | 13.4 |
| 中　国 | 9,617 | 13,332 | 12.0 |
| パキスタン | 3,545 | 8,033 | 7.2 |
| ナイジェリア | 2,332 | 7,629 | 6.9 |
| バングラデシュ | 2,103 | 5,995 | 5.4 |
| エチオピア | ①1,720 | 4,731 | 4.3 |
| チ ャ ド | 284 | 4,374 | 3.9 |
| ケ ニ ア | 1,019 | 3,257 | 2.9 |
| ス ー ダ ン | ②1,528 | 3,242 | 2.9 |
| マ リ | 609 | 2,920 | 2.6 |

日本2　①エリトリアを含む　②南スーダンを含む

### ❹ 牛の頭数（万頭） FAOSTAT

| 国　名 | 1990 | 2021 | % |
|---|---|---|---|
| 世　界 | 129,661 | 152,930 | 100 |
| ブラジル | 14,710 | 22,460 | 14.7 |
| イ ン ド | 20,250 | 19,317 | 12.6 |
| アメリカ合衆国 | 9,582 | 9,379 | 6.1 |
| エチオピア | ①3,000 | 6,572 | 4.3 |
| 中　国 | 7,777 | 6,036 | 3.9 |
| アルゼンチン | 5,285 | 5,342 | 3.5 |
| パキスタン | 1,768 | 5,150 | 3.4 |
| メキシコ | 3,205 | 3,600 | 2.4 |
| チ ャ ド | 430 | 3,329 | 2.2 |
| ス ー ダ ン | ②2,103 | 3,203 | 2.1 |

日本396　①エリトリアを含む　②南スーダンを含む　ヒンドゥー教徒が多数を占めるインドでは，乳牛・役牛が中心。

### ❺ 豚の頭数（万頭） FAOSTAT

| 国　名 | 1990 | 2021 | % |
|---|---|---|---|
| 世　界 | 84,932 | 97,541 | 100 |
| 中　国 | 34,575 | 44,922 | 46.1 |
| アメリカ合衆国 | 5,379 | 7,415 | 7.6 |
| ブラジル | 3,362 | 4,254 | 4.4 |
| スペイン | 1,691 | 3,445 | 3.5 |
| ロ シ ア | ①7,896 | 2,585 | 2.7 |
| ド イ ツ | 3,418 | 2,376 | 2.4 |
| ベトナム | 1,226 | 2,353 | 2.4 |
| メキシコ | 1,520 | 1,893 | 1.9 |
| カ ナ ダ | 1,039 | 1,403 | 1.4 |
| デンマーク | 928 | 1,315 | 1.3 |

日本929　①ソ連

### ❻ 馬の頭数（万頭） FAOSTAT

| 国　名 | 1990 | 2021 | % |
|---|---|---|---|
| 世　界 | 6,100 | 6,019 | 100 |
| アメリカ合衆国 | 507 | 1,067 | 17.7 |
| メキシコ | 617 | 640 | 10.6 |
| ブラジル | 612 | 578 | 9.6 |
| モンゴル | 220 | 432 | 7.2 |
| 中　国 | 1,029 | 372 | 6.2 |
| カザフスタン | － | 349 | 5.8 |
| アルゼンチン | 340 | 246 | 4.1 |
| エチオピア | ①265 | 219 | 3.6 |
| コロンビア | 198 | 160 | 2.7 |
| チ ャ ド | 20 | 138 | 2.3 |

日本1　①エリトリアを含む

### ❼ 牛肉の生産（万t） FAOSTAT

| 国　名 | 1990 | 2021 | % |
|---|---|---|---|
| 世　界 | 5,303 | 7,245 | 100 |
| アメリカ合衆国 | 1,047 | 1,273 | 17.6 |
| ブラジル | 412 | 975 | 13.5 |
| 中　国 | 108 | 698 | 9.6 |
| イ ン ド | 104 | 420 | 5.8 |
| アルゼンチン | 301 | 298 | 4.1 |
| メキシコ | 111 | 213 | 2.9 |
| オーストラリア | 168 | 193 | 2.7 |
| ロ シ ア | ①881 | 167 | 2.3 |
| ト ル コ | 36 | 146 | 2.0 |
| フランス | 191 | 142 | 2.0 |

日本48　①ソ連

### ❽ 牛肉の輸出入（万t） FAOSTAT

| 輸出国 | 1990 | 2021 | % | 輸入国 | 1990 | 2021 | % |
|---|---|---|---|---|---|---|---|
| 世　界 | 432 | 968 | 100 | 世　界 | 445 | 980 | 100 |
| ブラジル | 5 | 156 | 16.1 | 中　国 | 0.04 | 233 | 23.8 |
| アメリカ合衆国 | 34 | 111 | 11.4 | アメリカ合衆国 | 70 | 106 | 10.8 |
| オーストラリア | 67 | 97 | 10.1 | 日　本 | 38 | 58 | 6.0 |
| ニュージーランド | 24 | 79 | 8.2 | 韓　国 | 11 | 47 | 4.8 |
| アルゼンチン | 16 | 56 | 5.8 | オランダ | 7 | 37 | 3.8 |
| オランダ | 31 | 46 | 4.8 | ド イ ツ | 25 | 33 | 3.4 |
| カ ナ ダ | 8 | 44 | 4.6 | チ リ | 0.2 | 32 | 3.3 |
| ウルグアイ | 13 | 41 | 4.3 | イタリア | 45 | 30 | 3.1 |
| ポーランド | 4 | 37 | 3.8 | （ホンコン） | 4 | 26 | 2.7 |
| アイルランド | 28 | 35 | 3.6 | イギリス | 14 | 25 | 2.6 |

日本0.8(出)

### ❾ 豚肉の生産（万t） FAOSTAT

| 国　名 | 1990 | 2021 | % |
|---|---|---|---|
| 世　界 | 6,970 | 12,037 | 100 |
| 中　国 | 2,235 | 5,296 | 44.0 |
| アメリカ合衆国 | 696 | 1,256 | 10.4 |
| スペイン | 179 | 518 | 4.3 |
| ド イ ツ | 446 | 497 | 4.1 |
| ブラジル | 105 | 437 | 3.6 |
| ロ シ ア | ①665 | 430 | 3.6 |
| ベトナム | 73 | 259 | 2.2 |
| カ ナ ダ | 112 | 240 | 2.0 |
| フランス | 173 | 220 | 1.8 |
| ポーランド | 185 | 199 | 1.6 |

日本132　①ソ連

### ❿ 豚肉の輸出入（万t） FAOSTAT

| 輸出国 | 1990 | 2021 | % | 輸入国 | 1990 | 2021 | % |
|---|---|---|---|---|---|---|---|
| 世　界 | 283 | 1,392 | 100 | 世　界 | 277 | 1,397 | 100 |
| スペイン | 1 | 221 | 15.9 | 中　国 | 0.0001 | 357 | 25.6 |
| アメリカ合衆国 | 7 | 219 | 15.7 | メキシコ | 3 | 103 | 7.4 |
| ド イ ツ | 22 | 170 | 12.2 | イタリア | 50 | 98 | 7.0 |
| デンマーク | 47 | 119 | 8.6 | 日　本 | 34 | 90 | 6.5 |
| カ ナ ダ | 22 | 114 | 8.2 | ド イ ツ | 55 | 75 | 5.3 |
| オランダ | 77 | 109 | 7.8 | ポーランド | 2 | 71 | 5.1 |
| ブラジル | 1 | 101 | 7.3 | 韓　国 | 0.2 | 43 | 3.1 |
| ベルギー | ①28 | 73 | 5.2 | アメリカ合衆国 | 23 | 43 | 3.0 |
| フランス | 13 | 49 | 3.5 | イギリス | 8 | 34 | 2.4 |
| ポーランド | 1 | 41 | 3.0 | ルーマニア | 6 | 23 | 2.3 |

日本0.2(出)　①ルクセンブルクを含む

農業

## ❶ 鶏肉の生産（万 t）　FAOSTAT

| 国　名 | 1990 | 2021 | % |
|---|---|---|---|
| 世　　界 | 3,542 | 12,159 | 100 |
| アメリカ合衆国 | 867 | 2,065 | 17.0 |
| 中　　国 | 220 | 1,470 | 12.1 |
| ブラジル | 236 | 1,464 | 12.0 |
| ロ シ ア | ①328 | 462 | 3.8 |
| インドネシア | 50 | 384 | 3.2 |
| イ ン ド | 36 | 367 | 3.0 |
| メ キ シ コ | 75 | 367 | 3.0 |
| 日　　本 | 139 | 244 | 2.0 |
| アルゼンチン | 32 | 229 | 1.9 |
| ト ル コ | 40 | 225 | 1.8 |

①ソ連

## ❷ 鶏肉の輸出入（万 t）　FAOSTAT

| 輸出国 | 1990 | 2021 | % | 輸入国 | 1990 | 2021 | % |
|---|---|---|---|---|---|---|---|
| 世　　界 | 220 | 1,489 | 100 | 世　　界 | 214 | 1,448 | 100 |
| ブラジル | 29 | 420 | 28.2 | 中　　国 | 6 | 146 | 10.1 |
| アメリカ合衆国 | 53 | 362 | 24.3 | メ キ シ コ | 4 | 102 | 7.1 |
| オ ラ ン ダ | 25 | 107 | 7.2 | アラブ首長国連邦 | 6 | 84 | 5.8 |
| ポーランド | 2 | 93 | 6.3 | サウジアラビア | 21 | 60 | 4.1 |
| ト ル コ | 0.1 | 59 | 4.0 | 日　　本 | 29 | 60 | 4.1 |
| ベルギー | ①7 | 47 | 3.2 | オ ラ ン ダ | 4 | 53 | 3.7 |
| ウクライナ | — | 46 | 3.1 | ド イ ツ | 21 | 48 | 3.3 |
| タ イ | 14 | 38 | 2.6 | フ ラ ン ス | 4 | 44 | 3.0 |
| イ ギ リ ス | 3 | 31 | 2.1 | フィリピン | 0.02 | 36 | 2.5 |
| ド イ ツ | 2 | 27 | 1.8 | ガ ー ナ | 1 | 36 | 2.5 |

日本1（出）　①ルクセンブルクを含む

## ❸ バター*の生産（千 t）　FAOSTAT

| 国　名 | 1990 | 2021 | % |
|---|---|---|---|
| 世　　界 | 7,835 | 12,111 | 100 |
| イ ン ド | 1,038 | 4,789 | 39.5 |
| パキスタン | 311 | 1,195 | 9.9 |
| アメリカ合衆国 | 608 | 947 | 7.8 |
| ド イ ツ | 648 | 462 | 3.8 |
| ニュージーランド | 258 | 423 | 3.5 |
| フ ラ ン ス | 527 | 411 | 3.4 |
| ロ シ ア | ①1,739 | 283 | 2.3 |
| アイルランド | 148 | 276 | 2.3 |
| ポーランド | 300 | 232 | 1.9 |
| オ ラ ン ダ | 178 | 218 | 1.8 |

日本73　*ギー（乳脂肪製品）を含む　①ソ連

## ❹ バターの輸出入（千 t）　FAOSTAT

| 輸出国 | 1990 | 2021 | % | 輸入国 | 1990 | 2021 | % |
|---|---|---|---|---|---|---|---|
| 世　　界 | 1,185 | 2,052 | 100 | 世　　界 | 1,209 | 1,684 | 100 |
| ニュージーランド | 217 | 680 | 33.2 | フ ラ ン ス | 70 | 190 | 11.3 |
| アイルランド | 68 | 278 | 13.5 | ド イ ツ | 103 | 184 | 10.9 |
| オ ラ ン ダ | 196 | 275 | 13.4 | オ ラ ン ダ | 97 | 173 | 10.3 |
| ド イ ツ | 138 | 132 | 6.4 | ロ シ ア | ②299 | 118 | 7.0 |
| ベルギー | ①107 | 120 | 5.8 | 中　　国 | 5 | 97 | 5.8 |
| フ ラ ン ス | 94 | 79 | 3.8 | ベルギー | ①95 | 85 | 5.1 |
| ベラルーシ | — | 77 | 3.8 | イ ギ リ ス | 112 | 57 | 3.4 |
| デンマーク | 50 | 54 | 2.6 | サウジアラビア | 19 | 42 | 2.5 |
| イ ギ リ ス | 38 | 52 | 2.5 | アメリカ合衆国 | 2 | 40 | 2.4 |
| ポーランド | 18 | 48 | 2.3 | イ タ リ ア | 45 | 37 | 2.2 |

日本0.02（出）　12（入）　①ルクセンブルクを含む　②ソ連

## ❺ チーズの生産（千 t）　FAOSTAT

| 国　名 | 1990 | 2021 | % |
|---|---|---|---|
| 世　　界 | 14,830 | 26,128 | 100 |
| アメリカ合衆国 | 3,126 | 6,458 | 24.7 |
| ド イ ツ | 1,321 | 3,001 | 11.5 |
| フ ラ ン ス | 1,457 | 2,218 | 8.5 |
| イ タ リ ア | 917 | 1,348 | 5.2 |
| オ ラ ン ダ | 584 | 947 | 3.6 |
| ポーランド | 333 | 920 | 3.5 |
| ロ シ ア | ①2,074 | 813 | 3.1 |
| ト ル コ | 139 | 806 | 3.1 |
| エ ジ プ ト | 268 | 649 | 2.5 |
| カ ナ ダ | 286 | 601 | 2.3 |

日本161　①ソ連

## ❻ チーズの輸出入（千 t）　FAOSTAT

| 輸出国 | 1990 | 2021 | % | 輸入国 | 1990 | 2021 | % |
|---|---|---|---|---|---|---|---|
| 世　　界 | 2,014 | 7,817 | 100 | 世　　界 | 2,065 | 7,710 | 100 |
| ド イ ツ | 297 | 1,363 | 17.4 | ド イ ツ | 363 | 911 | 11.8 |
| オ ラ ン ダ | 437 | 943 | 12.1 | イ タ リ ア | 101 | 530 | 6.9 |
| フ ラ ン ス | 340 | 667 | 8.5 | フ ラ ン ス | 287 | 513 | 6.7 |
| ニュージーランド | 90 | 589 | 7.5 | ベルギー | ①142 | 412 | 5.3 |
| イ タ リ ア | 73 | 521 | 6.7 | イ ギ リ ス | 202 | 409 | 5.3 |
| アメリカ合衆国 | 13 | 407 | 5.2 | オ ラ ン ダ | 70 | 383 | 5.0 |
| デンマーク | 234 | 404 | 5.2 | ロ シ ア | ②17 | 323 | 4.2 |
| ベラルーシ | — | 298 | 3.8 | スペイン | 45 | 320 | 4.1 |
| ポーランド | 7 | 287 | 3.7 | 日　　本 | 108 | 288 | 3.7 |
| ベルギー | ①70 | 286 | 3.7 | サウジアラビア | 54 | 192 | 2.5 |

日本1（出）　①ルクセンブルクを含む　②ソ連

## ❼ 牛乳の生産（万 t）　FAOSTAT

| 国　名 | 1990 | 2021 | % |
|---|---|---|---|
| 世　　界 | 47,854 | 74,606 | 100 |
| イ ン ド | 2,224 | 10,830 | 14.5 |
| アメリカ合衆国 | 6,701 | 10,263 | 13.8 |
| 中　　国 | 416 | 3,683 | 4.9 |
| ブラジル | 1,493 | 3,636 | 4.9 |
| ド イ ツ | 3,131 | 3,251 | 4.4 |
| ロ シ ア | ①10,804 | 3,208 | 4.3 |
| フ ラ ン ス | 2,614 | 2,478 | 3.3 |
| パキスタン | 352 | 2,219 | 3.0 |
| ニュージーランド | 751 | 2,189 | 2.9 |
| ト ル コ | 796 | 2,137 | 2.9 |

日本759　①ソ連

## ❽ 鶏の羽数（百万羽）　FAOSTAT

| 国　名 | 1990 | 2021 | % |
|---|---|---|---|
| 世　　界 | 10,620 | 25,856 | 100 |
| 中　　国 | 2,000 | 5,118 | 19.8 |
| インドネシア | 571 | 3,478 | 13.5 |
| パキスタン | 79 | 1,578 | 6.1 |
| ブラジル | 546 | 1,531 | 5.9 |
| アメリカ合衆国 | 1,332 | 1,522 | 5.9 |
| イ ラ ン | 160 | 1,031 | 4.0 |
| イ ン ド | 268 | 808 | 3.1 |
| メ キ シ コ | 234 | 605 | 2.3 |
| ベ ト ナ ム | 75 | 526 | 2.0 |
| ロ シ ア | ①1,137 | 473 | 1.8 |

日本323　①ソ連

## ❾ 鶏卵の生産（千 t）　FAOSTAT

| 国　名 | 1990 | 2021 | % |
|---|---|---|---|
| 世　　界 | 35,072 | 87,117 | 100 |
| 中　　国 | 6,357 | 29,316 | 33.7 |
| イ ン ド | 1,161 | 6,710 | 7.7 |
| アメリカ合衆国 | 4,034 | 6,639 | 7.6 |
| インドネシア | 364 | 5,525 | 6.3 |
| ブラジル | 1,230 | 3,298 | 3.8 |
| メ キ シ コ | 1,010 | 3,047 | 3.5 |
| 日　　本 | 2,419 | 2,574 | 3.0 |
| ロ シ ア | ①4,582 | 2,496 | 2.9 |
| ト ル コ | 385 | 1,206 | 1.4 |
| コロンビア | 224 | 1,022 | 1.2 |

①ソ連

農

業

❶おもな国の土地利用状況(2021年)　　　　　　　　　　　　　　　　　FAOSTATほか

| 国　名 | 土地面積(10万ha) | 耕地率(%) | 牧場・牧草地率(%) | 森林率(%) | 農民1人あたり耕地(ha)① | 就農率(%)② | 国　名 | 土地面積(10万ha) | 耕地率(%) | 牧場・牧草地率(%) | 森林率(%) | 農民1人あたり耕地(ha)① | 就農率(%)② |
|---|---|---|---|---|---|---|---|---|---|---|---|---|---|
| 世　界 | 130,146 | 12.1 | 24.6 | 31.1 | 1.81 | 26.6 | 南スーダン | 632 | 3.9 | 40.8 | 11.3 | 1.10 | 62.1 |
| アジア | 31,115 | 18.9 | 34.6 | 20.1 | 1.01 | 29.3 | モザンビーク | 786 | 7.6 | 45.1 | 46.4 | 0.62 | 70.3 |
| アゼルバイジャン | 83 | 28.6 | 29.2 | 13.8 | 1.41 | 34.2 | モーリタニア | 1,031 | 0.4 | 38.1 | 0.3 | 1.62 | 29.5 |
| アフガニスタン | 652 | 12.3 | 46.4 | 1.9 | [20]2.12 | [20]46.0 | モロッコ | 446 | 20.8 | 47.1 | 12.9 | 2.45 | 34.6 |
| アラブ首長国連邦 | 71 | 1.3 | 4.2 | 4.5 | 0.86 | 1.7 | リ ビ ア | 1,760 | 1.2 | 7.6 | 0.1 | 7.04 | 16.3 |
| イエメン | 528 | 2.8 | 41.7 | 1.0 | 0.80 | 2.5 | リベリア | 96 | 7.3 | 12.7 | 78.8 | 0.77 | 40.6 |
| イスラエル | 22 | 22.2 | 7.6 | 6.5 | 14.04 | 0.9 | ル ワ ン ダ | 25 | 65.6 | 15.6 | 11.2 | 0.74 | 54.7 |
| イ ラ ク | 434 | 12.5 | 9.2 | 1.9 | 3.06 | 19.8 | ヨーロッパ | 22,130 | 13.0 | 7.8 | 46.0 | 16.48 | 5.1 |
| イ ラ ン | 1,623 | 10.8 | 18.2 | 6.6 | 4.32 | 16.3 | アイスランド | 101 | 1.2 | 17.4 | 0.5 | 14.47 | 4.0 |
| イ ン ド | 2,973 | 56.5 | 3.5 | 24.4 | 0.82 | 44.0 | アイルランド | 69 | 6.3 | 56.6 | 11.4 | 4.10 | 4.5 |
| インドネシア | 1,893 | 28.3 | 5.8 | 48.4 | 1.43 | 29.0 | アルバニア | 27 | 25.1 | 16.4 | 28.8 | 1.62 | 34.6 |
| オ マ ー ン | 310 | 0.4 | 4.4 | 0.0 | 1.34 | 4.1 | イ タ リ ア | 296 | 31.7 | 10.3 | 32.5 | 10.16 | 4.1 |
| カザフスタン | 2,700 | 11.0 | 68.2 | 1.3 | 22.24 | 15.0 | ウクライナ | 579 | 58.3 | 13.0 | 16.7 | 12.67 | 14.7 |
| カンボジア | 177 | 26.1 | 8.5 | 44.8 | 1.34 | 38.9 | オーストリア | 83 | 16.8 | 14.7 | 47.3 | 8.48 | 3.7 |
| キ プ ロ ス | 9 | 13.1 | 0.2 | 18.7 | 6.88 | 2.8 | オ ラ ン ダ | 34 | 30.9 | 22.9 | 11.0 | 4.99 | 2.3 |
| キ ル ギ ス | 192 | 7.1 | 46.9 | 7.0 | 3.41 | 16.6 | ギ リ シ ャ | 129 | 25.0 | 22.5 | 30.3 | 7.35 | 11.4 |
| サウジアラビア | 2,150 | 1.7 | 79.1 | 0.5 | 9.20 | 2.7 | イ ギ リ ス | 242 | 25.0 | 46.1 | 13.2 | 17.94 | 1.0 |
| ジョージア | 69 | 6.3 | 27.9 | 40.6 | 0.66 | 40.4 | クロアチア | 56 | 16.7 | 9.6 | 34.7 | 8.24 | 6.8 |
| シ リ ア | 184 | 31.2 | 44.6 | 2.8 | 8.13 | 12.5 | ス イ ス | 40 | 10.6 | 27.3 | 32.2 | 4.08 | 2.2 |
| シンガポール | 1 | 0.9 | 0.0 | 21.4 | 0.06 | 0.3 | スウェーデン | 407 | 6.2 | 1.1 | 68.7 | 25.46 | 2.0 |
| スリランカ | 62 | 38.3 | 7.1 | 34.1 | 1.12 | 25.7 | ス ペ イ ン | 500 | 32.3 | 19.2 | 37.2 | 20.50 | 4.1 |
| タ イ | 511 | 44.4 | 1.6 | 38.8 | 1.80 | 31.6 | スロベニア | 20 | 11.6 | 18.8 | 61.4 | 5.74 | 4.1 |
| 韓 国 | 98 | 15.9 | 0.6 | 64.3 | 1.04 | 5.3 | セルビア | 84 | 33.5 | 7.9 | 32.4 | 6.42 | 13.9 |
| 中 国 | 9,388 | 13.6 | 41.8 | 23.6 | 0.70 | 24.4 | チ ェ コ | 77 | 32.7 | 13.0 | 34.7 | 19.31 | 2.5 |
| 北 朝 鮮 | 120 | 21.1 | 0.4 | 49.9 | 0.39 | 43.5 | デンマーク | 40 | 59.6 | 5.7 | 15.7 | 40.01 | 2.0 |
| トルクメニスタン | 470 | 4.3 | 67.8 | 8.8 | 4.67 | 21.3 | ド イ ツ | 349 | 33.9 | 13.5 | 32.7 | 22.61 | 1.3 |
| ト ル コ | 770 | 30.5 | 19.0 | 29.1 | 4.67 | 17.1 | ノルウェー | 364 | 2.2 | 0.5 | 33.2 | 12.37 | 2.3 |
| 日 本 | 365 | 10.3 | 1.6 | 68.4 | 1.79 | 3.2 | ハンガリー | 91 | 47.0 | 8.3 | 22.5 | 20.67 | 4.4 |
| ネ パ ー ル | 143 | 16.2 | 12.5 | 41.6 | 0.51 | 62.3 | フィンランド | 304 | 7.4 | 0.1 | 73.7 | 21.35 | 4.1 |
| パキスタン | 771 | 40.6 | 6.5 | 4.8 | 1.16 | 37.5 | フランス | 548 | 34.6 | 17.5 | 31.7 | 25.09 | 2.5 |
| バングラデシュ | 130 | 72.7 | 4.6 | 14.5 | 0.37 | 37.1 | ブルガリア | 109 | 33.6 | 12.9 | 36.0 | 18.70 | 6.3 |
| フィリピン | 298 | 37.5 | 5.0 | 24.2 | 1.06 | 24.3 | ベルギー | 30 | 29.4 | 15.7 | 22.8 | 19.24 | 0.9 |
| ブ ー タ ン | 38 | 2.6 | 10.8 | 71.5 | 0.51 | 56.0 | ボスニア・ヘルツェゴビナ | 51 | 19.2 | 22.1 | 42.7 | 8.35 | 11.3 |
| ベトナム | 313 | 37.4 | 2.0 | 47.0 | 0.75 | 29.0 | ポーランド | 306 | 37.4 | 9.9 | 31.0 | 7.51 | 8.4 |
| マレーシア | 329 | 25.2 | 0.9 | 58.0 | 5.29 | 10.4 | ポルトガル | 92 | 20.0 | 23.3 | 36.2 | 7.38 | 5.2 |
| ミャンマー | 653 | 19.2 | 0.7 | 43.3 | [20]1.18 | [20]46.5 | モンテネグロ | 13 | 1.1 | 17.9 | 61.5 | 0.83 | 7.4 |
| モンゴル | 1,558 | 0.9 | 71.5 | 9.1 | 4.50 | 24.3 | ラトビア | 62 | 22.0 | 9.6 | 54.9 | 22.89 | 4.8 |
| ヨ ル ダ ン | 89 | 3.2 | 8.4 | 1.1 | 3.57 | 3.2 | リトアニア | 63 | 37.0 | 9.9 | 35.3 | 31.84 | 5.3 |
| ラ オ ス | 231 | 5.9 | 2.9 | 71.8 | 0.80 | 58.1 | ルーマニア | 230 | 39.1 | 17.8 | 30.1 | 6.17 | 18.6 |
| レ バ ノ ン | 10 | 27.3 | 39.1 | 14.1 | 4.51 | 3.8 | ロ シ ア | 16,377 | 7.5 | 5.6 | 49.8 | 30.09 | 5.8 |
| アフリカ | 29,922 | 9.8 | 29.0 | 21.1 | 1.28 | 48.0 | 北アメリカ | 21,013 | 11.3 | 16.8 | 35.8 | 13.12 | 6.6 |
| アルジェリア | 2,382 | 3.6 | 13.8 | 0.8 | 7.62 | 10.3 | アメリカ合衆国 | 9,147 | 17.5 | 26.3 | 33.9 | 60.45 | 1.7 |
| アンゴラ | 1,247 | 6.4 | 32.3 | 53.0 | 0.75 | 58.7 | エルサルバドル | 21 | 42.5 | 15.2 | 28.0 | 2.23 | 15.2 |
| ウガンダ | 201 | 45.4 | 26.5 | 11.5 | 0.37 | 62.9 | カ ナ ダ | 8,789 | 4.4 | 2.1 | 39.5 | 148.39 | 1.3 |
| エジプト | 995 | 4.0 | 0.0 | 0.0 | 0.73 | 19.8 | キ ュ ー バ | 104 | 34.3 | 27.4 | 31.2 | 4.04 | 17.7 |
| エチオピア | 1,129 | 16.5 | 17.7 | 15.1 | 0.52 | 63.7 | グアテマラ | 107 | 25.5 | 17.5 | 32.8 | 1.41 | 29.2 |
| ガ ー ナ | 228 | 32.6 | 22.8 | 35.1 | 1.38 | 39.5 | コスタリカ | 51 | 12.0 | 23.5 | 59.8 | 1.66 | 17.1 |
| ガ ボ ン | 258 | 1.9 | 6.4 | 91.3 | 3.12 | 29.0 | ジャマイカ | 11 | 17.4 | 21.1 | 55.5 | 0.85 | 15.5 |
| カメルーン | 473 | 16.4 | 4.2 | 42.9 | 1.70 | 42.6 | ドミニカ共和国 | 48 | 25.9 | 25.2 | 45.3 | 3.16 | 8.3 |
| ギ ニ ア | 246 | 16.0 | 43.5 | 25.0 | 1.72 | 59.2 | ニカラグア | 120 | 14.9 | 27.4 | 27.5 | 2.13 | 28.7 |
| ケ ニ ア | 569 | 11.3 | 37.4 | 6.3 | 0.85 | 33.0 | ハ イ チ | 28 | 47.4 | 17.8 | 12.5 | 0.67 | 45.6 |
| コートジボワール | 318 | 32.4 | 41.5 | 8.6 | 2.27 | 45.0 | パ ナ マ | 74 | 9.1 | 20.3 | 56.7 | 2.42 | 15.7 |
| コンゴ共和国 | 342 | 2.0 | 29.3 | 64.2 | 1.05 | 36.3 | バ ハ マ | 10 | 1.1 | 0.2 | 50.9 | 1.65 | 3.2 |
| コンゴ民主 | 2,267 | 6.9 | 8.0 | 55.2 | 0.89 | 55.3 | ホンジュラス | 112 | 14.5 | 17.5 | 56.6 | 1.60 | 24.6 |
| ザンビア | 743 | 5.2 | 26.9 | 60.0 | 1.04 | 58.7 | メ キ シ コ | 1,944 | 11.8 | 38.2 | 33.7 | 3.40 | 12.3 |
| シエラレオネ | 72 | 24.2 | 30.5 | 34.8 | 1.57 | 42.7 | 南アメリカ | 17,462 | 8.1 | 22.6 | 48.2 | 5.52 | 13.6 |
| ジンバブエ | 387 | 10.6 | 31.3 | 45.0 | 1.17 | 61.6 | アルゼンチン | 2,737 | 15.0 | 23.9 | 10.4 | 29.58 | 7.7 |
| スーダン | 1,868 | 11.4 | 49.0 | 9.7 | 4.95 | 40.6 | ウルグアイ | 175 | 11.8 | 68.6 | 11.7 | 15.58 | 8.4 |
| セネガル | 193 | 20.3 | 29.1 | 41.7 | 3.75 | 21.6 | エクアドル | 248 | 9.9 | 12.2 | 50.1 | 0.92 | 32.2 |
| ソマリア | 627 | 1.8 | 68.5 | 9.4 | 1.76 | 26.3 | ガ イ ア ナ | 197 | 2.3 | 3.0 | 93.5 | 14.06 | 13.1 |
| タンザニア | 886 | 17.5 | 27.1 | 51.1 | 0.85 | 64.3 | コロンビア | 1,110 | 4.1 | 34.4 | 53.1 | 1.26 | 15.9 |
| チ ャ ド | 1,259 | 4.2 | 35.7 | 3.3 | 1.47 | 68.9 | スリナム | 156 | 0.4 | 0.1 | 97.3 | 3.52 | 7.9 |
| 中央アフリカ | 623 | 3.1 | 4.8 | 35.8 | 1.51 | 68.5 | チ リ | 744 | 2.4 | 11.8 | 24.7 | 3.34 | 6.6 |
| チュニジア | 155 | 31.9 | 30.6 | 4.5 | 10.19 | 13.9 | パラグアイ | 397 | 12.1 | 30.2 | 39.8 | 7.71 | 19.7 |
| ト ー ゴ | 54 | 51.8 | 18.4 | 22.2 | 3.20 | 30.9 | ブラジル | 8,358 | 7.9 | 20.7 | 59.3 | 7.46 | 9.7 |
| ナイジェリア | 911 | 47.7 | 27.6 | 23.6 | 1.86 | 35.2 | ベネズエラ | 882 | 3.7 | 20.6 | 52.3 | 2.57 | 13.1 |
| ナミビア | 823 | 1.0 | 46.2 | 8.0 | 4.94 | 22.1 | ペ ル ー | 1,280 | 5.2 | 14.7 | 56.4 | 1.42 | 27.9 |
| ニジェール | 1,267 | 14.1 | 22.7 | 0.8 | 2.70 | 70.7 | ボリビア | 1,083 | 4.0 | 24.9 | 50.6 | 2.36 | 29.2 |
| ボツワナ | 567 | 0.5 | 45.2 | 26.7 | 1.29 | 23.1 | オセアニア | 8,496 | 4.0 | 40.3 | 21.8 | 25.56 | 6.6 |
| マダガスカル | 582 | 6.2 | 64.1 | 21.3 | 0.33 | 73.9 | オーストラリア | 7,692 | 4.1 | 43.1 | 17.4 | 98.71 | 2.4 |
| マラウイ | 94 | 44.5 | 19.6 | 23.3 | 0.94 | 61.9 | ニュージーランド | 263 | 2.6 | 36.0 | 37.6 | 4.02 | 6.1 |
| マ リ | 1,220 | 5.7 | 28.4 | 10.9 | 1.67 | 67.7 | パプアニューギニア | 453 | 2.8 | 0.4 | 79.1 | 2.45 | 17.2 |
| 南アフリカ共和国 | 1,213 | 10.2 | 69.2 | 14.0 | 3.46 | 21.3 | フィジー | 18 | 7.6 | 9.5 | 62.8 | 1.36 | 28.9 |

①耕地面積÷農林水産業就業人口　②農林水産業就業人口÷就業人口×100

農業

—————— 中国 ——————

### ❶ おもな穀物・大豆輸入量の推移（千ｔ）　FAOSTAT

| 種　類 | 1961 | 1970 | 1980 | 1990 | 2000 | 2010 | 2021 |
|---|---|---|---|---|---|---|---|
| 穀物計 | 5,799 | 5,357 | 12,950 | 13,608 | 3,093 | 5,669 | 65,225 |
| 米 | 62 | 5 | 130 | 59 | 239 | 363 | 4,920 |
| 小　麦 | 3,882 | 5,302 | 10,972 | 12,527 | 1,219 | 9,711 | 9,711 |
| 大　麦 | 1,094 | — | 20 | 652 | 1,974 | 2,367 | 12,480 |
| とうもろこし | 595 | 50 | 1,828 | 369 | 3 | 1,572 | 28,348 |
| 大　豆 | 0 | 0 | 576 | 1 | 10,419 | 54,798 | 96,517 |

### ❷ おもな農産物の作付面積の推移（万ha）　中統2022ほか

| 種　類 | 1952 | 1970 | 1980 | 1990 | 2000 | 2010 | 2021 |
|---|---|---|---|---|---|---|---|
| 米 | 2,838 | 3,236 | 3,388 | 3,306 | 2,996 | 3,010 | 2,992 |
| 小　麦 | 2,478 | 2,546 | 2,884 | 3,075 | 2,665 | 2,444 | 2,357 |
| とうもろこし | 1,257 | 1,583 | 2,009 | 2,140 | 2,306 | 3,498 | 4,332 |
| 大　豆 | 1,168 | 799 | 723 | 756 | 931 | 870 | 842 |
| なたね | 186 | 145 | 284 | 550 | 749 | 732 | 627 |
| 落花生 | 180 | 171 | 234 | 291 | 486 | 437 | 481 |
| 綿　花 | 558 | 500 | 492 | 559 | 404 | 437 | 303 |
| さとうきび | 18 | 39 | 48 | 101 | 118 | 162 | 132 |

### ❸ おもな農産物の省別生産（2021年）　赤字は各項目の最大値　中統2022

| 省・自治区 | 米 | 小麦 | とうもろこし | 大豆 | いも類 | 綿花 | さとうきび | 茶 | 牛 | 豚 | 羊 |
|---|---|---|---|---|---|---|---|---|---|---|---|
| | 生　産　量（万t） | | | | | | | | 飼養頭数（万頭） | | |
| 全　　国　　計 | 21,284 | 13,694 | 27,255 | 1,640 | 3,044 | 573 | 10,666 | 316 | 9,817 | 44,922 | 18,638 |
| 東北部　黒竜江省 | 2,914 | 26 | 4,149 | 719 | 32 | — | — | — | 515 | 1,416 | 725 |
| 吉　林　省 | 685 | 2 | 3,198 | 55 | 25 | — | — | — | 338 | 1,138 | 592 |
| 遼　寧　省 | 425 | 1 | 2,008 | 25 | 27 | — | — | — | 291 | 1,309 | 400 |
| 華北　北　京　市 | 0.2 | 7 | 29 | 0.3 | 1 | 0.001 | — | — | 8 | 59 | 12 |
| 天　津　市 | 55 | 72 | 118 | 1 | 1 | 0.4 | 0.005 | — | 29 | 171 | 43 |
| 内モンゴル | 115 | 157 | 2,994 | 169 | 124 | 0.004 | — | 0.003 | 732 | 565 | 4,580 |
| 河　北　省 | 50 | 1,469 | 2,067 | 16 | 138 | 16 | — | 0.0001 | 370 | 1,810 | 971 |
| 山　東　省 | 97 | 2,637 | 2,590 | 54 | 109 | 14 | — | 3 | 280 | 3,151 | 980 |
| 山　西　省 | 2 | 243 | 978 | 14 | 65 | 0.1 | — | 0.1 | 138 | 740 | 687 |
| 河　南　省 | 476 | 3,803 | 2,052 | 75 | 120 | 1 | 10 | 8 | 400 | 4,392 | 302 |
| 華中　上　海　市 | 85 | 7 | 1 | 0.1 | 0.1 | 0.001 | 0.1 | 0.002 | 5 | 82 | 1 |
| 重　慶　市 | 493 | 6 | 255 | 21 | 289 | — | 8 | 5 | 107 | 1,180 | 0.1 |
| 江　蘇　省 | 1,985 | 1,342 | 300 | 51 | 26 | 1 | 5 | 1 | 27 | 1,483 | 24 |
| 浙　江　省 | 469 | 48 | 26 | 21 | 43 | 1 | 42 | 18 | 17 | 640 | 114 |
| 安　徽　省 | 1,590 | 1,700 | 677 | 91 | 18 | 3 | 7 | 14 | 99 | 1,583 | 30 |
| 江　西　省 | 2,074 | 3 | 22 | 22 | 59 | 2 | 61 | 7 | 270 | 1,683 | — |
| 湖　北　省 | 1,884 | 399 | 324 | 37 | 111 | 11 | 27 | 40 | 240 | 2,530 | — |
| 湖　南　省 | 2,683 | 8 | 234 | 32 | 101 | 8 | 35 | 26 | 435 | 4,202 | — |
| 貴　州　省 | 417 | 33 | 257 | 23 | 303 | 0.04 | 54 | 25 | 479 | 1,530 | 21 |
| 四　川　省 | 1,493 | 245 | 1,085 | 104 | 559 | 0.2 | 39 | 37 | 831 | 4,255 | 169 |
| 華南　福　建　省 | 393 | 0.02 | 15 | 10 | 84 | 0.004 | 29 | 49 | 31 | 938 | 1 |
| 広　東　省 | 1,104 | 0.1 | 61 | 9 | 103 | — | 1,307 | 14 | 113 | 2,075 | — |
| 広西壮族 | 1,018 | 1 | 285 | 16 | 53 | 0.1 | 7,365 | 10 | 356 | 2,128 | — |
| 雲　南　省 | 492 | 62 | 993 | 32 | 216 | — | 1,584 | 50 | 871 | 3,320 | 99 |
| 海　南　省 | 127 | — | — | 0.5 | 18 | — | 94 | 0.1 | 48 | 311 | — |
| 西部　陝　西　省 | 73 | 425 | 602 | 25 | 106 | 0.03 | 0.2 | 9 | 149 | 885 | 157 |
| 寧夏回族 | 41 | 19 | 263 | 0.2 | 36 | — | — | — | 208 | 86 | 582 |
| 甘　粛　省 | 2 | 280 | 643 | 8 | 225 | 3 | — | 0.2 | 513 | 685 | 1,991 |
| 青　海　省 | — | 39 | 15 | — | 30 | — | — | — | 642 | 77 | 1,341 |
| 新疆ウイグル | 42 | 640 | 1,013 | 6 | 21 | 513 | — | — | 616 | 436 | 4,143 |
| チベット | 0.4 | 20 | 3 | 0.03 | 0.4 | — | — | 0.01 | 657 | 62 | 672 |

—————— 東南アジア諸国 ——————

### ❹ タイとベトナムの米の輸出量と作付面積の推移

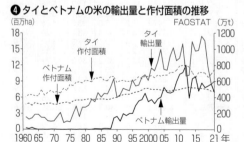

（百万ha）　　　FAOSTAT　（万t）

タイ作付面積　タイ輸出量　ベトナム作付面積　ベトナム輸出量

### ❺ 米の生産者価格の推移（ドル/ｔ）　FAOSTAT

| 年 | タイ | ベトナム | フィリピン | インドネシア | アメリカ合衆国 | 日本 |
|---|---|---|---|---|---|---|
| 1991 | 160 | … | 174 | 162 | 167 | 2,566 |
| 1995 | 166 | … | 282 | 208 | 202 | 3,349 |
| 1999 | 128 | … | 201 | 155 | 131 | 2,258 |
| 2003 | 134 | 125 | 163 | 141 | 178 | 2,349 |
| 2007 | 327 | 198 | 243 | 277 | 282 | 1,810 |
| 2011 | 335 | 316 | 350 | 877 | 320 | 2,435 |
| 2015 | 265 | 287 | 381 | 689 | 269 | 1,495 |
| 2019 | 346 | 281 | 327 | 371 | 287 | 2,220 |
| 2021 | 20)310 | 330 | 340 | 354 | 346 | 1,859 |

農
業

=== 東南・南アジア諸国 ===

## ❶ タイの米の輸出先（万ｔ）

タイ米輸出業者協会資料

| 年 | 輸出量 | 輸出先（%） | | | | | | | | |
|---|---|---|---|---|---|---|---|---|---|---|
| 2000 | 660 | ナイジェリア | 13.2 | セネガル | 9.5 | イ ラ ン | 9.3 | 南アフリカ共和国 | 6.5 | マレーシア 5.0 |
| 2010 | 905 | ナイジェリア | 15.5 | 南アフリカ共和国 | 6.4 | フィリピン | 5.6 | イ ラ ク | 5.6 | ベ ナ ン 5.1 |
| 2022 | 771 | イ ラ ク | 20.8 | 南アフリカ共和国 | 10.2 | 中 国 | 9.8 | アメリカ合衆国 | 8.5 | ベ ナ ン 4.2 |

白米，パーボイルドライス（もみ米を蒸した後，乾燥・精米したもので，おもにアフリカ向け），ジャスミンライス，砕米等のコメ関連製品の計（2022年内訳）白米50%，パーボイルドライス20%

## ❷ 天然ゴムの生産量（万ｔ）

赤字は各年次の最大値

| 国 名 | 1970 | 1980 | 1990 | 2000 | 2010 | 2021 |
|---|---|---|---|---|---|---|
| タ イ | 29 | 47 | 142 | 228 | 305 | 464 |
| インドネシア | 80 | 102 | 128 | 150 | 273 | 312 |
| ベトナム | 3 | 4 | 6 | 29 | 75 | 127 |
| マレーシア | 127 | 153 | 129 | 93 | 94 | 47 |

FAOSTAT

## ❸ パーム油の生産量（万ｔ）

赤字は各年次の最大値

| 国 名 | 1970 | 1980 | 1990 | 2000 | 2010 | 2021 |
|---|---|---|---|---|---|---|
| インドネシア | 22 | 72 | 241 | 700 | 2,196 | 4,971 |
| マレーシア | 43 | 257 | 609 | 1,084 | 1,699 | 1,812 |
| タ イ | 0.1 | 2 | 23 | 58 | 129 | 294 |

FAOSTAT

## ❺ インドの農産物輸出量（万ｔ）

| 農産物 | 1970 | 1980 | 1990 | 2000 | 2010 | 2021 |
|---|---|---|---|---|---|---|
| 米 | 3 | 48 | 51 | 153 | 223 | 2,103 |
| 香 辛 料 | 5 | 11 | 9 | 21 | 59 | 138 |
| 綿 花 | 4 | 11 | 34 | 1 | 157 | 129 |
| 茶 | 20 | 24 | 20 | 20 | 23 | 20 |

FAOSTAT

## ❹ 東南アジア諸国の農産物輸出（2021年）

インドネシア 農産物輸出額 528.8億ドル：パーム油 50.4%／天然ゴム 7.6／その他 42.0

タ イ 農産物輸出額 383.0億ドル：天然ゴム 14.3%／米 8.7／鶏肉缶詰 6.4／その他 70.6

マレーシア 農産物輸出額 319.1億ドル：パーム油 44.5%／天然ゴム3.5／その他 52.0

ベトナム 農産物輸出額 164.6億ドル：コーヒー豆 16.2%／カシューナッツ 12.2／米 11.3／天然ゴム6.9／キャッサバでん粉5.1／その他 48.3

フィリピン 農産物輸出額 60.8億ドル：コプラ油 23.5%／バナナ 18.7／その他 57.8

FAOSTAT

=== アフリカ諸国 ===

## ❻ アルジェリアの農産物生産量（千ｔ）

FAOSTAT

| 農産物 | 1970 | 1980 | 1990 | 2000 | 2010 | 2021 |
|---|---|---|---|---|---|---|
| 小 麦 | 1,435 | 1,511 | 750 | 760 | 2,605 | 2,168 |
| オ リ ー ブ | 138 | 103 | 178 | 217 | 311 | 705 |
| ぶ ど う | 1,275 | 407 | 263 | 204 | 561 | 630 |

## ❽ ナイジェリアの農産物生産量（万ｔ）

FAOSTAT

| 農産物 | 1970 | 1980 | 1990 | 2000 | 2010 | 2021 |
|---|---|---|---|---|---|---|
| キャッサバ | 1,021 | 1,150 | 1,904 | 3,201 | 4,253 | 6,303 |
| ヤ ム い も | 1,203 | 525 | 1,362 | 2,620 | 3,733 | 5,038 |
| 米 | 34 | 109 | 250 | 330 | 447 | 834 |
| もろこし(ソルガム) | 405 | 369 | 419 | 771 | 714 | 673 |

## ❿ 南アフリカ共和国のワイン産業

FAOSTAT

| 生産・輸出 | | 1995 | 2000 | 2005 | 2010 | 2021 |
|---|---|---|---|---|---|---|
| ぶどう | 作付面積（千ha） | 103 | 108 | 113 | 105 | 115 |
| | 生 産 量（千ｔ） | 1,363 | 1,455 | 1,683 | 1,743 | 2,000 |
| ワイン | 生 産 量（千ｔ） | 753 | 695 | 841 | 933 | 1,133 |
| | 輸 出 量（千ｔ） | 129 | 170 | 349 | 392 | 480 |
| | 輸出の割合（%）① | 17.2 | 24.5 | 41.5 | 42.1 | 42.3 |

①ワイン輸出量／ワイン生産量×100

## ❼ コートジボワール，ガーナのカカオ豆の生産量

| 年 | 世界 | コートジボワール | | ガーナ | |
|---|---|---|---|---|---|
| | （千t） | 千t | % | 千t | % |
| 1970 | 1,543 | 179 | 11.6 | 406 | 26.3 |
| 1980 | 1,671 | 417 | 25.0 | 277 | 16.6 |
| 1990 | 2,532 | 808 | 31.9 | 293 | 11.6 |
| 2000 | 3,338 | 1,401 | 42.0 | 437 | 13.1 |
| 2010 | 4,329 | 1,301 | 30.1 | 632 | 14.6 |
| 2021 | 5,580 | 2,200 | 39.4 | 822 | 14.7 |

FAOSTAT

## ❾ ケニアの農産物輸出額（百万ドル）

| 年 | コーヒー豆 | 茶 | 切り花 |
|---|---|---|---|
| 1980 | 292 | 172 | 8 |
| 1990 | 144 | 196 | 13 |
| 2000 | 154 | 467 | 92 |
| 2010 | 205 | 1,164 | 397 |
| 2020 | 209 | 1,241 | 573 |
| 2022 | 315 | 1,413 | 629 |

UN Comtrade

農
業

========= EU諸国

### ❶ おもな国の経営規模別農家数の割合（2016年，％）　赤字は各国の最大値　EUROSTAT

| 経営規模 | ブルガリア | デンマーク | ドイツ | アイルランド13) | スペイン | フランス | イタリア13) | オランダ | ポーランド | ポルトガル | ルーマニア | フィンランド | イギリス① |
|---|---|---|---|---|---|---|---|---|---|---|---|---|---|
| 農家総数（万戸） | 20.3 | 3.6 | 26.5 | 14.0 | 94.5 | 44.5 | 101.0 | 5.6 | 141.1 | 25.9 | 342.2 | 5.0 | 18.5 |
| 5ha未満 | 82.6 | 6.1 | 8.7 | 7.0 | 51.6 | 24.0 | 58.6 | 20.2 | 54.2 | 71.5 | 91.8 | 2.2 | 10.2 |
| 5～20ha | 8.5 | 38.7 | 36.9 | 35.7 | 26.8 | 18.2 | 28.5 | 28.7 | 36.1 | 19.3 | 7.1 | 33.6 | 29.3 |
| 20～50ha | 4.1 | 20.5 | 23.9 | 39.3 | 10.8 | 16.2 | 8.4 | 29.6 | 7.2 | 5.0 | 0.5 | 33.8 | 21.9 |
| 50～100ha | 1.8 | 13.2 | 17.6 | 14.6 | 5.3 | 19.3 | 3.0 | 16.8 | 1.6 | 1.8 | 0.2 | 19.9 | 17.0 |
| 100ha以上 | 3.0 | 21.5 | 12.9 | 3.4 | 5.5 | 22.3 | 1.5 | 4.7 | 0.9 | 2.4 | 0.4 | 10.5 | 21.6 |

①2020年1月，EUを離脱

### ❷ EU諸国の農業生産額とその内訳（2020年，億ドル）　赤字は各国の最大値，斜体は各項目の最大値　EUROSTAT

| 農産物 | EU計①(27か国) | ベルギー | ブルガリア | チェコ | デンマーク | ドイツ | エストニア | アイルランド | ギリシャ | スペイン | フランス | クロアチア | イタリア | ラトビア |
|---|---|---|---|---|---|---|---|---|---|---|---|---|---|---|
| 農業総生産額 | 4,299 | 98.0 | 41.5 | 58.9 | 117.8 | 610.0 | 10.0 | 94.8 | 122.7 | 584.3 | *778.1* | 27.2 | 534.7 | 17.4 |
| 農作物 | 2,484 | 46.5 | 29.6 | 36.0 | 38.7 | 312.1 | 5.3 | 20.8 | 93.3 | 353.2 | *477.6* | 17.1 | 358.8 | 11.5 |
| 小麦 | 246 | 3.7 | 8.2 | 8.6 | 5.8 | 41.7 | 1.5 | 0.7 | 3.4 | 17.3 | *58.3* | 1.4 | 21.8 | 5.3 |
| 大麦 | 95 | 0.6 | 0.9 | 3.3 | 5.9 | 19.4 | 0.9 | 2.4 | 0.0 | *19.6* | 19.0 | 0.5 | 2.0 | 0.5 |
| てんさい | 22 | 1.4 | — | 1.2 | 0.7 | — | — | — | 0.0 | 1.1 | *6.7* | 0.5 | 2.0 | — |
| じゃがいも | 140 | 4.4 | 0.4 | 1.3 | 3.1 | 26.6 | 0.1 | 1.5 | 2.5 | 6.1 | *38.8* | 0.4 | 7.5 | 0.5 |
| 野菜 | 659 | 18.9 | 2.2 | 3.5 | 7.9 | 69.7 | 0.5 | 0.6 | 19.1 | *115.6* | 76.5 | 3.0 | 111.4 | 0.7 |
| 果物 | 339 | 6.5 | 2.3 | 0.7 | 0.7 | 9.2 | 0.1 | 0.6 | 35.7 | *113.1* | 37.6 | 0.9 | 59.4 | 0.2 |
| ワイン | 255 | — | — | 0.4 | — | 18.2 | — | — | 0.2 | 13.8 | *110.2* | 1.5 | 88.2 | — |
| オリーブ油 | 42 | — | — | — | — | — | — | — | 7.6 | *16.8* | — | 1.5 | 15.5 | — |
| 畜産物 | 1,814 | 51.5 | 11.9 | 22.9 | 79.1 | 297.9 | 4.7 | 74.0 | 29.4 | 231.1 | *300.5* | 10.2 | 175.9 | 6.0 |
| 牛肉 | 315 | 11.0 | 1.7 | 3.0 | 4.4 | 35.6 | 0.5 | 27.2 | 2.0 | 35.3 | *82.8* | 2.8 | 31.9 | 0.5 |
| 豚肉 | 449 | 16.3 | 1.9 | 3.7 | 43.1 | 84.7 | 0.9 | 6.8 | 2.3 | *98.9* | 32.9 | 2.9 | 31.8 | 0.8 |
| 鶏肉 | 220 | 7.5 | 1.9 | 2.8 | 3.0 | 28.2 | 0.4 | 2.0 | 4.0 | 28.3 | *37.1* | 1.3 | 27.7 | 0.6 |
| 牛乳 | 617 | 14.9 | 3.7 | 12.0 | 23.2 | *122.7* | 2.7 | 31.2 | 12.2 | 37.5 | 109.3 | 2.0 | 57.8 | 3.3 |

| 農産物 | リトアニア | ルクセンブルク | ハンガリー | マルタ | オランダ | オーストリア | ポーランド | ポルトガル | ルーマニア | スロベニア | スロバキア | フィンランド | スウェーデン | イギリス② |
|---|---|---|---|---|---|---|---|---|---|---|---|---|---|---|
| 農業総生産額 | 35.5 | 4.6 | 89.7 | 1.4 | 281.4 | 79.7 | 302.7 | 84.6 | 171.0 | 15.2 | 23.3 | 43.3 | 62.7 | 305.4 |
| 農作物 | 24.9 | 1.7 | 56.3 | 0.5 | 161.7 | 38.7 | 149.5 | 50.9 | 123.6 | 8.9 | 14.7 | 17.5 | 31.8 | 113.5 |
| 小麦 | 10.4 | 0.1 | 8.9 | — | 2.9 | 3.1 | 20.2 | 0.4 | 12.0 | 0.3 | 3.5 | 1.2 | 5.5 | 21.0 |
| 大麦 | 1.3 | 0.1 | 2.2 | — | 0.7 | 1.3 | 5.6 | 0.1 | 2.4 | 0.2 | 1.0 | 2.0 | 2.3 | 13.8 |
| てんさい | 0.3 | — | 0.3 | — | 1.9 | 0.7 | 4.6 | — | 0.3 | 0.0 | 0.5 | 0.2 | 0.7 | 2.4 |
| じゃがいも | 0.6 | 0.0 | 1.0 | 0.0 | 14.7 | 1.4 | 11.9 | 1.3 | 11.9 | 0.3 | 0.5 | 0.9 | 1.9 | 10.7 |
| 野菜 | 1.0 | 0.1 | 8.7 | 0.4 | 112.6 | 8.4 | 35.9 | 13.2 | 30.5 | 1.8 | 1.6 | 6.1 | 5.7 | 36.4 |
| 果実 | 0.3 | 0.0 | 4.2 | 0.1 | 10.6 | 3.4 | 16.3 | 18.2 | 13.4 | 1.5 | 0.5 | 1.6 | 0.9 | 10.7 |
| ワイン | — | 0.3 | 1.2 | — | — | 6.1 | — | 9.7 | 3.2 | 1.3 | — | — | — | — |
| オリーブ油 | — | — | — | — | — | — | — | 1.2 | — | — | — | — | — | — |
| 畜産物 | 10.6 | 2.8 | 33.4 | 0.8 | 119.7 | 40.9 | 153.2 | 33.7 | 47.4 | 6.4 | 8.7 | 25.8 | 30.9 | 191.9 |
| 牛肉 | 1.6 | 0.7 | 3.7 | 0.0 | 13.6 | 8.6 | 20.7 | 7.4 | 4.1 | 1.7 | 1.2 | 4.8 | 7.3 | 48.4 |
| 豚肉 | 1.5 | 0.0 | 8.3 | 0.1 | 30.5 | 9.5 | 36.3 | 7.1 | 10.7 | 0.6 | 1.8 | 3.3 | 5.3 | 19.1 |
| 鶏肉 | 1.5 | 0.0 | 9.6 | 0.1 | 7.7 | 2.4 | 34.5 | 5.7 | 6.1 | 1.2 | 1.1 | 2.2 | 2.4 | 35.2 |
| 牛乳 | 4.6 | 1.5 | 4.7 | 0.1 | 55.1 | 15.9 | 48.0 | 8.2 | 12.0 | 2.1 | 3.3 | 12.5 | 11.6 | 54.4 |

①表に掲載の26か国(イギリス除く)とキプロスの合計　②2020年1月，EUを離脱

### ❸ おもな国の家畜飼養頭数（2021年，万頭）

①2020年1月，EUを離脱
FAOSTAT

### ❹ オランダの農業生産（億ドル）

| 農産物 | 1970 | 1980 | 1990 | 2000 | 2010 | 2020 |
|---|---|---|---|---|---|---|
| 農業生産額 | 36 | 125 | 212 | 171 | 292 | 281 |
| 農作物(%) | 14.9 | 11.0 | 11.5 | 9.9 | 11.5 | 10.0 |
| じゃがいも | 5.8 | 3.9 | 3.3 | 3.6 | 6.1 | 5.0 |
| 穀物 | 4.3 | 2.6 | 1.2 | 1.5 | 1.6 | 1.3 |
| 園芸作物(%) | 18.1 | 23.2 | 32.6 | 43.5 | 45.8 | 46.8 |
| 野菜 | 8.5 | 8.5 | 10.6 | 12.3 | 12.3 | 11.5 |
| 花・植物 | 4.3 | 9.1 | 18.0 | 26.9 | 28.5 | 28.2 |
| 花の球根 | 2.2 | 2.0 | — | — | — | — |
| 果実 | 2.0 | 1.4 | 1.9 | 1.7 | 2.7 | 3.7 |
| 種子 | 0.2 | 0.8 | 1.8 | 2.0 | 1.9 | 3.0 |
| 畜産物(%) | 67.0 | 65.8 | 55.9 | 46.6 | 42.7 | 43.2 |
| 家畜・肉類 | 35.0 | 32.6 | 32.2 | 24.1 | 21.3 | 20.8 |
| 酪製品 | 24.2 | 27.3 | 23.7 | 22.5 | 21.4 | 22.4 |

EUROSTATほか

### ❺ オランダの花き栽培面積（2016年）

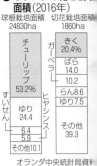

球根栽培面積　切花栽培面積
24830ha　1860ha

オランダ中央統計局資料

## ロシアと周辺諸国

### ❶ ロシアと周辺諸国の農産物生産（2021年）　赤字は各項目の最大値　　FAOSTAT

| 国　名 | 農業生産額（億ドル） | 小麦（万t） | 大麦（万t） | ライ麦（千t） | えん麦（千t） | とうもろこし（万t） | じゃがいも（万t） | てんさい（万t） | ひまわり種子（万t） | 綿花（千t） | 羊（万頭） |
|---|---|---|---|---|---|---|---|---|---|---|---|
| ロ シ ア | 979 | 7,606 | 1,800 | 1,722 | 3,776 | 1,524 | 1,830 | 4,120 | 1,566 | … | 1,979 |
| アゼルバイジャン | 46 | 184 | 112 | 1 | 12 | 28 | 106 | 18 | 3 | 92 | 731 |
| アルメニア | 12 | 10 | 4 | 0.2 | 4 | 1 | 36 | 6 | … | … | 69 |
| ウクライナ | 461 | 3,218 | 944 | 593 | 468 | 4,211 | 2,136 | 1,085 | 1,639 | … | 62 |
| ウズベキスタン | … | 598 | 10 | 4 | 54 | 59 | 329 | 0.2 | 4 | 781 | 1,933 |
| カザフスタン | 110 | 1,181 | 237 | 40 | 182 | 113 | 403 | 33 | 103 | 290 | 1,860 |
| キルギス | 22 | 36 | 27 | 1 | 1 | 69 | 129 | 37 | 1 | 22 | 554 |
| ジョージア | 11 | 14 | 6 | 0.2 | 3 | 23 | 23 | … | 0.2 | … | 90 |
| タジキスタン | 19 | 85 | 20 | 0.4 | 3 | 24 | 90 | … | 1 | 102 | 405 |
| トルクメニスタン | 19 | 140 | 2 | … | … | 1 | 54 | 8 | … | 181 | 1,416 |
| ベラルーシ | 65 | 244 | 108 | 845 | 327 | 115 | 341 | 387 | 0.2 | … | 8 |
| モ ル ド バ | 26 | 157 | 25 | 3 | 2 | 279 | 22 | 76 | 96 | … | 47 |

## ラテンアメリカ諸国

### ❷ キューバの砂糖の輸出（%）　UN Comtradeほか

| 年 | 輸出に占める割合 | 輸出相手国 |
|---|---|---|
| 1959 | 74.3 | アメリカ合衆国(70) 日本(4) オランダ(3) |
| 1960 | 75.7 | アメリカ合衆国(53) ソ連(17) 中国(5) |
| 1962 | 82.9 | ソ連(42) 中国(17) チェコ(7) |
| 1965 | 86.5 | ソ連(47) 中国(15) チェコ(7) |
| 1970 | 76.9 | ソ連(51) 日本(10) 東ドイツ(5) |
| 1975 | 89.8 | ソ連(56) スペイン(8) 日本(8) |
| 1986 | 77.2 | ソ連(58) 日本(8) 中国(5) |
| 1991 | 71.8 | ソ連(57) 中国(12) 日本(6) |
| 2000 | 27.4 | ロシア(70) 中国(12) カナダ(3) |
| 2006 | 0.2 | ドイツ(58) イギリス(10) スペイン(10) |

1959年1月キューバ革命

### ❺ ブラジルの農産物輸出　FAOSTAT

1965年 12億ドル：コーヒー豆 57.2%　綿花 7.8　粗糖 4.6　肉類 3.8　その他 26.6

2021年 1,016億ドル：大豆 38.0%　大豆かす 9.0　砂糖牛肉 7.8　とうもろこし 4.1　綿 7.2　鶏肉 6.7　コーヒー豆 5.7　その他 21.5

### ❻ コロンビア，エクアドルの切り花輸出（百万ドル）　UN Comtrade

| 年 | コロンビア | エクアドル | オランダ |
|---|---|---|---|
| 1990 | 229 | 14 | 1,965 |
| 2000 | 585 | 156 | 2,192 |
| 2010 | 1,245 | 609 | 3,912 |
| 2022 | 2,073 | 1,028 | 5,162 |

この3か国で世界の輸出額の70%（2022年）を占める。

### ❸ メキシコの農産物生産（万t）　FAOSTAT

| 農産物 | 1980 | 1990 | 2000 | 2010 | 2021 |
|---|---|---|---|---|---|
| 穀　　物 | 2,089 | 2,556 | 2,800 | 3,493 | 3,658 |
| 小　　麦 | 278 | 393 | 349 | 368 | 328 |
| とうもろこし | 1,237 | 1,464 | 1,756 | 2,330 | 2,750 |
| 大　　豆 | 32 | 58 | 10 | 17 | 29 |
| オレンジ | 174 | 222 | 381 | 405 | 460 |
| レ モ ン | 60 | 70 | 166 | 189 | 298 |

### ❹ ブラジルの農産物生産（万t）　FAOSTAT

| 農産物 | 1980 | 1990 | 2000 | 2010 | 2021 |
|---|---|---|---|---|---|
| 穀　　物 | 3,322 | 3,249 | 4,653 | 7,516 | 11,222 |
| 米 | 978 | 742 | 1,113 | 1,124 | 1,166 |
| とうもろこし | 2,037 | 2,135 | 3,232 | 5,536 | 8,846 |
| 大　　豆 | 1,516 | 1,990 | 3,282 | 6,876 | 13,493 |
| さとうきび | 14,865 | 26,267 | 32,612 | 71,746 | 71,566 |
| オレンジ | 1,089 | 1,752 | 2,133 | 1,850 | 1,621 |
| コーヒー豆 | 106 | 146 | 190 | 291 | 299 |
| カ カ オ 豆 | 32 | 26 | 20 | 20 | 30 |
| 葉 た ば こ | 40 | 45 | 58 | 79 | 74 |
| 肉　　類 | 532 | 771 | 1,542 | 2,363 | 2,950 |
| 鶏　　肉 | 137 | 236 | 598 | 1,069 | 1,464 |
| 牛　　肉 | 285 | 412 | 658 | 912 | 975 |

### ❼ アルゼンチンの農産物生産（万t）　FAOSTAT

| 農産物 | 1980 | 1990 | 2000 | 2010 | 2021 |
|---|---|---|---|---|---|
| 穀　　物 | 1,865 | 1,914 | 3,798 | 3,977 | 8,769 |
| 小　　麦 | 797 | 1,006 | 1,548 | 902 | 1,764 |
| 大　　麦 | 22 | 33 | 72 | 296 | 404 |
| え ん 麦 | 43 | 70 | 55 | 18 | 51 |
| とうもろこし | 640 | 540 | 1,678 | 2,266 | 6,053 |
| 大　　豆 | 350 | 1,070 | 2,014 | 5,268 | 4,622 |
| 肉　　類 | 360 | 366 | 410 | 472 | 615 |
| 牛　　肉 | 284 | 301 | 272 | 263 | 298 |

## オセアニア諸国

### ❽ オーストラリアの農産物の生産と輸出（千t）

| 年 | 小　麦 | | 砂　糖 | | 肉　類 | | 羊毛（脂付） | |
|---|---|---|---|---|---|---|---|---|
| | 生産量 | 輸出量 | 生産量 | 輸出量 | 生産量 | 輸出量 | 生産量 | 輸出量 |
| 1970 | 7,890 | 6,886 | 2,525 | 1,386 | 2,070 | 559 | 926 | 713 |
| 1980 | 10,856 | 14,876 | 3,330 | 2,201 | 2,654 | 851 | 709 | 505 |
| 1990 | 15,066 | 11,507 | 3,681 | 2,853 | 3,063 | 923 | 1,102 | 541 |
| 2000 | 24,757 | 17,724 | 5,448 | 3,748 | 3,707 | 1,432 | 671 | 485 |
| 2010 | 21,834 | 15,888 | 4,519 | 3,255 | 4,048 | 1,506 | 350 | 325 |
| 2021 | 31,923 | 25,563 | 4,123 | 3,492 | 4,373 | 1,736 | 349 | 312 |

FAOSTAT

### ❾ ニュージーランドの畜産物の生産と輸出（千t）

| 年 | 肉　類 | | チーズ | バター | 羊毛（脂付） | |
|---|---|---|---|---|---|---|
| | 生産量 | 輸出量 | 輸出量 | 輸出量 | 生産量 | 輸出量 |
| 1970 | 1,000 | 655 | 340 | 289 | 334 | 229 |
| 1980 | 1,127 | 662 | 361 | 300 | 357 | 144 |
| 1990 | 1,118 | 648 | 376 | 308 | 309 | 76 |
| 2000 | 1,303 | 798 | 641 | 616 | 257 | 49 |
| 2010 | 1,332 | 855 | 660 | 694 | 176 | 44 |
| 2021 | 1,495 | 1,012 | 803 | 763 | 134 | 30 |

FAOSTAT

農
業

■■■■■ 北アメリカ

## ❶ アメリカ合衆国の州別農産物生産（2022年）　USDA資料

| 州　名 | 農家1戸あたりの経営面積(ha) | 小麦(万t) | とうもろこし(10万t) | 大豆(万t) | 牛(飼育頭数)(万頭) 総数 | 肉牛 | 豚(万頭) | 綿花(千t) |
|---|---|---|---|---|---|---|---|---|
| 総　計 | 181 | 4,490 | 3,484 | 11,622 | 9,208 | 2,998 | 7,485 | 4,415 |
| ニューイングランド | 48 | — | — | — | 44 | 4 | 2 | — |
| メーン | 69 | — | — | — | 7 | 1 | 0.5 | — |
| ニューハンプシャー | 42 | — | — | — | 3 | 0.4 | 0.4 | — |
| ヴァーモント | 71 | — | — | — | 25 | 2 | 0.4 | — |
| マサチューセッツ | 28 | — | — | — | 4 | 1 | 1 | — |
| ロードアイランド | 22 | — | — | — | 0.4 | 0.1 | 0.1 | — |
| コネティカット | 28 | — | — | — | 5 | 0.5 | 0.3 | — |
| 中部大西洋沿岸 | 63 | 66 | 52 | 117 | 278 | 30 | 140 | |
| ニューヨーク | 84 | 20 | 20 | 40 | 142 | 10 | 4 | |
| ニュージャージー | 31 | 4 | 2 | 8 | 2 | 1 | 1 | |
| ペンシルヴェニア | 56 | 42 | 30 | 69 | 134 | 19 | 136 | |
| 北東中央(五大湖沿岸) | 102 | 417 | 1,198 | 4,125 | 775 | 123 | 1,431 | |
| オ ハ イ オ | 69 | 100 | 151 | 767 | 132 | 31 | 275 | |
| インディアナ | 109 | 53 | 248 | 912 | 81 | 18 | 445 | |
| イ リ ノ イ | 155 | 120 | 576 | 1,843 | 100 | 34 | 550 | |
| ミ シ ガ ン | 84 | 94 | 85 | 287 | 112 | 10 | 126 | |
| ウィスコンシン | 90 | 50 | 139 | 316 | 350 | 30 | 35 | |
| 北 西 中 央 | 257 | 2,016 | 1,881 | 5,522 | 2,913 | 896 | 4,413 | 367 |
| ミ ネ ソ タ | 153 | 201 | 371 | 1,006 | 221 | 36 | 890 | |
| ア イ オ ワ | 145 | 44 | 627 | 1,597 | 386 | 91 | 2,410 | |
| ミ ズ ー リ | 117 | 67 | 127 | 748 | 409 | 194 | 335 | 317 |
| ノースダコタ | 613 | 816 | 88 | 540 | 187 | 94 | 16 | — |
| サウスダコタ | 595 | 196 | 168 | 524 | 380 | 160 | 211 | — |
| ネブラスカ | 409 | 71 | 370 | 753 | 680 | 180 | 360 | — |
| カ ン ザ ス | 321 | 665 | 130 | 353 | 650 | 142 | 191 | 50 |
| 南　　部 | 130 | 668 | 299 | 1,858 | 3,204 | 1,364 | 1,329 | 3,751 |
| デラウェア | 93 | 11 | 7 | 18 | 1 | 0.2 | 0.3 | — |
| メリーランド | 65 | 36 | 16 | 60 | 17 | 4 | 2 | — |
| ワシントンD.C. | | | | | | | | |
| ヴァージニア | 75 | 28 | 14 | 68 | 139 | 60 | 29 | 61 |
| ウェストヴァージニア | 63 | — | 1 | — | 37 | 19 | 1 | — |
| ノースカロライナ | 75 | 65 | 25 | 176 | 78 | 36 | 830 | 295 |
| サウスカロライナ | 79 | 16 | 9 | 39 | 31 | 16 | 16 | 141 |
| ジョージア | 100 | 16 | 17 | 18 | 105 | 49 | 4 | 757 |
| フ ロ リ ダ | 83 | — | 2 | — | 163 | 90 | — | 48 |
| ケンタッキー | 71 | 82 | 53 | 269 | 203 | 97 | 45 | — |
| テ ネ シ ー | 62 | 67 | 26 | 212 | 176 | 89 | 28 | 208 |
| ア ラ バ マ | 87 | 24 | 9 | 40 | 126 | 67 | — | 236 |
| ミシシッピ | 122 | 11 | 24 | 337 | 91 | 48 | 18 | 374 |
| アーカンソー | 135 | 22 | 31 | 444 | 170 | 91 | 15 | 489 |
| ルイジアナ | 118 | — | 19 | 155 | 78 | 45 | 1 | 109 |
| オクラホマ | 180 | 187 | 6 | 18 | 520 | 212 | 218 | 93 |
| テ キ サ ス | 207 | 106 | 39 | 5 | 1,270 | 443 | 123 | 940 |
| 山　　岳 | 517 | 774 | 45 | — | 1,218 | 431 | 155 | 144 |
| モ ン タ ナ | 865 | 379 | 2 | — | 221 | 130 | 23 | — |
| ア イ ダ ホ | 191 | 255 | 6 | — | 255 | 50 | 2 | — |
| ワイオミング | 969 | 4 | 2 | — | 126 | 68 | 11 | — |
| コ ロ ラ ド | 332 | 97 | 30 | — | 265 | 64 | 53 | — |
| ニューメキシコ | 672 | 4 | 1 | — | 131 | 45 | 0.2 | 23 |
| ア リ ゾ ナ | 562 | 26 | 3 | — | 96 | 17 | 15 | 121 |
| ユ タ | 246 | 9 | 1 | — | 79 | 33 | 51 | — |
| ネ ヴ ァ ダ | 724 | — | 1 | — | 45 | 24 | — | — |
| 太平洋沿岸 | 153 | 549 | 8 | — | 775 | 150 | 12 | 153 |
| ワシントン | 167 | 392 | 4 | — | 114 | 22 | 2 | — |
| オ レ ゴ ン | 172 | 132 | 3 | — | 125 | 51 | 1 | — |
| カリフォルニア | 142 | 24 | 1 | — | 520 | 68 | 9 | 153 |
| ア ラ ス カ | 344 | — | — | — | 2 | 1 | 0.2 | — |
| ハ ワ イ | 61 | — | — | — | 14 | 8 | 1 | — |

赤字は各項目の最大値

## ❷ アメリカ合衆国のおもな農産物（2022年）　USDA資料

| 米 | (千t) | オレンジ | (千t) | グレープフルーツ | (千t) | ぶどう | (千t) |
|---|---|---|---|---|---|---|---|
| 総　計 | 7,281 | 総　計 | 3,426 | 総　計 | 374 | 総　計 | 5,923 |
| アーカンソー | 3,647 | フロリダ | 1,854 | カリフォルニア | 164 | カリフォルニア | 5,510 |
| ルイジアナ | 1,255 | カリフォルニア | 1,564 | フロリダ | 142 | ワシントン | 413 |
| カリフォルニア | 1,010 | テキサス | 8 | テキサス | 68 | | |

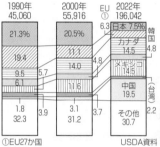

## ❸ アメリカ合衆国の農産物輸出（百万ドル）

1980年 40,909　1990年 40,220　2000年 50,908　2010年 108,664　2019年 135,470

肉類 6.1% / 10.7% / 8.1% / 11.4%
小麦・小麦粉 11.0 / 7.1 / 5.7 / 6.6
とうもろこし 17.2 / 9.0 / 8.4 / 6.6（米）
果物・ナッツ 7.7 / 9.0 / 9.7 / 12.1
飼料 4.5 / 4.9 / 5.0 / 5.8
大豆 9.8 / 10.0 / 15.6 / 12.5（4.5）
綿花 6.8
たばこ
その他 41.5 / 39.8 / 40.4

Agricultural Statistics

## ❹ アメリカ合衆国の農産物のおもな輸出先（百万ドル）

1990年 45,060　2000年 55,916　2022年 196,042

日本 7.5%　韓国 4.8　カナダ 14.5　メキシコ 14.5　中国 19.5　(台湾) 2.2　EU① 6.3　その他 30.7

①EU27か国　USDA資料

## ❺ カナダの農業収入（百万ドル）

1983年 15,222　2000年 22,140　2013年 53,256

小麦 22.6% / 9.3% / 12.7%
大麦 4.8 / 1.8 / 1.5
なたね
その他の穀物 15.6 / 23.6 / 28.3
なたね 3.9 / 4.7 / 13.4
牛 18.2 / 20.9 / 12.4
豚 9.1 / 10.2 / 7.4
酪製品 13.0 / 12.3 / 10.8
野菜・果実 5.6 / 7.2
その他 3.8

Statistics Canada

## ❻ カナダの農水産物輸出　カナダ農業・農産食料省資料

1983年 93.5億ドル*：穀物 64.1%（小麦 49.7）　大麦 8.7　肉類 7.0　野菜・果物 4.2　その他

2012年 480.6億ドル*：穀物 17.5%　小麦 12.9　肉類 9.6　なたね・なたね油 17.9（なたね油 7.7）魚介類 7.6　野菜・果物 4.6　その他

*魚介類を含まない

## ❼ カナダの農水産物輸出先

1983年 93.5億ドル*：アメリカ合衆国 27.7%　ソ連 14.3　日本 13.8　EC 11.8　中国 8.2　その他

2012年 480.6億ドル*：アメリカ合衆国 49.5%　中国 8.9　日本　EU① 5.1　メキシコ 3.7　その他

*魚介類を含まない
①EU27か国　カナダ農業・農産食料省資料

## ❶ 日本の食料自給率*（%）

食需'21ほか

| 年度 | 総合① | 主食用穀物② | 米 | 小麦 | いも類 | 豆類 | 野菜 | 果実 | 肉類 | 鶏卵 | 牛乳・乳製品 | 魚介類 | 海藻類 | 砂糖類 | 油脂類 | きのこ類 |
|---|---|---|---|---|---|---|---|---|---|---|---|---|---|---|---|---|
| 1960 | 79 | 89 | 102 | 39 | 100 | 44 | 100 | 100 | 93 | 101 | 89 | 108 | 92 | 18 | 42 | |
| 1970 | 60 | 74 | 106 | 9 | 100 | 13 | 99 | 84 | 89 | 97 | 89 | 102 | 91 | 22 | 22 | 111 |
| 1980 | 53 | 69 | 100 | 10 | 96 | 7 | 97 | 81 | 80 | 98 | 82 | 97 | 74 | 27 | 29 | 109 |
| 1990 | 48 | 67 | 100 | 15 | 93 | 8 | 91 | 63 | 70 | 98 | 78 | 79 | 72 | 32 | 28 | 92 |
| 2000 | 40 | 60 | 95 | 11 | 83 | 7 | 81 | 44 | 52 | 95 | 68 | 53 | 63 | 29 | 14 | 74 |
| 2010 | 39 | 59 | 97 | 9 | 76 | 8 | 81 | 38 | 56 | 96 | 67 | 55 | 70 | 26 | 13 | 86 |
| 2021 | 38 | 61 | 98 | 17 | 72 | 8 | 79 | 39 | 53 | 97 | 63 | 57 | 69 | 36 | 14 | 89 |

*重量ベース　①供給熱量ベース　②米・小麦・大麦・裸麦　☞ p.52②

## ❷ 日本の農業総産出額の構成比（%）

生産農業所得統計'21

| 生産物 | 1960 | 1980 | 2000 | 2021 |
|---|---|---|---|---|
| 総産出額（億円） | 19,148 | 102,625 | 91,295 | 88,384 |
| 耕種計 | 80.5 | 67.9 | 72.3 | 60.9 |
| 米 | 47.4 | 30.0 | 25.4 | 15.5 |
| 麦類 | 5.5 | 1.6 | 1.4 | 0.8 |
| 雑穀・豆類 | 3.1 | 1.0 | 1.2 | 0.9 |
| いも類 | 3.0 | 2.0 | 2.5 | 2.7 |
| 野菜 | 9.1 | 18.6 | 23.2 | 24.3 |
| 果実 | 6.0 | 6.7 | 8.9 | 10.4 |
| 花き | 0.5 | 1.7 | 4.9 | 3.7 |
| 工芸農作物 | 4.3 | 4.8 | 3.7 | 2.0 |
| その他 | 1.6 | 1.5 | 1.1 | 0.7 |
| 畜産計 | 18.2 | 31.4 | 26.9 | 38.5 |
| 養蚕 | 2.9 | 1.5 | 0.02 | ①1.0 |
| 加工農産物 | 1.3 | 0.8 | 0.7 | 0.6 |

①養蚕を含むその他畜産物　赤字は各年次の最大割合

## ❸ 日本の1戸あたりの農家所得（千円）

営農類型別経営統計'21ほか

| 区分 | 1960 | 1970 | 1980 | 1990 | 2000 | 2010 | 2021③ |
|---|---|---|---|---|---|---|---|
| 世帯員数（人）① | 5.72 | 4.80 | 4.40 | 4.25 | 4.48 | 3.99 | — |
| （うち農業従事者数） | (2.27) | (1.63) | (1.18) | (1.04) | (1.67) | (1.60) | — |
| 農業粗収益(1) | 359 | 985 | 2,421 | 3,002 | 3,508 | 4,571 | 7,244 |
| （うち作物収入） | (281) | (727) | (1,723) | (2,277) | (2,734) | (2,983) | (4,742) |
| （うち畜産収入） | (61) | (223) | (632) | (670) | (704) | (941) | (1,475) |
| 農業経営費(2) | 134 | 477 | 1,469 | 1,839 | 2,423 | 3,348 | 6,092 |
| 農外収入(3) | 211 | 972 | 3,829 | 5,754 | 5,272 | 1,862 | 986 |
| （うち労賃・手当など） | (136) | (763) | (3,158) | (4,598) | (4,360) | (1,120) | (664) |
| 農外支出(4) | 27 | 87 | 266 | 315 | 298 | 252 | 696 |
| 農家所得 | 410 | 1,393 | 4,515 | 6,602 | 6,059 | 2,833 | 1,442 |
| 農業所得(1)−(2) | 225 | 508 | 952 | 1,163 | 1,084 | 1,223 | 1,152 |
| 農外所得(3)−(4) | 184 | 885 | 3,563 | 5,348 | 4,975 | 1,610 | 290 |
| 農業依存度(%)② | 55.0 | 36.5 | 21.1 | 17.6 | 17.9 | 43.1 | 79.9 |

①2000年以降は販売農家　②農業所得/農家所得×100　③2019年以降、調査対象区分変更

## ❹ 日本の米の供給量（玄米，千t）

食需'21ほか

| 年度 | 生産量 | 輸入量 | 輸出量 | 供給量 | 1人1年あたり供給量(kg) |
|---|---|---|---|---|---|
| 1970 | 12,689 | 15 | 785 | 11,948 | 95.1 |
| 1975 | 13,165 | 29 | 2 | 11,964 | 88.0 |
| 1980 | 9,751 | 27 | 754 | 11,209 | 78.9 |
| 1985 | 11,622 | 30 | 0 | 10,849 | 74.6 |
| 1990 | 10,499 | 50 | 0 | 10,484 | 70.0 |
| 1995 | 10,748 | 495 | 581 | 10,290 | 67.8 |
| 2000 | 9,490 | 879 | 462 | 9,790 | 64.6 |
| 2010 | 8,554 | 831 | 201 | 9,018 | 59.5 |
| 2021 | 8,226 | 878 | 90 | 8,195 | 51.5 |

## ❺ 日本の作付延面積の変化（千ha）

| 作付 | 1970 | 1980 | 1990 | 2000 | 2021 | % |
|---|---|---|---|---|---|---|
| 総計 | 6,311 | 5,636 | 5,349 | 4,563 | 3,977 | 100 |
| 稲 | 2,923 | 2,377 | 2,074 | 1,770 | 1,404 | 35.3 |
| 麦類 | 483 | 320 | 369 | 297 | 283 | 7.1 |
| いも類 | 280 | 183 | 172 | 166 | 121 | 3.0 |
| 豆類 | 337 | 261 | 257 | 192 | 183 | 4.6 |
| 果樹 | 416 | 408 | 346 | 286 | 202 | 5.1 |
| 野菜 | 683 | 644 | 625 | 497 | 355 | 8.9 |
| 工芸農作物 | 257 | 262 | 231 | 191 | 130 | 3.3 |
| 飼肥料作物 | 733 | 1,034 | 1,096 | 1,026 | 1,001 | 25.2 |

耕地及び作付面積統計'21ほか

## ❻ 日本のおもな輸入農産物（2022年）

財務省貿易統計

| 品目 | 輸入量（千t） | おもな輸入先（%） |
|---|---|---|
| とうもろこし① | 15,271 | 米(64.8)ブラジル(22.9)アルゼンチン(6.6) |
| 小麦 | 5,346 | 米(40.3)カナダ(35.2)豪(24.4) |
| 飼料 | 9,129 | 米(26.5)インドネシア(24.9)中国(10.6) |
| 大豆 | 3,503 | 米(73.5)ブラジル(17.0)カナダ(8.8) |
| 生鮮野菜 | 670 | 中国(67.2)ニュージーランド(9.4)米(7.9) |
| 冷凍野菜 | 903 | 中国(45.1)米(26.5)ベルギー(4.9) |
| 肉類 | 3,026 | 米(21.6)タイ(15.9)ブラジル(15.1) |
| （牛肉） | 560 | 米(40.1)豪(37.6)カナダ(8.6) |
| （豚肉） | 977 | 米(24.0)カナダ(21.6)スペイン(19.1) |
| 乳製品 | 373 | ニュージーランド(22.8)豪(18.8)米(16.9) |
| バナナ(生鮮) | 1,055 | フィリピン(78.2)エクアドル(10.9)メキシコ(6.8) |
| 天然ゴム | 763 | インドネシア(67.7)タイ(30.0)ベトナム(1.4) |
| 綿花 | 69 | 米(33.2)ブラジル(14.3)豪(13.1) |
| 植物性油脂 | 957 | マレーシア(57.5)インドネシア(17.1)スペイン(4.2) |
| まぐろ | 177 | (台湾)(32.8)中国(14.1)韓国(9.7) |
| うなぎ | 8 | 中国(80.3)(台湾)(19.7) |
| えび | 157 | 印(23.5)ベトナム(17.3)インドネシア(16.4) |
| たこ | 34 | モーリタニア(28.9)モロッコ(25.0)中国(19.7) |

①とうもろこしの7割は飼料用　☞ p.76④

## ❼ 日本の1人1日あたり食品群別食料供給量（g）

| 区分 | 1970 | 1980 | 1990 | 2000 | 2010 | 2021 |
|---|---|---|---|---|---|---|
| 米 | 287.8 | 238.7 | 211.8 | 195.3 | 179.9 | 155.6 |
| 小麦 | 108.1 | 113.3 | 111.4 | 114.4 | 114.8 | 111.0 |
| いも類 | 49.2 | 52.5 | 62.7 | 64.3 | 56.5 | 59.7 |
| 豆類 | 28.8 | 24.1 | 26.2 | 25.8 | 24.1 | 24.5 |
| 野菜 | 366.5 | 359.7 | 346.1 | 326.4 | 278.6 | 271.1 |
| （うち緑黄色野菜 | (65.6) | (67.5) | (70.3) | (78.3) | (72.9) | (79.5) |
| その他) | (300.9) | (292.3) | (275.7) | (248.1) | (205.7) | (191.6) |
| 果実 | 144.1 | 149.5 | 143.4 | 155.3 | 137.1 | 120.8 |
| 肉類 | 49.2 | 85.8 | 108.7 | 120.2 | 121.0 | 141.1 |
| 鶏卵 | 45.7 | 45.1 | 51.9 | 54.7 | 53.3 | 55.4 |
| 牛乳・乳製品 | 137.2 | 179.0 | 228.0 | 258.2 | 236.7 | 258.6 |
| 魚介類 | 96.9 | 179.4 | 195.0 | 184.1 | 144.7 | 112.8 |
| 海藻類 | 2.5 | 3.7 | 3.9 | 3.8 | 2.7 | 2.2 |
| 砂糖類 | 73.8 | 63.9 | 59.7 | 55.4 | 51.9 | 46.3 |
| 油脂類 | 27.4 | 40.2 | 47.8 | 53.7 | 50.7 | 52.5 |
| 熱量(kcal) | 2,530 | 2,563 | 2,640 | 2,643 | 2,447 | 2,265 |
| たんぱく質 | 78.1 | 83.0 | 85.5 | 86.8 | 79.7 | 77.7 |
| 脂質 | 56.3 | 72.6 | 79.7 | 84.2 | 77.0 | 80.7 |

食需'21

農
業

# ❶都道府県別農業（Ⅰ）（2020年）

赤字は各項目の上位1位，太字は2～5位　　　　農林センサス'20ほか

| 都道府県名 | 総農家数(千戸) | 農業経営体① 計(千) | 個人経営体(%) | 主業(%) | 準主業(%) | 副業的(%) | 団体経営体(%) | 世帯員 農業従事者②(千人) | 0.5ha未満 | 0.5~1.0ha | 1.0~1.5ha | 1.5~2.0ha | 2.0ha以上 | 耕地面積(2022年)(百ha) | 農家1戸あたり耕地面積(ha) |
|---|---|---|---|---|---|---|---|---|---|---|---|---|---|---|---|
| 1960年 | 6,057 | — | — | — | — | — | — | — | 39.1 | 32.7 | 17.2 | 6.9 | 4.1 | 60,710 | 1.0 |
| 1970年 | 5,402 | — | — | — | — | — | — | — | 31.0 | 31.0 | 16.8 | 7.8 | 5.8 | 57,960 | 1.1 |
| 1980年 | 4,661 | — | — | — | — | — | — | — | 41.6 | 28.1 | 21.2 | 5.3 | 3.8 | 54,610 | 1.2 |
| 1990年 | 3,835 | — | — | — | — | — | — | — | 18.4 | 27.3 | 13.4 | 7.0 | 9.1 | 52,730 | 1.4 |
| 2000年 | 3,120 | — | — | — | — | — | — | — | 24.0 | 35.8 | 17.1 | 9.0 | 14.1 | 48,300 | 1.6 |
| 2010年 | 2,528 | — | — | — | — | — | — | — | 21.2 | 34.0 | 16.6 | 8.8 | 19.4 | 45,180 | 1.8 |
| 全　国 | 1,747 | 1,076 | 96.4 | 21.5 | 13.3 | 61.7 | 3.6 | 2,494 | 22.9 | 29.7 | 14.7 | 8.2 | 24.5 | 43,250 | 2.5 |
| 北海道 | 38 | 35 | 87.5 | 62.8 | 2.4 | 22.4 | 12.5 | 81 | 5.8 | 3.2 | 2.7 | 2.0 | 86.3 | 11,410 | 30.4 |
| 青　森 | 36 | 29 | 97.3 | 40.0 | 11.4 | 45.9 | 2.7 | 73 | 13.1 | 19.9 | 15.0 | 11.2 | 40.8 | 1,493 | 4.1 |
| 岩　手 | 53 | 35 | 96.5 | 19.0 | 16.8 | 60.6 | 3.5 | 89 | 19.6 | 26.1 | 16.0 | 9.9 | 28.4 | 1,487 | 2.8 |
| 宮　城 | 42 | 30 | 95.7 | 17.3 | 17.0 | 61.4 | 4.3 | 75 | 13.4 | 21.5 | 16.1 | 11.6 | 37.4 | 1,253 | 3.0 |
| 秋　田 | 37 | 29 | 96.4 | 20.7 | 16.7 | 59.0 | 3.6 | 70 | 10.4 | 17.7 | 14.9 | 11.5 | 45.5 | 1,463 | 4.0 |
| 山　形 | 40 | 28 | 96.4 | 27.3 | 14.4 | 54.8 | 3.6 | 71 | 16.0 | 18.0 | 12.7 | 9.1 | 44.1 | 1,150 | 2.9 |
| 福　島 | 63 | 43 | 97.8 | 17.2 | 17.3 | 63.3 | 2.2 | 107 | 17.3 | 26.7 | 16.5 | 10.7 | 28.8 | 1,361 | 2.2 |
| 茨　城 | 72 | 45 | 98.1 | 21.5 | 10.7 | 65.9 | 1.9 | 105 | 16.9 | 27.8 | 17.1 | 10.6 | 27.6 | 1,607 | 2.3 |
| 栃　木 | 46 | 33 | 97.7 | 22.7 | 15.5 | 59.5 | 2.3 | 80 | 11.8 | 22.0 | 16.1 | 12.0 | 38.2 | 1,214 | 2.6 |
| 群　馬 | 42 | 20 | 96.5 | 25.8 | 8.3 | 62.4 | 3.0 | 49 | 24.3 | 30.8 | 15.7 | 7.9 | 21.3 | 649 | 1.6 |
| 埼　玉 | 46 | 28 | 98.0 | 16.2 | 15.8 | 65.9 | 2.0 | 65 | 19.9 | 33.3 | 19.6 | 10.5 | 16.7 | 733 | 1.6 |
| 千　葉 | 51 | 35 | 97.3 | 25.7 | 13.2 | 58.4 | 2.7 | 84 | 16.3 | 25.1 | 17.4 | 11.5 | 29.8 | 1,215 | 2.4 |
| 東　京 | 10 | 5 | 98.5 | 10.8 | 42.5 | 45.2 | 1.5 | 12 | 50.4 | 32.5 | 10.2 | 3.3 | 3.7 | 63 | 0.7 |
| 神奈川 | 21 | 11 | 97.3 | 17.0 | 24.6 | 55.7 | 2.7 | 27 | 36.2 | 35.4 | 15.1 | 6.8 | 6.5 | 180 | 0.9 |
| 新　潟 | 63 | 44 | 96.4 | 16.4 | 20.2 | 59.8 | 3.6 | 107 | 12.8 | 21.0 | 14.5 | 10.8 | 40.9 | 1,677 | 2.7 |
| 富　山 | 17 | 12 | 91.7 | 7.3 | 14.0 | 70.4 | 8.3 | 29 | 14.6 | 27.8 | 19.1 | 12.3 | 26.3 | 579 | 3.4 |
| 石　川 | 16 | 10 | 94.0 | 10.5 | 13.5 | 69.9 | 6.0 | 22 | 17.8 | 27.3 | 16.0 | 9.1 | 29.8 | 404 | 2.6 |
| 福　井 | 16 | 11 | 93.6 | 7.0 | 12.7 | 73.9 | 6.4 | 25 | 19.8 | 31.3 | 17.6 | 10.0 | 21.2 | 397 | 2.5 |
| 山　梨 | 28 | 15 | 98.1 | 23.3 | 12.5 | 62.4 | 1.9 | 33 | 35.2 | 43.0 | 13.9 | 3.8 | 4.1 | 232 | 0.8 |
| 長　野 | 90 | 43 | 96.8 | 20.0 | 13.2 | 63.6 | 3.2 | 103 | 32.1 | 35.5 | 13.6 | 6.1 | 12.7 | 1,048 | 1.2 |
| 岐　阜 | 49 | 21 | 96.0 | 11.1 | 11.1 | 75.4 | 4.0 | 49 | 38.4 | 39.2 | 10.8 | 3.8 | 7.8 | 548 | 1.1 |
| 静　岡 | 51 | 26 | 97.3 | 23.9 | 13.8 | 59.6 | 2.7 | 63 | 36.2 | 31.0 | 11.9 | 5.5 | 15.4 | 604 | 1.2 |
| 愛　知 | 61 | 27 | 97.5 | 25.6 | 13.0 | 58.9 | 2.5 | 66 | 34.8 | 35.7 | 12.9 | 5.6 | 10.9 | 729 | 1.2 |
| 三　重 | 34 | 19 | 96.4 | 9.6 | 14.0 | 72.9 | 3.6 | 43 | 23.2 | 35.4 | 16.7 | 8.6 | 16.2 | 570 | 1.7 |
| 滋　賀 | 22 | 15 | 94.3 | 9.0 | 14.4 | 70.8 | 5.7 | 34 | 19.3 | 32.1 | 16.4 | 8.6 | 23.5 | 505 | 2.3 |
| 京　都 | 25 | 14 | 96.3 | 11.1 | 14.6 | 70.6 | 3.7 | 31 | 29.7 | 39.9 | 13.7 | 5.3 | 11.4 | 295 | 1.2 |
| 大　阪 | 21 | 8 | 98.5 | 11.7 | 17.9 | 68.9 | 1.5 | 18 | 46.7 | 39.4 | 8.8 | 2.6 | 2.5 | 122 | 0.6 |
| 兵　庫 | 67 | 38 | 96.9 | 9.8 | 13.7 | 73.5 | 3.1 | 87 | 29.3 | 40.7 | 15.5 | 5.7 | 8.8 | 724 | 1.1 |
| 奈　良 | 22 | 11 | 98.4 | 12.1 | 12.9 | 73.3 | 1.6 | 25 | 31.7 | 44.2 | 12.4 | 3.7 | 8.0 | 196 | 0.9 |
| 和歌山 | 25 | 12 | 99.1 | 31.6 | 11.6 | 55.9 | 0.9 | 42 | 28.0 | 33.4 | 15.8 | 8.9 | 14.0 | 313 | 1.3 |
| 鳥　取 | 23 | 14 | 96.4 | 13.2 | 14.6 | 68.8 | 3.4 | 34 | 26.4 | 39.4 | 15.4 | 6.4 | 12.4 | 337 | 1.5 |
| 島　根 | 27 | 15 | 95.5 | 8.6 | 14.2 | 72.6 | 4.5 | 34 | 31.2 | 38.6 | 14.2 | 5.4 | 10.5 | 360 | 1.3 |
| 岡　山 | 51 | 29 | 97.7 | 9.8 | 11.9 | 76.0 | 2.3 | 66 | 29.6 | 39.5 | 15.0 | 5.8 | 10.2 | 623 | 1.3 |
| 広　島 | 45 | 24 | 96.4 | 8.9 | 11.6 | 75.9 | 3.6 | 48 | 34.2 | 38.7 | 13.5 | 4.9 | 8.6 | 518 | 1.2 |
| 山　口 | 27 | 16 | 96.9 | 9.6 | 11.5 | 75.8 | 3.1 | 33 | 29.5 | 36.1 | 14.6 | 6.5 | 13.3 | 438 | 1.6 |
| 徳　島 | 25 | 15 | 97.9 | 19.9 | 11.4 | 66.6 | 2.1 | 33 | 28.2 | 34.8 | 16.0 | 7.2 | 10.2 | 278 | 1.1 |
| 香　川 | 29 | 16 | 97.4 | 10.6 | 11.1 | 75.6 | 2.6 | 37 | 33.7 | 43.6 | 11.6 | 3.7 | 7.4 | 290 | 1.0 |
| 愛　媛 | 35 | 22 | 97.6 | 20.8 | 11.1 | 65.7 | 2.4 | 46 | 27.3 | 35.1 | 15.7 | 7.7 | 14.2 | 453 | 1.3 |
| 高　知 | 20 | 13 | 97.5 | 32.5 | 8.2 | 56.9 | 2.5 | 27 | 33.6 | 35.5 | 14.1 | 6.2 | 10.6 | 258 | 1.3 |
| 福　岡 | 41 | 28 | 96.0 | 24.5 | 12.0 | 59.5 | 4.0 | 64 | 22.3 | 31.2 | 15.8 | 8.7 | 22.0 | 789 | 1.9 |
| 佐　賀 | 19 | 14 | 93.6 | 28.3 | 12.7 | 52.6 | 6.4 | 35 | 23.4 | 28.9 | 15.0 | 8.9 | 23.9 | 502 | 2.7 |
| 長　崎 | 28 | 18 | 97.6 | 30.8 | 13.3 | 53.5 | 2.4 | 42 | 21.9 | 32.3 | 16.7 | 9.1 | 20.0 | 457 | 1.6 |
| 熊　本 | 48 | 34 | 96.1 | 31.8 | 11.0 | 53.2 | 3.9 | 79 | 18.6 | 25.7 | 16.1 | 10.6 | 29.1 | 1,059 | 2.3 |
| 大　分 | 32 | 19 | 95.5 | 15.5 | 10.2 | 69.8 | 4.5 | 39 | 27.2 | 34.1 | 14.5 | 7.2 | 17.0 | 542 | 1.7 |
| 宮　崎 | 31 | 20 | 96.2 | 33.3 | 7.9 | 55.0 | 3.8 | 44 | 22.9 | 27.7 | 14.6 | 9.3 | 25.5 | 644 | 2.1 |
| 鹿児島 | 48 | 30 | 95.2 | 29.5 | 9.9 | 55.7 | 4.8 | 55 | 21.3 | 25.5 | 14.1 | 8.8 | 30.3 | 1,118 | 2.4 |
| 沖　縄 | 15 | 11 | 96.2 | 32.0 | 11.9 | 52.2 | 3.8 | 18 | 25.5 | 25.0 | 11.9 | 5.0 | 32.5 | 363 | 2.4 |

2020年より区分が大幅に変更されている。　　①一定規模以上の農業を行う者，または農作業受託事業を行う者。個人経営体は個人（世帯）で事業を行う経営体。団体経営体は法人・各種団体（農協など）・地方公共団体などの経営体　②個人経営体において自営農業に従事した世帯員　③2010年までは「例外規定農家」を除く　☞ p.63①，p.72「解説」

❶都道府県別農業（Ⅱ）（2022年）　　赤字は各項目の上位1位，太字は2～5位　　　生産農業所得統計ほか

| 都道府県名 | 耕地 | | | | | 耕地率②(%) | 耕地利用率③(2021年)(%) | 稲作(水稲) | | | | 農業産出額(2021年)(億円) | | |
|---|---|---|---|---|---|---|---|---|---|---|---|---|---|---|
| | 水田(百ha) | 水田率①(%) | 普通畑 | 樹園地 | 牧草地 | | | 作付延面積(2021年)(百ha) | 作付面積(百ha) | 収穫量(千t) | 1haあたり収穫量(t) | 野菜 | 果実 | 畜産 |
| 1960年 | 33,810 | 55.7 | 61)21,650 | 61)4,509 | 61)813 | 16.4 | 133.2 | 80,840 | 33,080 | 12,858 | 4.01 | 1,741 | 1,154 | 3,477 |
| 1970年 | 34,150 | 54.9 | 14,950 | 6,002 | 2,825 | 15.7 | 108.9 | 63,110 | 29,230 | 12,689 | 4.42 | 7,400 | 3,966 | 12,096 |
| 1980年 | 30,550 | 55.9 | 12,390 | 5,870 | 5,803 | 14.7 | 103.2 | 56,360 | 23,770 | 9,751 | 4.12 | 19,037 | 6,916 | 32,187 |
| 1990年 | 28,460 | 54.0 | 12,750 | 4,751 | 6,466 | 14.1 | 102.0 | 53,490 | 20,740 | 10,499 | 5.09 | 25,880 | 10,451 | 31,303 |
| 2000年 | 26,410 | 54.7 | 11,880 | 3,564 | 6,447 | 13.0 | 94.5 | 45,630 | 17,700 | 9,490 | 5.36 | 21,139 | 8,107 | 24,596 |
| 2010年 | 24,960 | 54.3 | 11,690 | 3,106 | 6,167 | 12.3 | 92.2 | 42,330 | 16,280 | 8,483 | 5.21 | 22,485 | 7,497 | 26,475 |
| 全　国 | 23,520 | 54.4 | 11,230 | 2,586 | 5,913 | 11.6 | 91.4 | 39,770 | 13,550 | 7,269 | 5.36 | 21,467 | 9,159 | 34,062 |
| 北海道 | 2,216 | 19.4 | 4,181 | 31 | 4,987 | 14.5 | 99.1 | 11,330 | 936 | 553 | 5.91 | 2,094 | 77 | 7,652 |
| 青　森 | 789 | 52.8 | 354 | 221 | 129 | 15.5 | 80.0 | 1,197 | 396 | 235 | 5.94 | 753 | 1,094 | 947 |
| 岩　手 | 935 | 62.9 | 247 | 33 | 271 | 9.7 | 80.0 | 1,194 | 461 | 248 | 5.37 | 245 | 132 | 1,701 |
| 宮　城 | 1,031 | 82.3 | 154 | 11 | 57 | 17.2 | 90.4 | 1,135 | 608 | 327 | 5.37 | 271 | 22 | 753 |
| 秋　田 | 1,283 | 87.7 | 119 | 22 | 39 | 12.6 | 84.6 | 1,238 | 824 | 457 | 5.54 | 285 | 75 | 356 |
| 山　形 | 911 | 79.2 | 118 | 99 | 22 | 12.3 | 90.6 | 1,049 | 615 | 365 | 5.94 | 455 | 694 | 392 |
| 福　島 | 962 | 70.7 | 287 | 64 | 48 | 9.9 | 76.7 | 1,053 | 578 | 317 | 5.49 | 431 | 297 | 475 |
| 茨　城 | 947 | 58.9 | 597 | 59 | 4 | 26.4 | 91.3 | 1,482 | 600 | 319 | 5.32 | 1,530 | 120 | 1,311 |
| 栃　木 | 943 | 77.7 | 225 | 21 | 25 | 18.9 | 98.4 | 1,198 | 508 | 270 | 5.32 | 707 | 88 | 1,287 |
| 群　馬 | 242 | 37.3 | 368 | 28 | 11 | 10.2 | 91.0 | 600 | 144 | 72 | 5.02 | 891 | 79 | 1,158 |
| 埼　玉 | 408 | 55.7 | 299 | 25 | 1 | 19.3 | 86.7 | 637 | 286 | 142 | 4.98 | 743 | 53 | 264 |
| 千　葉 | 721 | 59.3 | 462 | 28 | 4 | 23.6 | 88.5 | 1,086 | 477 | 260 | 5.44 | 1,280 | 101 | 1,094 |
| 東　京 | 2 | 3.5 | 46 | 14 | 1 | 2.9 | 93.6 | 60 | 1 | 0.5 | 4.21 | 100 | 28 | 18 |
| 神奈川 | 35 | 19.4 | 112 | 33 | — | 7.4 | 94.0 | 171 | 29 | 14 | 5.00 | 332 | 73 | 150 |
| 新　潟 | 1,490 | 88.8 | 160 | 21 | 7 | 13.3 | 86.8 | 1,460 | 1,160 | 631 | 5.44 | 309 | 90 | 504 |
| 富　山 | 552 | 95.3 | 18 | 7 | 2 | 13.6 | 90.3 | 524 | 355 | 197 | 5.56 | 52 | 19 | 83 |
| 石　川 | 336 | 83.2 | 51 | 12 | 5 | 9.7 | 84.7 | 344 | 231 | 123 | 5.32 | 98 | 33 | 94 |
| 福　井 | 361 | 90.9 | 26 | 8 | 3 | 9.5 | 102.8 | 410 | 235 | 121 | 5.15 | 81 | 12 | 49 |
| 山　梨 | 77 | 33.0 | 47 | 99 | 9 | 5.2 | 86.3 | 201 | 48 | 26 | 5.32 | 119 | 789 | 78 |
| 長　野 | 515 | 49.1 | 359 | 143 | 31 | 7.7 | 83.3 | 876 | 308 | 187 | 6.08 | 866 | 870 | 262 |
| 岐　阜 | 420 | 76.6 | 87 | 29 | 12 | 5.2 | 85.7 | 473 | 207 | 101 | 4.87 | 353 | 61 | 424 |
| 静　岡 | 214 | 35.4 | 146 | 232 | 11 | 7.8 | 87.6 | 539 | 150 | 76 | 5.09 | 591 | 282 | 544 |
| 愛　知 | 412 | 56.5 | 262 | 51 | 3 | 14.1 | 91.0 | 667 | 259 | 131 | 5.05 | 1,031 | 192 | 840 |
| 三　重 | 436 | 76.5 | 80 | 53 | 0.3 | 9.9 | 90.8 | 523 | 256 | 131 | 5.11 | 150 | 69 | 466 |
| 滋　賀 | 469 | 92.9 | 28 | 8 | 0.5 | 12.6 | 102.2 | 520 | 290 | 152 | 5.23 | 102 | 7 | 114 |
| 京　都 | 230 | 78.0 | 36 | 29 | 1 | 6.4 | 80.5 | 239 | 140 | 72 | 5.14 | 248 | 19 | 148 |
| 大　阪 | 85 | 69.5 | 18 | 19 | — | 6.4 | 79.4 | 99 | 45 | 23 | 5.02 | 137 | 64 | 19 |
| 兵　庫 | 663 | 91.6 | 43 | 16 | 3 | 8.6 | 81.5 | 593 | 345 | 177 | 5.13 | 366 | 34 | 635 |
| 奈　良 | 138 | 70.4 | 24 | 33 | 0.4 | 5.3 | 79.3 | 157 | 84 | 44 | 5.22 | 109 | 80 | 56 |
| 和歌山 | 92 | 29.3 | 22 | 199 | 0.3 | 6.6 | 89.6 | 283 | 60 | 31 | 5.18 | 136 | 790 | 37 |
| 鳥　取 | 230 | 68.2 | 87 | 13 | 8 | 9.6 | 77.1 | 263 | 121 | 62 | 5.14 | 205 | 65 | 289 |
| 島　根 | 291 | 80.8 | 51 | 13 | 5 | 5.4 | 77.3 | 280 | 164 | 85 | 5.19 | 99 | 43 | 270 |
| 岡　山 | 490 | 78.7 | 91 | 36 | 6 | 8.8 | 78.1 | 490 | 281 | 147 | 5.24 | 203 | 284 | 689 |
| 広　島 | 392 | 75.7 | 70 | 50 | 6 | 6.1 | 74.4 | 393 | 216 | 115 | 5.30 | 242 | 161 | 545 |
| 山　口 | 367 | 83.8 | 45 | 23 | 4 | 7.2 | 73.3 | 326 | 176 | 93 | 5.26 | 149 | 50 | 209 |
| 徳　島 | 191 | 68.7 | 52 | 34 | 1 | 6.7 | 84.3 | 237 | 99 | 48 | 4.80 | 343 | 81 | 281 |
| 香　川 | 242 | 83.4 | 21 | 26 | 2 | 15.5 | 80.9 | 237 | 109 | 56 | 5.11 | 236 | 67 | 336 |
| 愛　媛 | 213 | 47.0 | 52 | 186 | 2 | 8.0 | 80.4 | 401 | 131 | 69 | 5.24 | 187 | 553 | 278 |
| 高　知 | 194 | 75.2 | 29 | 29 | 2 | 3.6 | 80.5 | 211 | 108 | 50 | 4.60 | 676 | 110 | 84 |
| 福　岡 | 638 | 80.9 | 73 | 76 | 2 | 15.8 | 115.0 | 912 | 334 | 164 | 4.91 | 668 | 257 | 397 |
| 佐　賀 | 417 | 83.1 | 41 | 43 | 1 | 20.6 | 133.7 | 675 | 228 | 117 | 5.14 | 309 | 204 | 356 |
| 長　崎 | 209 | 45.7 | 195 | 51 | 3 | 11.1 | 95.4 | 438 | 104 | 49 | 4.70 | 439 | 151 | 579 |
| 熊　本 | 649 | 61.3 | 219 | 130 | 61 | 14.3 | 97.1 | 1,044 | 313 | 157 | 5.01 | 1,186 | 362 | 1,318 |
| 大　分 | 386 | 71.2 | 85 | 44 | 27 | 8.5 | 90.1 | 491 | 189 | 93 | 4.93 | 332 | 140 | 465 |
| 宮　崎 | 343 | 53.3 | 251 | 38 | 11 | 8.3 | 104.2 | 675 | 154 | 75 | 4.88 | 661 | 130 | 2,308 |
| 鹿児島 | 347 | 31.0 | 617 | 124 | 30 | 12.2 | 91.8 | 1,036 | 180 | 86 | 4.78 | 545 | 105 | 3,329 |
| 沖　縄 | 8 | 2.2 | 276 | 19 | 60 | 15.9 | 87.7 | 320 | 6 | 2 | 3.00 | 119 | 53 | 420 |

①水田率＝(水田面積／耕地面積)×100　②耕地率＝(耕地総面積／総土地面積)×100　③耕地利用率＝(作付延面積／耕地面積)×100
☞ p.63①，p.72「解説」

農
業

# ❶都道府県別農業（Ⅲ）

作物統計ほか

農

業

| | 小麦収穫量(百t) | 大麦収穫量(百t) | じゃがいも収穫量(千t) | さつまいも収穫量(千t) | 大豆収穫量(百t) | だいこん収穫量(千t) | キャベツ収穫量(千t) | きゅうり収穫量(千t) | トマト収穫量(千t) | りんご収穫量(千t) |
|---|---|---|---|---|---|---|---|---|---|---|
| 調査年 | 2022年 | 2022年 | 2022年 | 2022年 | 2022年 | 2022年 | 2022年 | 2022年 | 2022年 | 2022年 |
| 1960年 | 15,310 | 12,060 | 3,499 | 6,277 | 4,176 | 2,859 | 686 | 462 | 242 | 876 |
| 1970年 | 4,740 | 4,180 | 3,611 | 2,654 | 1,260 | 2,748 | 1,437 | 965 | 790 | 1,021 |
| 1980年 | 5,830 | 3,320 | 3,421 | 1,317 | 1,739 | 2,689 | 1,545 | 1,018 | 1,014 | 960 |
| 1990年 | 9,515 | 3,459 | 3,552 | 1,402 | 2,204 | 2,336 | 1,544 | 931 | 767 | 1,053 |
| 2000年 | 6,882 | 2,143 | 2,899 | 1,073 | 2,350 | 1,876 | 1,449 | 767 | 806 | 800 |
| 2010年 | 5,678 | 1,616 | 2,290 | 864 | 2,225 | 1,496 | 1,359 | 588 | 691 | 787 |
| 全国 | 9,935 | 2,333 | 2,283 | 711 | 2,428 | 1,181 | 1,458 | 549 | 708 | 737 |
| 1位 | 北海道6,142 | 佐賀474 | 北海道1,819 | 鹿児島210 | 北海道1,089 | 千葉145 | 群馬285 | 宮崎65 | 熊本130 | 青森439 |
| 2位 | 福岡754 | 栃木363 | 鹿児島98 | 茨城194 | 宮城158 | 北海道129 | 愛知269 | 群馬56 | 北海道63 | 長野133 |
| 3位 | 佐賀566 | 福岡255 | 長崎84 | 千葉89 | 秋田115 | 青森107 | 千葉110 | 埼玉44 | 愛知48 | 岩手47 |
| 4位 | 愛知300 | 福井•181 | 茨城49 | 宮崎71 | 福岡98 | 鹿児島107 | 茨城105 | 福島41 | 茨城46 | 山形41 |
| 5位 | 三重250 | 富山•134 | 千葉28 | 徳島27 | 滋賀92 | 神奈川75 | 鹿児島75 | 千葉31 | 栃木32 | 福島40 |
| 6位 | 滋賀241 | 熊本97 | 福島15 | 熊本19 | 佐賀89 | 宮崎65 | 長野69 | 茨城29 | 千葉31 | 秋田23 |
| 7位 | 群馬227 | 大分96 | 長野15 | — | 新潟71 | 茨城54 | 神奈川68 | 高知26 | 岐阜27 | 群馬8 |
| 8位 | 熊本206 | 岡山88 | 熊本15 | — | 山形69 | 新潟44 | 北海道62 | 佐賀15 | 福島22 | 北海道3 |
| 9位 | 埼玉191 | 群馬75 | 静岡14 | — | 愛知61 | 長野41 | 熊本45 | 熊本15 | 群馬22 | 宮城3 |
| 10位 | 岐阜125 | 北海道67 | 青森13 | — | 岩手59 | 群馬29 | 兵庫26 | 愛知15 | 福岡19 | 岐阜2 |

| | みかん収穫量(千t) | ぶどう収穫量(千t) | 荒茶生産量(百t) | 乳牛飼養頭数(千頭) | 肉牛飼養頭数(千頭) | 豚飼養頭数(千頭) | 採卵鶏飼養羽数(万羽) | ブロイラー飼養羽数(万羽) | 生乳生産量(千t) | 養蚕収繭量(t) |
|---|---|---|---|---|---|---|---|---|---|---|
| 調査年 | 2022年 | 2022年 | 2022年 | 2023年 | 2023年 | 2023年 | 2023年 | 2023年 | 2022年 | 2022年 |
| 1960年 | 894 | 155 | 776 | 824 | 2,340 | 1,918 | — | — | 1,887 | 111,208 |
| 1970年 | 2,552 | 234 | 912 | 1,804 | 1,789 | 6,335 | 16,979 | 5,374 | 4,761 | 111,736 |
| 1980年 | 2,892 | 323 | 1,023 | 2,091 | 2,157 | 9,998 | 16,472 | 13,125 | 6,504 | 73,061 |
| 1990年 | 1,653 | 276 | 899 | 2,058 | 2,702 | 11,817 | 18,741 | 15,045 | 8,189 | 24,925 |
| 2000年 | 1,143 | 238 | 847 | 1,764 | 2,823 | 9,806 | 17,847 | 10,841 | 8,497 | 1,244 |
| 2010年 | 786 | 185 | 850 | 1,484 | 2,892 | 11)9,768 | 11)17,592 | 09)10,714 | 7,720 | 265 |
| 全国 | 682 | 163 | 772 | 1,356 | 2,687 | 8,956 | 16,981 | 14,146 | 7,617 | 51 |
| 1位 | 和歌山153 | 山梨41 | 静岡286 | 北海道843 | 北海道566 | 鹿児島1,153 | 千葉1,307 | 鹿児島3,129 | 北海道4,309 | 群馬18 |
| 2位 | 愛媛109 | 長野29 | 鹿児島267 | 栃木54 | 鹿児島358 | 宮崎818 | 茨城1,230 | 宮崎2,825 | 栃木359 | 福島9 |
| 3位 | 静岡103 | 岡山15 | 三重53 | 熊本44 | 宮崎260 | 北海道760 | 鹿児島1,158 | 岩手2,077 | 熊本266 | 栃木7 |
| 4位 | 熊本75 | 山形14 | 宮崎30 | 岩手40 | 熊本139 | 群馬594 | 群馬958 | 青森691 | 群馬208 | 埼玉3 |
| 5位 | 長崎40 | 福岡7 | 京都26 | 群馬33 | 長崎92 | 千葉588 | 岡山877 | 北海道536 | 岩手207 | 愛媛2 |
| 6位 | 佐賀39 | 北海道7 | 福岡18 | 千葉27 | 岩手89 | 岩手474 | 広島805 | 熊本397 | 千葉192 | 宮城1 |
| 7位 | 愛知24 | 大阪4 | 熊本13 | 茨城24 | 栃木85 | 茨城458 | 愛知796 | 佐賀395 | 茨城183 | 長野1 |
| 8位 | 福岡18 | 愛知3 | 埼玉7 | 愛知20 | 沖縄81 | 青森356 | 北海道631 | 徳島372 | 愛知148 | 岩手1 |
| 9位 | 広島16 | 青森3 | — | 宮城17 | 宮城80 | 熊本338 | 三重622 | 鳥取322 | 岡山114 | 千葉1 |
| 10位 | 三重15 | 広島3 | — | 岡山16 | 兵庫59 | 愛知309 | 兵庫621 | 長崎302 | 宮城107 | 茨城1 |

• は一部秘匿された種類の数値を含まない

p.70：1960年以降の農家総数の減少は著しく，最新年次では200万戸を下回っている。2020年より農業経営に関する統計の調査方法が変更され，「農家」単位から「農業経営体」単位になった。その結果「専業農家」「兼業農家」に代わり，「農業経営体（個人）」は「主業」「準主業」「副業的」の区分となった。北海道では「団体経営体」が多く，「個人経営体」でも「主業」の割合が大きい。

p.71：耕地率は約12％と低く，耕地面積の5割が水田である。水田率は北陸・近畿で高く，北海道は低い。稲作は1960年以降，作付面積が減少し，都道府県別では新潟と北海道が特に多い。

p.72：輸入大豆の増加に伴い，最新年次の大豆生産量は1960年の6割の水準に減少。産地では，小麦の6割，じゃがいもの8割は冷涼な北海道で，さつまいもの3割は温暖な鹿児島で生産される。野菜類では，消費地の東京近郊諸県や高冷地の群馬・長野，暖地の宮崎・熊本などに注目する。果実ではりんごの青森・長野，ぶどうの山梨などそれぞれの主産地がはっきりしている。畜産では乳牛が北海道，豚やブロイラーは鹿児島・宮崎での飼育がさかんである。

## ❶原木の生産（百万m³）　　FAOSTAT

| 国　　名 | 1990 | 2022 | % | 用材% | 薪炭材% | 針葉樹% | 広葉樹% |
|---|---|---|---|---|---|---|---|
| 世　　界 | 3,543 | 3,983 | 100 | 50.6 | 49.4 | 35.3 | 64.7 |
| アメリカ合衆国 | 509 | 459 | 11.5 | 83.4 | 16.6 | 74.9 | 25.1 |
| イ ン ド | 311 | 348 | 8.7 | 14.2 | 85.8 | 4.3 | 95.7 |
| 中　　国 | 377 | 317 | 8.0 | 52.3 | 47.7 | 28.3 | 71.7 |
| ブ ラ ジ ル | 195 | 304 | 7.6 | 56.2 | 43.8 | 17.2 | 82.8 |
| ロ シ ア | ①386 | 197 | 5.0 | 92.3 | 7.7 | 79.1 | 20.9 |
| カ ナ ダ | 162 | 145 | 3.6 | 99.0 | 1.0 | 80.6 | 19.4 |
| インドネシア | 164 | 124 | 3.1 | 71.6 | 28.4 | 0.01 | 99.99 |
| エチオピア | ②73 | 120 | 3.0 | 2.4 | 97.6 | 6.8 | 93.2 |
| コンゴ民主 | 47 | 95 | 2.4 | 4.9 | 95.1 | 0.0 | 100.0 |
| ド イ ツ | 85 | 79 | 2.0 | 71.7 | 28.3 | 77.7 | 22.3 |

日本34（用材70.0%，薪炭材30.0%，針葉樹63.7%，広葉樹36.3%）
①ソ連 ②エリトリアを含む

❶：森林面積の広い国がほぼ原木生産の上位を占める（p.63参照）。アメリカ合衆国など先進国ではパルプ，建築材などの用材利用が中心で，インドやアフリカ諸国では薪炭材（燃料）利用が多い。用材に使う針葉樹は高緯度地方に多く，広葉樹は低緯度地方でおもに燃料として伐採される。
❸：木材輸出は針葉樹の豊富なカナダやロシアなど高緯度地方が多い。
❼：日本は供給量の6割以上を外材に依存。
❾：輸入相手先上位5か国に注目する。

## ❷製材量（万m³）　FAOSTAT

| 国　　名 | 1990 | 2022 | % |
|---|---|---|---|
| 世　　界 | 46,301 | 48,126 | 100 |
| アメリカ合衆国 | 8,614 | 8,168 | 17.0 |
| 中　　国 | 2,274 | 7,952 | 16.5 |
| ロ シ ア | ①10,500 | 3,800 | 7.9 |
| カ ナ ダ | 3,974 | 3,726 | 7.7 |
| ド イ ツ | 1,472 | 2,534 | 5.3 |
| イ ン ド | 1,746 | 2,398 | 5.0 |
| スウェーデン | 1,202 | 1,897 | 3.9 |
| フィンランド | 750 | 1,127 | 2.3 |
| オーストリア | 751 | 1,034 | 2.1 |
| ブ ラ ジ ル | 1,373 | 1,000 | 2.1 |

日本860 ①ソ連

## ❸木材の輸出入（原木・製材）（万m³）　FAOSTAT

| 輸 出 国 | 1990 | 2022 | % | 輸 入 国 | 1990 | 2022 | % |
|---|---|---|---|---|---|---|---|
| 世　　界 | 16,203 | 25,929 | 100 | 世　　界 | 16,790 | 26,142 | 100 |
| カ ナ ダ | 2,839 | 2,846 | 11.0 | 中　　国 | 412 | 7,009 | 26.8 |
| ロ シ ア | ①1,694 | 2,744 | 10.6 | アメリカ合衆国 | 2,274 | 2,802 | 10.7 |
| ド イ ツ | 578 | 2,160 | 8.3 | オーストリア | 527 | 1,070 | 4.1 |
| ニュージーランド | 230 | 2,158 | 8.3 | ド イ ツ | 807 | 1,004 | 3.8 |
| スウェーデン | 706 | 1,609 | 6.2 | イ タ リ ア | 1,233 | 967 | 3.7 |
| アメリカ合衆国 | 3,012 | 1,360 | 5.2 | ベ ル ギ ー | ③386 | 951 | 3.6 |
| チ ェ コ | ②165 | 1,174 | 4.5 | 日　　本 | 3,667 | 744 | 2.8 |
| フィンランド | 447 | 1,038 | 4.0 | スウェーデン | 222 | 733 | 2.8 |
| ラ ト ビ ア | － | 795 | 3.1 | イ ギ リ ス | 1,091 | 705 | 2.7 |
| オーストリア | 537 | 719 | 2.8 | イ ン ド | 136 | 695 | 2.7 |

日本150（出）　①ソ連 ②チェコスロバキア ③ルクセンブルクを含む

## ❹パルプの生産（万t）　FAOSTAT

| 国　　名 | 1990 | 2022 | % |
|---|---|---|---|
| 世　　界 | 16,561 | 19,857 | 100 |
| アメリカ合衆国 | 5,640 | 4,666 | 23.5 |
| 中　　国 | 1,252 | 2,673 | 13.5 |
| ブ ラ ジ ル | 436 | 2,503 | 12.6 |
| カ ナ ダ | 2,284 | 1,362 | 6.9 |
| スウェーデン | 992 | 1,132 | 5.7 |
| フィンランド | 877 | 1,052 | 5.3 |
| インドネシア | 79 | 898 | 4.5 |
| ロ シ ア | ①1,008 | 887 | 4.5 |
| 日　　本 | 1,115 | 757 | 3.8 |
| イ ン ド | 175 | 613 | 3.1 |

①ソ連

## ❺パルプの輸出入（2022年）

| | 国　　名 | 万t | % |
|---|---|---|---|
| 輸出 | 世　　界 | 6,407 | 100 |
| | ブ ラ ジ ル | 1,915 | 29.9 |
| | カ ナ ダ | 782 | 12.2 |
| | アメリカ合衆国 | 722 | 11.3 |
| | インドネシア | 446 | 7.0 |
| | フィンランド | 396 | 6.2 |
| 輸入 | 世　　界 | 6,267 | 100 |
| | 中　　国 | 2,208 | 35.2 |
| | アメリカ合衆国 | 671 | 10.7 |
| | ド イ ツ | 396 | 6.3 |
| | イ タ リ ア | 354 | 5.7 |
| | 韓　　国 | 225 | 3.6 |

日本26（出）146（入）　FAOSTAT

## ❻紙・板紙の生産（万t）　FAOSTAT

| 国　　名 | 1990 | 2022 | % |
|---|---|---|---|
| 世　　界 | 23,935 | 41,409 | 100 |
| 中　　国 | 1,399 | 12,432 | 30.0 |
| アメリカ合衆国 | 7,197 | 6,526 | 15.8 |
| 日　　本 | 2,809 | 2,269 | 5.5 |
| ド イ ツ | 1,219 | 2,161 | 5.2 |
| イ ン ド | 219 | 1,680 | 4.1 |
| インドネシア | 144 | 1,195 | 2.9 |
| ブ ラ ジ ル | 484 | 1,104 | 2.7 |
| 韓　　国 | 452 | 1,070 | 2.6 |
| ロ シ ア | ①1,072 | 929 | 2.2 |
| カ ナ ダ | 1,647 | 899 | 2.2 |

①ソ連

## ❼日本の用材供給量*

| 年次 | 総供給量（千m³） | 国産材（%） | 外材（%） |
|---|---|---|---|
| 1960 | 56,547 | 86.7 | 13.3 |
| 1970 | 102,679 | 45.0 | 55.0 |
| 1980 | 108,964 | 31.7 | 68.3 |
| 1990 | 111,162 | 26.4 | 73.6 |
| 2000 | 99,263 | 18.2 | 81.8 |
| 2010 | 70,254 | 26.0 | 74.0 |
| 2015 | 70,883 | 30.8 | 69.2 |
| 2020 | 61,392 | 35.8 | 64.2 |
| 2022 | 67,495 | 35.8 | 64.2 |

*丸太の供給量と，輸入した製材品，合板，パルプ・チップなどの製品を丸太に換算した供給量とを合計したもの。
木材需給表

## ❽日本の素材（丸太）供給量　木材需給報告書ほか

| 年次 | 総供給量（千m³） | 国産材（%） | 外材（%） | | | |
|---|---|---|---|---|---|---|
| | | | 南洋材 | 米材① | 北洋材② | その他 |
| 1960 | 55,189 | 87.9 | 9.1 | ③－ | 1.9 | 1.1 |
| 1970 | 88,632 | 51.2 | 20.9 | 15.3 | 7.8 | 4.7 |
| 1980 | 77,943 | 43.7 | 22.1 | 20.5 | 8.0 | 5.7 |
| 1990 | 64,669 | 44.4 | 18.6 | 26.9 | 7.1 | 3.0 |
| 2000 | 37,099 | 47.6 | 8.3 | 21.9 | 15.4 | 6.8 |
| 2010 | 23,724 | 72.5 | 2.2 | 16.9 | 4.0 | 4.3 |
| 2015 | 25,092 | 79.9 | 1.1 | 15.2 | 1.4 | 2.4 |
| 2020 | 22,550 | 84.4 | 0.4 | 12.1 | 1.1 | 2.0 |
| 2021 | 26,085 | 83.8 | 0.2 | 13.2 | 0.8 | 2.0 |

①アメリカおよびカナダの地域から輸入されるもので，主要樹種はつが，まつ，すぎ，ひのきなど　②ロシアから輸入されるもので，主要樹種はからまつ，えぞまつ，とどまつなど　③その他に含まれる

## ❾日本の木材*輸入（2022年）

| 国　　名 | 億円 | % |
|---|---|---|
| 総　　計 | 5,479 | 100 |
| カ ナ ダ | 1,251 | 22.8 |
| アメリカ合衆国 | 999 | 18.2 |
| スウェーデン | 637 | 11.6 |
| フィンランド | 591 | 10.8 |
| ロ シ ア | 562 | 10.3 |
| オーストリア | 249 | 4.5 |
| 中　　国 | 192 | 3.5 |
| ド イ ツ | 121 | 2.2 |
| チ リ | 121 | 2.2 |
| インドネシア | 113 | 2.1 |

*丸太，製材の合計　財務省貿易統計

●都道府県別林業　　赤字は各項目の上位1位，太字は2～5位　　　　　　　　木材需給報告書'21ほか

| 都道府県名 | 林野面積① (千ha) 2020年 | 森林面積 2020年 計(千ha) | 国有林(%) | 公有林②(%) | 私有林(%) | 森林率③(%) 2020年 | 林家数(千戸) 2020年 | 素材生産量(千m³) 2021年 | 製材用 | 木材チップ用 | 林業産出額(千万円) 2021年 木材 | 薪炭 | 栽培きのこ類 | 林野副産物④ |
|---|---|---|---|---|---|---|---|---|---|---|---|---|---|---|
| 1960年 | 25,609 | 24,403 | 30.0 | 11.6 | 58.4 | ... | 2,705 | 48,515 | 33,817 | ... | ... | ... | ... | ... |
| 1970年 | 25,285 | 24,483 | 30.2 | 11.8 | 58.0 | 64.9 | 2,566 | 45,351 | 27,362 | 8,280 | 71)98,913 | 71)1,587 | 71)4,415 | 71)607 |
| 1980年 | 25,198 | 24,728 | 29.9 | 13.1 | 57.0 | 65.5 | 2,531 | 34,051 | 20,953 | 9,139 | 96,739 | 650 | 17,615 | 818 |
| 1990年 | 25,026 | 24,621 | 29.7 | 14.3 | 56.0 | 65.2 | 2,509 | 29,300 | 18,023 | 8,768 | 72,814 | 826 | 22,943 | 1,132 |
| 2000年 | 24,918 | 24,490 | 29.6 | 15.4 | 55.0 | 64.8 | 1,019 | 17,987 | 12,798 | 4,098 | 32,213 | 616 | 19,689 | 592 |
| 2010年 | 24,845 | 24,462 | 29.1 | 16.2 | 54.7 | 64.7 | 907 | 17,193 | 10,582 | 4,121 | 19,455 | 508 | 21,891 | 315 |
| 全国 | 24,770 | 24,436 | 28.8 | 16.4 | 54.8 | 64.7 | 690 | 21,847 | 12,861 | 4,325 | 26,655 | 354 | 20,916 | 468 |
| 北海道 | 5,504 | 5,313 | 53.4 | 20.5 | 26.0 | 63.7 | 25 | 3,163 | 1,630 | 881 | 3,145 | 16 | 906 | 94 |
| 青森 | 626 | 613 | 61.1 | 8.9 | 30.0 | 63.6 | 14 | 971 | 360 | 214 | 863 | 1 | 36 | 12 |
| 岩手 | 1,152 | 1,140 | 31.3 | 15.5 | 53.2 | 74.6 | 32 | 1,431 | 525 | 359 | 1,498 | 39 | 369 | 24 |
| 宮城 | 408 | 404 | 29.7 | 17.6 | 52.7 | 55.4 | 15 | 627 | 218 | 117 | 534 | 1 | 379 | 8 |
| 秋田 | 833 | 818 | 45.4 | 14.4 | 40.1 | 70.3 | 22 | 1,183 | 486 | 143 | 1,176 | 1 | 392 | 5 |
| 山形 | 645 | 644 | 50.9 | 9.0 | 40.1 | 69.0 | 17 | 305 | 223 | 7 | 317 | 1 | 360 | 15 |
| 福島 | 942 | 938 | 39.7 | 11.5 | 48.8 | 68.0 | 34 | 890 | 444 | 382 | 853 | 2 | 337 | 3 |
| 茨城 | 199 | 198 | 22.2 | 3.1 | 74.7 | 32.4 | 12 | 401 | 320 | 77 | 547 | 0 | 238 | 3 |
| 栃木 | 339 | 339 | 34.9 | 8.2 | 56.8 | 52.9 | 14 | 658 | 463 | 190 | 851 | 3 | 393 | 1 |
| 群馬 | 409 | 407 | 43.5 | 7.9 | 48.6 | 64.0 | 10 | 252 | 162 | 59 | 283 | 2 | 396 | 0 |
| 埼玉 | 119 | 119 | 10.0 | 20.7 | 69.4 | 31.4 | 6 | 67 | 31 | x | 67 | 0 | 83 | 0 |
| 千葉 | 161 | 155 | 4.9 | 6.6 | 88.5 | 30.1 | 11 | 50 | 16 | 30 | 43 | 0 | 233 | 6 |
| 東京 | 77 | 76 | 6.5 | 31.5 | 61.9 | 34.7 | 4 | 64 | 17 | 39 | 41 | 0 | 18 | 0 |
| 神奈川 | 94 | 93 | 10.0 | 39.8 | 50.2 | 38.7 | 3 | 10 | 8 | x | 13 | 0 | 26 | 0 |
| 新潟 | 803 | 799 | 27.9 | 10.8 | 61.3 | 63.5 | 23 | 119 | 81 | 15 | 140 | 1 | 4,270 | 9 |
| 富山 | 241 | 241 | 25.3 | 21.9 | 52.9 | 56.6 | 5 | 112 | 57 | 34 | 118 | 2 | 319 | 2 |
| 石川 | 278 | 278 | 9.4 | 15.3 | 75.3 | 66.3 | 10 | 108 | 52 | 19 | 135 | 0 | 84 | 4 |
| 福井 | 310 | 310 | 11.9 | 17.1 | 70.9 | 73.9 | 11 | 122 | 57 | 35 | 116 | 1 | 42 | 3 |
| 山梨 | 349 | 347 | 1.3 | 60.3 | 38.4 | 77.8 | 7 | 125 | 27 | x | 120 | 0 | 30 | 1 |
| 長野 | 1,029 | 1,022 | 31.6 | 22.0 | 46.4 | 75.3 | 26 | 460 | 188 | 65 | 648 | 3 | 5,023 | 104 |
| 岐阜 | 841 | 839 | 18.5 | 16.3 | 65.2 | 79.0 | 30 | 385 | 256 | 49 | 593 | 4 | 326 | 5 |
| 静岡 | 493 | 488 | 17.2 | 11.6 | 71.2 | 62.8 | 17 | 608 | 199 | 310 | 638 | 1 | 729 | 3 |
| 愛知 | 218 | 218 | 5.0 | 12.5 | 82.5 | 42.1 | 10 | 139 | 96 | 15 | 171 | 1 | 84 | 1 |
| 三重 | 371 | 371 | 6.0 | 12.0 | 82.0 | 64.2 | 12 | 277 | 189 | 7 | 445 | 5 | 157 | 6 |
| 滋賀 | 204 | 204 | 9.1 | 19.8 | 71.1 | 50.7 | 8 | 72 | 15 | 43 | 57 | 1 | 33 | 2 |
| 京都 | 342 | 342 | 2.0 | 12.9 | 85.1 | 74.2 | 10 | 159 | 51 | 67 | 162 | 1 | 99 | 8 |
| 大阪 | 57 | 57 | 1.9 | 8.3 | 89.8 | 29.9 | 4 | x | 7 | x | x | x | 23 | 1 |
| 兵庫 | 563 | 562 | 5.2 | 18.1 | 76.7 | 66.9 | 22 | 301 | 98 | 60 | 340 | 3 | 77 | 30 |
| 奈良 | 284 | 284 | 4.4 | 12.2 | 83.3 | 76.9 | 7 | 125 | 107 | x | 201 | 9 | 55 | 3 |
| 和歌山 | 360 | 360 | 4.6 | 9.0 | 86.4 | 76.9 | 9 | 206 | 138 | 44 | 231 | 82 | 151 | 3 |
| 鳥取 | 258 | 257 | 11.6 | 21.3 | 67.1 | 73.4 | 11 | 232 | 83 | 48 | 262 | 6 | 115 | 4 |
| 島根 | 528 | 524 | 6.0 | 16.4 | 77.6 | 78.0 | 27 | 346 | 120 | 102 | 385 | 11 | 165 | 3 |
| 岡山 | 489 | 485 | 7.5 | 18.1 | 74.4 | 68.1 | 26 | 427 | 348 | 56 | 726 | 1 | 156 | 7 |
| 広島 | 618 | 610 | 7.7 | 14.0 | 78.3 | 71.9 | 36 | 347 | 152 | 114 | 467 | 0 | 388 | 12 |
| 山口 | 440 | 437 | 2.5 | 18.9 | 78.5 | 71.4 | 23 | 221 | 123 | 52 | 331 | 1 | 81 | 4 |
| 徳島 | 313 | 313 | 5.3 | 12.2 | 82.5 | 75.4 | 11 | 333 | 175 | x | 352 | 1 | 707 | 4 |
| 香川 | 87 | 87 | 9.1 | 16.3 | 74.6 | 46.4 | 6 | 13 | x | x | 13 | 2 | 397 | 1 |
| 愛媛 | 401 | 400 | 9.6 | 10.9 | 79.5 | 70.5 | 19 | 563 | 528 | 32 | 809 | 2 | 117 | 7 |
| 高知 | 594 | 592 | 20.7 | 10.9 | 68.4 | 83.3 | 7 | 519 | x | 94 | 702 | 92 | 126 | 14 |
| 福岡 | 222 | 222 | 11.1 | 12.8 | 76.1 | 44.5 | 9 | 167 | 124 | 36 | 239 | 3 | 1,109 | 10 |
| 佐賀 | 111 | 111 | 13.7 | 14.2 | 72.1 | 45.3 | 9 | 145 | 124 | 20 | 237 | 0 | 10 | 7 |
| 長崎 | 246 | 242 | 9.6 | 18.7 | 71.6 | 58.5 | 11 | 139 | 77 | 50 | 195 | 1 | 471 | 13 |
| 熊本 | 466 | 458 | 13.4 | 16.4 | 70.2 | 61.8 | 18 | 1,013 | 811 | 79 | 1,684 | 14 | 201 | 3 |
| 大分 | 455 | 449 | 10.1 | 11.5 | 78.4 | 70.8 | 14 | 1,185 | 948 | 27 | 1,709 | 11 | 541 | 6 |
| 宮崎 | 586 | 584 | 30.1 | 13.2 | 56.7 | 75.5 | 13 | 2,131 | 1,919 | 48 | 3,217 | 18 | 477 | 10 |
| 鹿児島 | 589 | 585 | 25.4 | 14.2 | 60.4 | 63.7 | 17 | 664 | 417 | 115 | 970 | 7 | 115 | 8 |
| 沖縄 | 116 | 106 | 29.6 | 43.6 | 26.8 | 46.7 | 5 | x | x | x | x | x | 70 | 0 |

①森林以外の草生地を含む　②独立行政法人等所管林を含む　③総土地面積（国土面積）に対する森林面積の割合　④まつたけなど
xは数値が秘匿されている

# ❶水域別漁獲量（千t） FAOSTAT

| 水域・国名 | 1990 | 2000 | 2010 | 2021 |
|---|---|---|---|---|
| 太平洋北西部 | 22,470 | 21,502 | 20,864 | 19,297 |
| 中　　国 | 5,840 | 12,724 | 12,564 | 11,181 |
| ロ シ ア | ④4,537 | 2,377 | 2,558 | 3,632 |
| 日　　本 | 8,625 | 4,342 | 3,748 | 2,964 |
| 韓　　国 | 1,881 | 1,302 | 1,176 | 976 |
| （台　湾） | 689 | 362 | 437 | 222 |
| 太平洋北東部 | 3,332 | 2,494 | 2,437 | 2,907 |
| アメリカ合衆国 | 2,907 | 2,348 | 2,277 | 2,755 |
| カ ナ ダ | 300 | 143 | 153 | 147 |
| 太平洋中西部 | 7,407 | 9,851 | 11,527 | 13,463 |
| インドネシア | 1,704 | 2,621 | 3,750 | 5,145 |
| ベ ト ナ ム | 653 | 1,420 | 2,067 | 3,391 |
| フィリピン | 1,614 | 1,765 | 2,315 | 1,641 |
| タ　　イ | 1,921 | 2,041 | 1,051 | 905 |
| マレーシア | 445 | 770 | 700 | 612 |
| 太平洋中東部 | 1,657 | 1,789 | 1,957 | 1,734 |
| メ キ シ コ | 955 | 963 | 1,210 | 1,211 |
| アメリカ合衆国 | 252 | 285 | 326 | 128 |
| パ ナ マ | 110 | 195 | 120 | 114 |
| 太平洋南西部 | 828 | 716 | 585 | 391 |
| ニュージーランド | 351 | 548 | 422 | 342 |
| オーストラリア | 78 | 31 | 21 | 33 |
| 日　　本 | 233 | 43 | 12 | 4 |
| 太平洋南東部 | 14,029 | 16,060 | 8,178 | 10,459 |
| ペ ル ー | 6,841 | 10,626 | 4,262 | 6,558 |
| チ　　リ | 5,349 | 4,543 | 3,048 | 2,368 |
| エクアドル | 280 | 573 | 340 | 801 |
| 中　　国 | － | 2 | 208 | 461 |
| パ ナ マ | 2 | 16 | 27 | 59 |
| 大西洋北西部 | 3,310 | 2,165 | 2,130 | 1,627 |
| アメリカ合衆国 | 1,387 | 1,047 | 1,079 | 804 |
| カ ナ ダ | 1,341 | 849 | 796 | 586 |
| （グリーンランド） | 133 | 122 | 176 | 171 |
| 大西洋北東部 | 8,828 | 11,355 | 8,958 | 8,218 |
| ノルウェー | 1,767 | 2,886 | 2,716 | 2,326 |
| アイスランド | 1,521 | 1,991 | 1,081 | 1,056 |
| ロ シ ア | ①540 | 1,007 | 996 | 1,056 |
| イギリス | 766 | 738 | 575 | 632 |
| （フェロー諸島） | 264 | 446 | 377 | 538 |

| 水域・国名 | 1990 | 2000 | 2010 | 2021 |
|---|---|---|---|---|
| 大西洋中西部 | 1,709 | 1,778 | 1,194 | 1,227 |
| アメリカ合衆国 | 874 | 951 | 584 | 528 |
| メ キ シ コ | 341 | 275 | 200 | 256 |
| ベネズエラ | 257 | 249 | 153 | 159 |
| 大西洋中東部 | 4,137 | 3,733 | 4,516 | 5,294 |
| モ ロ ッ コ | 538 | 878 | 1,103 | 1,374 |
| モーリタニア | 60 | 104 | 261 | 845 |
| セ ネ ガ ル | 298 | 384 | 375 | 475 |
| ナイジェリア | 217 | 309 | 324 | 442 |
| ガ ー ナ | 338 | 357 | 255 | 312 |
| 大西洋南西部 | 1,886 | 2,341 | 1,765 | 1,962 |
| アルゼンチン | 551 | 891 | 796 | 835 |
| ブ ラ ジ ル | 434 | 468 | 537 | 514 |
| （台　湾） | 128 | 248 | 35 | 154 |
| 中　　国 | － | 93 | 37 | 140 |
| ス ペ イ ン | 67 | 86 | 121 | 128 |
| 大西洋南東部 | 1,446 | 1,657 | 1,374 | 1,458 |
| ア ン ゴ ラ | 125 | 232 | 300 | 505 |
| 南アフリカ共和国 | 543 | 661 | 638 | 487 |
| ナ ミ ビ ア | 267 | 589 | 379 | 408 |
| 地中海・黒海 | 1,389 | 1,519 | 1,428 | 1,137 |
| ト ル コ | 342 | 461 | 446 | 295 |
| イ タ リ ア | 308 | 295 | 229 | 138 |
| チュニジア | 84 | 94 | 92 | 124 |
| インド洋西部 | 3,273 | 3,992 | 4,283 | 5,461 |
| イ ン ド | 1,673 | 1,911 | 2,167 | 1,912 |
| オ マ ー ン | 120 | 120 | 164 | 922 |
| パキスタン | 199 | 261 | 369 | 672 |
| モザンビーク | 28 | 22 | 118 | 274 |
| インド洋東部 | 3,355 | 5,095 | 5,975 | 5,967 |
| インドネシア | 647 | 1,219 | 1,296 | 1,596 |
| イ ン ド | 597 | 910 | 1,105 | 1,266 |
| ミャンマー | 599 | 897 | 1,176 | 880 |
| マレーシア | 510 | 520 | 731 | 719 |
| バングラデシュ | 253 | 334 | 607 | 681 |
| 南 氷 洋 | 505 | 137 | 230 | 372 |
| ノルウェー | － | － | 119 | 227 |
| 中　　国 | － | － | 2 | 48 |

①ソ連　☞p.76「解説」

# ❷世界の魚種別漁獲量（2021年） FAOSTAT

| 魚　種 | 千t |
|---|---|
| 魚　種　計 | 92,343 |
| 淡　水　魚 | 10,290 |
| にしん・いわし類 | 18,455 |
| た　ら　類 | 8,642 |
| まぐろ・かつお類 | 7,932 |
| さけ・ます類 | 1,068 |
| ひらめ・かれい類 | 852 |
| さめ・ふか類 | 631 |
| え　び　類 | 3,166 |
| か　に　類 | 1,521 |
| ほたて貝類 | 782 |
| はまぐり・あさり | 562 |
| か　　き | 128 |
| いか・たこ類 | 3,930 |
| そ　の　他 | 34,384 |

# ❸世界の養殖業収穫量* （2021年） FAOSTAT

| 国　名 | 万t | % |
|---|---|---|
| 世　　界 | 12,604 | 100 |
| 中　　国 | 7,281 | 57.8 |
| インドネシア | 1,461 | 11.6 |
| イ ン ド | 941 | 7.5 |
| ベ ト ナ ム | 475 | 3.8 |
| バングラデシュ | 264 | 2.1 |
| 韓　　国 | 243 | 1.9 |
| フィリピン | 227 | 1.8 |
| ノルウェー | 167 | 1.3 |
| エ ジ プ ト | 158 | 1.3 |
| チ　　リ | 144 | 1.1 |

日本96　*魚介類と海藻類の計　☞p.76「解説」

# ❹世界の漁獲量（千t） FAOSTAT

| 国　名 | 1960 | 1980 | 2000 | 2021 | % |
|---|---|---|---|---|---|
| 世　　界 | 34,789 | 68,212 | 94,778 | 92,343 | 100 |
| 中　　国 | 2,215 | 3,147 | 14,824 | 13,143 | 14.2 |
| インドネシア | 681 | 1,653 | 4,159 | 7,207 | 7.8 |
| ペ ル ー | 3,503 | 2,709 | 10,659 | 6,576 | 7.1 |
| ロ シ ア | ①3,066 | ①9,502 | 4,027 | 5,168 | 5.6 |
| イ ン ド | 1,117 | 2,080 | 3,726 | 5,025 | 5.4 |
| アメリカ合衆国 | 2,715 | 3,703 | 4,789 | 4,282 | 4.6 |
| ベ ト ナ ム | 436 | 461 | 1,630 | 3,540 | 3.8 |
| 日　　本 | 5,926 | 10,062 | 5,192 | 3,151 | 3.4 |
| ノルウェー | 1,386 | 2,528 | 2,892 | 2,556 | 2.8 |
| チ　　リ | 347 | 2,891 | 4,548 | 2,390 | 2.6 |

①ソ連　☞p.76「解説」

# ❺世界の水産物輸出入（2021年） FAOSTAT

| 輸 出 国 | 百万ドル | % | 輸 入 国 | 百万ドル | % |
|---|---|---|---|---|---|
| 世　　界 | 177,483 | 100 | 世　　界 | 174,965 | 100 |
| 中　　国 | 21,447 | 12.1 | アメリカ合衆国 | 30,171 | 17.2 |
| ノルウェー | 13,886 | 7.8 | 中　　国 | 17,665 | 10.1 |
| ベ ト ナ ム | 9,087 | 5.1 | 日　　本 | 14,369 | 8.2 |
| イ ン ド | 7,551 | 4.3 | ス ペ イ ン | 8,870 | 5.1 |
| エクアドル | 7,147 | 4.0 | フ ラ ン ス | 7,817 | 4.5 |
| カ ナ ダ | 6,984 | 3.9 | イ タ リ ア | 7,557 | 4.3 |
| チ　　リ | 6,908 | 3.9 | ド イ ツ | 5,982 | 3.4 |
| オ ラ ン ダ | 6,504 | 3.7 | 韓　　国 | 5,928 | 3.4 |
| ロ シ ア | 6,130 | 3.5 | スウェーデン | 5,615 | 3.2 |
| ス ペ イ ン | 5,690 | 3.2 | オ ラ ン ダ | 5,166 | 3.0 |

日本2,546（出）

# ❻200海里水域*の面積 海上保安庁資料ほか

| 国　名 | 万km² | 国　名 | 万km² |
|---|---|---|---|
| アメリカ合衆国 | 762 | 日　　本 | 447 |
| オーストラリア | 701 | ロ シ ア① | － |
| インドネシア | 541 | ブ ラ ジ ル | 317 |
| ニュージーランド | 483 | メ キ シ コ | 285 |
| カ ナ ダ | 470 | チ　　リ | 229 |

*領海＋排他的経済水域（EEZ:Exclusive Economic Zone）（接続水域を含む）
1 海里＝1.852km　200 海里≒370km
①（参考値）ソ連 449
独立した共和国分のほか，ロシアの実効支配を理由に日本の北方四島の周辺海域が含まれているため，日本より小さくなるとした。

**❶日本の海面漁業の魚種別漁獲量(千t)** 漁養統計'21

| 魚　　種 | 1960 | 1970 | 1985 | 2000 | 2021 |
|---|---|---|---|---|---|
| 総　　　計 | 5,818 | 8,598 | 10,877 | 5,022 | 3,236 |
| 魚　　類 | 4,462 | 7,245 | 9,483 | 3,573 | 2,630 |
| まぐろ類 | 390 | 291 | 391 | 286 | 149 |
| かじき類 | 56 | 67 | 49 | 24 | 9 |
| かつお類 | 94 | 232 | 339 | 369 | 252 |
| さけ・ます類 | 147 | 118 | 203 | 179 | 61 |
| にしん | 15 | 97 | 9 | 2 | 14 |
| いわし類 | 498 | 442 | 4,198 | 629 | 943 |
| あじ類 | 596 | 269 | 225 | 282 | 106 |
| さば類 | 351 | 1,302 | 773 | 346 | 443 |
| さんま | 287 | 93 | 246 | 216 | 20 |
| ぶり類 | 41 | 55 | 33 | 77 | 95 |
| ひらめ・かれい類 | 509 | 295 | 214 | 79 | 41 |
| たら類 | 448 | 2,464 | 1,650 | 351 | 231 |
| たい類 | 45 | 38 | 26 | 24 | 24 |
| いか類 | 542 | 519 | 531 | 624 | 64 |
| えび類 | 62 | 56 | 53 | 29 | 13 |
| かに類 | 64 | 90 | 100 | 42 | 21 |
| 貝　　類 | 296 | 321 | 355 | 405 | 389 |
| あさり類 | 102 | 142 | 133 | 36 | 5 |
| ほたて貝 | 14 | 16 | 118 | 304 | 356 |
| 海藻類 | 286 | 212 | 184 | 119 | 62 |
| こんぶ類 | 140 | 111 | 133 | 94 | 45 |
| わかめ類 | 63 | 46 | 7 | 3 | }①17 |
| てんぐさ類 | 12 | 12 | 4 | 3 | |

①その他の海藻類を含む　　　赤字は各年次の最大値

**❷日本の漁業種類別生産量の推移(千t)** 漁養統計'21

| 漁業種類 | 1970 | 1975 | 1980 | 1990 | 2000 | 2021 | ％ |
|---|---|---|---|---|---|---|---|
| 合　　　計 | 9,315 | 10,545 | 11,122 | 11,052 | 6,384 | 4,215 | 100 |
| 海面漁業 | 8,598 | 9,573 | 9,909 | 9,570 | 5,022 | 3,236 | 76.8 |
| 遠洋漁業 | (3,429) | (3,187) | (2,167) | (1,496) | ( 855) | ( 279) | (6.6) |
| 沖合漁業 | (3,279) | (4,451) | (5,705) | (6,081) | (2,591) | (2,020) | (47.9) |
| 沿岸漁業 | (1,889) | (1,935) | (2,037) | (1,992) | (1,576) | ( 938) | (22.3) |
| 海面養殖業 | 549 | 773 | 992 | 1,273 | 1,231 | 927 | 22.0 |
| 内水面漁業 | 119 | 127 | 128 | 112 | 71 | 19 | 0.4 |
| 内水面養殖業 | 48 | 94 | 97 | 94 | 61 | 33 | 0.8 |

☞ p.77「解説」　　　　　　　　　　　　　　赤字は各年次の最大値

**❸日本の養殖業の魚種別収獲量(t)** 漁養統計'21

| 魚　　種 | 1970 | 2021 | おもな生産県(%) |
|---|---|---|---|
| 海面養殖業 | 549,000 | 926,594 | 北海道 11.7 広島 10.3 宮城 9.0 |
| まだい | 467 | 69,441 | 愛媛 54.4 熊本 14.0 高知 10.8 |
| くるまえび | 301 | 1,253 | 沖縄 33.4 鹿児島 20.6 熊本 19.6 |
| ほたて貝 | 5,674 | 164,511 | 青森 47.7 北海道 46.4 宮城 4.5 |
| こんぶ類 | 284 | 31,691 | 北海道 74.9 岩手 21.9 宮城 3.1 |
| わかめ類 | 76,360 | 43,924 | 宮城 43.3 岩手 30.5 徳島 9.4 |
| 真　珠 | 85 | 13 | 長崎 40.6 愛媛 33.5 三重 16.4 |
| 内水面養殖業 | 48,000 | 32,854 | 鹿児島 26.9 愛知 20.4 宮城 12.0 |
| ます類 | 9,278 | 6,138 | 長野 19.6 静岡 15.5 山梨 14.2 |
| あゆ | 2,951 | 3,909 | 愛知 31.9 岐阜 21.4 和歌山 14.8 |
| こい | 13,903 | 2,064 | 茨城 36.3 福島 33.1 長野 4.5 |
| うなぎ | 15,580 | 20,673 | 鹿児島 42.3 愛知 25.6 宮崎 17.2 |

ぶり，かき，のりについては次ページ参照　赤字は各年次の最大値　☞ p.77「解説」

**❹日本の品目別水産物輸出入(2022年)**

| 輸出品目 | 千t | 輸入品目 | 千t |
|---|---|---|---|
| 魚介類（生鮮） | 558.6 | 魚介類（生鮮・冷凍） | 1,543.9 |
| 甲殻類など* | 144.8 | さけ・ます | 230.0 |
| （か　に） | (1.3) | まぐろ | 176.9 |
| た　　ら | 24.0 | え　び | 156.6 |
| かつお | 13.5 | い　か | 119.1 |
| さ　け | 12.5 | た　こ | 34.1 |
| まぐろ | 9.5 | か　に | 22.6 |
| たらのすり身 | 0.3 | う　に | 11.2 |
| | | うなぎ | 8.3 |
| | | かずのこ | 5.2 |
| 魚介類の調製品 | 30.4 | 魚介類の調製品 | 410.9 |

＊甲殻類・軟体動物など（貝類を含む）
☞ p.69⑥　　　　　　　財務省貿易統計

**❺日本の相手先別水産物輸出入(2022年)**

| 輸出国・地域 | 億円 | 輸入国・地域 | 億円 |
|---|---|---|---|
| 魚介類（生鮮） | 2,567 | 魚介類（生鮮・冷凍） | 15,298 |
| 中　　国 | 717 | チ　　リ | 1,877 |
| アメリカ合衆国 | 393 | アメリカ合衆国 | 1,673 |
| 韓　　国 | 224 | ロ シ ア | 1,551 |
| （台　湾） | 212 | 中　　国 | 1,514 |
| （ホンコン） | 202 | ノルウェー | 1,300 |
| 魚介類調製品 | 794 | ＜地域別＞ | |
| （ホンコン） | 293 | ア ジ ア | 5,469 |
| 中　　国 | 126 | 中　南　米 | 2,543 |
| アメリカ合衆国 | 110 | 西ヨーロッパ | 2,335 |
| （台　湾） | 105 | 北アメリカ | 2,244 |
| シンガポール | 36 | 中東欧・ロシア等 | 1,571 |

財務省貿易統計

**❻おもな漁港別水揚量(千t)**

| 漁　港 | 2000 | 2022 |
|---|---|---|
| 合　　　計 | 3,366 | 2,226 |
| 銚子（千葉） | 201 | 237 |
| 釧路（北海道） | 182 | 173 |
| 焼津（静岡） | 248 | 116 |
| 石巻（宮城） | 129 | 102 |
| 境①（鳥取） | 141 | 95 |
| 広尾（北海道） | 9 | 90 |
| 紋別（北海道） | 60 | 83 |
| 枕崎（鹿児島） | 62 | 71 |
| 松浦（長崎） | 79 | 69 |
| 長崎（長崎） | 57 | 52 |
| 枝幸（北海道） | 42 | 51 |
| 網走（北海道） | 63 | 48 |
| 山川（鹿児島） | 25 | 48 |
| 気仙沼（宮城） | 129 | 46 |
| 常呂（北海道） | 32 | 39 |

＊上場水揚量。205漁港（2000年），
147漁港（2022年）の計
①「境」は漁港名で「境港」は市
の名称
☞ p.77「解説」
水産物流通調査ほか

**❼世界の塩の生産(2019年)**

| 国　　名 | 万t | ％ |
|---|---|---|
| 世　　界 | 30,800 | 100 |
| 中　　国 | 6,701 | 21.8 |
| イ ン ド | 4,500 | 14.6 |
| アメリカ合衆国 | 4,490 | 14.6 |
| ド イ ツ | 1,663 | 5.4 |
| カ ナ ダ | 1,194 | 3.9 |
| オーストラリア | 1,147 | 3.7 |
| チ　　リ | 1,048 | 3.4 |
| メ キ シ コ | 900 | 2.9 |
| ロ シ ア | 818 | 2.7 |
| ブ ラ ジ ル | 740 | 2.4 |

**❽日本の塩の生産と輸入(万t)** 財務省資料

| 年　度 | 1960 | 1970 | 1980 | 1990 | 2000 | 2010 | 2020 |
|---|---|---|---|---|---|---|---|
| 生　産 | 83 | 95 | 127 | 138 | 137 | 112 | 87 |
| 輸　入 | 235 | 673 | 727 | 798 | 816 | 747 | 683 |
| 需　要 | 319 | 768 | 843 | 936 | 930 | 864 | 785 |

日本のおもな輸入先(2020年)：オーストラリア43.4%，メキシコ
36.5%，インド16.4%

p.75 ❶❸❹：太平洋北西部と大西洋北東部は大消費地に近い伝統的な大漁場で，太平洋南東部は1950年以降に開発された漁場である。2000年代以降は太平洋中西部・インド洋東部海域の漁獲量も伸びた。国別では，中国の養殖業（内水面養殖業が多い）と，ペルーの変動（エルニーニョ現象の影響によるアンチョビの不漁）に注意する。

# ❶都道府県別水産業（2021年）

赤字は各項目の上位1位，太字は2〜5位　　　　　　　　　　　　　漁養統計'21ほか

| 都道府県名 | 海面漁業経営体数①(2018年) | | | 海面漁業就業者数(人)(2018年) | 漁船数(2018年) | | 指定漁港数②(2022年) | 漁業生産量計③(百t) | 漁獲量 | | 養殖収穫量 | | | |
|---|---|---|---|---|---|---|---|---|---|---|---|---|---|---|
| | 総数 | 経営体数 個人 | 会社 | | 動力船②(百隻) | 無動力船②(百隻) | | | 海面漁業(百t) | 内水面漁業(百t) | 海面 ぶり類(t) | かき類④(t) | 板のり(百万枚) | 内水面(百t) |
| 1960 年 | 234,778 | 227,817 | — | 625,900 | 1,540 | 1,612 | 2,725 | 51,409 | 58,180 | 741 | … | 182,778 | 3,837 | 159 |
| 1970 年 | 228,215 | 220,923 | — | 569,800 | 1,862 | 1,576 | 2,774 | 85,978 | 85,980 | 1,194 | 43,300 | 190,799 | 5,791 | 485 |
| 1980 年 | 219,112 | 210,241 | 2,550 | 457,370 | 1,882 | 1,376 | 2,872 | 111,218 | 99,086 | 1,277 | 149,311 | 261,323 | 9,191 | 937 |
| 1990 年 | 188,941 | 180,245 | 2,895 | 370,530 | 1,620 | 1,226 | 2,953 | 110,518 | 95,700 | 1,121 | 161,106 | 248,793 | 9,835 | 961 |
| 2000 年 | 150,228 | 141,944 | 2,892 | 260,200 | 1,273 | 876 | 2,933 | 63,841 | 50,216 | 708 | 136,834 | 221,252 | 8,647 | 610 |
| 全　国 | **79,067** | **74,526** | **2,548** | **151,701** | **699** | **623** | **2,780** | **42,148** | **32,365** | **189** | **133,691** | **158,789** | **6,194** | **329** |
| 北海道 | **11,089** | **10,006** | 411 | 24,378 | 64 | 128 | 243 | 10,243 | 9,103 | 53 | — | 4,175 | — | 1 |
| 青　森 | **3,702** | **3,567** | 48 | **8,395** | 27 | 21 | 85 | 1,497 | 669 | **29** | — | — | — | 1 |
| 岩　手 | **3,406** | **3,317** | 17 | 6,327 | 11 | 46 | 98 | 1,110 | 798 | 1 | — | 6,208 | — | 2 |
| 宮　城 | 2,326 | 2,214 | 80 | **6,224** | 15 | 38 | 143 | 2,677 | 1,843 | 1 | — | 22,335 | 345 | 2 |
| 秋　田 | 632 | 590 | 14 | 773 | 4 | 5 | 22 | 62 | 57 | 3 | — | — | — | 1 |
| 山　形 | 284 | 271 | 5 | 368 | 2 | 2 | 15 | 38 | 35 | 2 | — | — | — | 1 |
| 福　島 | 377 | 354 | 14 | 1,080 | 3 | 1 | 10 | 640 | 627 | 0.04 | — | — | — | 11 |
| 茨　城 | 343 | 318 | 23 | 1,194 | 4 | 1 | 24 | •3,029 | 2,997 | 24 | — | — | — | 8 |
| 栃　木 | — | — | — | — | — | — | — | 10 | — | 3 | — | — | — | 7 |
| 群　馬 | — | — | — | — | — | — | — | 3 | — | 0.02 | — | — | — | 3 |
| 埼　玉 | — | — | — | — | — | — | — | 0.03 | — | 0.01 | — | — | — | 0.02 |
| 千　葉 | 1,796 | 1,739 | 37 | 3,678 | 12 | 19 | 68 | •1,092 | 1,055 | 0.3 | — | x | x | 1 |
| 東　京 | 512 | 503 | 4 | 896 | 4 | 1 | 23 | •291 | 290 | 1 | — | — | — | 0.4 |
| 神奈川 | 1,005 | 920 | 65 | 1,848 | 8 | 9 | 25 | •260 | 249 | 2 | — | x | 11 | 0 |
| 新　潟 | 1,338 | 1,307 | 18 | 1,954 | 6 | 13 | 64 | 255 | 237 | 3 | — | 643 | — | 2 |
| 富　山 | 250 | 204 | 24 | 1,216 | 2 | 2 | 16 | 234 | 233 | 1 | — | — | — | 0.4 |
| 石　川 | 1,255 | 1,176 | 65 | 2,409 | 10 | 9 | 69 | 462 | 458 | 0.1 | — | 358 | — | 0.1 |
| 福　井 | 816 | 778 | 21 | 1,328 | 7 | 5 | 44 | 98 | 94 | 0.3 | — | 28 | — | 0.1 |
| 山　梨 | — | — | — | — | — | — | — | 9 | — | 0.05 | — | — | — | 9 |
| 長　野 | — | — | — | — | — | — | — | 14 | — | 1 | — | — | — | **13** |
| 岐　阜 | — | — | — | — | — | — | — | 14 | — | 3 | — | — | — | 11 |
| 静　岡 | 2,200 | 2,095 | 75 | 4,814 | 19 | 12 | 48 | •2,542 | 2,495 | 0 | 273 | 122 | x | **26** |
| 愛　知 | 1,924 | 1,849 | 15 | 3,373 | 13 | 19 | 34 | •678 | 528 | 0.01 | — | x | 202 | **67** |
| 三　重 | 3,178 | 3,054 | 60 | 6,108 | 20 | **35** | 72 | 1,284 | 1,074 | 1 | 3,066 | 1,944 | 140 | 2 |
| 滋　賀 | — | — | — | — | — | — | 20 | 11 | — | **8** | — | — | — | 3 |
| 京　都 | 636 | 618 | 12 | 928 | 5 | 5 | 33 | 93 | 85 | 0.2 | 24 | 201 | — | 0.1 |
| 大　阪 | 519 | 493 | 5 | 870 | 7 | 1 | 13 | •184 | 180 | 1 | x | x | 2 | x |
| 兵　庫 | 2,712 | 2,247 | 67 | 4,840 | **39** | 12 | 53 | •1,076 | 482 | 0.1 | x | 10,148 | 1,151 | 0.3 |
| 奈　良 | — | — | — | — | — | — | — | 0.1 | — | 0 | — | — | — | 0.1 |
| 和歌山 | 1,581 | 1,535 | 19 | 2,402 | 17 | 7 | 94 | 221 | 168 | 0.1 | 97 | 5 | — | 6 |
| 鳥　取 | 586 | 538 | 42 | 1,125 | 4 | 3 | 18 | •873 | 851 | 3 | — | x | — | 1 |
| 島　根 | 1,576 | 1,487 | 54 | 2,519 | 13 | 10 | 83 | 935 | 889 | **43** | — | 170 | — | 0.1 |
| 岡　山 | 872 | 843 | 13 | 1,306 | 12 | 6 | 26 | 235 | 28 | 2 | — | 14,798 | 146 | 1 |
| 広　島 | 2,162 | 2,059 | 101 | 3,327 | 25 | 8 | 44 | 1,133 | 181 | 0.2 | 49 | 92,827 | 48 | 1 |
| 山　口 | 2,858 | 2,790 | 45 | 3,923 | 29 | 10 | 24 | 215 | 205 | 0.1 | 4 | 24 | 6 | 0.3 |
| 徳　島 | 1,321 | 1,276 | 34 | 2,046 | 13 | 11 | 29 | 209 | 110 | 0.1 | 3,717 | 91 | 33 | 5 |
| 香　川 | 1,234 | 1,125 | 106 | 1,913 | 17 | 9 | 92 | 255 | 101 | — | 6,783 | 980 | 161 | 0.2 |
| 愛　媛 | **3,444** | **3,284** | **146** | 6,186 | **39** | 22 | **189** | 1,425 | 766 | 1 | **20,288** | 575 | 27 | 1 |
| 高　知 | 1,599 | 1,507 | 69 | 3,295 | 18 | 8 | 88 | 837 | 637 | 0.1 | **8,892** | — | — | 4 |
| 福　岡 | 2,386 | 2,277 | 35 | 4,376 | 27 | 19 | 65 | 711 | 239 | 1 | — | 1,709 | **1,352** | 2 |
| 佐　賀 | 1,609 | 1,554 | 10 | 3,669 | 19 | 30 | 46 | •666 | 81 | 0.04 | x | 192 | **1,518** | 0.1 |
| 長　崎 | **5,998** | **5,740** | **226** | **11,762** | **63** | **36** | **228** | **2,707** | **2,474** | — | **9,176** | 1,037 | 6 | 0.1 |
| 熊　本 | 2,829 | 2,734 | 78 | 5,392 | 26 | 22 | 103 | 658 | 118 | 0.3 | **5,300** | 75 | **954** | 4 |
| 大　分 | 1,914 | 1,807 | 102 | 3,455 | 21 | 10 | 110 | 527 | 291 | 1 | **20,275** | 82 | 2 | 2 |
| 宮　崎 | 950 | 790 | **149** | 2,202 | 12 | 3 | 23 | •1,184 | 1,010 | 0.4 | x | 30 | — | **39** |
| 鹿児島 | 3,115 | 2,877 | **210** | 6,116 | **33** | 16 | **139** | 1,060 | 479 | 0 | **43,110** | 4 | — | 88 |
| 沖　縄 | 2,733 | 2,683 | 29 | 3,686 | 21 | 9 | 87 | •390 | 149 | — | — | — | — | x |

①1960年，1970年には漁船非使用経営体数を含まない　②船外機付漁船を含む　③1960年，1970年は漁獲量計　④殻付き　xは数値が秘匿されている

※秘匿項目の数値を含まない

p.76 ❷：1970年代は，各国の200海里水域(現在は排他的経済水域)設定による操業海域縮小と，石油危機による燃料費高騰で，それまで増加していた遠洋漁業が激減した。90年代は，遠洋漁業がさらに衰退し(公海上での流し網漁の操業規制と北洋漁場からの撤退が主因)，沖合漁業も縮小して(マイワシの不漁が主因)，総漁獲量が減少した。栽培漁業等による周辺水域の資源管理や養殖業の振興が今後の課題である。

p.76 ❸❻，p.77：大規模漁港のある道県は海面の漁獲量が多い。内水面は宍道湖・十三湖・霞ケ浦などでさかん。養殖では，長崎・愛媛で真珠，宮城・岩手でわかめ，鹿児島・愛知でうなぎの収穫量が多い。

## ❶世界の１次エネルギー生産量と供給量（石油換算，百万t）　　IEA資料

| 区 分 | 生　　　産　　　量 | | | | | | | | 供　　　給　　　量 | | | | | | | |
|---|---|---|---|---|---|---|---|---|---|---|---|---|---|---|---|---|
| | 1971 | % | 1980 | % | 2000 | % | 2021 | % | 1971 | % | 1980 | % | 2000 | % | 2021 | % |
| エネルギー合計 | 5,627 | 100 | 7,278 | 100 | 10,004 | 100 | 14,673 | 100 | 5,504 | 100 | 7,184 | 100 | 10,026 | 100 | 14,759 | 100 |
| 石　　炭 | 1,435 | 25.5 | 1,800 | 24.7 | 2,279 | 22.8 | 4,007 | 27.3 | 1,437 | 26.1 | 1,783 | 24.8 | 2,318 | 23.1 | 4,016 | 27.2 |
| 石　　油① | 2,552 | 45.4 | 3,174 | 43.7 | 3,711 | 37.1 | 4,284 | 29.2 | 2,437 | 44.3 | 3,105 | 43.3 | 3,684 | 36.8 | 4,352 | 29.5 |
| 天 然 ガ ス | 903 | 16.0 | 1,240 | 17.0 | 2,060 | 20.6 | 3,495 | 23.8 | 893 | 16.2 | 1,231 | 17.1 | 2,068 | 20.6 | 3,487 | 23.6 |
| バイオ燃料②・廃棄物 | 600 | 10.7 | 719 | 9.9 | 993 | 9.9 | 1,382 | 9.4 | 600 | 10.9 | 719 | 10.0 | 994 | 9.9 | 1,397 | 9.5 |
| 電　　力③ | 137 | 2.4 | 345 | 4.7 | 961 | 9.6 | 1,505 | 10.3 | 137 | 2.5 | 346 | 4.8 | 962 | 9.6 | 1,507 | 10.2 |

①原油・石油製品　②木質燃料（薪・木材チップ・木炭など），液体バイオ燃料などを含む
③原子力，水力，地熱，太陽光，風力等，非燃料エネルギー源から生じる電力の1次エネルギー相当量

## ❷おもな国の１次エネルギー生産量と供給量（2021年）（石油換算，百万t）　　IEA資料

| 国　名 | 1次エネルギー生産量 | | | | | | | | 1次エネルギー供給量 | | | | | | |
|---|---|---|---|---|---|---|---|---|---|---|---|---|---|---|---|
| | 計 | 石炭(%) | 石油①(%) | 天然ガス(%) | バイオ②(%) | 電力③(%) | 輸入 | 輸出 | 計 | 石炭(%) | 石油①(%) | 天然ガス(%) | バイオ②(%) | 電力③(%) | 1人あたり(t) |
| 世　　界 | 14,673 | 27.3 | 29.2 | 23.8 | 9.4 | 10.3 | 5,522 | 5,537 | 14,759 | 27.2 | 29.5 | 23.6 | 9.5 | 10.2 | 1.87 |
| 中　　国 | 2,982 | 70.9 | 6.7 | 5.8 | 4.8 | 11.8 | 887 | 78 | 3,738 | 60.6 | 18.1 | 8.0 | 3.9 | 9.4 | 2.65 |
| アメリカ合衆国 | 2,214 | 12.7 | 32.8 | 36.6 | 4.7 | 13.2 | 508 | 598 | 2,139 | 11.9 | 35.7 | 33.8 | 4.8 | 13.8 | 6.47 |
| イ ン ド | 609 | 49.6 | 5.7 | 4.6 | 33.4 | 6.7 | 391 | 70 | 944 | 44.6 | 23.7 | 5.8 | 21.6 | 4.3 | 0.67 |
| ロ シ ア | 1,530 | 16.8 | 34.8 | 42.6 | 0.7 | 5.1 | 22 | 691 | 833 | 15.4 | 19.3 | 54.9 | 1.3 | 9.1 | 5.81 |
| 日　　本 | 53 | 0.7 | 0.1 | 3.6 | 27.0 | 68.0 | 369 | 15 | 400 | 27.3 | 37.7 | 21.7 | 4.2 | 9.1 | 3.18 |
| ブ ラ ジ ル | 314 | 0.8 | 48.9 | 6.9 | 29.5 | 13.9 | 67 | 78 | 299 | 5.7 | 35.7 | 12.3 | 31.0 | 15.3 | 1.40 |
| 韓　　国 | 52 | 0.8 | 2.2 | 0.1 | 12.1 | 84.8 | 307 | 59 | 292 | 25.7 | 38.2 | 18.6 | 2.2 | 15.3 | 5.62 |
| カ ナ ダ | 539 | 4.7 | 51.9 | 29.9 | 2.3 | 11.2 | 73 | 322 | 288 | 5.2 | 32.7 | 40.2 | 4.1 | 19.5 | 7.59 |
| ド イ ツ | 102 | 27.1 | 0.6 | 3.8 | 31.8 | 34.4 | 225 | 36 | 288 | 18.5 | 31.6 | 27.1 | 11.2 | 11.6 | 3.46 |
| フランス④ | 127 | — | 0.6 | 0.02 | 13.4 | 85.9 | 132 | 24 | 235 | 3.6 | 28.1 | 15.7 | 7.9 | 44.7 | 3.45 |
| サウジアラビア | 601 | — | 86.2 | 13.7 | — | 0.02 | 19 | 384 | 232 | — | 64.4 | 35.5 | 0.003 | 0.04 | 6.46 |
| メ キ シ コ | 154 | 2.0 | 64.2 | 20.6 | 5.6 | 7.6 | 93 | 66 | 178 | 4.3 | 43.8 | 40.6 | 4.8 | 6.5 | 1.39 |
| イ ギ リ ス | 102 | 0.7 | 42.4 | 38.1 | 7.9 | 19.1 | 123 | 62 | 159 | 3.5 | 32.7 | 41.5 | 8.9 | 13.4 | 2.35 |
| イ タ リ ア⑤ | 34 | — | 15.3 | 7.6 | 38.0 | 39.1 | 144 | 29 | 150 | 3.7 | 33.0 | 41.8 | 10.1 | 11.4 | 2.55 |
| オーストラリア | 426 | 64.2 | 4.4 | 28.8 | 1.1 | 1.5 | 47 | 344 | 130 | 30.8 | 32.6 | 28.1 | 3.7 | 4.6 | 5.06 |

①原油・石油製品　②バイオ燃料・廃棄物。木質燃料（薪・木材チップ・木炭など），液体バイオ燃料などを含む　③原子力，水力，地熱，太陽光，風力等，非燃料エネルギー源から生じる電力の1次エネルギー相当量　④モナコを含む　⑤サンマリノ，バチカンを含む

## ❸日本の１次エネルギー供給量（10¹⁵J）　　資源エネルギー庁資料ほか

| 年 | 合計 | 石炭 | % | 石油 | % | 天然ガス | % | 原子力 | % | 水力 | % | 再生可能*・未活用エネルギー | | | | | | | | 輸入エネルギー | 輸入依存度(%) |
|---|---|---|---|---|---|---|---|---|---|---|---|---|---|---|---|---|---|---|---|---|---|
| | | | | | | | | | | | | 合計 | % | 自然① | % | 地熱 | % | 未活用② | % | | |
| 1955 | 2,684 | 1,268 | 47.2 | 472 | 17.6 | 10 | 0.4 | — | — | 731 | 27.2 | 203 | 7.6 | — | — | — | — | 203 | 7.6 | 557 | 20.8 |
| 1960 | 4,220 | 1,738 | 41.2 | 1,588 | 37.6 | 39 | 0.9 | — | — | 661 | 15.7 | 194 | 4.6 | — | — | — | — | 194 | 4.6 | 1,831 | 43.4 |
| 1970 | 13,383 | 2,659 | 19.9 | 9,623 | 71.9 | 166 | 1.2 | 44 | 0.3 | 749 | 5.6 | 142 | 1.1 | — | — | 3 | 0.0 | 139 | 1.0 | 11,257 | 84.1 |
| 1980 | 16,627 | 2,818 | 16.9 | 10,986 | 66.0 | 1,011 | 6.1 | 778 | 4.7 | 857 | 5.2 | 177 | 1.1 | 15 | 0.1 | 12 | 0.1 | 150 | 0.9 | 14,146 | 85.1 |
| 1990 | 20,357 | 3,380 | 16.6 | 11,869 | 58.3 | 2,063 | 10.1 | 1,905 | 9.4 | 859 | 4.2 | 281 | 1.4 | 49 | 0.2 | 19 | 0.1 | 213 | 1.0 | 16,943 | 83.2 |
| 2000 | 23,385 | 4,195 | 17.9 | 12,107 | 51.9 | 3,072 | 13.1 | 2,898 | 12.4 | 806 | 3.4 | 307 | 1.3 | 34 | 0.1 | 40 | 0.2 | 233 | 1.0 | 19,175 | 82.0 |
| 2010 | 23,123 | 4,997 | 21.6 | 10,101 | 43.7 | 4,002 | 17.3 | 2,495 | 10.8 | 712 | 3.1 | 816 | 3.5 | 172 | 0.7 | 23 | 0.1 | 621 | 2.7 | 18,920 | 81.8 |
| 2021 | 19,667 | 4,876 | 24.8 | 7,647 | 38.9 | 4,000 | 20.3 | 605 | 3.1 | 673 | 3.4 | 1,866 | 9.5 | 1,299 | 6.6 | 26 | 0.1 | 541 | 2.8 | 16,506 | 83.9 |

10¹⁵J＝ペタ・ジュール＝千兆ジュール　J＝ジュール（1J≒0.239cal）　*水力を除く
①自然エネルギーには，太陽エネルギー，風力発電，バイオマスエネルギー，温度差エネルギー他が含まれる。
②未活用エネルギーには，廃棄物発電，黒液直接利用，廃材直接利用，廃タイヤ直接利用の「廃棄物エネルギー回収」，廃棄物ガス，再生の「廃棄物燃料製品」，廃熱利用熱供給，産業蒸気回収，産業電力回収の「廃棄エネルギー直接活用」が含まれる。

p.78❶：エネルギー革命が進み，1960年代後半に石炭に代わり石油が主役となった。1970年ごろは石油の消費割合が最も高かった時期である。その後に起こった石油危機に対応して，消費国では石炭への見直し，天然ガスや原子力など代替エネルギーの利用が進んだため，近年は石油の消費割合が下がってきている。

p.78❷：各国の供給構成では石油中心の国が多いが，中国，インド，オーストラリアなどの産炭国は石炭の割合が高い。先進国のうち，資源に恵まれない日本は石油中心だが，北海油田をもつイギリスは石油とともに天然ガスの供給量が多い。ロシアは他国と比べて天然ガスの供給割合の高さが目立つ。フランス，カナダは電力供給の割合が高いが，これはそれぞれ原子力発電，水力発電が多いためである。

p.79❷❸：石炭の生産国は北半球に多く南半球には少ない。中国，インドなどは生産量が多いが，輸出余力はあまりない。輸出国では，インドネシアとオーストラリアが目立つ。

p.79❼：現在の日本の石炭輸入先では，オーストラリアの割合が特に高い点に注意する。

**❶石炭*の可採埋蔵量**（2020年）

| 国　名 | 億t | % |
|---|---|---|
| 世　界 | 7,536 | 100 |
| アメリカ合衆国 | 2,189 | 29.1 |
| 中　　国 | 1,351 | 17.9 |
| イ　ン　ド | 1,060 | 14.1 |
| オーストラリア | 737 | 9.8 |
| ロ　シ　ア | 717 | 9.5 |
| ウクライナ | 320 | 4.3 |
| カザフスタン | 256 | 3.4 |
| インドネシア | 231 | 3.1 |
| ポーランド | 225 | 3.0 |
| 南アフリカ共和国 | 99 | 1.3 |

日本3　＊無煙炭・瀝青炭の計　BP統計

**❷石炭*の生産量**（2020年）

| 国　名 | 百万t | % |
|---|---|---|
| 世　界 | 6,799.7 | 100 |
| 中　国① | 3,901.6 | 57.4 |
| イ　ン　ド | 716.1 | 10.5 |
| インドネシア | 552.6 | 8.1 |
| オーストラリア | 425.8 | 6.3 |
| ロ　シ　ア | 330.4 | 4.9 |
| 南アフリカ共和国 | 247.1 | 3.6 |
| アメリカ合衆国 | 218.0 | 3.2 |
| カザフスタン | 97.9 | 1.4 |
| ポーランド | 54.7 | 0.8 |
| コロンビア | 49.8 | 0.7 |

＊無煙炭・瀝青炭の計　①褐炭・亜炭を含む　☞p.78「解説」　世エネ20

**❸石炭*の輸出入**（2020年）　世エネ'20

| 輸出国 | 万t | % | 輸入国 | 万t | % |
|---|---|---|---|---|---|
| 世　　界 | 130,870 | 100 | 世　　界 | 126,256 | 100 |
| インドネシア | 40,623 | 31.0 | 中　国① | 30,361 | 24.0 |
| オーストラリア | 38,872 | 29.7 | イ　ン　ド | 21,525 | 17.0 |
| ロ　シ　ア | 19,960 | 15.3 | 日　　本 | 17,314 | 13.7 |
| 南アフリカ共和国 | 7,306 | 5.6 | 韓　　国 | 11,549 | 9.1 |
| コロンビア | 6,784 | 5.2 | ベトナム | 5,481 | 4.3 |
| アメリカ合衆国 | 5,891 | 4.5 | ト　ル　コ | 4,011 | 3.2 |
| カ　ナ　ダ | 3,145 | 2.4 | マレーシア | 3,113 | 2.5 |
| モ　ン　ゴ　ル | 2,813 | 2.1 | ド　イ　ツ | 2,957 | 2.3 |
| カザフスタン | 2,553 | 2.0 | タ　　イ | 2,373 | 1.9 |
| モザンビーク | 710 | 0.5 | ロ　シ　ア | 2,240 | 1.8 |

＊無煙炭・瀝青炭の計　①褐炭・亜炭を含む　☞p.78「解説」

**❹褐炭・亜炭の可採埋蔵量・生産量**（2020年）

| 国　名 | 埋蔵量（百万t） | 生産量（万t） | % |
|---|---|---|---|
| 世　界 | 320,469 | 92,334 | 100 |
| アメリカ合衆国 | 30,003 | 26,775 | 29.0 |
| ド　イ　ツ | 35,900 | 10,738 | 11.6 |
| ト　ル　コ | 10,975 | 7,365 | 8.0 |
| ロ　シ　ア | 90,447 | 7,183 | 7.8 |
| オーストラリア | 76,508 | 6,701 | 7.3 |
| インドネシア | 11,728 | 14)4,895 | — |
| ポーランド | 5,865 | 4,598 | 5.0 |
| セルビア | 7,112 | 3,967 | 4.3 |
| イ　ン　ド | 5,073 | 3,661 | 4.0 |
| チ　ェ　コ | 2,514 | 2,943 | 3.2 |

世エネ20ほか

**❺コークスの生産**（万t）　世エネ'20

| 国　名 | 1990 | 2020* | % |
|---|---|---|---|
| 世　界 | 36,367 | 69,410 | 100 |
| 中　国 | 7,328 | 47,188 | 68.0 |
| ロ　シ　ア | ①7,765 | 4,593 | 6.6 |
| イ　ン　ド | 974 | 3,732 | 5.4 |
| 日　本 | 4,737 | 3,003 | 4.3 |
| 韓　国 | 841 | 1,590 | 2.3 |
| ウクライナ | — | 999 | 1.4 |
| アメリカ合衆国 | 2,505 | 939 | 1.4 |
| ブラジル | 764 | 851 | 1.2 |
| ポーランド | 1,367 | 810 | 1.2 |
| ド　イ　ツ | 1,919 | 787 | 1.1 |

＊コールタール・コークス炉ガスを含む　①ソ連

**❻石炭*の供給（消費）量**（2020年）

| 国　名 | 万t | 輸入率（%）① |
|---|---|---|
| 世　界 | 675,128 | |
| 中　国② | 414,520 | 7.3 |
| イ　ン　ド | 95,614 | 22.5 |
| 南アフリカ共和国 | 17,447 | 0.2 |
| 日　本 | 17,388 | 99.6 |
| アメリカ合衆国 | 17,023 | 1.5 |
| ロ　シ　ア | 15,541 | 14.4 |
| インドネシア | 14,376 | 6.3 |
| 韓　国 | 11,803 | 97.8 |
| ベトナム | 10,072 | 54.4 |
| カザフスタン | 7,284 | 0.0 |

＊無煙炭・瀝青炭の計　①輸入量／供給量×100　②褐炭・亜炭を含む　世エネ'20

資源・エネルギー

**❼日本の石炭輸入先**（万t）　財務省貿易統計ほか

| 第二次世界大戦前 | | | 第二次世界大戦後 | | | | | | | |
|---|---|---|---|---|---|---|---|---|---|---|
| 国・地域名 | 1935 | % | 国　名 | 1960 | 1970 | 1980 | 1990 | 2000 | 2020 | % |
| 総　計 | 538 | 100 | 総　計 | 860 | 5,095 | 7,271 | 10,358 | 14,944 | 17,373 | 100 |
| 中　国　計 | 325 | 60.4 | オーストラリア | 151 | 1,577 | 3,058 | 5,414 | 9,051 | 10,349 | 59.6 |
| 満　州 | (269) | (50.0) | インドネシア | — | — | 90 | 1,479 | 2,754 | 15.9 |
| 関東州 | (0.2) | (0.0) | ロ　シ　ア | ①63 | ①269 | ①228 | ①833 | 546 | 2,168 | 12.5 |
| その他 | (56) | (10.4) | アメリカ合衆国 | 505 | 2,544 | 2,152 | 1,099 | 345 | 933 | 5.4 |
| 朝　鮮 | 86 | 15.9 | カ　ナ　ダ | 61 | 469 | 1,177 | 1,892 | 1,342 | 909 | 5.2 |
| 南樺太 | 47 | 8.8 | 中　国 | 1 | 24 | 224 | 456 | 1,840 | 79 | 0.5 |
| 仏領インドシナ | 75 | 13.9 | コロンビア | | | | 12 | 10 | 71 | 0.4 |
| ソ連領東アジア | 5 | 0.9 | ニュージーランド | | | | | | 34 | 0.2 |

①ソ連　☞p.78「解説」

**❽日本のおもな産業別石炭需要**

| 2021年度 | 万t |
|---|---|
| 輸　入　炭 | 18,382 |
| 原　料　炭 | 6,338 |
| 一　般　炭 | 11,421 |
| 無　煙　炭 | 623 |
| 国内販売量 | — |
| 鉄　鋼 | 5,959 |
| ガ　ス | — |
| コークス | — |
| 電　力 | 11,161 |
| セメント・窯業 | 959 |
| 紙・パルプ | 506 |
| そ　の　他 | 1,300 |

エネルギー・経済統計要覧2023

**❾日本の地区別・炭田別埋蔵量・生産量・平均発熱量**　石炭データブック'22ほか

| 地区・炭田名 | 埋蔵量（百万t）1966 | 生産量（千t）1960 | 1970 | 1980 | 1990 | 1995 | 2000 | 2020 | 発熱量①1992 |
|---|---|---|---|---|---|---|---|---|---|
| 全　国　計 | 7,075 | 52,607 | 38,329 | 18,095 | 7,980 | 6,317 | 2,974 | 748 | 5,720 |
| 北　海　道 | 2,923 | 19,043 | 19,039 | 10,736 | 4,632 | 2,843 | 2,149 | 748 | 5,430 |
| 石　狩 | … | (14,715) | (15,839) | (8,272) | … | … | … | … | (—) |
| 釧　路 | … | (2,393) | (2,622) | (2,423) | (2,174) | (2,150) | … | … | (—) |
| 留　萌 | … | (1,390) | (406) | (34) | … | … | … | … | (—) |
| 天　北 | … | (378) | (172) | | | | | | (—) |
| 本州・九州 | 4,152 | 35,558 | 19,291 | 7,360 | 3,348 | 3,474 | 825 | 0 | 6,040 |
| 大　嶺 | … | (3,140) | (652) | (18) | … | … | … | … | (—) |
| 三　池 | … | (1,207) | (6,573) | (5,338) | … | … | … | … | (—) |
| 松島・高島 | … | (2,879) | (2,893) | (1,924) | … | … | … | … | (—) |

①平均発熱量（kcal/kg）　②1960, 1970年は崎戸・高島炭田の生産量

**❿日本の炭鉱の変化**

| 年 | 稼働炭鉱数 | 常用労働者（人） |
|---|---|---|
| 1960 | 622 | 231,294 |
| 1970 | 74 | 47,929 |
| 1980 | 25 | 18,285 |
| 1990 | 21 | 4,651 |
| 2000 | 13 | 1,356 |
| 2020 | 7 | 07)247 |

石炭データブック'22ほか

## ❶原油の埋蔵量（2020年）

| 国 名 | 億t | ％ |
|---|---|---|
| 世　界 | 2,444 | 100 |
| ベネズエラ | 480 | 19.6 |
| サウジアラビア | 409 | 16.7 |
| カ ナ ダ | 271 | 11.1 |
| イ ラ ン | 217 | 8.9 |
| イ ラ ク | 196 | 8.0 |
| ロ シ ア | 148 | 6.1 |
| クウェート | 140 | 5.7 |
| アラブ首長国連邦 | 130 | 5.3 |
| アメリカ合衆国 | 82 | 3.4 |
| リ ビ ア | 63 | 2.6 |

☞p.81「解説」　BP統計

## ❷原油の生産量（2021年）

| 国 名 | 万t | ％ |
|---|---|---|
| 世　界 | 365,836 | 100 |
| アメリカ合衆国 | 55,508 | 15.2 |
| ロ シ ア | 49,322 | 13.5 |
| サウジアラビア | 45,480 | 12.4 |
| 中 国 | 19,888 | 5.4 |
| イ ラ ク | 19,806 | 5.4 |
| カ ナ ダ | 18,992 | 5.2 |
| ブ ラ ジ ル | 14,744 | 4.0 |
| アラブ首長国連邦 | 13,564 | 3.7 |
| クウェート | 12,240 | 3.3 |
| イ ラ ン | 12,236 | 3.3 |

☞p.81「解説」　IEA資料

## ❸原油の輸出入（2021年）　IEA資料

| 輸出国 | 万t | ％ | 輸入国 | 万t | ％ |
|---|---|---|---|---|---|
| 世　界 | 201,237 | 100 | 世　界 | 213,634 | 100 |
| サウジアラビア | 31,039 | 15.4 | 中 国 | 51,292 | 24.0 |
| ロ シ ア | 23,271 | 11.6 | アメリカ合衆国 | 30,236 | 14.2 |
| イ ラ ク | 16,897 | 8.4 | イ ン ド | 21,198 | 9.9 |
| カ ナ ダ | 15,788 | 7.8 | 韓 国 | 12,941 | 6.1 |
| アメリカ合衆国 | 14,600 | 7.3 | 日 本 | 12,652 | 5.9 |
| アラブ首長国連邦 | 11,508 | 5.7 | ド イ ツ | 8,130 | 3.8 |
| クウェート | 9,197 | 4.6 | イタリア① | 5,702 | 2.7 |
| ノルウェー | 7,891 | 3.9 | スペイン | 5,617 | 2.6 |
| カザフスタン | 6,791 | 3.4 | オランダ | 5,250 | 2.5 |
| ブ ラ ジ ル | 6,345 | 3.2 | シンガポール | 4,715 | 2.2 |

①サンマリノ，バチカンを含む　☞p.81「解説」

## ❹原油の供給（消費）量（2021年）

| 国 名 | 万t | ％ |
|---|---|---|
| 世　界 | 383,279 | 100 |
| アメリカ合衆国 | 72,821 | 19.0 |
| 中 国 | 72,310 | 18.9 |
| ロ シ ア | 25,791 | 6.7 |
| イ ン ド | 24,236 | 6.3 |
| サウジアラビア | 14,514 | 3.8 |
| 韓 国 | 13,307 | 3.5 |
| 日 本 | 12,572 | 3.3 |
| ブ ラ ジ ル | 9,079 | 2.4 |
| イ ラ ン | 8,448 | 2.2 |
| ド イ ツ | 8,377 | 2.2 |

IEA資料

## ❺世界のおもな油田（百万バーレル）　石油開発資料2002ほか

| 油田名 | 国 名 | 発見年 | 可採原油埋蔵量 | 油田名 | 国 名 | 発見年 | 可採原油埋蔵量 |
|---|---|---|---|---|---|---|---|
| ガワール | サウジアラビア | 1948 | 66,058 | マジュヌーン | イ ラ ク | 1977 | 12,000 |
| ブルガン | クウェート | 1938 | 59,000 | ガチサラーン | イ ラ ン | 1928 | 11,800 |
| ルマイラ | イ ラ ク | 1953 | 24,000 | バ | アラブ首長国連邦 | 1954 | 11,000 |
| サファーニヤ | サウジアラビア | 1951 | 21,145 | ハシメサウド | アルジェリア | 1956 | 10,335 |
| 東バグダッド | イ ラ ク | 1976 | 18,000 | アブカイク | サウジアラビア | 1940 | 10,625 |
| ア カ ル | メ キ シ コ | 1977 | 17,466 | カシャガン | カザフスタン | 2000 | 10,000 |
| マニファ | サウジアラビア | 1957 | 16,820 | サモトロール | ロシア（チュメニ） | 1960 | 9,240 |
| ズ ク ム | アラブ首長国連邦 | 1964 | 16,702 | ベ リ | イ ラ ン | 1964 | 9,138 |
| スアタブリンシバル | ベネズエラ | 1938 | 14,874 | クーライス | サウジアラビア | 1957 | 8,481 |
| ジャイバブ | サウジアラビア | 1968 | 14,671 | アブザブ | サウジアラビア | 1963 | 8,150 |
| アフワーズ | イ ラ ン | 1958 | 13,350 | ズ ベ ール | イ ラ ク | 1949 | 7,700 |
| マルン | イ ラ ン | 1964 | 12,631 | カティーフ | サウジアラビア | 1945 | 7,206 |
| ツ ル フ | サウジアラビア | 1965 | 12,237 | ウエストクルナ | イ ラ ク | 1973 | 6,953 |

## ❻石油備蓄制度　石資2020ほか

| 国名・年 | 備蓄保有量（万t） 備蓄日数（日）① | |
|---|---|---|
| アメリカ合衆国 | 原 油 | 16,293 |
| | 石油製品 | 7,322 |
| オランダ | 原 油 | 529 |
| | 石油製品 | 1,309 |
| フランス | 原 油 | 776 |
| | 石油製品 | 1,425 |
| ド イ ツ | 原 油 | 2,093 |
| | 石油製品 | 1,641 |
| 日本 1986 | 127日（国家35，民間92） | |
| 1990 | 144日（国家55，民間89） | |
| 2020 | 229日（国家138，民間86，共同*6） | |

①石油備蓄法に基づき，国内消費量をもとに算出　＊産油国共同備蓄

## ❼原油価格の推移（ドル/バーレル）

| 年　月 | 価　格 | 年　月 | 価　格 |
|---|---|---|---|
| 1960.8 | 1.80 | 2000.3 | 26.82 |
| 1971.2 | 2.18 | 2002.5 | 25.54 |
| 1974.1 | 11.65 | 2004.3 | 31.50 |
| 1977.1 | 12.09 | 2006.7 | 67.93 |
| 1980.1 | 26.00 | 2008.6 | 121.73 |
| 1981.10 | 34.00 | 2010.6 | 79.63 |
| 1983.2 | 30.00 | 2012.5 | 124.54 |
| 1985.3 | 28.30 | 2013.5 | 106.58 |
| 1986.3 | 22.38 | 2014.5 | 109.18 |
| 1988.4 | 16.62 | 2015.5 | 59.38 |
| 1990.3 | 19.16 | 2016.5 | 40.75 |
| 1992.3 | 17.70 | 2017.5 | 53.91 |
| 1994.3 | 14.89 | 2018.3 | 66.79 |
| 1996.3 | 18.72 | 2019.3 | ＊65.74 |
| 1998.3 | 13.86 | 2020.3 | ＊62.47 |

通関統計によるCIF価格　＊粗油含む　石資2020

## ❽シェールガス，シェールオイルの技術的回収可能資源量（2013〜15年）

| シェールガス　国 名 | 兆㎥ | ％ |
|---|---|---|
| 世　界 | 214.4 | 100 |
| 中 国 | 31.6 | 14.7 |
| アルゼンチン | 22.7 | 10.6 |
| アルジェリア | 20.0 | 9.3 |
| アメリカ合衆国 | 17.6 | 8.2 |
| カ ナ ダ | 16.2 | 7.6 |

| シェールオイル　国 名 | 億kL | ％ |
|---|---|---|
| 世　界 | 666.1 | 100 |
| アメリカ合衆国 | 124.3 | 18.7 |
| ロ シ ア | 118.6 | 17.8 |
| 中 国 | 51.2 | 7.7 |
| アルゼンチン | 42.9 | 6.4 |
| リ ビ ア | 41.5 | 6.2 |

EIA資料

## ❾おもな国際石油会社（千バーレル/日，2015年）　石資2017

| 会社名（本社所在） | エクソンモービル（米） | ＢＰ（英） | ロイヤル・ダッチ・シェル（蘭） | シェブロン（米） | トタル（仏） | 5社計 |
|---|---|---|---|---|---|---|
| 原油生産量＊ | 2,345 | 1,943 | 1,358 | 1,744 | 1,237 | 8,627 |
| アメリカ合衆国 | 476 | 323 | ②310 | 501 | ②48 | 1,658 |
| カナダ・南米 | 402 | … | ③38 | | ③47 | 487 |
| ヨーロッパ | 204 | ①881 | 180 | | 161 | 1,426 |
| アジア・太平洋 | 734 | … | 593 | 1,243 | ④351 | 1,678 |
| アフリカ | 529 | 270 | 237 | | 542 | 1,578 |
| その他 | － | 469 | － | | 88 | 1,800 |
| 原油供給量 | 2,345 | 1,945 | 1,509 | 1,744 | 1,237 | 8,780 |
| 原油処理量 | 4,432 | 1,705 | 2,805 | 1,702 | 1,938 | 12,582 |
| 製品販売量 | 5,754 | 5,605 | 6,432 | 2,735 | 4,005 | 24,531 |
| 純利益（百万ドル） | 16,150 | −6,482 | 1,939 | 4,587 | 5,642 | － |

＊取引量含む　①ロシア，イギリス　②北米全体　③カナダを除く　④おもに中東

## ❿おもな国の原油処理能力（2020年）

| 国 名 | 万バーレル/日 |
|---|---|
| 世　界 | 10,195 |
| アメリカ合衆国 | 1,814 |
| 中 国 | 1,669 |
| ロ シ ア | 674 |
| イ ン ド | 502 |
| 韓 国 | 357 |
| 日 本 | 329 |
| サウジアラビア | 291 |
| イ ラ ン | 248 |
| ブ ラ ジ ル | 229 |
| ド イ ツ | 209 |

BP統計

## ⓫おもな国の原油自給率（2016年）

| 国 名 | ％ |
|---|---|
| サウジアラビア | 635.0 |
| ロ シ ア | 409.2 |
| カ ナ ダ | 243.1 |
| ブ ラ ジ ル | 132.6 |
| アメリカ合衆国 | 75.2 |
| 中 国 | 40.4 |
| イ ン ド | 22.6 |
| ド イ ツ | 3.9 |
| 韓 国 | 0.7 |
| 日 本 | 0.3 |

消費量上位10か国　自給率＝産出量／最終消費量×100　IEA資料

**❶OPEC諸国の原油輸出**（2018年）　赤字は各項目の最大値　　OPEC Annual Statistical Bulletin 2019ほか

| OPEC加盟国 | 原油輸出額(億ドル) 1975 | 2018 | 1人あたり原油輸出額(ドル) | 輸出に占める原油の割合(%) | 原油処理能力(千バーレル/日) | フランス | ドイツ | イタリア | イギリス | アメリカ合衆国 | 日本 | 中国 |
|---|---|---|---|---|---|---|---|---|---|---|---|---|
| 合　計 | 1,020 | 6,487 | 1,279 | 53.6 | 11,207 | 2,971 | 1,751 | 3,604 | 1,311 | 14,604 | 11,781 | 26,071 |
| サウジアラビア | 295 | 1,944 | 5,817 | 66.0 | 2,856 | 770 | 144 | 712 | 114 | 4,935 | 5,741 | 5,673 |
| アラブ首長国連邦 | 68 | 749 | 7,393 | 19.3 | 1,124 | 0 | — | 63 | — | 32 | 3,727 | 1,220 |
| イラク | 82 | 682 | 1,789 | 71.6 | 663 | 108 | 248 | 939 | — | 2,914 | 272 | 4,504 |
| イラン | 196 | 602 | 734 | 56.0 | 2,141 | 330 | 27 | 633 | — | — | 657 | 2,927 |
| クウェート | 86 | 584 | 12,635 | 81.2 | 736 | 25 | — | 81 | — | 452 | 1,168 | 2,321 |
| ナイジェリア | 77 | 545 | 269 | 86.5 | 446 | 607 | 440 | 232 | 548 | 1,122 | — | 46 |
| アンゴラ | 6 | 363 | 1,242 | 89.1 | 80 | 108 | 8 | 96 | 13 | 530 | 33 | 4,739 |
| ベネズエラ | 83 | 347 | 1,089 | 99.1 | 1,891 | — | 68 | 9 | 10 | 2,654 | — | 1,663 |
| アルジェリア | 43 | 261 | 613 | 59.1 | 657 | 545 | 79 | 153 | 475 | 469 | 16 | 66 |
| リビア | 68 | 171 | 2,611 | 69.1 | 380 | 478 | 726 | 621 | 151 | 310 | — | 857 |
| 赤道ギニア | — | 54 | 4,074 | 97.5 | — | — | 11 | 36 | — | 99 | — | 248 |
| コンゴ共和国 | 1 | 45 | 825 | 45.3 | 21 | 0 | — | — | — | 60 | — | 1,258 |
| ガボン | 9 | 42 | 2,145 | 64.8 | 24 | 0 | — | 29 | — | 38 | — | 362 |

2018年コンゴ共和国加盟。2019年1月カタール脱退。2020年1月エクアドル脱退。

**❷おもな国の原油輸入先**（2020年，百万t）　　UN Comtrade

| 国名 | 輸入量 | おもな輸入相手国(%) | | |
|---|---|---|---|---|
| 中国 | 542 | サウジアラビア 15.7 | ロシア 15.4 | イラク 11.1 |
| アメリカ合衆国 | 332 | カナダ 61.1 | メキシコ 11.0 | サウジアラビア 8.5 |
| インド | 197 | イラク 24.0 | サウジアラビア 19.1 | アラブ首長国連邦 11.3 |
| 韓国 | 131 | サウジアラビア 33.8 | クウェート 13.7 | アメリカ合衆国 10.2 |
| 日本 | 123 | サウジアラビア 40.3 | アラブ首長国連邦 31.1 | クウェート 9.1 |
| ドイツ | 85 | ロシア 31.0 | アメリカ合衆国 12.0 | オランダ 11.5 |
| オランダ | 69 | ロシア 27.0 | イギリス 17.0 | アメリカ合衆国 14.2 |
| タイ | 52 | アラブ首長国連邦 26.6 | サウジアラビア 18.7 | アメリカ合衆国 8.0 |
| イタリア | 50 | アゼルバイジャン 20.1 | イラク 19.3 | サウジアラビア 13.1 |
| シンガポール | 42 | アラブ首長国連邦 25.8 | カタール 16.5 | サウジアラビア 11.4 |
| カナダ | 26 | アメリカ合衆国 77.4 | サウジアラビア 11.8 | ナイジェリア 5.4 |
| ポーランド | 25 | ロシア 64.6 | サウジアラビア 15.3 | カザフスタン 10.9 |

**❸日本の原油輸入先**（万kL）　　財務省貿易統計ほか

| 国・地域名 | 1972 | 1980 | 1990 | 2000 | 2010 | 2022 | % | 2022(万t)① |
|---|---|---|---|---|---|---|---|---|
| 合　計 | 24,919 | 24,546 | 22,525 | 24,981 | 21,462 | 15,891 | 100 | 13,666 |
| 〈国別〉 | | | | | | | | |
| サウジアラビア | 5,616 | 8,408 | 4,599 | 6,286 | 6,503 | 6,263 | 39.4 | 5,386 |
| アラブ首長国連邦 | 1,418 | 3,454 | 4,778 | 6,288 | 4,425 | 5,983 | 37.6 | 5,145 |
| クウェート | 2,874 | 889 | 788 | 2,104 | 1,611 | 1,308 | 8.2 | 1,125 |
| カタール | 20 | 766 | 1,312 | 2,293 | 2,526 | 1,152 | 7.3 | 991 |
| エクアドル | — | 98 | — | 21 | 25 | 292 | 1.8 | 251 |
| 〈地域別〉 | | | | | | | | |
| 中東 | 20,414 | 17,951 | 15,977 | 21,454 | 18,638 | 14,960 | 94.1 | 12,866 |
| 中南米 | 55 | 380 | 936 | 260 | 40 | 357 | 2.2 | 307 |
| ロシア・中央アジア・NIS | ②42 | ②9 | 6 | 6 | 1,460 | 246 | 1.5 | 212 |
| 北アメリカ | 6 | 0 | 10 | 122 | 3 | 159 | 1.0 | 137 |
| アジア(ASEAN) | 3,805 (3,249) | 5,822 (3,409) | 5,355 (3,503) | 2,471 (1,861) | 767 (724) | 100 (100) | 0.6 (0.6) | 86 (86) |

①原油の比重0.86で換算　②ソ連

右側解説：
p.80❶❷❸：原油の生産量ではアメリカ合衆国，ロシア，サウジアラビアの3か国が多い。埋蔵量は，西アジアの国々が多く，輸出でも中心となっている。中国やアメリカ合衆国は国内消費が多く，原油の輸入の上位1，2位である点に注意する。

p.81❸：日本の原油輸入先では，西アジアの4か国が重要である。サウジアラビアにとって，日本は重要な貿易相手国である。日本の原油輸入先は1970年代の石油危機の後，中国やインドネシアなどのアジアの国に移ったが，1990年代以降，これらの国で経済成長に伴う原油の国内消費が増加したことで，再び中東への依存が高まった。

**❹日本の県別原油生産量**（2021年度）

| 県名 | 千kL | % |
|---|---|---|
| 全国 | 473 | 100 |
| 新潟 | 306 | 64.7 |
| 秋田 | 91 | 19.2 |
| 北海道 | 67 | 14.2 |

石油鉱業連盟資料

**❺日本の石油製品の生産**（千kL）

| 製品名 | 1990 | 2010 | 2020 | % |
|---|---|---|---|---|
| 燃料油計 | 184,395 | 196,247 | 138,819 | 100 |
| ガソリン | 42,272 | 58,828 | 44,135 | 31.8 |
| 軽油 | 31,980 | 42,866 | 34,214 | 24.7 |
| 重油 | 71,722 | 39,980 | 25,805 | 18.6 |
| ナフサ | 10,860 | 20,850 | 13,378 | 9.6 |
| 灯油 | 23,119 | 19,675 | 13,252 | 9.5 |
| ジェット燃料 | 4,441 | 14,048 | 8,034 | 5.8 |
| 液化石油ガス | *4,450 | *4,506 | *3,042 | — |
| アスファルト | *6,185 | *4,528 | 2,387 | — |
| 原油処理量 | 201,054 | 210,297 | 145,230 | — |

*単位：千t　資エネ'20ほか

**❻日本のおもな製油所**（2023年3月末現在）　石油連盟資料

| 会社名 | 製油所名 | 都道府県名 | 処理能力(バーレル/日) |
|---|---|---|---|
| 全国(21製油所)計 | | | 3,330,700 |
| ＥＮＥＯＳ | 水島製油所 | 岡山 | 350,200 |
| 昭和四日市石油 | 四日市製油所 | 三重 | 255,000 |
| ＥＮＥＯＳ | 川崎製油所 | 神奈川 | 247,000 |
| 鹿島石油 | 鹿島製油所 | 茨城 | 203,100 |
| 出光興産 | 千葉事業所 | 千葉 | 190,000 |
| コスモ石油 | 千葉製油所 | 千葉 | 177,000 |
| 出光興産 | 愛知事業所 | 愛知 | 160,000 |
| ＥＮＥＯＳ | 根岸製油所 | 神奈川 | 150,000 |
| 出光興産 | 北海道製油所 | 北海道 | 150,000 |
| ＥＮＥＯＳ | 仙台製油所 | 宮城 | 145,000 |

資源・エネルギー

### ❶ガソリンの生産（万t）　世エネ'20ほか

| 国　名 | 1990 | 2020* | % |
|---|---|---|---|
| 世　界 | 74,216 | 95,574 | 100 |
| アメリカ合衆国 | 29,881 | 35,174 | 36.8 |
| 中　国 | 2,173 | 14,162 | 14.8 |
| ロ シ ア | ①6,360 | 3,792 | 4.0 |
| イ ン ド | 354 | 3,578 | 3.7 |
| 日　本 | 3,107 | 3,266 | 3.4 |
| カ ナ ダ | 2,636 | 3,098 | 3.2 |
| ブラジル | 855 | 2,391 | 2.5 |
| ド イ ツ | 2,582 | 2,074 | 2.2 |
| サウジアラビア | 1,071 | 1,962 | 2.1 |
| イ ラ ン | 511 | 1,709 | 1.8 |

＊バイオ燃料混合ガソリンを含む
①ソ連

### ❷軽油の生産（万t）　世エネ'20ほか

| 国　名 | 1990 | 2020* | % |
|---|---|---|---|
| 世　界 | 82,494 | 130,562 | 100 |
| アメリカ合衆国 | 14,765 | 23,092 | 17.7 |
| 中　国 | 2,609 | 16,530 | 12.7 |
| イ ン ド | 1,712 | 10,117 | 7.7 |
| ロ シ ア | ①11,208 | 7,911 | 6.1 |
| サウジアラビア | 2,236 | 4,998 | 3.8 |
| 韓　国 | 1,308 | 4,783 | 3.7 |
| ド イ ツ | 4,125 | 4,465 | 3.4 |
| ブラジル | 2,091 | 4,235 | 3.2 |
| 日　本 | 4,900 | 3,710 | 2.8 |
| カ ナ ダ | 2,305 | 3,237 | 2.5 |

＊バイオディーゼル燃料混合軽油を含む
①ソ連

### ❸灯油の生産（万t）　世エネ'20ほか

| 国　名 | 1990 | 2020 | % |
|---|---|---|---|
| 世　界 | 11,111 | 4,637 | 100 |
| 日　本 | 1,882 | 1,066 | 23.0 |
| スペイン | 24 | 784 | 16.9 |
| 韓　国 | 174 | 575 | 12.4 |
| クウェート | 170 | 335 | 7.2 |
| サウジアラビア | 390 | 295 | 6.4 |
| 中　国 | ①393 | 253 | 5.5 |
| イ ン ド | 569 | 239 | 5.2 |
| イギリス | 231 | 190 | 4.1 |
| イ ラ ン | 345 | 158 | 3.4 |
| イ ラ ク | － | 133 | 2.9 |

①ケロシン系ジェット燃料を含む

### ❹ジェット燃料の生産（万t）

| 国　名 | 1990 | 2020 | % |
|---|---|---|---|
| 世　界 | 15,828 | 21,635 | 100 |
| アメリカ合衆国 | 6,996 | 4,737 | 21.9 |
| 中　国 | － | 3,971 | 18.4 |
| 韓　国 | 211 | 1,420 | 6.6 |
| ロ シ ア | － | 1,093 | 5.1 |
| シンガポール | 637 | 964 | 4.5 |
| アラブ首長国連邦 | 110 | 864 | 4.0 |
| イ ン ド | 165 | 708 | 3.3 |
| サウジアラビア | 245 | 686 | 3.2 |
| 日　本 | 348 | 505 | 2.3 |
| カ タ ー ル | 39 | 463 | 2.1 |

世エネ'20ほか

### ❺重油の生産（万t）　世エネ'20ほか

| 国　名 | 1990 | 2020 | % |
|---|---|---|---|
| 世　界 | 73,445 | 36,553 | 100 |
| 中　国 | 3,268 | 5,781 | 15.8 |
| ロ シ ア | ①16,904 | 5,082 | 13.9 |
| イ ラ ン | 1,273 | 2,136 | 5.8 |
| サウジアラビア | 2,777 | 1,911 | 5.2 |
| ブラジル | － | 1,664 | 4.6 |
| イ ラ ク | 720 | 1,417 | 3.9 |
| 日　本 | 4,102 | 1,259 | 3.4 |
| アメリカ合衆国 | 5,235 | 1,140 | 3.1 |
| 韓　国 | 1,555 | 1,120 | 3.1 |
| メキシコ | 2,399 | 1,002 | 2.7 |

①ソ連

### ❻ナフサの生産（万t）　世エネ'20ほか

| 国　名 | 1990 | 2020 | % |
|---|---|---|---|
| 世　界 | 10,843 | 28,877 | 100 |
| 中　国 | － | 7,191 | 24.9 |
| 韓　国 | 406 | 3,373 | 11.7 |
| ロ シ ア | － | 2,501 | 8.7 |
| イ ン ド | 473 | 1,842 | 6.4 |
| オランダ | 979 | 1,080 | 3.7 |
| タ イ | － | 928 | 3.2 |
| 日　本 | 800 | 909 | 3.1 |
| アルジェリア | － | 734 | 2.5 |
| アメリカ合衆国 | 1,924 | 726 | 2.5 |
| ド イ ツ | ①654 | 682 | 2.4 |

①西ドイツ

### ❼エチレンの生産（万t）

| 国　名 | 2000 | 2017 | % |
|---|---|---|---|
| 世　界 | 6,900 | 15,191 | 100 |
| アメリカ合衆国 | 99)2,530 | 2,746 | 18.1 |
| 中　国 | 470 | ①2,228 | 14.7 |
| サウジアラビア | － | 1,493 | 9.8 |
| 韓　国 | 544 | 879 | 5.8 |
| 日　本 | 761 | 653 | 4.3 |
| カ ナ ダ | 407 | 481 | 3.2 |
| イ ン ド | 151 | 475 | 3.1 |
| タ イ | － | 425 | 2.8 |
| （台　湾） | － | 401 | 2.6 |
| シンガポール | － | 400 | 2.6 |

①ホンコンを含む　経済産業省資料ほか

### ❽液体バイオ燃料*の生産（千t）

| 国　名 | 2000 | 2021 | % |
|---|---|---|---|
| 世　界 | 14,397 | 129,025 | 100 |
| アメリカ合衆国 | 4,519 | 53,489 | 41.5 |
| ブラジル | 7,557 | 28,839 | 22.4 |
| インドネシア | 0 | 8,496 | 6.6 |
| 中　国 | 0 | 4,556 | 3.5 |
| ド イ ツ | 266 | 4,045 | 3.1 |
| アルゼンチン | 7 | 2,543 | 2.0 |
| イ ン ド | 110 | 2,512 | 1.9 |
| タ イ | 0 | 2,483 | 1.9 |
| フランス① | 393 | 2,372 | 1.8 |
| スペイン | 0 | 2,207 | 1.7 |

日本11　＊バイオガソリン，バイオディーゼル燃料，バイオジェット燃料など　①モナコを含む　IEA資料

> ❻❼：原油を蒸留・精製して得られるナフサは，石油化学工業の原料で，エチレンに加工されてから，さらにプラスチックや合成ゴムなどが作られる。
> ❾❿⓫：天然ガスは，ペルシア湾岸の国々だけで世界の埋蔵量のおよそ4割を占める。アメリカ合衆国は生産量・消費量ともに世界最大。

### ❾天然ガスの埋蔵量（2020年）

| 国　名 | 兆m³ | % |
|---|---|---|
| 世　界 | 188.1 | 100 |
| ロ シ ア | 37.4 | 19.9 |
| イ ラ ン | 32.1 | 17.1 |
| カ タ ー ル | 24.7 | 13.1 |
| トルクメニスタン | 13.6 | 7.2 |
| アメリカ合衆国 | 12.6 | 6.7 |
| 中　国 | 8.4 | 4.5 |
| ベネズエラ | 6.3 | 3.3 |
| サウジアラビア | 6.0 | 3.2 |
| アラブ首長国連邦 | 5.9 | 3.1 |
| ナイジェリア | 5.5 | 2.9 |

BP統計

### ❿天然ガスの生産量（億m³）

| 国　名 | 1990 | 2021 | % |
|---|---|---|---|
| 世　界 | 19,665 | 42,072 | 100 |
| アメリカ合衆国 | 5,043 | 9,778 | 23.2 |
| ロ シ ア | 5,900 | 7,937 | 18.9 |
| イ ラ ン | 262 | 2,647 | 6.3 |
| 中　国 | 158 | 2,076 | 4.9 |
| カ ナ ダ | 988 | 1,903 | 4.5 |
| カ タ ー ル | 63 | 1,682 | 4.0 |
| オーストラリア | 197 | 1,510 | 3.6 |
| ノルウェー | 255 | 1,190 | 2.8 |
| アルジェリア | 494 | 1,049 | 2.5 |
| サウジアラビア | 335 | 1,009 | 2.4 |

IEA資料ほか

### ⓫天然ガスの消費量（2021年）

| 国　名 | 億m³ | % |
|---|---|---|
| 世　界 | 41,539 | 100 |
| アメリカ合衆国 | 8,687 | 20.9 |
| ロ シ ア | 5,266 | 12.7 |
| 中　国 | 3,688 | 8.9 |
| イ ラ ン | 2,469 | 5.9 |
| カ ナ ダ | 1,344 | 3.2 |
| サウジアラビア | 1,009 | 2.4 |
| 日　本 | 991 | 2.4 |
| ド イ ツ | 983 | 2.4 |
| メキシコ | 803 | 1.9 |
| イギリス | 782 | 1.9 |

IEA資料

## ❶天然ガスの輸出入（2021年）　IEA資料

| 輸出国 | 億m³ | % | 輸入国 | 億m³ | % |
|---|---|---|---|---|---|
| 世　　界 | 12,614 | 100 | 世　　界 | 12,250 | 100 |
| ロ　シ　ア | 2,424 | 19.2 | 中　　国 | 1,556 | 12.7 |
| アメリカ合衆国 | 1,884 | 14.9 | 日　　本 | 950 | 7.8 |
| カ タ ー ル | 1,238 | 9.8 | ド　イ　ツ | 848 | 6.9 |
| ノルウェー | 1,134 | 9.0 | アメリカ合衆国 | 795 | 6.5 |
| オーストラリア | 1,034 | 8.2 | イタリア① | 730 | 6.0 |
| カ ナ ダ | 796 | 6.3 | 韓　　国 | 610 | 5.0 |
| トルクメニスタン | 613 | 4.9 | ト　ル　コ | 587 | 4.8 |
| アルジェリア | 550 | 4.4 | イ ギ リ ス | 514 | 4.2 |
| マ レ ー シ ア | 307 | 2.4 | メ キ シ コ | 491 | 4.0 |
| ナイジェリア | 228 | 1.8 | フランス② | 453 | 3.7 |

①サンマリノ，バチカンを含む　②モナコを含む

## ❷日本の液化天然ガス*の輸入先（2022年）　財務省貿易統計

| 国　　名 | 千t | % |
|---|---|---|
| 合　　計 | 71,998 | 100 |
| オーストラリア | 30,751 | 42.7 |
| マ レ ー シ ア | 12,049 | 16.7 |
| ロ　シ　ア | 6,869 | 9.5 |
| アメリカ合衆国 | 4,136 | 5.7 |
| パプアニューギニア | 3,790 | 5.3 |
| ブ ル ネ イ | 3,214 | 4.5 |
| カ タ ー ル | 2,884 | 4.0 |
| インドネシア | 2,541 | 3.5 |
| オ マ ー ン | 2,529 | 3.5 |
| アラブ首長国連邦 | 1,335 | 1.9 |

＊LNG。天然ガスを冷却・加圧し液化したもの。メタンが主成分

## ❸日本の液化石油ガス*の輸入先（2022年）　財務省貿易統計

| 国　　名 | 千t | % |
|---|---|---|
| 合　　計 | 10,479 | 100 |
| アメリカ合衆国 | 6,554 | 62.5 |
| カ ナ ダ | 1,577 | 15.1 |
| オーストラリア | 1,193 | 11.4 |
| クウェート | 452 | 4.3 |
| アラブ首長国連邦 | 193 | 1.8 |
| カ タ ー ル | 183 | 1.8 |
| サウジアラビア | 161 | 1.5 |
| 東ティモール | 100 | 1.0 |
| バ ー レ ー ン | 47 | 0.4 |
| 韓　　国 | 17 | 0.2 |

＊LPG。石油精製の際の副産物であるプロパン・ブタン等の混合ガスを加圧・液化したもの

## ❹日本の液化石油ガスの需給（千t）

| 区　分 | 2000 | 2021 | % |
|---|---|---|---|
| 供　給　計 | 19,463 | 12,589 | 100 |
| 石 油 精 製 | 4,327 | 2,049 | 16.3 |
| 石 油 化 学 | 285 | 238 | 1.9 |
| 輸　　入 | 14,851 | 10,302 | 81.8 |
| 需　要　計 | 18,830 | 12,536 | 100 |
| 家庭業務用 | 7,710 | 6,089 | 48.5 |
| 一般工業用 | 4,815 | 2,596 | 20.7 |
| 化学原料用 | 1,969 | 1,893 | 15.1 |
| 都市ガス用 | 2,121 | 1,312 | 10.5 |
| 自 動 車 用 | 1,623 | 551 | 4.4 |
| 大口鉄鋼用 | 199 | 95 | 0.8 |
| 電　力　用 | 393 | 0 | 0 |

日本LPガス協会資料

## ❺日本の県別天然ガス生産量（2021年）

| 県名 | 百万m³ | % |
|---|---|---|
| 合　　計 | 2,263 | 100 |
| 新　　潟 | 1,720 | 76.0 |
| 千　　葉 | 433 | 19.1 |
| 北 海 道 | 70 | 3.1 |
| 秋　　田 | 31 | 1.4 |

石油鉱業連盟資料

p.83❻：同じ火力発電でも，日本は天然ガス，石炭を，中国は石炭をおもに使用するなど，国によって使用する燃料に違いがある。ブラジル，カナダ，ノルウェー，パラグアイなどは水力発電の割合が高く，原子力発電の割合はフランスが高い。風力発電は，中国やアメリカ合衆国のほか，偏西風が吹く地域で盛ん。

p.85❶：日本は，水主火従から火主水従に変化した。1970年ごろから原子力発電が増加したが，2011年の福島第一原発事故後，その割合は大幅に減少している。

## ❻おもな国の発電量（億kWh）　IEA資料ほか

| 国　名 | 1990 総発電量 | 2021 総発電量 | 火力 | % | 水力 | % | 原子力 | % | 再生可能エネルギー* 風力 | 太陽光 | 地熱 | バイオ燃料 | % | 1人あたり消費量（kWh） |
|---|---|---|---|---|---|---|---|---|---|---|---|---|---|---|
| 世　　界 | 118,956 | 285,197 | 175,315 | 61.5 | 44,110 | 15.5 | 28,081 | 9.8 | 18,641 | 10,351 | 955 | 7,346 | 13.2 | 3,358 |
| 中　　国 | 6,213 | 85,990 | 56,969 | 66.3 | 13,390 | 15.6 | 4,075 | 4.7 | 6,561 | 3,290 | 1 | 1,703 | 13.4 | 5,848 |
| アメリカ合衆国 | 32,186 | 43,747 | 26,618 | 60.8 | 2,741 | 6.3 | 8,116 | 18.6 | 3,828 | 1,513 | 191 | 694 | 14.3 | 12,613 |
| イ ン ド | 2,895 | 16,352 | 12,359 | 75.6 | 1,624 | 9.9 | 471 | 2.9 | 771 | 756 | — | 370 | 11.6 | 956 |
| ロ　シ　ア | 10,822 | 11,594 | 7,097 | 61.2 | 2,164 | 18.7 | 2,234 | 19.3 | 33 | 22 | 4 | 40 | 0.8 | 7,252 |
| 日　　本 | 8,707 | 10,499 | 7,208 | 68.7 | 888 | 8.5 | 708 | 6.7 | 94 | 861 | 30 | 530 | 16.1 | 7,975 |
| ブ ラ ジ ル | 2,228 | 6,561 | 1,314 | 20.0 | 3,628 | 55.3 | 147 | 2.2 | 723 | 168 | — | 579 | 22.5 | 2,663 |
| カ ナ ダ | 4,826 | 6,430 | 1,160 | 18.0 | 3,829 | 59.5 | 926 | 14.4 | 348 | 60 | — | 103 | 8.1 | 14,737 |
| 韓　　国 | 1,054 | 6,118 | 4,067 | 66.5 | 67 | 1.1 | 1,580 | 25.8 | 32 | 234 | — | 86 | 6.6 | 11,402 |
| ド イ ツ | 5,500 | 5,883 | 2,747 | 46.7 | 250 | 4.2 | 691 | 11.7 | 1,146 | 493 | 2 | 536 | 37.4 | 6,529 |
| フ ラ ン ス② | 4,208 | 5,553 | 464 | 8.4 | 640 | 11.5 | 3,794 | 68.3 | 368 | 157 | 1 | 118 | 11.8 | 6,908 |
| サウジアラビア | 692 | 4,089 | 4,077 | 99.7 | — | — | — | — | 4 | 8 | — | — | 0.3 | 10,341 |
| メ キ シ コ | 1,158 | 3,797 | 2,917 | 76.8 | 329 | 8.7 | 119 | 3.1 | 209 | 130 | 44 | 28 | 11.4 | 2,630 |
| イ ト コ | 591 | 3,442 | 3,238 | 94.1 | 159 | 4.6 | 31 | 0.9 | 8 | 4 | — | 0.2 | 0.4 | 3,425 |
| ト ル コ | 575 | 3,347 | 2,148 | 64.2 | 559 | 16.7 | — | — | 314 | 139 | 108 | 65 | 19.1 | 3,587 |
| インドネシア | 327 | 3,087 | 2,500 | 81.0 | 247 | 8.0 | — | — | 4 | 2 | 159 | 175 | 11.0 | 1,040 |
| イ ギ リ ス | 3,197 | 3,073 | 1,324 | 43.1 | 74 | 2.4 | 459 | 14.9 | 647 | 121 | — | 448 | 39.6 | 4,539 |
| イ タ リ ア③ | 2,166 | 2,891 | 1,677 | 58.0 | 475 | 16.4 | — | — | 209 | 250 | 59 | 215 | 25.6 | 5,292 |
| ス ペ イ ン | 1,519 | 2,743 | 876 | 31.9 | 328 | 12.0 | 566 | 20.6 | 621 | 271 | — | 33 | 35.5 | 5,249 |
| オーストラリア | 1,550 | 2,656 | 1,948 | 73.3 | 152 | 5.7 | — | — | 245 | 277 | — | 21.0 | 9,828 |
| ベ ト ナ ム | 87 | 2,534 | 1,416 | 55.9 | 786 | 31.0 | — | — | 33 | 278 | — | — | 13.1 | 2,440 |
| 南アフリカ共和国 | 1,672 | 2,444 | 2,099 | 85.9 | 68 | 2.8 | 124 | 5.1 | 84 | 67 | — | 4 | 6.2 | 3,637 |
| エ ジ プ ト | 423 | 2,097 | 1,855 | 88.5 | 131 | 6.2 | — | — | 63 | 49 | — | — | 5.3 | 1,575 |
| マ レ ー シ ア | 230 | 1,800 | 1,456 | 80.9 | 311 | 17.3 | — | — | — | 20 | — | 12 | 1.8 | 4,963 |
| ポ ー ラ ン ド | 1,363 | 1,796 | 1,476 | 82.2 | 31 | 1.7 | — | — | 160 | 39 | — | 86 | 16.1 | 4,488 |
| スウェーデン | 1,465 | 1,718 | 14 | 0.8 | 739 | 43.0 | 530 | 30.8 | 272 | 15 | — | 148 | 25.4 | 13,015 |
| ノルウェー | 1,218 | 1,580 | 9 | 0.6 | 1,443 | 91.4 | — | — | 118 | 2 | — | 4 | 8.0 | 24,177 |
| フ ィ リ ピ ン | 263 | 1,061 | 823 | 77.6 | 92 | 8.7 | — | — | 13 | 15 | 107 | 12 | 13.7 | 844 |
| ニュージーランド | 326 | 446 | 82 | 18.5 | 242 | 54.3 | — | — | 26 | 2 | 84 | 8 | 27.2 | 8,137 |
| パ ラ グ ア イ | 272 | 406 | 0.02 | 0.0 | 406 | 100.0 | — | — | — | — | — | — | — | 2,086 |
| デ ン マ ー ク | 260 | 330 | 62 | 18.6 | 0.2 | 0.0 | — | — | 161 | 13 | — | — | 81.4 | 6,160 |
| アイスランド | 45 | 196 | 0.02 | 0.0 | 138 | 70.4 | — | — | — | — | 58 | — | 29.6 | 51,070 |
| エ チ オ ピ ア | 12 | 155 | 0.06 | 0.0 | 149 | 96.1 | — | — | 6 | — | — | — | 3.9 | 90 |

水力を除く　①バイオ燃料・廃棄物　②モナコを含む　③サンマリノ，バチカンを含む

資源・エネルギー

## ❶世界のおもな発電所（2010年末現在）

海外電力調査会資料ほか

| 水力発電 発電所名 | 国名 | 所在地 | 設備容量(千kW) | 火力発電 発電所名 | 国名 | 所在地 | 設備容量(千kW) |
|---|---|---|---|---|---|---|---|
| サンシヤ〔三峡〕 | 中国 | フーペイ(湖北)省 | 18,300 | ボリョン〔保寧〕 | 韓国 | チュンチョンナムド〔忠清南道〕 | 5,800 |
| イタイプ | ブラジル パラグアイ | パ ラ ナ | 12,600 | タイジョン〔台中〕 | (台湾) | タイジョン〔台中〕 | 5,500 |
| グ リ | ベネズエラ | シウダーボリバル | 10,200 | スルグート第2 | ロシア | チュ メ ニ | 4,800 |
| トゥクルイ | ブラジル | パ ラ | 8,370 | トクト〔托克托〕 | 中国 | 内モンゴル自治区 | 4,800 |
| グランドクーリー | アメリカ合衆国 | ワシントン州 | 6,809 | クオホワチョーノン〔国華浙能〕 | 中国 | チョーチヤン〔浙江〕省 | 4,540 |
| サヤノシュシェンスコエ | ロシア | シ ベ リ ア | 6,400 | ゾウシエン〔鄒県〕 | 中国 | シャントン(山東)省 | 4,540 |
| クラスノヤルスク | ロシア | シ ベ リ ア | 6,000 | ベルハトフ | ポーランド | ロゴヴィエツ | 4,340 |
| ロバート・バウラサ | カナダ | ケベック州 | 5,616 | シン ダ〔興達〕 | (台湾) | カオシュン〔高雄〕 | 4,326 |
| チャーチルフォールズ | カナダ | ニューファンドランド | 5,429 | ケン ダル | 南アフリカ共和国 | ビトバンク | 4,116 |
| ロンタン〔龍灘〕 | 中国 | コワンシー(広西)壮族自治区 | 4,900 | マ ジュ バ | 南アフリカ共和国 | ノーザンプロヴィンス | 4,110 |
| ブラーツク | ロシア | シ ベ リ ア | 4,500 | エキバストゥズ第1 | カザフスタン | パウロダール | 4,000 |
| ウスチ・イリムスク | ロシア | シ ベ リ ア | 3,840 | パリッシュ W.A. | アメリカ合衆国 | テキサス州 | 3,953 |
| アルベ・ゲラ | イタリア | ロンバルディア | 3,500 | ナンティコーク | カナダ | オンタリオ州 | 3,938 |
| イリヤソルテラ | ブラジル | サンパウロ | 3,444 | ドラックス | イギリス | セル ビー | 3,870 |
| タル ベ ラ | パキスタン | 北西フロンティア | 3,438 | レフチンスク | ロシア | スヴェルドロフスク州 | 3,800 |

## ❷世界のおもな原子力発電所（2022年末現在）

| 発電所名 | 国名 | 最大出力(千kW) |
|---|---|---|
| ブルース | カナダ | 6,944 |
| ホンヤンホー〔紅沿河〕 | 中国 | 6,714 |
| フーチン〔福清〕 | 中国 | 6,656 |
| ティエンワン〔田湾〕 | 中国 | 6,608 |
| ヤンチヤン〔陽江〕 | 中国 | 6,516 |
| ハンビット | 韓国 | 6,235 |
| ハヌル | 韓国 | 6,226 |
| ザポリッジャ | ウクライナ | 6,000 |
| グラブリーヌ | フランス | 5,706 |
| パリュエル | フランス | 5,528 |
| カットノン | フランス | 5,448 |
| チンシャン〔秦山〕 | 中国 | 4,406 |
| レニングラード | ロシア | 4,376 |
| ニントー〔寧徳〕 | 中国 | 4,356 |
| バ ラ カ | アラブ首長国連邦 | 4,251 |

IAEA資料

## ❸おもな国の原子力発電設備状況（2023年1月1日現在）

日本原子力産業協会資料

| 国名 | 運転中 万kW | 運転中 基 | 建設中 万kW | 建設中 基 | 計画中 万kW | 計画中 基 | 合計 万kW | 合計 基 |
|---|---|---|---|---|---|---|---|---|
| 世界 | 40,928 | 431 | 7,477 | 72 | 9,020 | 86 | 57,426 | 589 |
| アメリカ合衆国 | 9,842 | 92 | 250 | 2 | — | — | 10,092 | 94 |
| フランス | 6,404 | 56 | 165 | 1 | — | — | 6,569 | 57 |
| 中国 | 5,560 | 53 | 2,471 | 24 | 2,588 | 23 | 10,619 | 100 |
| 日本 | ①3,308 | ①33 | 414 | 4 | 1,158 | 6 | 4,881 | 44 |
| ロシア | 2,951 | 34 | 292 | 5 | 1,338 | 18 | 4,580 | 57 |
| 韓国 | 2,482 | 25 | 420 | 3 | — | — | 2,902 | 28 |
| カナダ | 1,451 | 19 | — | — | 30 | 1 | 1,481 | 20 |
| ウクライナ | 1,382 | 15 | 225 | 2 | — | — | 1,607 | 17 |
| スペイン | 740 | 7 | — | — | — | — | 740 | 7 |
| スウェーデン | 707 | 6 | — | — | — | — | 707 | 6 |
| インド | 678 | 22 | 880 | 11 | 1,030 | 12 | 2,588 | 45 |
| イギリス | 653 | 9 | 344 | 2 | 334 | 2 | 1,331 | 13 |
| ベルギー | 517 | 6 | — | — | — | — | 517 | 6 |
| ドイツ | 429 | 3 | — | — | — | — | 429 | 3 |
| チェコ | 421 | 6 | — | — | — | — | 421 | 6 |

①運転可能炉の数値。2023年9月1日現在の日本の稼働炉は、1078.2万kW、11基。

## ❹おもな国のウラン埋蔵量・生産量

世鉱統計'22ほか

| 国名 | 確認埋蔵量*(千tU) 2019 | 生産量(tU) 1998 | 生産量(tU) 2021 | 国名 | 確認埋蔵量*(千tU) 2019 | 生産量(tU) 1998 | 生産量(tU) 2021 |
|---|---|---|---|---|---|---|---|
| 世界 | 4,723.7 | 34,986 | 40,795 | ロシア | 256.6 | 2,530 | 2,760 |
| カザフスタン | 464.7 | — | 18,502 | ニジェール | 315.5 | 3,714 | 2,642 |
| ナミビア | 320.7 | 2,780 | 5,400 | 中国 | 122.6 | 590 | 1,885 |
| ウズベキスタン | 50.8 | 1,926 | 3,500 | カナダ | 652.2 | 10,922 | 1,558 |
| オーストラリア | 1,284.8 | 4,910 | 3,456 | ウクライナ | 122.1 | 1,000 | 400 |
|  |  |  |  | ウ イ ド | 188.0 | — | 400 |

日本6.6(確認埋蔵量)　＊ウラン1kgあたり260米ドル以下で回収可能な可採埋蔵量　tU=ウラン酸化物($U_3O_8$)に含まれるウラン(U)の重量(t)

## ❺世界の再生可能エネルギー*発電（2021年）

| 国名 | 発電量(億kWh) | % | 総発電量に占める割合(%) |
|---|---|---|---|
| 世界 | 80,659 | 100 | 28.3 |
| 中国 | 24,879 | 30.8 | 28.9 |
| アメリカ合衆国 | 8,869 | 11.0 | 20.3 |
| ブラジル | 5,076 | 6.3 | 77.4 |
| カナダ | 4,338 | 5.4 | 67.5 |
| インド | 3,506 | 4.3 | 21.4 |
| ドイツ | 2,361 | 2.9 | 40.1 |
| ロシア | 2,224 | 2.8 | 19.2 |
| 日本 | 2,215 | 2.7 | 21.1 |
| ノルウェー | 1,565 | 1.9 | 99.1 |
| スペイン | 1,290 | 1.6 | 47.0 |

＊水力，地熱，太陽光，風力，潮力，バイオ燃料など

IEA資料

## ❻おもな国の太陽光発電量（2021年）

| 国名 | 億kWh | % |
|---|---|---|
| 世界 | 10,351 | 100 |
| 中国 | 3,290 | 31.8 |
| アメリカ合衆国 | 1,513 | 14.6 |
| 日本 | 861 | 8.3 |
| インド | 756 | 7.3 |
| ドイツ | 493 | 4.8 |
| ベトナム | 278 | 2.7 |
| オーストラリア | 277 | 2.7 |
| スペイン | 271 | 2.6 |
| イタリア① | 250 | 2.4 |
| 韓国 | 234 | 2.3 |

①サンマリノ，バチカンを含む

IEA資料

## ❼おもな国の風力発電量（2021年）

| 国名 | 億kWh | % |
|---|---|---|
| 世界 | 18,641 | 100 |
| 中国 | 6,561 | 35.2 |
| アメリカ合衆国 | 3,828 | 20.5 |
| ドイツ | 1,146 | 6.2 |
| ブラジル | 723 | 3.9 |
| イギリス | 647 | 3.5 |
| スペイン | 621 | 3.3 |
| フランス① | 368 | 2.0 |
| カナダ | 348 | 1.9 |
| トルコ | 314 | 1.7 |

日本94　①モナコを含む

IEA資料

## ❶日本の発電量の推移（百万kWh）

電力調査統計ほか

| 年度 | 総発電量 | 水力 | % | 火力 | % | 原子力 | % | 風力 | % | 太陽光 | % | 地熱 | % |
|---|---|---|---|---|---|---|---|---|---|---|---|---|---|
| 1930 | 15,773 | 13,431 | 85.2 | 2,342 | 14.8 | — | — | — | — | — | — | — | — |
| 1950 | 46,266 | 37,784 | 81.7 | 8,482 | 18.3 | — | — | — | — | — | — | — | — |
| 1960 | 115,498 | 58,481 | 50.6 | 57,017 | 49.4 | — | — | — | — | — | — | — | — |
| 1970 | 359,538 | 80,090 | 22.3 | 274,782 | 76.4 | 4,581 | 1.3 | — | — | — | — | 85 | 0.0 |
| 1980 | 577,521 | 92,092 | 15.9 | 401,967 | 69.6 | 82,591 | 14.3 | — | — | — | — | 871 | 0.2 |
| 1990 | 857,272 | 95,835 | 11.2 | 557,423 | 65.0 | 202,272 | 23.6 | — | — | 1 | 0.0 | 1,741 | 0.2 |
| 2000 | 1,091,500 | 96,817 | 8.9 | 669,177 | 61.3 | 322,050 | 29.5 | 109 | 0.0 | — | — | 3,348 | 0.3 |
| 2005 | 1,157,926 | 86,350 | 7.5 | 761,841 | 65.7 | 304,755 | 26.3 | 1,751 | 0.2 | 1 | 0.0 | 3,226 | 0.3 |
| 2010 | 1,156,888 | 90,681 | 7.8 | 771,306 | 66.8 | 288,230 | 24.9 | 4,016 | 0.3 | 22 | 0.0 | 2,632 | 0.2 |
| 2015 | 1,024,179 | 91,383 | 8.9 | 908,779 | 88.7 | 9,437 | 0.9 | 5,161 | 0.5 | 6,837 | 0.7 | 2,582 | 0.3 |
| 2020 | 948,979 | 86,310 | 9.1 | 789,725 | 83.3 | 37,011 | 3.9 | 8,326 | 0.9 | 24,992 | 2.6 | 2,114 | 0.2 |
| 2022 | 939,025 | 85,034 | 9.1 | 758,485 | 80.7 | 53,524 | 5.7 | 8,203 | 0.9 | 31,543 | 3.4 | 2,038 | 0.2 |

電気事業用と自家用の発電電力量の合計　☞ p.83「解説」

## ❷都道府県別発電量（2022年）

電力調査統計

| 都道府県名 | 発電量（百万kWh） | % | 都道府県名 | 発電量（百万kWh） | % |
|---|---|---|---|---|---|
| 全　国 | 834,877 | 100 | 福　井 | 35,881 | 4.3 |
| 千　葉 | 78,260 | 9.4 | 北海道 | 30,477 | 3.7 |
| 神奈川 | 75,400 | 9.0 | 長　崎 | 28,817 | 3.5 |
| 愛　知 | 66,751 | 8.0 | 大　分 | 21,654 | 2.6 |
| 福　島 | 50,800 | 6.1 | 山　口 | 20,781 | 2.5 |
| 兵　庫 | 44,552 | 5.3 | 徳　島 | 18,193 | 2.2 |
| 茨　城 | 42,286 | 5.1 | 秋　田 | 16,906 | 2.0 |
| 新　潟 | 38,338 | 4.6 | 鹿児島 | 16,574 | 2.0 |

電気事業用の発電電力量。自家用の発電電力量は含まない

## ❸都道府県別電力需要量（2022年）

電力調査統計

| 都道府県名 | 電力需要量（百万kWh） | % | 都道府県名 | 電力需要量（百万kWh） | % |
|---|---|---|---|---|---|
| 全　国 | 822,176 | 100 | 福　岡 | 30,373 | 3.7 |
| 東　京 | 75,247 | 9.2 | 北海道 | 28,326 | 3.4 |
| 愛　知 | 56,442 | 6.9 | 静　岡 | 27,787 | 3.4 |
| 大　阪 | 53,774 | 6.5 | 茨　城 | 23,157 | 2.8 |
| 神奈川 | 46,287 | 5.6 | 三　重 | 19,699 | 2.4 |
| 兵　庫 | 37,626 | 4.6 | 広　島 | 19,434 | 2.4 |
| 埼　玉 | 36,924 | 4.5 | 新　潟 | 16,192 | 2.0 |
| 千　葉 | 34,797 | 4.2 | 栃　木 | 15,710 | 1.9 |

## ❹日本のおもな水力発電所（2022年3月末現在）

| 発電所名 | 水系名 | 県名 | 最大出力（千kW） | 所属 | 運転開始年月① |
|---|---|---|---|---|---|
| 奥多々良木 | 市川、円山川 | 兵庫 | 1,932 | 関西電力 | 1974. 6 |
| 奥　美　濃 | 木曽川 | 岐阜 | 1,500 | 中部電力 | 1994. 7 |
| 新高瀬川 | 信濃川 | 長野 | 1,280 | 東京電力 | 1979. 6 |
| 大　河　内 | 市川 | 兵庫 | 1,280 | 関西電力 | 1992.10 |
| 奥　吉　野 | 新宮川 | 奈良 | 1,206 | 関西電力 | 1978. 6 |
| 玉　　原 | 利根川 | 群馬 | 1,200 | 東京電力 | 1982.12 |
| 俣　　野 | 旭川、日野川 | 岡山、鳥取 | 1,200 | 中国電力 | 1986.10 |
| 小丸川 | 小丸川 | 宮崎 | 1,200 | 九州電力 | 2007. 7 |
| 葛野川 | 富士川、桂川 | 山梨 | 1,200 | 東京電力 | 1999.12 |
| 新豊根 | 天竜川 | 愛知 | 1,125 | 電源開発 | 1972.11 |

①調査時点で運用中の発電設備が運転を開始した年月
電気便覧'22ほか

## ❺日本のおもな地熱発電所（2021年3月末現在）

| 発電所名 | 所在地 | 最大出力（千kW） | 所属 | 運転開始年月① |
|---|---|---|---|---|
| 八丁原1号 | 大分県九重町 | 55 | 九州電力 | 1977. 6 |
| 八丁原2号 | 大分県九重町 | 55 | 九州電力 | 1990. 6 |
| 葛根田1号 | 岩手県雫石町 | 50 | 東北電力 | 1978. 5 |
| 澄　　川 | 秋田県鹿角市 | 50 | 東北電力 | 1995. 3 |
| 山　葵　沢 | 秋田県湯沢市 | 46 | 湯沢地熱 | 2019. 5 |
| 葛根田2号 | 岩手県雫石町 | 30 | 東北電力 | 1996. 3 |
| 柳津西山 | 福島県柳津町 | 30 | 東北電力 | 1995. 5 |
| 大　　霧 | 鹿児島県霧島市 | 30 | 九州電力 | 1996. 3 |
| 山　　川 | 鹿児島県指宿市 | 30 | 九州電力 | 1995. 3 |
| 上の岱 | 秋田県湯沢市 | 29 | 東北電力 | 1994. 3 |

①調査時点で運用中の発電設備が運転を開始した年月
火力原子力発電技術協会資料

## ❻日本のおもな火力発電所（2021年3月末現在）

電気便覧'21ほか

| 発電所名 | 県名 | 最大出力（千kW） | 所属 | 運転開始年月① |
|---|---|---|---|---|
| 鹿　　島 | 茨　城 | 5,660 | JERA | 1971. 3 |
| 富　津 | 千　葉 | 5,160 | JERA | 1985.12 |
| 東新潟 | 新　潟 | 4,860 | 東北電力 | 1972.11 |
| 川　越 | 三　重 | 4,802 | JERA | 1989. 6 |
| 広　野 | 福　島 | 4,400 | JERA | 1980. 4 |
| 千葉 | 千　葉 | 4,380 | JERA | 1998.12 |
| 碧　南 | 愛　知 | 4,100 | JERA | 1991.10 |
| 知　多 | 愛　知 | 3,966 | JERA | 1966. 3 |
| 姉　崎 | 千　葉 | 3,600 | JERA | 1967.12 |
| 袖ヶ浦 | 千　葉 | 3,600 | JERA | 1974. 8 |
| 横　浜 | 神奈川 | 3,541 | JERA | 1964. 3 |
| 川崎 | 神奈川 | 3,420 | JERA | 2007. 6 |
| 新名古屋 | 愛　知 | 3,058 | JERA | 1998. 8 |
| 姫路第二 | 兵　庫 | 2,919 | 関西電力 | 2013. 8 |
| 西名古屋 | 愛　知 | 2,376 | JERA | 2017. 9 |

①調査時点で運用中の発電設備が運転を開始した年月
JERA…東京電力・中部電力の火力発電事業を統合した電力事業者

## ❼日本の原子力発電所（2021年3月末現在）

電気便覧'21

| 発電所名 | 県名 | 最大出力（千kW） | 基数 | 所属 | 運転開始年月① |
|---|---|---|---|---|---|
| 柏崎刈羽 | 新　潟 | 8,212 | 7 | 東京電力 | 1985. 9 |
| 浜　岡 | 静　岡 | 3,617 | 3 | 中部電力 | 1987. 8 |
| 高　浜 | 福　井 | 3,392 | 4 | 関西電力 | 1974.11 |
| 大　飯 | 福　井 | 2,360 | 2 | 関西電力 | 1991.12 |
| 玄　海 | 佐　賀 | 2,360 | 2 | 九州電力 | 1994. 3 |
| 泊 | 北海道 | 2,070 | 3 | 北海道電力 | 1989. 6 |
| 女　川 | 宮　城 | 1,650 | 2 | 東北電力 | 1995. 7 |
| 川　内 | 鹿児島 | 1,780 | 2 | 九州電力 | 1984. 7 |
| 志　賀 | 石　川 | 1,746 | 2 | 北陸電力 | 1993. 7 |
| 敦　賀 | 福　井 | 1,160 | 2 | 日本原子力発電 | 1987. 2 |
| 東　通 | 青　森 | 1,100 | 1 | 東北電力 | 2005.12 |
| 東海第二 | 茨　城 | 1,100 | 1 | 日本原子力発電 | 1978.11 |
| 伊　方 | 愛　媛 | 890 | 1 | 四国電力 | 1994.12 |
| 美　浜 | 福　井 | 826 | 1 | 関西電力 | 1976.12 |
| 島　根 | 島　根 | 820 | 1 | 中国電力 | 1989. 2 |

①調査時点で運用中の発電設備が運転を開始した年月

資源・エネルギー

### ❶ 鉄鉱石の埋蔵量(含有量)

| 国　名 | 2022(億t) |
|---|---|
| 世　　界 | 850 |
| オーストラリア | 270 |
| ブラジル | 150 |
| ロ　シ　ア | 140 |
| 中　　国 | 69 |
| イ　ン　ド | 34 |
| カ　ナ　ダ | 23 |
| ウクライナ | 23 |
| イ　ラ　ン | 15 |
| ペ　ル　ー | 12 |
| アメリカ合衆国 | 10 |

ミネラルズ

### ❷ 鉄鉱石の生産(含有量)(百万t)

| 国　名 | 1990 | 2020 | % |
|---|---|---|---|
| 世　　界 | 540.0 | 1,520.0 | 100 |
| オーストラリア | 69.8 | 564.5 | 37.1 |
| ブラジル | 99.9 | 246.8 | 16.2 |
| 中　　国 | 50.5 | 225.0 | 14.8 |
| イ　ン　ド | 34.4 | 127.0 | 8.4 |
| ロ　シ　ア | ①132.0 | 69.5 | 4.6 |
| ウクライナ | － | 49.3 | 3.2 |
| カ　ナ　ダ | 22.0 | 36.1 | 2.4 |
| 南アフリカ共和国 | 19.7 | 35.4 | 2.3 |
| イ　ラ　ン | 1.8 | 32.5 | 2.1 |
| スウェーデン | － | 25.4 | 1.7 |

①ソ連　☞p.88「解説」

### ❸ 鉄鉱石の輸出入(2022年) Steel Statistical Yearbook'23

| 輸出国 | 百万t | % | 輸入国 | 百万t | % |
|---|---|---|---|---|---|
| 世　　界 | 1,586.8 | 100 | 世　　界 | 1,560.7 | 100 |
| オーストラリア | 888.0 | 56.0 | 中　国 | 1,107.8 | 71.0 |
| ブラジル | 346.2 | 21.8 | 日　本 | 104.2 | 6.7 |
| 南アフリカ共和国 | 58.3 | 3.7 | 韓　国 | 66.4 | 4.3 |
| カ　ナ　ダ | 53.7 | 3.4 | ド イ ツ | 37.5 | 2.4 |
| ウクライナ | 24.0 | 1.5 | オランダ | 25.7 | 1.6 |
| スウェーデン | 23.7 | 1.5 | マレーシア | 24.1 | 1.5 |
| 中　　国 | 22.3 | 1.4 | (台　湾) | 22.6 | 1.4 |
| マレーシア | 21.4 | 1.3 | ベトナム | 16.3 | 1.0 |
| オランダ | 18.4 | 1.2 | バーレーン | 12.9 | 0.8 |
| チ　　リ | 16.2 | 1.0 | フランス | 12.4 | 0.8 |

ミネラルズ　オランダは，おもにロッテルダム港で鉄鉱石を輸入し，ドイツなどに再輸出している。☞p.88「解説」

### ❹ おもな鉄鉱山別生産量(2018年, 百万t)

| 鉱山名 | 国名 | 権益保有会社名 | 生産量 |
|---|---|---|---|
| ハマーズリー① | オーストラリア | リオ・ティント | 220.6 |
| セーハ・ノルテ(カラジャス) | ブラジル | ヴァーレ | 131.5 |
| ニューマン | オーストラリア | BHPビリトン他 | 78.9 |
| ヤンディ | オーストラリア | BHPビリトン他 | 75.4 |
| ソロモン・ハブ | オーストラリア | フォーテスキュー・メタルズ・グループ | 67.9 |
| エリア C | オーストラリア | BHPビリトン他 | 60.6 |
| セーハ・スル(カラジャス) | ブラジル | ヴァーレ | 58.0 |
| ロイ・ヒル | オーストラリア | ハンコック・プロスペクティング社 | ②55.0 |
| ホープダウンズ | オーストラリア | リオ・ティント他 | 45.4 |
| イタビラ | ブラジル | ヴァーレ | 41.7 |

①マウントトムプライスなど　②生産能力　JOGMEC資料

### ❺ おもな国の鉄鉱石輸入先(2022年) 鉄要覧2023

| 国　名 | 万t | おもな輸入先(%) |
|---|---|---|
| 中　　国 | 110,775 | 豪(65.8) ブラジル(20.5) 南ア(3.4) ソ連*(1.7) |
| 日　　本 | 10,423 | 豪(60.2) ブラジル(28.0) カナダ(5.9) 南ア(2.9) |
| 韓　　国 | 6,643 | 豪(69.5) ブラジル(13.4) カナダ(7.0) 南ア(6.9) |
| ド イ ツ | 3,538 | カナダ(14.6) スウェーデン(10.6) ブラジル(9.6) 南ア(7.3) |
| (台　湾) | 2,257 | 豪(74.3) ブラジル(19.8) カナダ(5.5) ソ連*(0.4) |
| フランス | 1,222 | カナダ(42.7) ブラジル(27.0) リベリア(15.3) アメリカ合衆国(4.9) |
| イタリア | 508 | ブラジル(68.6) モーリタニア(21.2) インド(7.0) 南ア(2.0) |
| アメリカ合衆国 | 304 | ブラジル(54.5) カナダ(26.6) スウェーデン(11.3) チリ(2.0) |

＊旧ソ連構成国のうち，バルト3国を除く12か国

### ❻ 鉄鋼の生産量・消費量(万t) Steel Statistical Yearbook'23ほか

| 国　名 | 銑鉄生産量 1960 | 1990 | 2022 | % | 粗鋼生産量 1960 | 1990 | 2022 | % | 粗鋼消費量(2022) (万t) | ①(kg) |
|---|---|---|---|---|---|---|---|---|---|---|
| 世　　界 | 24,160 | 53,082 | 130,059 | 100 | 34,150 | 76,900 | 188,781 | 100 | 190,169 | 239 |
| 中　　国 | 1,350 | 6,535 | 86,383 | 66.4 | 1,110 | 6,535 | 101,796 | 53.9 | 96,422 | 676 |
| イ　ン　ド | － | 1,200 | 7,989 | 6.1 | － | 1,496 | 12,538 | 6.6 | 12,328 | 87 |
| 日　　本 | 1,190 | 8,023 | 6,415 | 4.9 | 2,214 | 11,034 | 8,923 | 4.7 | 6,080 | 491 |
| アメリカ合衆国 | 6,107 | 4,967 | 2,000 | 1.5 | 9,007 | 8,973 | 8,054 | 4.3 | 10,503 | 310 |
| ロ　シ　ア | ②4,676 | ②11,017 | 5,161 | 4.0 | ②6,529 | ②15,441 | 7,175 | 3.8 | 4,392 | 304 |
| 韓　　国 | － | 1,534 | 4,266 | 3.3 | － | 2,313 | 6,585 | 3.5 | 5,343 | 1,031 |
| ド イ ツ | ③2,574 | 3,140 | 2,386 | 1.8 | ③3,410 | 4,402 | 3,686 | 2.0 | 3,425 | 411 |
| ト ル コ | － | 537 | 907 | 0.7 | － | 944 | 3,513 | 1.9 | 3,465 | 406 |
| ブラジル | 149 | 2,114 | 2,681 | 2.1 | 226 | 2,057 | 3,409 | 1.8 | 2,615 | 121 |
| イ　ラ　ン | － | 127 | 350 | 0.3 | － | 143 | 3,059 | 1.6 | 2,051 | 232 |

①1人あたり　②ソ連　③西ドイツ　鉄鉱石の生産国が鉄鋼の生産国とはならない。

### ❼ 鉄鋼の輸出入(2022年) 万t

| | 国　名 | 万t |
|---|---|---|
| 輸出 | 中　国 | 7,648 |
| | 日　本 | 3,230 |
| | 韓　国 | 2,616 |
| | ド イ ツ | 2,453 |
| | イタリア | 1,695 |
| 輸入 | アメリカ合衆国 | 4,169 |
| | 中　国 | 2,781 |
| | ド イ ツ | 2,610 |
| | イタリア | 2,375 |
| | 韓　国 | 1,568 |

日本746(入)　鉄要覧2022

### ❽ 銅鉱石の埋蔵量(含有量)(2022年)

| 国　名 | 万t |
|---|---|
| 世　　界 | 89,000 |
| チ　　リ | 19,000 |
| オーストラリア | 9,700 |
| ペ　ル　ー | 8,100 |
| ロ　シ　ア | 6,200 |
| メキシコ | 5,300 |
| アメリカ合衆国 | 4,400 |
| コンゴ民主 | 3,100 |
| ポーランド | 3,000 |
| 中　　国 | 2,700 |
| インドネシア | 2,400 |

☞p.88「解説」ミネラルズ

### ❾ 銅鉱石の生産(含有量)(2020年)

| 国　名 | 万t | % |
|---|---|---|
| 世　　界 | 2,060 | 100 |
| チ　　リ | 573 | 27.8 |
| ペ　ル　ー | 215 | 10.5 |
| 中　　国 | 172 | 8.4 |
| コンゴ民主 | 160 | 7.8 |
| アメリカ合衆国 | 120 | 5.8 |
| オーストラリア | 89 | 4.3 |
| ザンビア | 85 | 4.1 |
| ロ　シ　ア | 81 | 3.9 |
| メキシコ | 73 | 3.6 |
| カ　ナ　ダ | 58 | 2.8 |

☞p.88「解説」　ミネラルズ

### ❿ 銅地金の生産と消費(2021年, 万t)

| 国　名 | 生産量 | % | 消費量 |
|---|---|---|---|
| 世　　界 | 2,458 | 100 | 2,486 |
| 中　　国 | 1,049 | 42.7 | 1,389 |
| チ　　リ | 227 | 9.3 | 6 |
| 日　　本 | 152 | 6.2 | 91 |
| ロ　シ　ア | 104 | 4.2 | 42 |
| アメリカ合衆国 | 97 | 4.0 | 177 |
| コンゴ民主 | 85 | 3.5 | － |
| ド イ ツ | 62 | 2.5 | 96 |
| 韓　　国 | 60 | 2.4 | 60 |
| ポーランド | 58 | 2.3 | 30 |
| イ　ン　ド | 49 | 2.0 | 50 |

世鉱統計'22

### ⓫ おもな銅鉱山別生産量(2018年, 万t)

| 鉱山名 | 国　名 | 生産量(含有量) | 操業開始年 |
|---|---|---|---|
| エスコンディーダ | チ リ | 123.5 | 1991 |
| コラフアシ | チ リ | 55.9 | 1998 |
| グラスベルグ | インドネシア | 55.7 | 1972 |
| セロベルデ | ペ ル ー | 47.6 | 2006 |
| エルテニエンテ | チ リ | 46.5 | 1906 |
| アンタミナ | ペ ル ー | 44.6 | 2001 |
| モレンシー | アメリカ合衆国 | 43.1 | 1937 |
| ブエナビスタ | メキシコ | 41.4 | 1899 |
| KGHM ポルスカ・ミエズ | ポーランド | 40.1 | － |
| ラスバンバス | ペ ル ー | 38.5 | 2015 |

メタルマイニング'19ほか

鉱・工業

**❶銅鉱・銅地金の輸出入（2019年）**

| | 輸 出 国 | 万t | 輸 入 国 | 万t |
|---|---|---|---|---|
| 銅鉱 | 世　　　界 | 1,096.9 | 世　　　界 | 1,034.8 |
| | チ　　　リ | 351.6 | 中　　　国 | 616.7 |
| | ペ ル ー | 261.8 | 日　　　本 | 114.2 |
| | オーストラリア | 56.9 | 韓　　　国 | 52.0 |
| | メ キ シ コ | 52.0 | ス ペ イ ン | 44.8 |
| | カ ナ ダ | 41.1 | ド イ ツ | 30.6 |
| 銅地金 | 世　　　界 | 911.5 | 世　　　界 | 954.6 |
| | チ　　　リ | 219.1 | 中　　　国 | 355.0 |
| | ロ シ ア | 67.5 | アメリカ合衆国 | 66.3 |
| | コンゴ民主 | 55.5 | ド イ ツ | 59.7 |
| | 日　　　本 | 53.7 | イ タ リ ア | 56.1 |
| | カザフスタン | 43.9 | （台　湾） | 47.7 |

日本1.5（銅地金，入）　ICSG Statistical Yearbook '21

**❷ボーキサイトの生産（万t）**

| 国　　名 | 1990 | 2020 | % |
|---|---|---|---|
| 世　　　界 | 11,300 | 39,100 | 100 |
| オーストラリア | 4,140 | 10,433 | 26.7 |
| 中　　　国 | 240 | 9,270 | 23.7 |
| ギ ニ ア | 1,580 | 8,600 | 22.0 |
| ブ ラ ジ ル | 968 | 3,100 | 7.9 |
| インドネシア | 121 | 2,080 | 5.3 |
| イ ン ド | 485 | 2,020 | 5.2 |
| ジャマイカ | 1,090 | 755 | 1.9 |
| ロ シ ア | ①925 | 557 | 1.4 |
| カザフスタン | － | 500 | 1.3 |
| サウジアラビア | － | 431 | 1.1 |

①ソ連　☞ p.88「解説」　ミネラルズ

**❸アルミニウムの輸出入（2021年）**

| | 国　　名 | 万t | % |
|---|---|---|---|
| 輸出 | 世　　界 | 2,759 | 100 |
| | ロ シ ア | 348 | 12.6 |
| | カ ナ ダ | 278 | 10.1 |
| | オ ラ ン ダ | 269 | 9.8 |
| | イ ン ド | 267 | 9.7 |
| | アラブ首長国連邦 | 264 | 9.6 |
| 輸入 | 世　　界 | 2,796 | 100 |
| | アメリカ合衆国 | 398 | 14.2 |
| | 中　　国 | 273 | 9.8 |
| | 日　　本 | 254 | 9.1 |
| | オ ラ ン ダ | 250 | 9.0 |
| | ド イ ツ | 235 | 8.4 |

日本3（出）　世鉱統計'22

**❹アルミニウム（地金）の生産と消費（万t）**

| 国　　名 | 1989 | 2021 | % | 消費量2021 |
|---|---|---|---|---|
| 世　　　界 | 1,798 | 6,738 | 100 | 6,832 |
| 中　　　国 | 83 | 3,850 | 57.1 | 4,098 |
| イ ン ド | 38 | 396 | 5.9 | 153 |
| ロ シ ア | ①240 | 393 | 5.8 | 60 |
| カ ナ ダ | 156 | 314 | 4.7 | 52 |
| アラブ首長国連邦 | － | 254 | 3.8 | 78 |
| バーレーン | － | 156 | 2.3 | 39 |
| オーストラリア | 124 | 156 | 2.3 | 25 |
| ノ ル ウ ェ ー | 86 | 141 | 2.1 | 25 |
| サウジアラビア | － | 99 | 1.5 | 71 |
| アメリカ合衆国 | 403 | 91 | 1.3 | 468 |

日本174（消）　①ソ連　☞ p.88「解説」　世鉱統計'22ほか

**❺ニッケル鉱の生産（含有量）（万t）**

| 国　　名 | 1990 | 2019 | % |
|---|---|---|---|
| 世　　　界 | 97.4 | 261.0 | 100 |
| インドネシア | 6.8 | 85.3 | 32.7 |
| フィリピン | 1.6 | 32.3 | 12.4 |
| ロ シ ア (ニューカレドニア) | 28.0 | 27.9 | 10.7 |
| カ ナ ダ | 8.5 | 20.8 | 8.0 |
| オーストラリア | 6.7 | 15.9 | 6.1 |
| 中　　　国 | 3.3 | 12.0 | 4.6 |
| ブ ラ ジ ル | 2.4 | 6.1 | 2.3 |
| ドミニカ共和国 | 2.9 | 5.7 | 2.2 |
| キ ュ ー バ | 4.1 | 4.9 | 1.9 |

①ソ連　ミネラルズ

**❻ニッケル（地金）の生産と消費（万t）**

| 国　　名 | 1990 | 2021 | % | 消費量2021 |
|---|---|---|---|---|
| 世　　　界 | 90.2 | 278.5 | 100 | 293.5 |
| インドネシア | 0.5 | 87.3 | 31.4 | 40.0 |
| 中　　　国 | 2.8 | 81.4 | 29.2 | 165.1 |
| 日　　　本 | 10.0 | 18.1 | 6.5 | 13.9 |
| ロ シ ア | ①27.5 | 12.1 | 4.3 | 1.6 |
| カ ナ ダ | 13.5 | 11.9 | 4.3 | 0.6 |
| オーストラリア | 4.3 | 9.9 | 3.6 | 0.2 |
| ノ ル ウ ェ ー | 5.8 | 9.1 | 3.3 | 0.03 |
| ブ ラ ジ ル (ニューカレドニア) | 1.3 | 6.1 | 2.2 | 1.8 |
| | 3.2 | 5.7 | 2.0 | － |
| フィンランド | 1.9 | 4.9 | 1.8 | 2.6 |

①ソ連　世鉱統計'22ほか

**❼鉛鉱の生産（含有量）（万t）**

| 国　　名 | 1990 | 2020 | % |
|---|---|---|---|
| 世　　　界 | 337.0 | 438.0 | 100 |
| 中　　　国 | 31.5 | 190.0 | 43.4 |
| オーストラリア | 57.0 | 49.4 | 11.3 |
| アメリカ合衆国 | 49.7 | 30.6 | 7.0 |
| メ キ シ コ | 18.6 | 26.0 | 5.9 |
| ペ ル ー | 21.0 | 24.2 | 5.5 |
| ロ シ ア | ①42.0 | 21.0 | 4.8 |
| イ ン ド | 2.3 | 20.4 | 4.7 |
| スウェーデン | 9.8 | 7.0 | 1.6 |
| ボ リ ビ ア | 2.0 | 6.5 | 1.5 |
| ト ル コ | 1.8 | 6.3 | 1.4 |

①ソ連　ミネラルズ

**❽鉛（地金）の生産と消費（万t）**

| 国　　名 | 1990 | 2021 | % | 消費量2021 |
|---|---|---|---|---|
| 世　　　界 | 595 | 1,234 | 100 | 1,227 |
| 中　　　国 | 30 | 520 | 42.2 | 508 |
| アメリカ合衆国 | 133 | 98 | 7.9 | 157 |
| イ ン ド | 5 | 89 | 7.2 | 84 |
| 韓　　　国 | 8 | 79 | 6.4 | 67 |
| メ キ シ コ | 23 | 43 | 3.5 | 34 |
| イ ギ リ ス | 33 | 33 | 2.7 | 22 |
| ド イ ツ | 41 | 31 | 2.5 | 34 |
| ブ ラ ジ ル | － | 27 | 2.1 | 34 |
| 日　　　本 | 33 | 25 | 2.0 | 26 |
| ロ シ ア | ①－ | 23 | 1.9 | 12 |

①ソ連　Lead and Zinc Statisticsほか

**❾おもな鉛鉱山別生産量（2018年，万t）**

| 鉱 山 名 | 国　名 | 生産量*(含有量) | 操業開始年 |
|---|---|---|---|
| キャニントン | オーストラリア | 19.0 | 1997 |
| ジョージフィッシャー | オーストラリア | 17.2 | 2000年代半ば |
| レッドドッグ | アメリカ合衆国 | 12.0 | 1990 |
| ゴレフスキー | ロ シ ア | 10.0 | － |
| ペニャスキート | メ キ シ コ | 9.5 | 2010 |
| サンクリストバル | ボ リ ビ ア | 7.5 | 2007 |
| ホイツォー | 中　国 | 7.0 | 1951 |
| ブロークンヒル | オーストラリア | 7.0 | 1885 |
| ザーバドニ・ウスカメン | カザフスタン | 7.0 | － |
| ブラックマウンテン | 南アフリカ共和国 | 5.5 | 1980 |

*生産能力　メタルマイニング'19ほか

**❿亜鉛鉱の生産（含有量）（万t）**

| 国　　名 | 2021 | % |
|---|---|---|
| 世　　　界 | 1,270 | 100 |
| 中　　　国 | 414 | 32.6 |
| ペ ル ー | 153 | 12.1 |
| オーストラリア | 132 | 10.4 |
| イ ン ド | 78 | 6.1 |
| メ キ シ コ | 72 | 5.7 |
| アメリカ合衆国 | 70 | 5.5 |
| ボ リ ビ ア | 50 | 3.9 |
| カ ナ ダ | 31 | 2.4 |
| ロ シ ア | 28 | 2.2 |
| スウェーデン | 23 | 1.8 |

ミネラルズ

**⓫亜鉛（地金）の生産（万t）**

| 国　　名 | 2021 | % |
|---|---|---|
| 世　　　界 | 1,383 | 100 |
| 中　　　国 | 641 | 46.3 |
| 韓　　　国 | 84 | 6.1 |
| イ ン ド | 78 | 5.6 |
| カ ナ ダ | 64 | 4.6 |
| 日　　　本 | 52 | 3.7 |
| ス ペ イ ン | 51 | 3.7 |
| オーストラリア | 46 | 3.3 |
| メ キ シ コ | 37 | 2.7 |
| ペ ル ー | 34 | 2.5 |
| カザフスタン | 33 | 2.4 |

Lead and Zinc Statistics

**⓬すずの生産（千t）**

| 国　　名 | 2020 | % |
|---|---|---|
| 世　　　界 | 328.0 | 100 |
| 中　　　国 | 168.0 | 51.2 |
| インドネシア | 58.8 | 17.9 |
| マレーシア | 22.4 | 6.8 |
| ペ ル ー | 19.6 | 6.0 |
| ブ ラ ジ ル | 11.8 | 3.6 |
| タ イ | 11.3 | 3.4 |
| ボ リ ビ ア | 10.5 | 3.2 |
| アメリカ合衆国 | 10.3 | 3.1 |
| ベ ル ギ ー | 9.0 | 2.7 |
| ベ ト ナ ム | 4.6 | 1.4 |

日本1.6　ミネラルズ

**⓭すず鉱の生産（含有量）（千t）**

| 国　　名 | 2020 | % |
|---|---|---|
| 世　　　界 | 264.0 | 100 |
| 中　　　国 | 84.0 | 31.8 |
| インドネシア | 53.0 | 20.1 |
| ミャンマー | 29.0 | 11.0 |
| ペ ル ー | 20.6 | 7.8 |
| コンゴ民主 | 17.3 | 6.6 |
| ブ ラ ジ ル | 16.9 | 6.4 |
| ボ リ ビ ア | 14.7 | 5.6 |
| オーストラリア | 8.1 | 3.1 |
| ベ ト ナ ム | 5.4 | 2.0 |
| ナイジェリア | 5.0 | 1.9 |

ミネラルズ

鉱・工業

### ❶マンガン鉱の生産（含有量）（万t）

| 国　名 | 1990 | 2021 | % |
|---|---|---|---|
| 世　界 | 908 | 2,010 | 100 |
| 南アフリカ共和国 | 191 | 720 | 35.8 |
| ガ ボ ン | 112 | 434 | 21.6 |
| オーストラリア | 91 | 326 | 16.2 |
| 中　国 | 82 | 99 | 4.9 |
| ガ ー ナ | − | 94 | 4.7 |

ミネラルズ

### ❷タングステン鉱の生産（含有量）（t）

| 国　名 | 1990 | 2020 | % |
|---|---|---|---|
| 世　界 | 51,900 | 78,400 | 100 |
| 中　国 | 32,000 | 66,000 | 84.2 |
| ベ ト ナ ム | − | 4,500 | 5.7 |
| ロ シ ア | ①8,800 | 2,400 | 3.1 |
| ボ リ ビ ア | 1,010 | 1,347 | 1.7 |
| オーストリア | 1,380 | 890 | 1.1 |

①ソ連　　　　　ミネラルズ

### ❸りん鉱石の生産（含有量）（万t）

| 国　名 | 1990 | 2021 | % |
|---|---|---|---|
| 世　界 | 5,050 | 7,050 | 100 |
| 中　国 | 640 | 2,700 | 38.3 |
| モロッコ① | 691 | 1,180 | 16.7 |
| ロ シ ア | ②1,180 | 620 | 8.8 |
| アメリカ合衆国 | 1,420 | 606 | 8.6 |
| ヨ ル ダ ン | 201 | 321 | 4.5 |
| サウジアラビア | − | 290 | 4.1 |
| ブ ラ ジ ル | 62 | 220 | 3.1 |
| エ ジ プ ト | 29 | 150 | 2.1 |
| ベ ト ナ ム | − | 135 | 1.9 |
| ペ ル ー | 2 | 125 | 1.8 |

①西サハラを含む　②ソ連　ミネラルズ

### ❹クロム鉱の生産（鉱石量）（万t）

| 国　名 | 1990 | 2021 | % |
|---|---|---|---|
| 世　界 | 1,296 | 4,220 | 100 |
| 南アフリカ共和国 | 462 | 1,855 | 44.0 |
| ト ル コ | 84 | 696 | 16.5 |
| カザフスタン | − | 650 | 15.4 |
| イ ン ド | 94 | 425 | 10.1 |
| フィンランド | 50 | 227 | 5.4 |

ミネラルズ

### ❺水銀の生産（t）

| 国　名 | 1990 | 2021 | % |
|---|---|---|---|
| 世　界 | 4,100 | 2,230 | 100 |
| 中　国 | 1,000 | 2,000 | 89.7 |
| タジキスタン | − | 117 | 5.2 |
| メ キ シ コ | 735 | 39 | 1.7 |
| ペ ル ー | − | 30 | 1.3 |
| キルギス | − | 20 | 0.9 |
| ノルウェー | − | 20 | 0.9 |

ミネラルズ

### ❻マグネシウム鉱の生産（万t）

| 国　名 | 1990 | 2021 | % |
|---|---|---|---|
| 世　界 | 1,050 | 2,860 | 100 |
| 中　国 | 217 | 1,800 | 62.9 |
| オーストラリア | 118 | 270 | 9.4 |
| ト ル コ | 85 | 193 | 6.7 |
| ブ ラ ジ ル | 26 | 160 | 5.6 |
| ロ シ ア | ①160 | 100 | 3.5 |

①ソ連　　　　　ミネラルズ

### ❼天然硫黄の生産（万t）

| 国　名 | 1990 | 2021 | % |
|---|---|---|---|
| 世　界 | 5,780 | 8,140 | 100 |
| 中　国 | 537 | 1,880 | 23.1 |
| アメリカ合衆国 | 1,160 | 807 | 9.9 |
| ロ シ ア | ①903 | 753 | 9.3 |
| サウジアラビア | 144 | 700 | 8.6 |
| アラブ首長国連邦 | − | 520 | 6.4 |

日本315　①ソ連

### ❽金鉱の生産（含有量）（t）

| 国　名 | 1990 | 2021 | % |
|---|---|---|---|
| 世　界 | 2,180 | 3,090 | 100 |
| 中　国 | 100 | 329 | 10.6 |
| ロ シ ア | ①302 | 320 | 10.3 |
| オーストラリア | 244 | 315 | 10.2 |
| カ ナ ダ | 169 | 223 | 7.2 |
| アメリカ合衆国 | 294 | 187 | 6.1 |
| メ キ シ コ | 10 | 120 | 3.9 |
| カザフスタン | − | 116 | 3.8 |
| 南アフリカ共和国 | 605 | 107 | 3.5 |
| ウズベキスタン | − | 100 | 3.2 |
| ペ ル ー | 9 | 97 | 3.1 |

日本8　①ソ連　　ミネラルズ

### ❾銀鉱の生産（含有量）（t）

| 国　名 | 1990 | 2021 | % |
|---|---|---|---|
| 世　界 | 16,600 | 25,000 | 100 |
| メ キ シ コ | 2,420 | 6,108 | 24.4 |
| 中　国 | 130 | 3,501 | 14.0 |
| ペ ル ー | 1,930 | 3,310 | 13.2 |
| オーストラリア | 1,170 | 1,363 | 5.5 |
| ロ シ ア | ①2,500 | 1,322 | 5.3 |
| ポーランド | 832 | 1,303 | 5.2 |
| ボ リ ビ ア | 311 | 1,292 | 5.2 |
| チ リ | 655 | 1,282 | 5.1 |
| アメリカ合衆国 | 2,120 | 1,020 | 4.1 |
| アルゼンチン | 83 | 720 | 2.9 |

日本2　①ソ連　　ミネラルズ

### ❿プラチナ（白金）族*の生産（2022年, t）

| 国　名 | プラチナ | パラジウム | プラチナ族計 | % |
|---|---|---|---|---|
| 世　界 | 174.0 | 203.0 | 437.0 | 100 |
| 南アフリカ共和国 | 124.4 | 73.1 | 250.2 | 57.3 |
| ロ シ ア | 20.0 | 87.0 | 109.3 | 25.0 |
| ジンバブエ | 17.1 | 14.3 | 34.8 | 8.0 |
| カ ナ ダ | 5.4 | 16.1 | 21.8 | 5.0 |
| アメリカ合衆国 | 3.0 | 10.1 | 13.1 | 3.0 |
| 中　国 | 2.8 | 1.3 | 4.1 | 0.9 |
| フィンランド | 1.2 | 1.0 | 2.2 | 0.5 |

*ルテニウム, ロジウム, パラジウム, オスミウム, イリジウム, プラチナ（白金）の総称
プラチナ, パラジウムは貴金属や自動車の排ガス浄化触媒などに利用される。　　　　ミネラルズ

### ⓫ダイヤモンドの生産（2020年, 万カラット）

| 国　名 | 装飾用 | 工業用 | 計 | % |
|---|---|---|---|---|
| 世　界 | 5,890 | 4,820 | 10,700 | 100 |
| ロ シ ア | 1,750 | 1,370 | 3,120 | 29.2 |
| ボツワナ | 1,190 | 508 | 1,698 | 15.9 |
| カ ナ ダ | 1,310 | − | 1,310 | 12.2 |
| コンゴ民主 | 255 | 1,020 | 1,275 | 11.9 |
| オーストラリア | 22 | 1,070 | 1,092 | 10.2 |
| 南アフリカ共和国 | 339 | 509 | 848 | 7.9 |
| アンゴラ | 696 | 77 | 773 | 7.2 |
| ジンバブエ | 27 | 240 | 267 | 2.5 |
| ナミビア | 155 | − | 155 | 1.4 |
| シエラレオネ | 51 | 13 | 64 | 0.6 |

ミネラルズ

### ⓬セメントの生産（万t）

| 国　名 | 1990 | 2021 | % |
|---|---|---|---|
| 世　界 | 116,000 | 436,000 | 100 |
| 中　国 | 21,000 | 236,000 | 54.1 |
| イ ン ド | 4,900 | 35,000 | 8.0 |
| ベ ト ナ ム | 250 | 11,469 | 2.6 |
| アメリカ合衆国① | 7,140 | 9,330 | 2.1 |
| ト ル コ | 2,450 | 8,200 | 1.9 |
| ブ ラ ジ ル | 2,580 | 6,588 | 1.5 |
| インドネシア | 1,380 | 6,500 | 1.5 |
| イ ラ ン | 1,300 | 6,200 | 1.4 |
| ロ シ ア | ②13,700 | 6,100 | 1.4 |
| サウジアラビア | 1,200 | 5,370 | 1.2 |
| メ キ シ コ | 2,380 | 5,156 | 1.2 |
| 日　本 | 8,440 | 5,008 | 1.1 |

①プエルトリコを含む　②ソ連

鉱・工業

p.86 ❷❸：鉄鉱石は安定陸塊に多く埋蔵されている。生産上位国のうち, イランは輸出余力があまりない。オーストラリア, ブラジルは輸出大国。

p.86 ❽❾：銅鉱は火山地域に多く埋蔵され, ロッキー・アンデス山系とアフリカのカッパーベルトが生産の中心。世界の総生産量の3割をチリが占める。

p.87 ❷❹：ボーキサイトは熱帯, とくにサバナ気候区に多く埋蔵されている。アルミニウムは, 安価な電力を得やすい国での生産が多い。

p.89 ⓫⓬：日本は金, 銀など多種類の鉱物を産するが, どれも産出量が少ないため, ほとんどの鉱物において需要量の90〜100%を輸入に頼っている。

## ❶アンチモン鉱の生産(含有量)(千t)

| 国　名 | 1990 | 2020 | ％ |
|---|---|---|---|
| 世　　界 | **94.4** | **111.0** | **100** |
| 中　　国 | 54.8 | 61.0 | 55.0 |
| ロ シ ア | ①18.0 | 25.0 | 22.5 |
| タジキスタン | － | 13.0 | 11.7 |
| オーストラリア | 1.4 | 3.9 | 3.5 |
| ボ リ ビ ア | 8.5 | 2.6 | 2.3 |

①ソ連　　　　　　　　ミネラルズ

## ❷コバルト鉱の生産(含有量)(千t)

| 国　名 | 1990 | 2020 | ％ |
|---|---|---|---|
| 世　　界 | **42.3** | **142.0** | **100** |
| コンゴ民主 | 19.0 | 98.0 | 69.0 |
| ロ シ ア | ①5.5 | 9.0 | 6.3 |
| オーストラリア | 1.2 | 5.6 | 4.0 |
| フィリピン | － | 4.5 | 3.2 |
| キ ュ ー バ | 1.5 | 3.8 | 2.7 |

①ソ連　　　　　　　　ミネラルズ

## ❸カリ塩の生産(K₂O換算)(千t)

| 国　名 | 1990 | 2022 | ％ |
|---|---|---|---|
| 世　　界 | **27,500** | **40,900** | **100** |
| カ ナ ダ | 6,990 | 14,593 | 35.7 |
| ロ シ ア | ①9,000 | 6,800 | 16.6 |
| 中　　国 | 29 | 6,000 | 14.7 |
| ベラルーシ | － | 4,000 | 9.8 |
| ド イ ツ | 4,960 | 2,700 | 6.6 |

①ソ連　　　　　　　　ミネラルズ

## ❹おもなレアメタル(希少金属)の生産(2021年, 千t)と用途

ミネラルズほか

| 鉱　種 | 生産量 | おもな生産国(%) | おもな用途 |
|---|---|---|---|
| リ チ ウ ム | 107 | 豪(51.7)チリ(26.4)中国(13.1)アルゼンチン(5.6)ブラジル(1.6) | リチウムイオン電池, 陶器・ガラスの添加剤 |
| レアアース(希土類)① | 20)243 | 中国(57.6)米(16.0)ミャンマー(12.8)豪(7.0)マダガスカル(2.1) | 高性能磁石, 小型モーター, レーザー装置, LED |
| チ タ ン | 20)13,252 | 中国(38.5)モザンビーク(12.2)豪(7.5)南ア(6.9)ウクライナ(6.6) | 軽量合金(建材, 航空機体等), 光触媒 |
| バ ナ ジ ウ ム | 105 | 中国(67.0)ロシア(19.1)南ア(8.4)ブラジル(5.5) | 超電導材料, 高級力鋼, 工具用鋼 |
| ガ リ ウ ム | 434t | 中国(97.5)ロシア(1.2)日本(0.7)韓国(0.5)ウクライナ(0.2) | 半導体, 青色LED(窒化ガリウム) |
| ストロンチウム | 342 | スペイン(38.0)イラン(32.2)中国(23.4)メキシコ(6.2)アルゼンチン(0.2) | ブラウン管ガラス, コンデンサ, 花火 |
| ジルコニウム* | 1,350 | 豪(37.0)南ア(23.7)中国(10.4)モザンビーク(9.1)米(7.4) | 原子炉燃料被覆材, セラミックス, 耐食材 |
| ニ オ ブ | 88 | ブラジル(88.9)カナダ(8.6)コンゴ民主(0.7)ロシア(0.5)ルワンダ(0.2) | 超電導材料, 耐熱耐食合金 |
| モ リ ブ デ ン | 255 | 中国(37.4)チリ(19.4)米(16.1)ペルー(13.4)メキシコ(6.4) | 特殊鋼, 触媒, 潤滑剤 |
| イ ン ジ ウ ム* | 932t | 中国(57.9)韓国(20.4)日本(7.1)カナダ(6.4)フランス(4.1) | 液晶パネル, LED, 太陽電池 |
| タ ン タ ル | 1,830t | コンゴ民主(43.2)ブラジル(19.7)ルワンダ(14.7)ナイジェリア(6.0)中国(4.2) | 電解コンデンサ, 超硬工具, 光学レンズ |

①17元素(スカンジウム, イットリウム, ランタノイド15元素)の総称　　＊鉱石量, その他は含有量

## ❺硫酸の生産(万t)

硫酸協会資料

| 国　名 | 1990 | 2012 | ％ |
|---|---|---|---|
| 世　　界 | **15,625** | **22,715** | **100** |
| 中　　国 | 1,150 | 7,637 | 33.6 |
| アメリカ合衆国 | 3,763 | 2,917 | 12.8 |
| ロ シ ア | ①2,730 | 1,103 | 4.9 |
| モ ロ ッ コ | 698 | 1,090 | 4.8 |
| イ ン ド | 432 | 995 | 4.4 |

日本667　①ソ連

## ❻炭酸ナトリウム(ソーダ灰)の生産(万t)

| 国　名 | 1990 | 2021 | ％ |
|---|---|---|---|
| 世　　界 | **3,200** | **5,610** | **100** |
| 中　　国 | 375 | 2,700 | 48.1 |
| アメリカ合衆国 | 916 | 1,130 | 20.1 |
| ト ル コ | － | 420 | 7.5 |
| ロ シ ア | ①436 | 335 | 6.0 |
| イ ン ド | 140 | 250 | 4.5 |

日本22　①ソ連　　　　　ミネラルズ

## ❼水酸化ナトリウム(苛性ソーダ)の生産(万t)

| 国　名 | 2000 | 2016 |
|---|---|---|
| 中　　国 | 03)945 | － |
| 日　　本 | 387 | 333 |
| 韓　　国 | 120 | 264 |
| ド イ ツ | 97)304 | 09)244 |
| イ ン ド | 164 | 07)206 |
| ト ル コ | 7 | 175 |

参考：アメリカ合衆国1,139万t(1994年)　世工

## ❽窒素肥料の生産と消費(千t)

| 国　名 | 生産量 (2021年) | ％ | 消費量 (2021年) |
|---|---|---|---|
| 世　　界 | 118,548 | 100 | 108,688 |
| 中　　国 | 28,050 | 23.7 | 21,276 |
| イ ン ド | 13,870 | 11.7 | 19,488 |
| アメリカ合衆国 | 12,678 | 10.7 | 11,885 |
| ロ シ ア | 11,403 | 9.6 | 1,916 |
| インドネシア | 4,219 | 3.6 | 3,669 |

日本564(生)　355(消)　　　　　FAOSTAT

## ❾りん酸肥料の生産と消費(千t)

| 国　名 | 生産量 (2021年) | ％ | 消費量 (2021年) |
|---|---|---|---|
| 世　　界 | 48,270 | 100 | 46,270 |
| 中　　国 | 15,877 | 32.9 | 10,095 |
| モ ロ ッ コ | 5,444 | 11.3 | 100 |
| アメリカ合衆国 | 5,062 | 10.5 | 3,931 |
| イ ン ド | 4,712 | 9.8 | 7,829 |
| ロ シ ア | 4,316 | 8.9 | 686 |

日本187(生)　322(消)　　　　　FAOSTAT

## ❿カリ肥料の生産と消費(千t)

| 国　名 | 生産量 (2021年) | ％ | 消費量 (2021年) |
|---|---|---|---|
| 世　　界 | 46,643 | 100 | 40,128 |
| カ ナ ダ | 13,552 | 29.1 | 899 |
| ロ シ ア | 10,708 | 23.0 | 478 |
| ベラルーシ | 7,562 | 16.2 | 428 |
| 中　　国 | 4,985 | 10.7 | 9,431 |
| ド イ ツ | 2,593 | 5.6 | 306 |

日本210(消)　　　　　　　　　FAOSTAT

## ⓫日本のおもな鉱物生産量

経産省生産動態統計年報'22ほか

| 鉱　種 | 単位 | 1970 | 1980 | 1990 | 2000 | 2010 | 2022 |
|---|---|---|---|---|---|---|---|
| 金　　鉱 | kg | 7,937 | 3,183 | 7,303 | 8,400 | 8,223 | 4,886 |
| 銀　　鉱 | kg | 343,077 | 267,592 | 149,920 | 103,781 | 4,981 | 2,923 |
| 銅　　鉱 | t | 119,513 | 52,553 | 12,927 | 1,211 | 01)744 | － |
| 鉛　　鉱 | t | 64,407 | 44,746 | 18,727 | 8,835 | 06)777 | － |
| 亜 鉛 鉱 | t | 279,926 | 256,381 | 127,273 | 63,601 | 08)2,149 | － |
| 鉄　　鉱 | t | 862,053 | 476,658 | 34,092 | 523 | 01)258 | － |
| す ず 鉱 | t | 793 | 549 | 87)86 | － | － | － |
| マンガン鉱 | t | 270,431 | 79,579 | 88)80 | － | － | － |
| クロム鉄鉱 | t | 32,980 | 13,610 | 8,075 | － | － | － |
| タングステン鉱 | t | 1,211 | 1,894 | 422 | 93)109 | － | － |
| 石 灰 石 | 万t | 11,623 | 18,478 | 19,822 | 18,557 | 13,397 | 12,909 |
| ドロマイト | 万t | 2,575 | 621 | 537 | 354 | 344 | 292 |
| け い 石 | 万t | 710 | 1,421 | 1,792 | 1,558 | 619 | 798 |
| け い 砂 | 万t | 809 | 991 | 930 | 612 | 308 | 201 |

☞ p.88「解説」

## ⓬日本のおもな鉱物の輸入先(%)

| 鉱　種 | おもな輸入先(2022年) |
|---|---|
| 金 | (台湾)(50.3)マレーシア(11.2)韓国(9.8) |
| 銀 | 韓国(57.9)メキシコ(13.4)中国(9.3) |
| 鉄 鉱 石 | 豪(60.2)ブラジル(28.0)カナダ(5.9) |
| すず及び同合金 | インドネシア(40.5)マレーシア(20.3)ペルー(13.7) |
| アンチモン20) | 中国(50.0)ベトナム(28.6)韓国(14.6) |
| マンガン鉱 | 南ア(62.3)豪(21.9)ガボン(15.8) |
| クロム鉱 | パキスタン(48.3)南ア(38.8)オマーン(5.9) |
| チタン鉱20) | 南ア(34.6)カナダ(26.5)インド(18.0) |
| モリブデン鉱 | チリ(72.3)米(14.7)メキシコ(5.3) |
| ボーキサイト | 中国(82.4)ガイアナ(16.6) |
| 鉛 鉱 | 米(38.8)豪(25.8)ボリビア(16.9) |
| 亜 鉛 鉱 | ボリビア(27.3)豪(22.6)ペルー(17.7) |
| 銅 鉱 | チリ(32.9)インドネシア(14.7)オーストラリア(10.3) |
| ニッケル鉱 | (ニューカレドニア)(58.6)フィリピン(40.0) |

☞ p.88「解説」　　　　　　　　財務省貿易統計

鉱・工業

p.90❷❸❹：ワインの生産はぶどうの生産国で多く，各地に輸出される。ビールの生産は消費国で多い。ビールの生産上位3か国（中国，アメリカ合衆国，ブラジル）は，国別ビール消費量（2021年）の上位3か国と一致する。
p.90❻❼：天然繊維では綿の生産量がずば抜けて多く，化学繊維とともに繊維原料の中心となっている。綿糸・綿織物の生産上位国は，綿花の生産上位国(p.60)と同じ国が多い。羊毛の生産(p.60)は南半球でも多いが，毛糸の生産は北半球の消費国が中心である。

## ❶マーガリンの生産（千t）

| 国　名 | 2000 | 2020 | ％ |
|---|---|---|---|
| 世　　　　界 | 9,778 | 9,377 | 100 |
| ロ　シ　ア | 455 | 1,365 | 14.6 |
| パキスタン | 1,500 | 915 | 9.8 |
| ブ ラ ジ ル | 480 | 810 | 8.6 |
| イ　ン　ド | 1,355 | 692 | 7.4 |
| ト ル コ | 485 | 640 | 6.8 |
| アメリカ合衆国 | 1,045 | 460 | 4.9 |
| 中　　　国 | 97 | 440 | 4.7 |
| ド イ ツ | 561 | 353 | 3.5 |
| ポーランド | 384 | 328 | 3.5 |
| 南アフリカ共和国 | 156 | 273 | 2.9 |

日本143　　　　　　　日本マーガリン工業会資料

## ❷ワインの生産（万t）　FAOSTAT

| 国　名 | 1990 | 2021 | ％ |
|---|---|---|---|
| 世　　　　界 | 2,851 | 2,687 | 100 |
| イタリア | 549 | 509 | 18.9 |
| フランス | 655 | 371 | 13.8 |
| ス ペ イ ン | 397 | 370 | 13.8 |
| アメリカ合衆国 | 184 | 206 | 7.7 |
| 中　　　国 | 25 | 181 | 6.8 |
| オーストラリア | 44 | 148 | 5.5 |
| チ　　　リ | 40 | 134 | 5.0 |
| アルゼンチン | 140 | 125 | 4.6 |
| 南アフリカ共和国 | 77 | 113 | 4.2 |
| ポルトガル | 111 | 72 | 2.7 |

日本5　☞p.58⑩⑪

## ❸ワインの輸出入（千t）　FAOSTAT

| 輸出国 | 1990 | 2021 | ％ | 輸入国 | 1990 | 2021 | ％ |
|---|---|---|---|---|---|---|---|
| 世　　界 | 4,205 | 11,368 | 100 | 世　　界 | 4,136 | 11,178 | 100 |
| スペイン | 443 | 2,322 | 20.4 | ド イ ツ | 1,008 | 1,469 | 13.1 |
| イタリア | 1,207 | 2,201 | 19.4 | アメリカ合衆国 | 242 | 1,392 | 12.5 |
| フランス | 1,231 | 1,514 | 13.3 | イギリス | 640 | 1,350 | 12.1 |
| チ　　リ | 43 | 867 | 7.6 | ロ シ ア | ①142 | 615 | 5.5 |
| オーストラリア | 37 | 632 | 5.6 | フランス | 450 | 594 | 5.3 |
| 南アフリカ共和国 | 15 | 480 | 4.2 | オランダ | 209 | 481 | 4.3 |
| ニュージーランド | 4 | 476 | 4.2 | 中　　国 | 0.1 | 422 | 3.8 |
| ド イ ツ | 278 | 369 | 3.2 | カ ナ ダ | 144 | 419 | 3.7 |
| ポルトガル | 156 | 329 | 2.9 | ベ ル ギ ー | ②216 | 418 | 3.7 |
| アメリカ合衆国 | 95 | 328 | 2.9 | ポルトガル | 21 | 282 | 2.5 |

日本0.3（出）244（入）　①ソ連　②ルクセンブルクを含む　☞p.58⑩⑪

## ❹ビールの生産（万t）　FAOSTAT

| 国　名 | 1990 | 2021 | ％ |
|---|---|---|---|
| 世　　　　界 | 11,137 | 18,528 | 100 |
| 中　　　国 | 692 | 3,597 | 19.4 |
| アメリカ合衆国 | 2,370 | 2,042 | 11.0 |
| ブ ラ ジ ル | 438 | 1,695 | 9.1 |
| メ キ シ コ | 387 | 1,347 | 7.3 |
| ド イ ツ | 1,202 | 854 | 4.6 |
| ロ シ ア | ①624 | 820 | 4.4 |
| ベトナム | 10 | 420 | 2.3 |
| イ ギ リ ス | 618 | 384 | 2.1 |
| ポーランド | 113 | 383 | 2.1 |
| ス ペ イ ン | 279 | 381 | 2.1 |

日本245　①ソ連

## ❺絹織物の生産（万㎡）　世工

| 国　名 | 2000 | 2016 |
|---|---|---|
| 中　　　国 | 512,761 | ― |
| ロ シ ア | 17,800 | 29,044 |
| ベラルーシ | 5,339 | 10)5,274 |
| ベトナム | 970 | 10)4,063 |
| イタリア | ― | 1,843 |
| フランス | ― | 921 |
| 日　　本 | 3,344 | 852 |
| ルーマニア | 3,087 | 797 |
| ウズベキスタン | 97)1,637 | 192 |
| エジプト | 96)131 | 152 |

## ❻綿糸・綿織物の生産（千t）

| | 国　名 | 2014 | ％ |
|---|---|---|---|
| 綿*糸 | 世　　　界 | 50,438 | 100 |
| | 中　　　国 | 36,447 | 72.3 |
| | イ　ン　ド | 3,853 | 7.6 |
| | パキスタン | 3,156 | 6.3 |
| | ト ル コ | 1,680 | 3.3 |
| | ブ ラ ジ ル | 986 | 2.0 |
| 綿*織物 | 世　　　界 | 17,234 | 100 |
| | 中　　　国 | 5,603 | 32.5 |
| | イ　ン　ド | 5,058 | 29.3 |
| | パキスタン | 3,265 | 18.9 |
| | インドネシア | 780 | 4.5 |
| | ブ ラ ジ ル | 640 | 3.7 |

日本（2020年）21千t（綿糸）88百万㎡（綿織物）
＊推計値　　繊維ハンドブック'22ほか

## ❼毛糸の生産（千t）　世工

| 国　名 | 2000 | 2016 |
|---|---|---|
| 中　　　国 | 6,570 | 07)20,682 |
| ト ル コ | 37 | 68 |
| イ　ン　ド | 03)30 | 05)52 |
| イタリア | 440 | 42 |
| ニュージーランド | 18 | 05)22 |
| イ ギ リ ス | 94)18 | 14)16 |
| 日　　本 | 34 | 11 |
| リトアニア | 1 | 11 |
| ルーマニア | 19 | 08)9 |
| アメリカ合衆国 | 29 | 10)6 |
| ポーランド | 10 | 6 |

## ❽毛糸の輸出入（万ドル）

| | 国　名 | 2022 | ％ |
|---|---|---|---|
| 輸出 | 世　　界 | 307,910 | 100 |
| | 中　　国 | 83,145 | 27.0 |
| | イタリア | 61,491 | 20.0 |
| | ド イ ツ | 18,060 | 5.9 |
| | ルーマニア | 13,594 | 4.4 |
| | イ ン ド | 11,004 | 3.6 |
| 輸入 | 世　　界 | 258,809 | 100 |
| | イタリア | 38,851 | 15.0 |
| | ド イ ツ | 20,725 | 8.0 |
| | イギリス | 18,616 | 7.2 |
| | （ホンコン） | 14,944 | 5.8 |
| | ト ル コ | 14,883 | 5.8 |

日本794（出）8,324（入）　　UN Comtrade

## ❾毛織物の生産（万㎡）　世工

| 国　名 | 2000 | 2016 |
|---|---|---|
| ト ル コ | 05)25,506 | 12)155,475 |
| 中　　　国 | 45,920 | ― |
| 日　　本 | 16,800 | ― |
| チ ェ コ | 1,430 | 08)1,401 |
| アメリカ合衆国 | 5,674 | 10)1,232 |
| イ ギ リ ス | ― | 10)1,053 |
| ロ シ ア | 5,460 | 913 |
| ド イ ツ | 5,718 | 635 |
| ウクライナ | ― | 14)499 |
| ポルトガル | 998 | 328 |
| リトアニア | 1,516 | 280 |

## ❶ 化学繊維の生産（万t）

| 国・地域名 | 1990 | 2016 | % |
|---|---|---|---|
| 世　界 | 1,765 | 6,495 | 100 |
| 中　国 | 156 | 4,472 | 68.9 |
| イ　ン　ド | 65 | 558 | 8.6 |
| アメリカ合衆国 | 312 | 198 | 3.1 |
| インドネシア | 32 | 192 | 3.0 |
| （台　湾） | 177 | 190 | 2.9 |
| 韓　国 | 129 | 165 | 2.5 |
| （西ヨーロッパ） | － | 140 | 2.2 |
| タ　イ | 20 | 102 | 1.6 |
| ト　ル　コ | 30 | 88 | 1.3 |
| 日　本 | 170 | 57 | 0.9 |

繊維ハンドブック'19ほか

## ❷ 繊維製品*の輸出入（百万ドル）

| | 国　名 | 2020 | % |
|---|---|---|---|
| 輸出 | 世　界 | 328,114 | 100 |
| | 中　国 | 154,146 | 47.0 |
| | ド　イ　ツ | 15,042 | 4.6 |
| | イ　ン　ド | 13,804 | 4.2 |
| | ト　ル　コ | 11,697 | 3.6 |
| | アメリカ合衆国 | 11,377 | 3.5 |
| 輸入 | 世　界 | 360,925 | 100 |
| | アメリカ合衆国 | 45,165 | 12.5 |
| | ド　イ　ツ | 19,339 | 5.4 |
| | ベ　ト　ナ　ム | 15,476 | 4.3 |
| | 中　国 | 14,131 | 3.9 |
| | フ　ラ　ン　ス | 12,804 | 3.5 |

日本5,645（出）　11,806（入）　*糸・布地・織物など　WTO資料

## ❸ 衣類の輸出入（百万ドル）

| | 国　名 | 2020 | % |
|---|---|---|---|
| 輸出 | 世　界 | 448,961 | 100 |
| | 中　国 | 141,587 | 31.5 |
| | ベ　ト　ナ　ム | 28,065 | 6.3 |
| | バングラデシュ | 27,471 | 6.1 |
| | ド　イ　ツ | 23,491 | 5.2 |
| | イ　タ　リ　ア | 22,350 | 5.0 |
| 輸入 | 世　界 | 489,418 | 100 |
| | アメリカ合衆国 | 82,417 | 16.8 |
| | ド　イ　ツ | 38,426 | 7.9 |
| | イ　ギ　リ　ス | 26,318 | 5.4 |
| | 日　本 | 26,265 | 5.4 |
| | フ　ラ　ン　ス | 23,171 | 4.7 |

日本698（出）　WTO資料

## ❹ 繊維素材の生産（%）

| 種　類 | 1980 | 1990 | 2010 | 2017 |
|---|---|---|---|---|
| 合　計（百万t） | 29 | 38 | 73 | 95 |
| 合成繊維 | 35 | 39 | 59 | 66 |
| ナイロン | (11) | (10) | ( 5) | ( 6) |
| アクリル | ( 7) | ( 6) | ( 3) | ( 2) |
| ポリエステル | (17) | (33) | (50) | (57) |
| レーヨン・アセテート | 11 | 6 | 6 | 6 |
| 綿 | 48 | 43 | 35 | 27 |
| 羊毛・絹 | 6 | 4 | 1 | 1 |

繊維は天然繊維と化学繊維に分類され、化学繊維は①おもに石油を原料として化学的に合成した合成繊維、②天然繊維を化学的に抽出・再生したレーヨン等の再生繊維、③天然繊維を化学的に溶解・加工したアセテート等の半合成繊維、④炭素繊維やガラス繊維等の無機繊維に大別される。　日本化学繊維協会資料

## ❺ 合成ゴムの生産（千t）

| 国　名 | 1990 | 2019 | % |
|---|---|---|---|
| 世　界 | 9,910 | 15,133 | 100 |
| 中　国 | 316 | 3,178 | 21.0 |
| アメリカ合衆国 | 2,115 | 2,232 | 14.7 |
| 韓　国 | 227 | 1,565 | 10.3 |
| ロ　シ　ア | － | 1,529 | 10.1 |
| 日　本 | 1,426 | 1,526 | 10.1 |
| ド　イ　ツ | ①525 | 789 | 5.2 |
| （台　湾） | 175 | 772 | 5.1 |
| フ　ラ　ン　ス | 522 | 474 | 3.1 |
| イ　ン　ド | － | 395 | 2.6 |
| シンガポール | － | 358 | 2.4 |

①西ドイツ　世図会2020/21ほか

## ❻ ゴムの消費（2019年，千t）

| 国　名 | 天然ゴム | 合成ゴム | 計 | % |
|---|---|---|---|---|
| 世　界 | 13,721 | 15,280 | 29,001 | 100 |
| 中　国 | 5,497 | 4,425 | 9,922 | 34.2 |
| アメリカ合衆国 | 1,008 | 1,884 | 2,892 | 10.0 |
| イ　ン　ド | 1,132 | 660 | 1,792 | 6.2 |
| 日　本 | 707 | 840 | 1,547 | 5.3 |
| タ　イ | 800 | 653 | 1,453 | 5.0 |
| マレーシア | 501 | 572 | 1,073 | 3.7 |
| インドネシア | 625 | 364 | 989 | 3.4 |
| ブ　ラ　ジ　ル | 415 | 458 | 873 | 3.0 |
| ド　イ　ツ | 206 | 561 | 767 | 2.6 |
| ロ　シ　ア | 127 | 633 | 760 | 2.6 |

☞p.60⑧　世図会2020/21

## ❼ 自動車用タイヤの生産（万本）

| 国　名 | 2000 | 2016 |
|---|---|---|
| 中　国① | 12,160 | 07)55,649 |
| アメリカ合衆国 | 27,677 | 07)18,600 |
| 日　本 | 16,622 | 14,163 |
| 韓　国 | 7,018 | 07)8,585 |
| ド　イ　ツ | 6,314 | 6,048 |
| ロ　シ　ア | 2,782 | 4,775 |
| ブ　ラ　ジ　ル | 3,739 | 15)4,713 |
| インドネシア | － | 08)3,681 |
| ポーランド | ①2,049 | 3,558 |
| イ　ン　ド | 1,563 | 07)3,370 |

①自動車用以外のタイヤを含む　世工

## ❽ 自動車の生産（千台）

| 国　名 | 1990 | 2022 | % |
|---|---|---|---|
| 世　界 | 48,885 | 85,017 | 100 |
| 中　国 | 474 | 27,021 | 31.8 |
| アメリカ合衆国 | 9,780 | 10,060 | 11.8 |
| 日　本 | 13,487 | 7,836 | 9.2 |
| イ　ン　ド | 364 | 5,457 | 6.4 |
| 韓　国 | 1,322 | 3,757 | 4.4 |
| ド　イ　ツ | ①4,977 | 3,678 | 4.3 |
| メ　キ　シ　コ | 821 | 3,509 | 4.1 |
| ブ　ラ　ジ　ル | 915 | 2,370 | 2.8 |
| ス　ペ　イ　ン | 2,053 | 2,219 | 2.6 |
| タ　イ | － | 1,884 | 2.2 |

①西ドイツ　国際自動車工業連合会資料ほか

## ❾ 自動車の輸出（2021年，千台）

| 国　名 | 総台数 | 乗用車 | トラック・バス |
|---|---|---|---|
| フランス① | 4,330 | 3,410 | 920 |
| 日　本 | 3,819 | 3,368 | 451 |
| アメリカ合衆国 | 2,713 | 2,205 | 509 |
| メ　キ　シ　コ | 2,707 | 527 | 2,180 |
| ド　イ　ツ | 2,526 | 2,374 | 152 |
| 韓　国 | 2,041 | 1,961 | 80 |
| 中　国 | 2,015 | 1,614 | 402 |
| ス　ペ　イ　ン | 1,821 | 1,456 | 365 |
| イ　ギ　リ　ス | 744 | 706 | 38 |
| イ　ン　ド | 670 | 578 | 92 |
| イ　タ　リ　ア | 20)519 | 252 | 267 |
| ブ　ラ　ジ　ル | 384 | 298 | 86 |

①フランス国外からのフランスメーカーの出荷台数を含む　日本の自動車工業2023

## ❿ 日本の自動車の輸出先（2022年，千台）

| 国　名 | 総台数 | % | 乗用車 | トラック・バス |
|---|---|---|---|---|
| 世　界 | 3,813 | 100 | 3,321 | 492 |
| アメリカ合衆国 | 1,284 | 33.7 | 1,248 | 36 |
| オーストラリア | 351 | 9.2 | 310 | 41 |
| 中　国 | 218 | 5.7 | 218 | 0 |
| サウジアラビア | 158 | 4.2 | 128 | 30 |
| カ　ナ　ダ | 146 | 3.8 | 144 | 2 |
| イ　ギ　リ　ス | 124 | 3.2 | 117 | 6 |
| メ　キ　シ　コ | 87 | 2.3 | 70 | 17 |
| （台　湾） | 83 | 2.2 | 71 | 12 |
| ド　イ　ツ | 77 | 2.0 | 76 | 2 |
| アラブ首長国連邦 | 73 | 1.9 | 58 | 15 |

日本の自動車工業2023

## ⓫ 電気自動車（乗用車）の販売（2022年）　IEA資料

| 国　名 | 販売台数（千台） | BEV | PHEV | 乗用車販売台数に占める割合（%） |
|---|---|---|---|---|
| 世　界 | 10,200 | 7,300 | 2,900 | 14.0 |
| 中　国 | 5,900 | 4,400 | 1,500 | 29.0 |
| アメリカ合衆国 | 990 | 800 | 190 | 7.7 |
| ド　イ　ツ | 830 | 470 | 360 | 31.0 |
| イ　ギ　リ　ス | 370 | 270 | 100 | 23.0 |
| フ　ラ　ン　ス | 340 | 210 | 130 | 21.0 |
| ノ　ル　ウェー | 166 | 150 | 16 | 88.0 |
| スウェーデン | 163 | 96 | 67 | 54.0 |
| 韓　国 | 131 | 120 | 11 | 9.4 |
| カ　ナ　ダ | 114 | 85 | 29 | 9.4 |
| 日　本 | 102 | 61 | 41 | 3.0 |

BEV(Battery Electric Vehicle)…バッテリー式電気自動車
PHEV(Plug-in Hybrid Electric Vehicle)…プラグインハイブリッド自動車

鉱・工業

## ❶自動二輪車の生産（2022年，千台）

| 国　名 | 台数 |
|---|---|
| 中　　　国 | 21,292 |
| イ ン ド | 19,459 |
| ベトナム | 3,370 |
| タ 　 イ | 2,016 |
| パキスタン | 1,515 |
| ブ ラ ジ ル | 1,413 |
| （ 台 湾 ） | 1,070 |
| フィリピン | 935 |
| 日　　本 | 695 |
| マレーシア | 686 |

日本の自動車工業2023ほか

## ❷自転車の生産（2021年，千台）

| 国・地域名 | 総台数 | うち電動自転車 |
|---|---|---|
| 中　　　国 | 122,000 | 46,000 |
| イ ン ド | 18,431 | 1 |
| (EU・イギリス) | 16,064 | 4,503 |
| ブ ラ ジ ル | 4,908 | 50 |
| アルゼンチン | 2,164 | 0 |
| メ キ シ コ | 1,650 | 0 |
| 日　　　本 | 843 | 658 |
| コロンビア | 400 | ― |
| アメリカ合衆国 | 350 | 0 |
| 韓　　　国 | 27 | 0 |

世界自転車産業協会資料

## ❸航空宇宙工業生産（売上）高の推移（億円）

| 国　名 | 2010 | 2015 | 2021 |
|---|---|---|---|
| アメリカ合衆国① | 178,719 | 312,561 | 259,845 |
| フ ラ ン ス | 39,922 | 75,945 | 71,647 |
| ド イ ツ | 28,730 | 46,573 | 40,771 |
| イ ギ リ ス | 30,200 | 57,511 | 33,839 |
| カ ナ ダ | 17,898 | 28,247 | 23,478 |
| 日　　本② | 13,164 | 21,299 | 14,995 |

①2016年以降は航空機のみ　②年度で集計，ミサイル等を除く

日本航空宇宙工業会資料

## ❹船舶の生産（千総トン）

UNCTADstatほか

| 国　名 | 船舶*の竣工量 | | | | | | | |
|---|---|---|---|---|---|---|---|---|
| | 1960 | 1970 | 1980 | 1990 | 2000 | 2010 | 2022 | % |
| 世　　　界 | 8,382 | 20,980 | 13,101 | 16,054 | 31,696 | 96,433 | 55,580 | 100 |
| 中　　　国 | ― | ― | 81)30 | 404 | 1,647 | 36,437 | 25,894 | 46.6 |
| 韓　　　国 | ― | 2 | 522 | 3,441 | 12,228 | 31,698 | 16,254 | 29.2 |
| 日　　　本 | 1,839 | 10,100 | 6,094 | 6,663 | 12,020 | 20,218 | 9,585 | 17.2 |
| イ タ リ ア | 447 | 546 | 248 | 392 | 569 | 564 | 731 | 1.3 |
| フ ラ ン ス | 430 | 859 | 283 | 64 | 202 | 258 | 594 | 1.1 |
| ベ ト ナ ム | ― | ― | ― | 92)3 | 1 | 560 | 444 | 0.8 |
| フィリピン | ― | 71)0.03 | 2 | 2 | 144 | 1,161 | 396 | 0.7 |
| ド イ ツ | ①1,124 | ①1,317 | ①376 | 874 | 974 | 932 | 321 | 0.6 |
| ロ シ ア | ②350 | ②460 | ②430 | 69 | 180 | 252 | 0.5 |
| フィンランド | 111 | 241 | 200 | 256 | 223 | 225 | 245 | 0.4 |

*100総トン以上の鋼船　①西ドイツ　②ソ連

## ❺船舶の輸出入（2021年）

| | 国　名 | 百万ドル | % |
|---|---|---|---|
| 輸出国 | 世　　　界 | 125,142 | 100 |
| | 中　　　国 | 24,159 | 19.3 |
| | 韓　　　国 | 22,016 | 17.6 |
| | 日　　　本 | 9,680 | 7.7 |
| | イ タ リ ア | 7,900 | 6.3 |
| | ド イ ツ | 7,248 | 5.8 |
| 輸入国 | 世　　　界 | 65,119 | 100 |
| | ロ シ ア | 5,084 | 7.8 |
| | イ ン ド | 4,802 | 7.4 |
| | アメリカ合衆国 | 3,369 | 5.2 |
| | オ ラ ン ダ | 3,236 | 5.0 |
| | イ タ リ ア | 3,074 | 4.7 |

日本823(入)　☞ p.36③　UN Comtrade

## ❻集積回路の貿易額

UN Comtradeほか

| | 1990年 | | 2021 | |
|---|---|---|---|---|
| | 国　名 | 百万ドル | 国　名 | 百万ドル |
| 輸出 | アメリカ合衆国 | 13,991 | （ホンコン） | 211,130 |
| | 日　　本 | 13,347 | （ 台 湾 ） | 155,496 |
| | 韓　　国 | 5,364 | 中　　国 | 154,221 |
| | マレーシア | 4,321 | 韓　　国 | 109,297 |
| | ド イ ツ① | 3,978 | マレーシア | 59,635 |
| 輸入 | アメリカ合衆国 | 13,139 | 中　　国 | 432,634 |
| | 韓　　国 | 4,560 | （ホンコン） | 221,169 |
| | シンガポール | 4,489 | （ 台 湾 ） | 81,398 |
| | ド イ ツ① | 4,352 | 韓　　国 | 50,340 |
| | イ ギ リ ス | 4,014 | マレーシア | 42,809 |

## ❼世界の半導体市場*（百万ドル）

| 地域・国名 | 2022 | % |
|---|---|---|
| 世　　　界 | 574,084 | 100 |
| 日　　　本 | 48,158 | 8.4 |
| ヨーロッパ | 53,853 | 9.4 |
| 南北アメリカ | 141,136 | 24.6 |
| アジア・太平洋地域 | 330,937 | 57.6 |
| うち中国 | 180,477 | 31.4 |

*WSTSに加盟する各半導体メーカーによる，各地域への出荷額の合計

世界半導体市場統計（WSTS）資料

*1990年の数値はトランジスタ，各種半導体デバイス，電子管等を含む　①西ドイツ

## ❽日本のIC輸出入（億円）

財務省貿易統計

| 輸出 | 2000 | 2020 | % |
|---|---|---|---|
| 世　　　界 | 29,338 | 29,054 | 100 |
| 中　　　国 | 1,441 | 7,538 | 25.9 |
| （ 台 湾 ） | 2,384 | 7,205 | 24.8 |
| （ホンコン） | 3,836 | 4,320 | 14.9 |
| 韓　　　国 | 2,679 | 2,171 | 7.5 |
| ベ ト ナ ム | 127 | 1,908 | 6.6 |
| 輸入 | 2000 | 2020 | % |
| 世　　　界 | 19,185 | 19,905 | 100 |
| （ 台 湾 ） | 3,351 | 11,454 | 57.5 |
| アメリカ合衆国 | 5,578 | 2,105 | 10.6 |
| 中　　　国 | 383 | 1,865 | 9.4 |
| 韓　　　国 | 2,878 | 1,062 | 5.3 |
| シンガポール | 1,314 | 692 | 3.5 |

## ❾おもな国の産業用ロボット稼働台数（千台）

| 国　名 | 1985 | 1990 | 2000 | 2005 | 2010 | 2020 |
|---|---|---|---|---|---|---|
| 合　　　計 | 138 | 451 | 751 | 918 | 1,059 | 3,015 |
| 中　　　国 | ― | ― | 1 | 12 | 52 | 943 |
| 日　　　本 | 93 | 274 | 389 | 373 | 308 | 374 |
| 韓　　　国 | ― | 3 | 38 | 62 | 101 | 343 |
| アメリカ合衆国 | 20 | 34 | 90 | 85 | 150 | 314 |
| ド イ ツ | 9 | 27 | 91 | 126 | 148 | 231 |
| イ タ リ ア | 4 | 12 | 39 | 56 | 62 | 78 |
| （ 台 湾 ） | 0.2 | 1 | 7 | 15 | 27 | 76 |
| フ ラ ン ス | 4 | 21 | 30 | 34 | 45 |
| ス ペ イ ン | ― | 2 | 13 | 24 | 29 | 38 |
| タ 　 イ | ― | ― | 0.1 | 1 | 5 | 35 |
| イ ン ド | ― | ― | ― | 1 | 5 | 29 |
| イ ギ リ ス | 3 | 6 | 12 | 15 | 14 | 23 |

日本ロボット工業会資料

## ❿世界のおもなコンピュータ，ソフト企業（2022年）

| 順位* | 企　業　名 | 国　名 | 総収入③（百万ドル） | 従業員数（人） |
|---|---|---|---|---|
| 8 | ア ッ プ ル | アメリカ合衆国 | 394,328 | 164,000 |
| 30 | マイクロソフト | アメリカ合衆国 | 198,270 | 221,000 |
| 97 | デル・テクノロジーズ | アメリカ合衆国 | 102,301 | 133,000 |
| 213 | H　　　P | アメリカ合衆国 | 62,983 | 58,000 |
| 217 | レノボ・グループ | （ホンコン） | 61,947 | 77,000 |
| 345 | クアンタ・コンピュータ | （ 台 湾 ） | 42,997 | 67,979 |
| 352 | オ ラ ク ル | アメリカ合衆国 | 42,440 | 143,000 |
| 420 | コンパルエレクトロニクス | （ 台 湾 ） | 36,040 | 73,120 |
| 463 | ウィストロン | （ 台 湾 ） | 33,064 | 65,000 |
| 472 | S　A　P | ド イ ツ | 32,469 | 111,961 |
| 491 | セールスフォース | アメリカ合衆国 | 31,352 | 79,390 |

*世界の全産業の総収入順　①コンピュータ以外も含む

2023 Fortune Global 500

# ❶おもな電子機器・電気製品の企業別世界シェア（2022年）

日本経済新聞社　主要製品・サービスシェア調査

| スマートフォン（出荷12億580万台） | | スマートスピーカー（出荷1億40万台） | | タブレット端末（出荷1億6163万台） | | パソコン（2億9199万台） | |
|---|---|---|---|---|---|---|---|
| 企業名 | ％ | 企業名 | ％ | 企業名 | ％ | 企業名 | ％ |
| サムスン電子〔韓国〕 | 21.7 | アマゾン・ドット・コム〔アメリカ合衆国〕 | 32.0 | アップル〔アメリカ合衆国〕 | 37.4 | レノボ〔中国〕 | 23.3 |
| アップル〔アメリカ合衆国〕 | 18.8 | グーグル〔アメリカ合衆国〕 | 17.0 | サムスン電子〔韓国〕 | 18.8 | HP〔アメリカ合衆国〕 | 18.9 |
| 小米（シャオミ）〔中国〕 | 12.7 | 百度（バイドゥ）〔中国〕 | 13.0 | アマゾン・ドット・コム〔アメリカ合衆国〕 | 9.9 | デル・テクノロジーズ〔アメリカ合衆国〕 | 17.0 |
| 3 社 計 | 53.2 | 3 社 計 | 62.0 | 3 社 計 | 66.1 | 3 社 計 | 59.3 |

| インクジェットプリンタ（出荷5766万3003台） | | レーザー複写機・複合機（出荷337万774台） | | デジタルカメラ（出荷720万台） | | 画像診断機器（売上443億6100万ドル） | |
|---|---|---|---|---|---|---|---|
| 企業名 | ％ | 企業名 | ％ | 企業名 | ％ | 企業名 | ％ |
| HP〔アメリカ合衆国〕 | 38.3 | キヤノン〔日本〕 | 17.9 | キヤノン〔日本〕 | 46.5 | シーメンスヘルスケア〔ドイツ〕 | 26.4 |
| セイコーエプソン〔日本〕 | 29.0 | リコー〔日本〕 | 15.2 | ソニー〔日本〕 | 26.1 | フィリップス〔オランダ〕 | 20.4 |
| キヤノン〔日本〕 | 26.7 | コニカミノルタ〔日本〕 | 14.2 | ニコン〔日本〕 | 11.7 | ゼネラル・エレクトリック（GE）〔アメリカ合衆国〕 | 19.6 |
| 3 社 計 | 94.0 | 3 社 計 | 47.3 | 3 社 計 | 84.3 | 3 社 計 | 66.3 |

| ハードディスクドライブ（出荷1億7222万台） | | 薄型テレビ（販売2億1847万台） | | 冷蔵庫（販売1億6784万台） | | 洗濯機（販売1億26万台） | |
|---|---|---|---|---|---|---|---|
| 企業名 | ％ | 企業名 | ％ | 企業名 | ％ | 企業名 | ％ |
| シーゲイト・テクノロジー〔アメリカ合衆国〕 | 43.0 | サムスン電子〔韓国〕 | 19.0 | 海爾集団（ハイアール）〔中国〕 | 22.9 | 海爾集団（ハイアール）〔中国〕 | 26.4 |
| ウエスタンデジタル〔アメリカ合衆国〕 | 37.1 | LG電子〔韓国〕 | 16.2 | ワールプール〔アメリカ合衆国〕 | 9.7 | 美的集団〔中国〕 | 12.9 |
| 東芝〔日本〕 | 19.9 | TCL〔中国〕 | 9.6 | サムスン電子〔韓国〕 | 6.8 | ワールプール〔アメリカ合衆国〕 | 12.8 |
| 3 社 計 | 100.0 | 3 社 計 | 44.8 | 3 社 計 | 39.4 | 3 社 計 | 52.1 |

| 携帯用リチウムイオン電池（出荷16億8400万セル） | | 太陽光パネル（出荷3億3600万kW） | | 風力発電機（新規導入8万9890MW） | | 電気自動車（販売798万台） | |
|---|---|---|---|---|---|---|---|
| 企業名 | ％ | 企業名 | ％ | 企業名 | ％ | 企業名 | ％ |
| アンプレックステクノロジー（ATL）〔日本〕 | 37.5 | ロンジ・ソーラー〔中国〕 | 13.9 | ベスタス〔デンマーク〕 | 14.0 | テスラ〔アメリカ合衆国〕 | 18.9 |
| サムスンSDI〔韓国〕 | 11.1 | ジンコソーラー〔中国〕 | 13.2 | ゴールドウインド〔中国〕 | 13.1 | 比亜迪（BYD）〔中国〕 | 11.5 |
| LGエネルギーソリューション〔韓国〕 | 10.2 | トリナ・ソーラー〔中国〕 | 12.8 | シーメンスガメサ・リニューアブル・エナジー〔スペイン〕 | 10.4 | 上海汽車集団〔中国〕 | 10.9 |
| 3 社 計 | 58.8 | 3 社 計 | 40.0 | 3 社 計 | 37.4 | 3 社 計 | 41.3 |

# ❷おもな国のゲーム市場規模（億円）
CESA資料

| 国　名 | 2015 | 2018 | 2021 | ソフトウェア(%) |
|---|---|---|---|---|
| アメリカ合衆国 | 12,263 | 10,192 | 10,142 | 36.1 |
| 日　本① | 3,302 | 3,506 | 3,719 | 45.5 |
| イ ギ リ ス | 2,922 | 2,157 | 1,950 | 35.4 |
| ド イ ツ | 2,501 | 2,024 | 1,880 | 40.3 |
| 中　国 | 425 | 798 | 1,470 | － |
| 韓　国 | 169 | 663 | 924 | － |

①家庭用ゲームの小売店などでのパッケージ販売をベースとし
たCESAによる推計値

# ❸スマートデバイスゲームアプリ市場規模（億円）

| 国　名 | 2015 | 2018 | 2021 | 1人あたり（円） |
|---|---|---|---|---|
| アメリカ合衆国 | 8,735 | 14,465 | 24,157 | 7,270 |
| 中　国 | 8,797 | 21,585 | 21,781 | 1,540 |
| 日　本 | 9,453 | 13,126 | 13,060 | 10,410 |
| 韓　国 | 2,720 | 4,818 | 7,211 | 13,950 |
| ド イ ツ | 946 | 1,541 | 3,275 | 3,940 |
| イ ギ リ ス | 1,066 | 2,059 | 2,363 | 3,500 |

CESAの算出した推計値　　　　　　　　　CESA資料

# ❹日本の技術貿易の産業別・相手国別割合（2021年度）
総務省資料

技術輸出（受取額）3.6兆円

産業別

| 輸送機械 51.3% | 医薬品 19.6 | その他 21.3 |
|---|---|---|

情報通信機械 4.8　　電気機械 3.0

国別

| アメリカ合衆国 35.6% | 中国 16.4 | タイ 9.5 | イギリス 9.4 | その他 25.9 |
|---|---|---|---|---|

インドネシア 3.2

技術輸入（支払額）6,201億円

産業別

| 医薬品 38.4% | 情報通信業 24.7 | 卸売業 5.6 | その他 21.9 |
|---|---|---|---|

情報通信機械 5.9　　輸送機械 3.5

国別

| アメリカ合衆国 70.8% | スイス 7.5 | イギリス 6.7 | その他 11.9 |
|---|---|---|---|

ドイツ 3.1

# ❺おもな国の知的財産使用料の受取額と支払額（2021年）

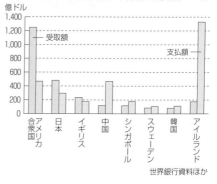

億ドル

受取額

支払額

（横軸：アメリカ合衆国／日本／イギリス／中国／シンガポール／スウェーデン／韓国／アイルランド）

世界銀行資料ほか

|||||||| EU諸国 ||||||||

## ❶工業生産額*とその内訳（2018年，%）　赤字は各国の最大割合

EUROSTAT

| | EU28か国計 | ドイツ | イタリア | フランス[17] | イギリス① | スペイン | オランダ | ポーランド | ベルギー | アイルランド[17] | オーストリア | スウェーデン | チェコ | フィンランド |
|---|---|---|---|---|---|---|---|---|---|---|---|---|---|---|
| 総額(億ドル) | 89,086 | 23,868 | 11,543 | 10,082 | 7,382 | 6,127 | 4,025 | 3,726 | 2,984 | 2,341 | 2,314 | 2,288 | 2,135 | 1,320 |
| 食品 | 12.8 | 10.1 | 14.2 | 21.2 | 14.2 | 23.1 | 20.9 | 21.2 | 17.1 | 11.8 | 11.8 | 8.2 | 7.1 | 8.1 |
| (肉・肉製品) | (2.9) | (2.2) | (2.3) | (3.6) | (3.5) | (5.2) | (3.3) | (5.6) | (2.2) | (2.8) | (2.1) | (1.9) | (1.4) | (1.9) |
| (酪製品) | (2.1) | (1.4) | (2.0) | (3.7) | (1.5) | (1.8) | (3.9) | (2.5) | (1.8) | (1.8) | (1.4) | (1.2) | (0.9) | (2.0) |
| (飲料) | (−) | (1.2) | (2.3) | (4.5) | (−) | (3.8) | (1.4) | (2.4) | (2.3) | (−) | (3.2) | (1.0) | (1.5) | (−) |
| 繊維 | 1.9 | 0.9 | 5.4 | 1.3 | 1.4 | 2.0 | 1.0 | 1.8 | 1.5 | 0.2 | 1.1 | 0.6 | 1.5 | 0.4 |
| 皮革・同製品 | 0.7 | 0.2 | 3.1 | 0.6 | 0.2 | 0.9 | 0.1 | 0.4 | 0.0 | 0.0 | 0.5 | 0.1 | 0.1 | − |
| 木材・家具 | 3.2 | 2.3 | 3.7 | 2.0 | 3.2 | 2.6 | 2.1 | 6.7 | 2.0 | 0.6 | 6.2 | 6.7 | 2.9 | 7.9 |
| 製紙・出版 | 3.5 | 2.9 | 3.5 | 3.0 | 4.0 | 3.4 | 3.2 | 4.5 | 2.4 | 0.8 | 4.6 | 8.3 | 2.7 | 12.7 |
| 化学 | 20.9 | 18.0 | 18.4 | 15.6 | 21.8 | 14.6 | 29.0 | 18.6 | 44.4 | 0.9 | 16.9 | 12.1 | 13.2 | 11.0 |
| (石油) | (5.8) | (−) | (−) | (0.0) | (9.3) | (−) | (−) | (5.4) | (16.1) | (−) | (3.9) | (−) | (−) | (−) |
| (化学品) | (6.6) | (6.8) | (7.0) | (7.5) | (5.3) | (7.9) | (16.9) | (4.9) | (13.3) | (−) | (7.1) | (4.6) | (6.0) | (6.4) |
| (医薬品) | (4.2) | (3.0) | (2.7) | (4.6) | (3.1) | (2.7) | (1.6) | (0.9) | (12.0) | (−) | (2.3) | (4.8) | (0.8) | (1.9) |
| (ゴム・プラスチック) | (4.2) | (4.4) | (4.6) | (3.6) | (4.2) | (4.0) | (2.7) | (7.2) | (3.0) | (0.9) | (3.6) | (2.7) | (6.3) | (2.7) |
| 窯業 | 2.9 | 2.3 | 3.1 | 3.1 | 2.9 | 3.8 | 1.9 | 4.6 | 3.0 | 1.1 | 3.8 | 2.1 | 3.2 | 3.0 |
| 金属 | 12.2 | 12.8 | 15.7 | 9.2 | 9.9 | 13.3 | 8.9 | 13.4 | 13.4 | 2.1 | 16.7 | 14.7 | 13.1 | 14.4 |
| (鉄鋼) | (2.2) | (2.0) | (3.0) | (1.4) | (1.5) | (2.6) | (−) | (2.4) | (4.1) | (0.1) | (4.6) | (3.6) | (2.4) | (4.2) |
| 一般機械 | 9.5 | 14.1 | 13.0 | 5.6 | 7.6 | 4.1 | 9.7 | 4.2 | 4.5 | − | 12.6 | 11.3 | 8.0 | 13.7 |
| 電気機械 | 7.7 | 9.7 | 5.9 | 6.6 | 5.9 | 4.0 | 12.4 | 7.8 | 3.0 | 0.8 | 10.8 | 4.8 | 14.6 | 12.1 |
| (コンピュータ) | (1.3) | (0.2) | (0.1) | (0.1) | (0.3) | (0.0) | (0.1) | (0.2) | (0.1) | (−) | (0.2) | (0.2) | (3.9) | (0.0) |
| (通信機器) | (0.5) | (0.3) | (0.3) | (0.1) | (0.5) | (0.2) | (0.1) | (0.5) | (0.1) | (−) | (0.2) | (0.2) | (0.3) | (5.2) |
| 輸送機械 | 16.9 | 22.3 | 9.9 | 22.8 | 19.9 | 16.1 | 6.7 | 13.4 | 6.1 | 0.4 | 10.8 | 21.8 | 29.2 | 3.6 |
| (自動車) | (13.0) | (19.9) | (6.7) | (10.6) | (12.2) | (13.0) | (4.5) | (11.6) | (5.2) | (0.3) | (9.1) | (19.2) | (27.7) | (1.9) |
| (船舶) | (0.6) | (−) | (1.0) | (0.8) | (0.4) | (1.5) | (−) | (0.0) | (0.0) | (0.0) | (0.0) | (0.3) | (0.0) | (1.6) |

*工業生産額には秘匿を含む　①2020年1月，EUを離脱

## ❷イギリスの鉱工業の推移

マクミラン歴史統計ほか

| | 1861 | 1877 | 1913 | 1940 | 1969 | 1976 | 1980 | 1990 | 2000 | 2010 | 2019 |
|---|---|---|---|---|---|---|---|---|---|---|---|
| 綿紡錘数（万） | 3,039 | 4,421 | 5,565 | 3,632 | 364 | − | − | − | − | − | − |
| 石炭生産（万t） | 8,498 | 13,633 | 29,204 | 22,789 | 15,279 | 12,382 | 13,010 | 9,103 | 3,060 | 1,782 | 217 |
| 石油生産（万t） | − | − | − | 1.7 | 7.7 | 1,206 | 7,892 | 8,799 | 11,788 | 5,805 | 4,874 |
| 鉄鋼(粗鋼)生産（千t） | | 901 | 934 | 13,183 | 26,846 | 22,274 | 10,904 | 17,896 | 15,155 | 9,708 | [18]7,268 |

## ❸ドイツの石炭生産の推移（千t）

UNdataほか

| 地域 | 1969 | 1980 | 1985 | 1991 | 1995 | 2000 | 2005 | 2010 | 2015 | 2018 |
|---|---|---|---|---|---|---|---|---|---|---|
| 合計 | 111,600 | 94,492 | 88,849 | 72,744 | 58,858 | 37,376 | 28,018 | 14,108 | 6,649 | 2,761 |
| ルール炭田 | 100,400 | 83,792 | 77,580 | 62,968 | − | − | − | − | − | − |
| ザール炭田 | 11,200 | 10,700 | 11,269 | 9,775 | − | − | − | − | − | − |

## ❹フランスの鉄鉱石産出量と輸入量の推移（万t）

EUROSTATほか

| 地域・相手国 | 1970 | 1975 | 1980 | 1981 | 1982 | 1985 | 1989 | 2000 | 2010 | 2020 |
|---|---|---|---|---|---|---|---|---|---|---|
| 総産出量 | 5,681 | 4,965 | 2,899 | 2,160 | 1,940 | 1,445 | 939 | − | − | − |
| ロレーヌ地方 | 5,435 | 4,758 | 2,767 | 2,044 | 1,825 | | | | | |
| （メス地区） | (2,714) | (2,321) | (1,431) | (1,195) | (1,142) | | | | | |
| （ナンシー地区） | (2,721) | (2,437) | (1,336) | (849) | (683) | | | | | |
| 西部(ノルマンディー地方) | 241 | 200 | 122 | 105 | 104 | | | | | |
| ピレネー地方 | 5 | 7 | 10 | 11 | 11 | | | | | |
| 総輸入量 | 964 | 1,317 | 1,844 | 1,638 | 1,490 | 1,629 | 1,991 | 1,979 | 1,527 | 1,119 |
| ブラジルより | 220 | 349 | 443 | 408 | 384 | 405 | 559 | 762 | 772 | 258 |
| オーストラリアより | − | − | 208 | 223 | 179 | 180 | 404 | 553 | 61 | − |
| モーリタニアより | 195 | 216 | 293 | 251 | 219 | 231 | 285 | 390 | 186 | 23 |
| カナダより | − | − | − | − | − | − | − | 4 | 409 | 522 |

## ❺ロッテルダム港の貿易量（千TEU*，2020年）

ロッテルダム港資料

| 総合計 | 出積コンテナ | | | 空コンテナ | | | 荷重量①(千t, 2010年) | | |
|---|---|---|---|---|---|---|---|---|---|
| | 合計 | 輸出 | 輸入 | 合計 | 輸出 | 輸入 | 合計 | 輸出 | 輸入 |
| 14,349 | 11,979 | 5,596 | 6,384 | 2,370 | 1,323 | 1,047 | 85,929 | 44,537 | 41,392 |

*TEU(Twenty-foot Equivalent Unit)：20フィートのコンテナに換算したコンテナ数の単位　①容器の重さを含む

|||||||| 西ヨーロッパ諸国 ||||||||

## ❶イギリス・ドイツ・フランス・イタリアの産業別就業者数・生産額（付加価値額）(2010年) EUROSTAT

| 国名・地域名 | 中心都市 | 就業者数(千人) | 付加価値額(億ドル) | 農林水産業 人数(%) | 農林水産業 額(%) | 鉱工業(建設業を除く) 人数(%) | 鉱工業(建設業を除く) 額(%) | 建設業 人数(%) | 建設業 額(%) | サービス業ほか 人数(%) | サービス業ほか 額(%) |
|---|---|---|---|---|---|---|---|---|---|---|---|
| イギリス総計 | | 28,672 | 20,210 | 1.2 | 0.6 | 11.6 | 16.1 | 7.6 | 6.4 | 79.6 | 76.9 |
| スコットランド | グラスゴー | 2,463 | 1,638 | 1.8 | 0.7 | 11.3 | 19.2 | 7.7 | 7.1 | 79.2 | 73.0 |
| 北 東 地 域 | ミドルズブラ | 1,130 | 633 | 0.7 | 0.6 | 13.5 | 19.6 | 8.1 | 7.3 | 77.7 | 72.5 |
| 北 西 地 域 | マンチェスター | 3,113 | 1,877 | 0.8 | 0.6 | 13.1 | 18.3 | 7.2 | 6.7 | 78.9 | 74.4 |
| ヨークシャー | シェフィールド | 2,392 | 1,380 | 1.3 | 0.9 | 13.7 | 18.8 | 7.5 | 6.6 | 77.5 | 73.7 |
| ミッドランド東部 | コヴェントリ | 2,085 | 1,234 | 1.4 | 1.2 | 16.9 | 20.9 | 7.1 | 7.1 | 74.6 | 70.8 |
| ミッドランド西部 | バーミンガム | 2,364 | 1,450 | 1.5 | 0.9 | 14.8 | 18.2 | 7.6 | 6.8 | 76.1 | 74.1 |
| 南 東 地 域 | ロンドン | 7,822 | 7,161 | 0.5 | 0.2 | 7.2 | 7.7 | 7.4 | 5.5 | 84.9 | 86.6 |
| ウ ェ ー ル ズ | カーディフ | 1,284 | 715 | 2.2 | 0.3 | 12.4 | 20.8 | 8.1 | 7.1 | 77.3 | 71.8 |
| ドイツ総計 | | 40,553 | 29,362 | 1.6 | 0.8 | 18.6 | 24.7 | 5.9 | 4.3 | 73.9 | 70.2 |
| シュレースヴィヒ・ホルシュタイン | キ ー ル | 1,287 | 848 | 2.7 | 1.6 | 13.4 | 18.0 | 6.1 | 4.5 | 77.8 | 75.9 |
| ハ ン ブ ル ク | ハンブルク | 1,125 | 1,093 | 0.3 | 0.1 | 9.7 | 12.9 | 3.3 | 2.6 | 86.7 | 84.4 |
| ニーダーザクセン | ハノーファー | 3,705 | 2,548 | 2.7 | 1.5 | 17.6 | 25.3 | 6.2 | 4.9 | 73.5 | 68.3 |
| ノルトライン・ヴェストファーレン | デュッセルドルフ | 8,689 | 6,502 | 0.9 | 0.4 | 18.1 | 24.9 | 5.1 | 3.7 | 75.9 | 71.0 |
| ヘ ッ セ ン | フランクフルト | 3,136 | 2,616 | 1.0 | 0.5 | 16.4 | 19.6 | 5.2 | 3.3 | 77.4 | 76.6 |
| バーデン・ヴュルテンベルク | シュツットガルト | 5,643 | 4,259 | 1.3 | 0.6 | 25.8 | 32.4 | 5.4 | 4.3 | 67.5 | 62.7 |
| ラインラント・プファルツ | コブレンツ | 1,885 | 1,288 | 2.3 | 1.5 | 19.5 | 28.7 | 6.4 | 4.8 | 71.8 | 65.0 |
| バ イ エ ル ン | ミュンヘン | 6,704 | 5,118 | 2.3 | 1.0 | 21.5 | 26.9 | 6.0 | 4.6 | 70.2 | 67.5 |
| ベ ル リ ン | ベルリン | 1,682 | 1,171 | 0.03 | 0.01 | 7.9 | 13.1 | 4.6 | 3.4 | 87.5 | 83.5 |
| ブ レ ー メ ン | ブレーメン | 404 | 317 | 0.2 | 0.04 | 15.4 | 22.7 | 3.8 | 3.0 | 80.6 | 74.3 |
| ザ ー ル ラ ン ト | ザールブリュッケン | 509 | 345 | 0.5 | 0.2 | 22.3 | 29.3 | 5.6 | 4.3 | 71.6 | 66.2 |
| フランス総計 | | 26,742 | 23,066 | — | 1.8 | — | 12.8 | — | 6.1 | — | 79.3 |
| イル・ド・フランス | パ リ | 5,973 | 7,010 | 0.2 | 0.1 | 8.2 | 7.9 | 4.9 | 4.5 | 86.7 | 87.5 |
| オート・ノルマンディー | ルアーヴル | 711 | 569 | 1.8 | 1.8 | 17.8 | 21.2 | 7.5 | 6.6 | 72.9 | 70.4 |
| ノール・パ・ド・カレー | リ ー ル | 1,514 | 1,158 | 1.5 | 1.4 | 14.8 | 15.7 | 6.3 | 6.2 | 77.4 | 76.7 |
| ロ レ ー ヌ | メス, ナンシー | 851 | 642 | 2.0 | 1.7 | 16.2 | 17.2 | 6.7 | 6.4 | 75.1 | 74.7 |
| ペイ・ド・ラ・ロアール | ナ ン ト | 1,487 | 1,123 | 4.1 | 2.8 | 17.3 | 16.2 | 7.6 | 7.4 | 71.0 | 73.6 |
| ブルターニュ | レ ン ヌ | 1,289 | 931 | 4.6 | 3.4 | 14.2 | 13.3 | 7.2 | 7.4 | 74.0 | 75.9 |
| アキテーヌ | ボルドー | 1,307 | 1,011 | 4.7 | 3.4 | 11.8 | 12.3 | 7.4 | 7.1 | 76.1 | 77.2 |
| ローヌ・アルプ | リ ヨ ン | 2,664 | 2,217 | 1.7 | 1.1 | 16.4 | 17.5 | 7.0 | 6.9 | 74.9 | 74.5 |
| プロヴァンス・コートダジュール | マルセイユ | 1,983 | 1,652 | 1.6 | 1.4 | 8.4 | 9.5 | 7.1 | 6.7 | 82.9 | 82.4 |
| イタリア総計 | | 24,661 | 18,435 | 4.0 | 1.9 | 19.4 | 19.0 | 7.8 | 6.1 | 68.8 | 73.0 |
| 北 部 | | 12,848 | 10,153 | 2.8 | 1.5 | 24.1 | 23.6 | 7.3 | 5.9 | 65.8 | 69.0 |
| ピ エ モ ン テ | ト リ ノ | 2,002 | 1,462 | 4.1 | 1.4 | 22.4 | 22.6 | 6.6 | 5.8 | 66.9 | 70.2 |
| リ グ リ ア | ジェノヴァ | 664 | 515 | 2.7 | 1.3 | 11.9 | 12.7 | 7.8 | 6.1 | 77.6 | 79.9 |
| ロンバルディア | ミ ラ ノ | 4,600 | 3,929 | 1.6 | 1.0 | 25.3 | 24.9 | 7.4 | 5.6 | 65.7 | 68.5 |
| 中 部 | | 5,320 | 3,974 | 2.5 | 1.4 | 15.9 | 14.4 | 8.4 | 6.2 | 73.2 | 78.0 |
| トスカーナ | フィレンツェ | 1,676 | 1,231 | 2.8 | 1.9 | 19.7 | 18.1 | 8.1 | 5.9 | 69.4 | 74.1 |
| ラ ツ ィ オ | ロ ー マ | 2,530 | 2,008 | 1.9 | 1.0 | 8.7 | 9.2 | 8.8 | 6.2 | 80.6 | 83.6 |
| 南 部 | | 6,485 | 4,278 | 7.4 | 3.3 | 13.0 | 12.0 | 8.3 | 6.4 | 71.3 | 78.3 |
| カンパーニャ | ナ ポ リ | 1,692 | 1,122 | 4.7 | 2.7 | 12.3 | 10.8 | 8.0 | 5.6 | 75.0 | 80.9 |
| シ チ リ ア | パレルモ | 1,479 | 1,007 | 7.2 | 3.7 | 9.9 | 9.4 | 7.5 | 5.4 | 75.6 | 81.5 |

## ❷スイスの時計*の輸出 UN Comtradeほか

| 1970年 | 個数(万) | 2012年 | 個数(万) |
|---|---|---|---|
| 総 数 | 5,237 | 総 数 | 2,929 |
| アメリカ合衆国 | 1,354 | （ホンコン） | 342 |
| イギリス | 552 | 中 国 | 327 |
| オストラブ① | 335 | アメリカ合衆国 | 303 |
| スペイン | 238 | フランス | 202 |
| 西 ド イ ツ | 214 | イタリア | 174 |
| イ タ リ ア | 212 | ド イ ツ | 166 |
| アルゼンチン | 150 | サウジアラビア | 134 |
| ブ ラ ジ ル | 104 | アラブ首長国連邦 | 104 |

懐中時計・腕時計　①アラブ首長国連邦の一地方(独立前)

## ❸スウェーデンの鉄鉱石の輸出

| 1970年 | 輸出量(万t) | 2012年 | 輸出量(万t) |
|---|---|---|---|
| 総 数 | 2,873 | 総 数 | 2,287 |
| 西 ド イ ツ | 1,163 | ド イ ツ | 558 |
| ベルギー① | 797 | フィンランド | 289 |
| イ ギ リ ス | 353 | オランダ | 262 |
| オ ラ ン ダ | 138 | サウジアラビア | 239 |
| フ ラ ン ス | 107 | 中 国 | 167 |
| ポーランド | 51 | イギリス | 152 |
| チェコ・スロバキア | 47 | カ タ ー ル | 148 |
| ノ ル ウ ェ ー | 15 | ベ ル ギ ー | 139 |

①ルクセンブルクを含む　EUROSTAT

## ❹スペインの鉱産物の輸出 (2012年)

| 鉱産物名 | 輸出量(千t) | おもな輸出先 (%) |
|---|---|---|
| 鉄 鉱 石 | 184.1 | EU域内(0.03), EU域外(99.97)<br>中国(95.3), チュニジア(4.5) |
| 銅 鉱 | 538.9 | EU域内(79.3), EU域外(20.7)<br>ブルガリア(79.3), 中国(13.7) |
| アルミニウム | 428.6 | EU域内(62.7), EU域外(37.3)<br>オランダ(39.6), ノルウェー(25.0) |
| 鉛 鉱 | 50.2 | EU域内(13.9), EU域外(86.1)<br>中国(47.4), カ ナ ダ(38.7) |
| 亜 鉛 鉱 | 133.9 | EU域内(47.4), EU域外(52.6)<br>ドイツ(23.2), 中国(21.2) |

EUROSTAT

## ❺その他のヨーロッパ諸国の鉱工業生産指数 (2005年=100)

統計月報

| 年次 | オーストリア 総合 | オーストリア 鉱業 | オーストリア 製造業 | フィンランド 総合 | フィンランド 鉱業 | フィンランド 製造業 | ノルウェー 総合 | ノルウェー 鉱業 | ノルウェー 製造業 | スウェーデン 総合 | スウェーデン 鉱業 | スウェーデン 製造業 | スイス 総合 | スイス 鉱業 | スイス 製造業 |
|---|---|---|---|---|---|---|---|---|---|---|---|---|---|---|---|
| 1994 | 52.7 | 79.7 | 50.7 | 59.8 | 79.2 | 57.6 | 89.5 | 87.5 | 96.0 | 71.2 | 88.0 | 69.4 | ①79.6 | — | 78.5 |
| 1999 | 77.9 | 101.8 | 77.7 | 82.1 | 100.2 | 80.7 | 101.9 | 98.9 | 105.3 | 87.0 | 86.7 | 85.7 | 91.2 | 102.4 | 90.4 |
| 2004 | 96.1 | 102.0 | 96.2 | 99.9 | 82.2 | 98.9 | 100.0 | 103.3 | 97.6 | 97.6 | 95.0 | 97.9 | 97.4 | 105.5 | 96.9 |
| 2009 | 102.8 | 110.3 | 100.7 | 94.6 | 90.2 | 93.4 | 93.3 | 87.9 | 107.7 | 85.2 | 91.3 | 84.3 | 115.6 | 106.5 | 116.7 |
| 2012 | 118.5 | 121.0 | 115.0 | 99.6 | 79.1 | 99.8 | 85.2 | 73.9 | 114.6 | 96.6 | 124.4 | 93.9 | 130.3 | 113.7 | 132.1 |

①鉱業を含む

||||||| アメリカ合衆国 |||||||

## ❶州別鉱業生産と工業出荷額（2022年）　赤字は各項目最大の生産量・生産額・出荷額　　2018-2021 Annual Survey of Manufacturesほか

| 州・地域名 | 石炭(百万t)* | 石油①(百万バーレル) | 天然ガス②(億m³) | 非燃料鉱物(百万ドル) | 2021年工業製品出荷額(億ドル) | 食品(%) | 繊維(%) | 材木・家具(%) | 製紙(%) | 化学(%) | 窯業(%) | 金属(%) | 機械(%) |
|---|---|---|---|---|---|---|---|---|---|---|---|---|---|
| アメリカ合衆国計 | 594 | 4,347 | 11,165 | 98,200 | 60,796 | 17.6 | 1.1 | 3.8 | 3.3 | 28.2 | 2.4 | 11.1 | 28.7 |
| ニューイングランド | — | — | — | 859 | 2,170 | 11.1 | 1.4 | 2.6 | 4.0 | 14.6 | 1.7 | 12.7 | 44.5 |
| メ　ー　ン | — | — | — | 100 | 173 | 19.5 | 2.6 | 11.2 | 17.4 | 10.3 | 2.0 | 6.7 | 26.3 |
| ニューハンプシャー | — | — | — | 135 | 224 | 9.9 | 1.5 | 3.3 | 1.2 | 10.2 | 2.9 | 16.6 | 46.9 |
| ヴァーモント | — | — | — | 136 | 96 | 28.8 | 0.0 | 6.1 | 2.0 | 6.8 | 3.5 | 6.4 | 34.1 |
| マサチューセッツ | — | — | — | 206 | 942 | 11.4 | 1.5 | 1.5 | 3.4 | 20.0 | 1.5 | 10.4 | 42.0 |
| ロードアイランド | — | — | — | 88 | 134 | 6.2 | 2.8 | 2.3 | 2.0 | 27.3 | 1.2 | 31.2 | 14.6 |
| コネティカット | — | — | — | 194 | 601 | 6.8 | 0.7 | 1.2 | 2.8 | 7.3 | 1.5 | 13.6 | 61.1 |
| 中部大西洋沿岸 | 40 | 5 | 2,130 | 4,435 | 5,086 | 16.6 | 1.1 | 3.0 | 4.3 | 30.5 | 2.6 | 14.7 | 20.9 |
| ニューヨーク | — | 0.3 | 3 | 1,950 | 1,726 | 14.7 | 1.4 | 2.3 | 3.9 | 32.4 | 2.5 | 12.3 | 23.7 |
| ニュージャージー | — | — | — | 425 | 1,017 | 15.9 | 1.0 | 1.7 | 3.0 | 43.4 | 2.8 | 8.3 | 15.4 |
| ペンシルヴェニア | 40 | 5 | 2,127 | 2,060 | 2,344 | 18.4 | 0.9 | 4.1 | 5.1 | 23.4 | 2.6 | 19.3 | 21.1 |
| 北東中央(五大湖沿岸) | 64 | 35 | 657 | 9,200 | 13,405 | 14.9 | 0.3 | 3.1 | 3.2 | 21.5 | 2.1 | 15.2 | 36.2 |
| オ　ハ　イ　オ | 2 | 22 | 636 | 1,490 | 3,219 | 12.4 | 0.4 | 2.0 | 2.9 | 24.5 | 2.5 | 17.9 | 34.1 |
| インディアナ | 24 | 2 | 1 | 1,380 | 2,895 | 10.4 | 0.3 | 3.9 | 2.0 | 20.5 | 1.8 | 19.0 | 38.6 |
| イ　リ　ノ　イ | 37 | 7 | 1 | 1,250 | 2,796 | 19.9 | 0.4 | 1.6 | 2.4 | 32.0 | 1.8 | 13.4 | 24.6 |
| ミ　シ　ガ　ン | — | 5 | 20 | 3,360 | 2,581 | 8.7 | 0.2 | 3.8 | 2.1 | 14.5 | 2.4 | 11.3 | 54.2 |
| ウィスコンシン | — | — | — | 1,720 | 1,914 | 26.8 | 0.5 | 5.1 | 7.9 | 11.7 | 2.2 | 12.7 | 28.6 |
| 北　西　中　央 | 27 | 417 | 327 | 10,782 | 5,963 | 31.5 | 0.5 | 2.9 | 2.3 | 21.3 | 2.1 | 7.8 | 26.5 |
| ミ　ネ　ソ　タ | — | — | — | 4,780 | 1,375 | 24.1 | 0.6 | 5.0 | 3.0 | 20.3 | 1.9 | 10.2 | 25.9 |
| ア　イ　オ　ワ | — | — | — | 846 | 1,332 | 34.5 | 0.2 | 2.9 | 1.9 | 23.6 | 1.7 | 9.0 | 24.5 |
| ミ　ズ　ー　リ | 0.07 | 0.1 | — | 3,150 | 1,275 | 23.7 | 0.9 | 2.3 | 4.2 | 15.6 | 2.7 | 8.6 | 38.2 |
| ノースダコタ | 27 | 386 | 285 | 105 | 186 | 29.5 | 0.4 | 3.5 | — | 15.3 | 2.6 | 3.2 | 31.8 |
| サウスダコタ | — | 1 | 0.05 | 475 | 211 | 33.4 | 1.0 | 4.7 | 2.5 | 19.9 | 2.4 | 5.7 | 17.7 |
| ネ　ブ　ラ　スカ | — | 1 | 0.1 | 256 | 675 | 54.2 | 0.0 | 1.3 | 1.0 | 17.7 | 1.8 | 4.6 | 13.2 |
| カ　ン　ザ　ス | — | 28 | 42 | 1,170 | 909 | 32.3 | 0.3 | 1.4 | 0.7 | 31.7 | 2.0 | 4.9 | 24.5 |
| 南　　　部 | 156 | 2,075 | 6,030 | 26,444 | 23,802 | 15.1 | 1.6 | 4.2 | 3.6 | 34.2 | 2.5 | 9.9 | 24.9 |
| デラウェア | — | — | — | 25 | 193 | 25.3 | — | 1.5 | — | 30.1 | 1.3 | 2.3 | 7.2 |
| メリーランド | 2 | — | 0.001 | 414 | 452 | 24.5 | 1.7 | 4.8 | 1.1 | 25.5 | 4.1 | 4.4 | 27.7 |
| ワシントンD.C. | — | — | — | — | 3 | 18.2 | — | — | — | — | — | 42.8 | 3.0 |
| ヴァージニア | 11 | 0.01 | 25 | 1,530 | 1,088 | 35.3 | 1.4 | 5.9 | 3.9 | 14.8 | 3.2 | 8.3 | 24.1 |
| ウェストヴァージニア | 83 | 15 | 827 | 204 | 254 | 4.5 | — | 8.3 | 1.0 | 42.1 | 3.7 | 18.7 | 19.4 |
| ノースカロライナ | — | — | — | 1,900 | 2,118 | 25.5 | 4.3 | 6.7 | 4.1 | 23.9 | 2.4 | 8.1 | 22.6 |
| サウスカロライナ | — | — | — | 1,160 | 1,276 | 6.9 | 4.0 | 4.5 | 5.9 | 21.3 | 2.1 | 10.9 | 42.6 |
| ジョージア | — | — | — | 2,320 | 1,899 | 20.0 | 6.8 | 5.2 | 6.7 | 16.9 | 2.4 | 8.6 | 29.7 |
| フ　ロ　リ　ダ | — | 1 | 0.2 | 2,810 | 1,232 | 16.6 | 0.9 | 6.2 | 4.0 | 19.2 | 5.9 | 10.1 | 27.2 |
| ケンタッキー | 29 | 2 | 24 | 806 | 1,427 | 15.1 | — | 2.7 | 4.1 | 12.8 | 2.0 | 13.5 | 41.9 |
| テ　ネ　シ　ー | — | 0.1 | 1 | 1,940 | 1,645 | 19.6 | 1.2 | 3.8 | 3.7 | 19.6 | 2.3 | 11.5 | 33.9 |
| ア　ラ　バ　マ | 10 | 4 | 27 | 1,920 | 1,539 | 10.5 | 1.1 | 5.9 | 5.8 | 14.5 | 4.1 | 20.2 | 36.5 |
| ミシシッピ | 3 | 13 | 8 | 225 | 741 | 10.4 | 0.0 | 9.5 | 3.9 | 10.5 | 1.6 | 12.3 | 25.7 |
| アーカンソー | 0.3 | 4 | 118 | 1,100 | 728 | 26.0 | 0.7 | 6.4 | 6.8 | 15.9 | 1.4 | 22.7 | 18.7 |
| ルイジアナ | 0.002 | 36 | 1,151 | 1,030 | 2,008 | 5.0 | 0.1 | 1.9 | 3.1 | 82.8 | 0.6 | 3.0 | 2.8 |
| オクラホマ | 0.002 | 152 | 783 | 1,030 | 674 | 12.6 | 0.2 | 1.9 | 4.5 | 39.8 | 3.1 | 13.9 | 22.1 |
| テ　キ　サ　ス | 17 | 1,847 | 3,066 | 8,030 | 6,524 | 10.5 | 0.4 | 2.2 | 1.3 | 53.9 | 2.2 | 7.6 | 20.2 |
| 山　　岳 | 307 | 897 | 1,658 | 30,421 | 2,725 | 23.1 | 0.5 | 5.1 | 2.5 | 19.2 | 3.4 | 11.5 | 25.0 |
| モ　ン　タ　ナ | 28 | 21 | 11 | 1,600 | 142 | 9.3 | 0.0 | 8.2 | — | 46.8 | 2.7 | 25.1 | 3.9 |
| ア　イ　ダ　ホ | — | 0.04 | 0.7 | 371 | 273 | 49.9 | 0.3 | 13.1 | 4.0 | 6.6 | 1.5 | 7.0 | 16.0 |
| ワイオミング | 245 | 91 | 292 | 2,480 | 86 | 4.8 | — | 1.9 | — | 73.1 | 5.5 | 5.1 | 4.3 |
| コ　ロ　ラ　ド | 13 | 160 | 519 | 1,870 | 553 | 31.1 | 0.7 | 4.4 | 1.2 | 18.6 | 3.9 | 8.4 | 25.2 |
| ニューメキシコ | 11 | 580 | 761 | 1,470 | 156 | 27.1 | 0.0 | 1.4 | 2.5 | 8.4 | 3.5 | 6.2 | 15.1 |
| ア　リ　ゾ　ナ | — | 0.01 | — | 10,100 | 676 | 15.5 | 0.7 | 4.1 | 2.0 | 9.6 | 3.1 | 12.6 | 43.3 |
| ユ　　タ | 11 | 45 | 74 | 3,600 | 640 | 19.3 | 0.4 | 4.6 | 4.1 | 24.6 | 2.6 | 14.3 | 20.3 |
| ネ　ヴ　ァ　ダ | — | 0.2 | 0.001 | 8,930 | 200 | 16.6 | 0.6 | 3.3 | 2.8 | 6.9 | 7.5 | 11.1 | 21.8 |
| 太平洋沿岸 | 1 | 284 | 144 | 11,870 | 7,644 | 19.8 | 1.0 | 4.9 | 2.4 | 27.0 | 2.1 | 6.9 | 30.7 |
| ワシントン | — | — | — | 901 | 1,136 | 16.7 | 0.5 | 7.1 | 4.7 | 21.8 | 2.3 | 6.6 | 37.8 |
| オ　レ　ゴ　ン | — | — | 0.0 | 693 | 727 | 18.9 | 0.5 | 18.2 | 3.6 | 8.2 | 2.0 | 9.5 | 34.9 |
| カリフォルニア | — | 125 | 39 | 5,610 | 5,659 | 20.1 | 1.2 | 2.8 | 1.9 | 30.5 | 2.0 | 6.8 | 29.3 |
| アラスカ | 1 | 160 | 106 | 4,510 | 64 | 52.6 | — | 1.6 | — | 3.8 | 1.3 | 2.1 | 1.0 |
| ハ　ワ　イ | — | — | — | — | 156 | 22.7 | 0.0 | 2.4 | — | 3.7 | 6.0 | 2.0 | 2.7 |

*short ton(907.185kg)　①海底油田の生産量634　②メキシコ湾での生産量218

## ❷工業生産額（付加価値額*）の変化
2018-2020 Annual Survey of Manufacturesほか

**1960年 1,636億ドル**

| 食品 12.9% | 繊維 7.5 | 製紙 4.0 | 出版印刷 5.7 | 化学 13.1 | 金属 14.4 | 機械 30.3（一般 8.8　電気 8.0　輸送 11.2　2.3） | その他 12.1 |

**1970年 2,983億ドル**

| 11.5% | 7.0 | 3.7 | 5.8 | 14.0 | 14.1 | 32.3（10.6　9.3　9.7　2.7） その他の機械 | 11.6 |

**2020年 23,771億ドル**

| 17.8% | 3.4 | 1.2 1.8 —印刷 | 24.5 | 11.1 | 29.4（7.3　2.7　12.0　7.4）電子など | 10.8 |

*付加価値額とは工業生産額から，原材料費，その他のコストを差し引いた額である

|||||||| アメリカ合衆国 ||||||||

### ❶ボストンの工業生産額* EC'07

| 2007年 | （百万ドル） | （%） |
|---|---|---|
| 総　　　計 | 35,901 | 100 |
| 食 品 工 業 | 2,454 | 6.8 |
| 繊 維 工 業 | 365 | 1.0 |
| 化 学 工 業 | 7,797 | 21.7 |
| （化学製品） | (6,762) | (18.8) |
| (プラスチック・ゴム製品) | (1,035) | (2.9) |
| 金 属 工 業 | 2,292 | 6.4 |
| 機 械 工 業 | 15,332 | 42.8 |
| （一般機械） | (2,426) | (6.8) |
| （電気機械） | (1,065) | (3.0) |
| (コンピュータ・電子) | (11,840) | (33.0) |

*工業生産額は付加価値額を示す

### ❷ニューヨークの工業生産額 EC'07

| 2007年 | （百万ドル） | （%） |
|---|---|---|
| 総　　　計 | 80,411 | 100 |
| 食 品 工 業 | 02)5,123 | 02)6.7 |
| 繊 維 工 業 | 02)4,894 | 02)6.4 |
| 印 刷 工 業 | 02)4,774 | 02)5.9 |
| 化 学 工 業 | 36,584 | 45.5 |
| （化学製品①） | (34,086) | (42.4) |
| (プラスチック・ゴム製品) | (2,498) | (3.1) |
| 金 属 工 業 | 4,729 | 5.9 |
| 機 械 工 業 | 7,384 | 9.2 |
| （一般機械） | (2,245) | (2.8) |
| (コンピュータ・電子) | (5,139) | (6.4) |

①おもに医薬品

### ❸ピッツバーグの工業生産額 EC'02

| 2002年 | （百万ドル） | （%） |
|---|---|---|
| 総　　　計 | 11,857 | 100 |
| 食 品 工 業 | 727 | 6.1 |
| 製 紙 工 業 | 261 | 2.2 |
| 印 刷 工 業 | 372 | 3.1 |
| 化 学 工 業 | 1,667 | 14.1 |
| 窯　　　業 | 816 | 6.9 |
| 金 属 工 業 | 4,163 | 35.1 |
| （鉄　鋼） | (2,382) | (20.1) |
| 機 械 工 業 | 3,287 | 27.7 |
| （一般機械） | (990) | (8.4) |
| （電気機械） | (612) | (5.2) |
| (コンピュータ・電子) | (1,184) | (10.0) |

### ❹ヒューストンの工業生産額 EC'02

| 2002年 | （百万ドル） | （%） |
|---|---|---|
| 総　　　計 | 33,908 | 100 |
| 食 品 工 業 | 2,774 | 8.2 |
| 印 刷 工 業 | 511 | 1.5 |
| 化 学 工 業 | 19,719 | 58.2 |
| （化学製品） | (14,967) | (44.1) |
| （石油・石炭製品） | (3,859) | (11.4) |
| (プラスチック・ゴム製品) | (892) | (2.6) |
| 金 属 工 業 | 3,487 | 10.3 |
| 機 械 工 業 | 5,185 | 15.3 |
| （一般機械） | (2,697) | (8.0) |
| （電気機械） | (489) | (1.4) |
| (コンピュータ・電子) | (1,652) | (4.9) |

### ❺ロサンゼルスの工業生産額 EC'07

| 2007年 | （百万ドル） | （%） |
|---|---|---|
| 総　　　計 | 99,894 | 100 |
| 食 品 工 業 | 9,954 | 10.0 |
| 化 学 工 業 | 12,922 | 12.9 |
| （化学製品） | (9,399) | (9.4) |
| (プラスチック・ゴム製品) | (3,523) | (3.5) |
| 金 属 工 業 | 10,041 | 10.1 |
| 機 械 工 業 | 35,025 | 35.1 |
| （一般機械） | (3,969) | (4.0) |
| （電気機械） | (2,725) | (2.7) |
| （輸送機械） | (10,654) | (10.7) |
| (コンピュータ・電子) | (17,677) | (17.7) |

### ❻世界のおもな多国籍企業（2022年）

2023 Fortune Global 500ほか

| 順位* | 企業名 | 本社所在地 | 業種 | 総収入（百万ドル） | 日本とのおもな関係企業 |
|---|---|---|---|---|---|
| 1 | ウォルマート | ベントンヴィル（アメリカ合衆国） | 小　売 | 611,289 | 西　友 |
| 4 | ア マ ゾ ン | シアトル（アメリカ合衆国） | インターネットサービス・小売 | 513,983 | アマゾンジャパン |
| 8 | ア ッ プ ル | クパティーノ（アメリカ合衆国） | コンピュータ | 394,328 | アップルジャパン |
| 25 | サ ム ス ン 電 子 | スウォン（韓国） | 電気・電子機器 | 234,129 | 日 本 サ ム ス ン |
| 27 | 鴻海精密工業(Foxconn) | シンペイ〔新北〕（台湾） | 電気・電子機器 | 222,535 | シ ャ ー プ |
| 30 | マ イ ク ロ ソ フ ト | レドモンド（アメリカ合衆国） | コンピュータ・ソフトウェア | 198,270 | 日本マイクロソフト |
| 47 | メルセデス・ベンツ グループ | シュツットガルト（ドイツ） | 自 動 車 | 157,782 | 三菱ふそうトラック・バス |
| 112 | ジョンソン・エンド・ジョンソン | ニューブランズウィック（アメリカ合衆国） | 家庭用品・医薬品 | 94,943 | ジョンソン・エンド・ジョンソン |
| 135 | ペ プ シ コ | パーチェス（アメリカ合衆国） | 飲　料 | 86,392 | サントリーフーズ、カルピス |
| 145 | ウォルト・ディズニー・カンパニー | バーバンク（アメリカ合衆国） | エンターテインメント | 82,722 | オリエンタルランド |
| 154 | プロクター・アンド・ギャンブル(PGG) | シンシナティ（アメリカ合衆国） | 家 庭 用 品 | 80,187 | プロクター・アンド・ギャンブル・ジャパン |
| 210 | ユ ニ リ ー バ | ロンドン（イギリス） | 家 庭 用 品 | 63,182 | ユニリーバ・ジャパン |

*世界の全産業の総収入順

|||||||| カナダ ||||||||

### ❼おもな州の資源と工業の生産（2012年）

Statistics Canada

| 州名 | 鉄鉱石06)（千t） | 銅06)（千t） | 石油11)（千m³） | 木材伐採量（千m³） | 工業生産額（千万ドル） |
|---|---|---|---|---|---|
| 総　　　　　計 | 33,543 | 586 | 175,813 | 56,020 | 59,433 |
| ニューファンドランド・ラブラドル | 19,796 | 27 | 15,465 | — | 708 |
| ニューブランズウィック | — | 10 | — | 2,594 | 1,977 |
| ケ ベ ッ ク | 13,649 | 19 | — | 12,170 | 14,052 |
| オ ン タ リ オ | — | 188 | 78 | — | 27,244 |
| マ ニ ト バ | — | 55 | 2,335 | — | 1,562 |
| サ ス カ チ ュ ワ ン | — | — | 25,132 | — | 1,420 |
| ア ル バ ー タ | — | — | 129,851 | 7,995 | 7,356 |
| ブリティッシュコロンビア | 98 | 288 | 1,959 | 29,043 | 3,932 |

### ❽カナダの工業生産額（2012年）

総額5,943億ドル

| 食品 16.7% | 繊維 1.1 | 木材・家具 5.2 | 製紙・印刷 5.6 | 化学 26.2 | 金属 13.7 | 機械 27.5 | その他 4.0 |
|---|---|---|---|---|---|---|---|

Statistics Canada

|||||||| 旧ソ連諸国・東ヨーロッパ諸国 ||||||||

### ❾旧ソ連諸国の貿易相手国（2020年, %）

*旧ソ連諸国との輸出入割合　①EU加盟国

UN Comtrade

| 国名 | 輸出* | 輸出相手国 | 輸入* | 輸入相手国 |
|---|---|---|---|---|
| ロ シ ア 19) | 15.7 | 中国(13.4) オランダ(10.5) ドイツ(6.6) | 12.1 | 中国(21.9) ドイツ(10.2) ベラルーシ(5.5) |
| アゼルバイジャン | 12.9 | イタリア(30.4) トルコ(18.9) ロシア(5.2) | 27.1 | ロシア(18.3) トルコ(14.6) 中国(13.2) |
| ア ル メ ニ ア | 31.0 | ロシア(26.0) スイス(18.5) 中国(11.5) | 39.0 | ロシア(32.6) 中国(11.8) イラン(6.9) |
| ウ ク ラ イ ナ | 14.4 | 中国(14.5) ポーランド(6.7) ロシア(5.2) | 18.1 | 中国(15.4) ドイツ(9.9) ロシア(8.5) |
| ウズベキスタン | 29.5 | ロシア(13.1) 中国(9.1) トルコ(7.1) | 41.5 | 中国(22.2) ロシア(20.4) カザフスタン(10.5) |
| カ ザ フ ス タ ン 19) | 18.4 | イタリア(14.5) 中国(13.6) ロシア(9.7) | 43.0 | ロシア(36.7) 中国(17.1) 韓国(8.9) |
| キ ル ギ ス 18) | 49.7 | イギリス(36.5) ロシア(19.4) カザフスタン(14.7) | 46.0 | 中国(36.7) ロシア(28.5) カザフスタン(11.4) |
| ジ ョ ー ジ ア | 46.7 | 中国(14.3) アゼルバイジャン(13.2) ロシア(13.2) | 30.6 | トルコ(17.5) ロシア(11.1) 中国(8.8) |
| タ ジ キ ス タ ン | 43.4 | トルコ(28.3) カザフスタン(21.2) ウズベキスタン(11.5) | 65.8 | ロシア(29.7) カザフスタン(24.1) 中国(14.0) |
| トルクメニスタン 00) | 52.6 | ロシア(41.1) イタリア(16.0) イラン(9.7) | 40.0 | ロシア(14.3) トルコ(14.2) ウクライナ(12.0) |
| ベ ラ ル ー シ | 65.3 | ロシア(44.6) ウクライナ(10.8) ポーランド(4.3) | 57.0 | ロシア(49.6) 中国(11.1) ドイツ(5.1) |
| モ ル ド バ | 16.9 | ルーマニア(28.4) ドイツ(9.1) ロシア(8.7) | 25.0 | 中国(11.9) ルーマニア(11.7) ロシア(11.1) |
| エ ス ト ニ ア ① | 25.5 | フィンランド(15.1) スウェーデン(10.0) ラトビア(8.7) | 22.1 | ドイツ(9.8) 中国(9.3) ロシア(9.1) |
| ラ ト ビ ア ① | 40.9 | リトアニア(16.4) エストニア(11.7) ロシア(8.4) | 36.0 | リトアニア(17.9) ドイツ(10.4) ポーランド(10.2) |
| リ ト ア ニ ア ① | 28.1 | ラトビア(9.4) ロシア(9.2) ドイツ(8.1) | 26.3 | ポーランド(13.0) ドイツ(12.9) ロシア(8.8) |

### ❿東ヨーロッパ諸国の鉱工業生産指数（2005年＝100）

統計月報

| | クロアチア | | | ハンガリー | | | ポーランド | | | ルーマニア | | | スロバキア | | |
|---|---|---|---|---|---|---|---|---|---|---|---|---|---|---|---|
| | 総合 | 鉱業 | 製造業 | 総合 | 鉱業 | 製造業 | 総合 | 鉱業 | 製造業 | 総合 | 鉱業 | 製造業 | 総合 | 鉱業 | 製造業 |
| 1994 | 68.8 | 87.0 | 71.4 | 43.0 | 156.7 | 37.6 | 48.9 | 135.5 | 43.3 | 88.0 | 124.9 | 79.7 | 62.5 | 108.9 | 55.6 |
| 1999 | 77.6 | 85.7 | 75.1 | 64.1 | 102.6 | 61.2 | 71.6 | 112.1 | 68.7 | 74.8 | 94.6 | 71.5 | 112.5 | 64.9 | |
| 2004 | 95.6 | 103.1 | 94.5 | 93.7 | 103.8 | 92.9 | 96.1 | 102.9 | 95.6 | 103.2 | 102.1 | 103.7 | 102.3 | 116.8 | 102.9 |
| 2009 | 100.4 | 99.4 | 99.4 | 97.6 | 115.4 | 94.9 | 121.0 | 85.7 | 126.2 | 116.9 | 88.7 | 121.6 | 117.7 | 100.8 | 122.6 |
| 2012 | 92.4 | 72.6 | 92.0 | 111.9 | 106.6 | 113.7 | 145.2 | 86.1 | 155.1 | 135.7 | 93.8 | 142.2 | 144.8 | 96.2 | 160.5 |

鉱・工業

中国

## ❶ おもな鉱産資源の生産推移

| 種別 | 単位 | 1965 | 1975 | 1985 | 1995 | 2005 | 2020 |
|---|---|---|---|---|---|---|---|
| 原油 | 百万t | 11 | 77 | 125 | 149 | 181 | 195 |
| 石炭 | 百万t | 232 | 482 | 872 | 1,361 | 2,365 | 3,902 |
| 天然ガス | 億m³ | 11 | 89 | 129 | 179 | 493 | 19)1,762 |
| 鉄鉱石① | 百万t | 38 | 64 | 79 | 249 | 420 | 19)219 |
| 水銀 | t | 896 | 896 | 700 | 780 | 1,100 | 19)3,600 |
| タングステン鉱① | 百t | 150 | 150 | 90 | 150 | 274 | 19)690 |

①含有量　　　　　　　　　　　中統2021ほか

## ❷ おもな石炭産地の生産量（2020年）

| 省・自治区 | 生産量(百万t) | おもな炭田 |
|---|---|---|
| 中国計 | 3,902 | |
| 山西省 | 1,079 | 大同，陽泉 |
| 内モンゴル | 1,026 | 包頭 |
| 陝西省 | 680 | 神府 |
| 新疆ウイグル | 270 | — |
| 貴州省 | 121 | — |
| 安徽省 | 111 | 淮北，淮南 |

中統2021ほか

## ❸ 油田別生産量（'06）

| 油田名 | 生産量(千バーレル/日) | % |
|---|---|---|
| 中国計 | 3,684 | 100 |
| 大慶 | 929 | 25.2 |
| 勝利 | 536 | 14.5 |
| 遼河 | 257 | 7.0 |
| その他陸上油田 | 1,443 | 39.2 |
| 海上油田 | 519 | 14.1 |

石油・天然ガス開発資料2008

## ❹ 工業生産の内訳（億ドル）

中工統2013ほか

| | 1952 | 1957 | 1965 | 1975 | 1980 | 1990 | 2000 | 2012③ 億ドル | 2012③ % |
|---|---|---|---|---|---|---|---|---|---|
| 工業総生産額① | 172 | 392 | 697 | 1,309 | 3,263 | 3,579 | 10,349 | 144,131 | 100 |
| 食品工業 | 41 | 69 | 88 | 157 | 371 | 414 | 1,011 | 13,996 | 9.7 |
| 繊維工業 | 47 | 72 | 110 | 161 | 569 | 518 | 899 | 7,759 | 5.4 |
| 皮革工業 | ... | ... | ... | ... | 33 | 38 | 162 | 1,766 | 1.2 |
| 木材工業 | 11 | 20 | 20 | 25 | 57 | 35 | 124 | 2,524 | 1.8 |
| 製紙・文教品工業② | 4 | 8 | 12 | 17 | 115 | 162 | 341 | 4,304 | 3.0 |
| 化学工業 | 8 | 24 | 90 | 148 | 407 | 528 | 1,387 | 18,105 | 12.6 |
| 石油工業 | 1 | 4 | 23 | 73 | 165 | 178 | 913 | 8,052 | 5.6 |
| 石炭工業 | 4 | 10 | 18 | 34 | 81 | 101 | 154 | 4,791 | 3.3 |
| 建築材料工業 | 5 | 11 | 20 | 41 | 119 | 188 | 489 | 7,656 | 5.3 |
| 金属工業 | 10 | 30 | 75 | 117 | 462 | 473 | 1,142 | 23,555 | 16.3 |
| 　鉄化合物工業 | | | | | (195) | (256) | 835 | 18,965 | 13.2 |
| 　金属製品 | | | | | (181) | (100) | 307 | 4,590 | 3.2 |
| 機械工業 | 20 | 60 | 155 | 362 | 832 | 743 | 2,882 | 41,618 | 28.9 |
| 　一般機械 | | | | | | | 738 | 10,493 | 7.3 |
| 　電気機械 | | | | | (139) | (265) | 584 | 8,586 | 6.0 |
| 　電子・通信機械 | | | | | | | 912 | 12,056 | 8.4 |
| 　輸送機械 | | | | | (151) | (137) | 648 | 10,483 | 7.3 |

工業分類の変更等により，データに継続性はない
①鉱業，電力生産を含む　②文教用品に出版・印刷を含む　③販売額

## ❺ 企業形態別工業生産

中工統2013ほか

| 年 | 工業総生産額(億ドル) | 所有形態別(%) 国有 | 集団 | その他 | 郷鎮企業の生産比(%) |
|---|---|---|---|---|---|
| 1950 | 96 | 32.7 | 0.8 | 66.5 | — |
| 1960 | 825 | 90.6 | 9.4 | — | — |
| 1970 | 984 | 87.6 | 12.4 | — | — |
| 1975 | 1,309 | 81.1 | 18.9 | — | — |
| 1980 | 3,263 | 76.0 | 23.5 | 0.5 | — |
| 1990 | 4,582 | 54.6 | 35.6 | 9.8 | 78.1 |
| 1995 | 11,045 | 34.0 | 21.7 | 44.3 | 72.2 |
| 2000 | 10,347 | 47.3 | 13.9 | 38.8 | — |
| 2012* | 144,131 | 8.0 | 1.2 | 90.8 | — |

1998年より企業形態の区分が変更　*販売額

## ❻ 企業規模および重・軽工業の生産比

| 年 | 企業規模の生産比(%) 大・中企業 | 小企業 | 重・軽工業の生産比(%) 重工業 | 軽工業 |
|---|---|---|---|---|
| 1950 | ... | ... | 29.8 | 70.2 |
| 1960 | ... | ... | 66.7 | 33.3 |
| 1970 | 54.8 | 45.2 | 56.6 | 43.4 |
| 1975 | 51.0 | 49.0 | 56.7 | 43.3 |
| 1980 | 43.2 | 56.8 | 53.1 | 46.9 |
| 1990 | 54.6 | 45.4 | 53.0 | 47.0 |
| 2000 | 56.8 | 43.2 | 60.2 | 39.8 |
| 2012* | 64.4 | 35.6 | 71.3 | 28.7 |

*販売額　　　　　　　　　中工統2013ほか

## ❼ 省別工業生産（2022年）

赤字は各項目の上位3地域

| 省・自治区 直轄市 | 工業生産額(億ドル) | 石炭(万t) | 原油(万t)② | 発電量(億kWh) | 農業用化学肥料(万t) | 粗鋼(万t) | セメント(万t) | 化学繊維(万t) | 自動車(万台) | カラーテレビ(万台) | パソコン(万台) | 携帯電話(万台) |
|---|---|---|---|---|---|---|---|---|---|---|---|---|
| 全国 | 173,369 | 455,855 | 19,888 | 88,487 | 5,573 | 101,796 | 212,927 | 6,698 | 2,714 | 19,578 | 43,418 | 156,080 |
| 黒竜江省 | 1,671 | 6,955 | 2,946 | 1,218 | 80 | 961 | 1,881 | 3 | 8 | — | — | — |
| 吉林省 | 3,524 | 971 | 414 | 1,057 | 23 | 1,357 | 1,731 | 52 | 216 | — | — | — |
| 遼寧省 | 3,166 | 3,158 | 1,054 | 2,257 | 31 | 7,452 | 3,911 | 10 | 77 | — | 49 | 19 |
| 北京市 | 2,685 | — | — | 467 | — | — | 203 | 0.4 | 87 | 392 | 859 | 9,430 |
| 天津市 | 4,012 | — | 3,407 | 765 | 48 | 1,738 | 529 | 1 | 60 | — | 0.1 | 2 |
| 内モンゴル | 2,993 | 121,354 | 42 | 6,619 | 401 | 2,957 | 3,597 | 1 | 5 | 189 | — | — |
| 河北省 | 7,059 | 4,706 | 545 | 3,793 | 193 | 21,195 | 10,034 | 94 | 91 | 0.4 | — | — |
| 山東省 | 22,405 | 8,753 | 2,211 | 6,204 | 430 | 7,600 | 13,523 | 80 | 102 | 2,546 | 1 | 454 |
| 山西省 | 1,920 | 132,009 | — | 4,299 | 365 | 6,423 | 4,845 | 2 | 17 | — | 4 | 2,742 |
| 河南省 | 11,950 | 9,804 | 235 | 3,430 | 396 | 3,187 | 11,485 | 80 | 55 | 36 | 97 | 15,623 |
| 上海市 | 4,674 | — | 51 | 955 | 1 | 1,501 | 370 | 19 | 302 | 85 | 2,761 | 3,204 |
| 重慶市 | 3,536 | — | — | 998 | 166 | 975 | 5,321 | 23 | 204 | — | 8,632 | 7,449 |
| 江蘇省 | 23,451 | 964 | 151 | 6,077 | 162 | 11,905 | 14,236 | 1,632 | 94 | 737 | 3,330 | 5,455 |
| 浙江省 | 10,028 | — | — | 4,350 | 32 | 1,378 | 12,950 | 3,221 | 125 | — | 130 | 2,616 |
| 安徽省 | 6,371 | 11,177 | — | 3,299 | 230 | 3,709 | 14,219 | 51 | 175 | 1,026 | 2,950 | 92 |
| 江西省 | 4,956 | 216 | — | 1,725 | 112 | 2,690 | 8,997 | 125 | 41 | 4 | 4,947 | 9,342 |
| 湖北省 | 7,118 | 73 | 53 | 3,109 | 591 | 3,656 | 11,056 | 40 | 185 | 247 | 1,336 | 6,25… |
| 湖南省 | 5,918 | 800 | — | 1,768 | 82 | 2,613 | 9,989 | 7 | 26 | 7 | 208 | 4,846 |
| 貴州省 | 1,738 | 13,069 | — | 2,299 | 248 | 462 | 6,428 | 2 | 5 | 284 | 0.1 | 1,313 |
| 四川省 | 6,337 | 2,269 | 9 | 4,846 | 382 | 2,787 | 13,070 | 70 | 72 | 1,544 | 9,221 | 12,63… |
| 福建省 | 6,518 | 445 | — | 3,089 | 48 | 3,197 | 9,693 | 1,031 | 34 | 1,076 | 1,185 | 3,16… |
| 広東省 | 19,541 | — | 1,745 | 6,366 | 6 | 3,572 | 15,226 | 76 | 415 | 10,792 | 6,949 | 62,69… |
| 広西壮族 | 3,523 | 381 | 47 | 2,116 | 44 | 3,793 | 10,420 | 1 | 177 | 580 | 180 | 2,64… |
| 雲南省 | 1,517 | 6,741 | — | 4,017 | 245 | 2,248 | 9,694 | 4 | 2 | — | 571 | 2,90… |
| 海南省 | 266 | — | 37 | 406 | 64 | — | 1,626 | — | 2 | — | — | — |
| 陝西省 | 3,279 | 74,876 | 2,553 | 2,852 | 158 | 1,476 | 6,530 | 5 | 134 | 12 | 8 | 3,11… |
| 寧夏回族 | 587 | 9,479 | 135 | 2,235 | 72 | 596 | 1,667 | 6 | — | — | — | — |
| 甘粛省 | 982 | 5,414 | 1,029 | 1,954 | 24 | 1,085 | 4,048 | 0.2 | 1 | — | — | — |
| 青海省 | 401 | 937 | 234 | 998 | 555 | 121 | 979 | 1 | — | — | — | — |
| 新疆ウイグル | 1,220 | 41,305 | 2,990 | 4,793 | 384 | 1,163 | 3,877 | 63 | 1 | 1 | 8 | — |
| チベット | 25 | — | — | 128 | — | — | 793 | — | — | — | — | — |

①2016年販売額。鉱業，電力生産を含む　②2021年
中統2023ほか

鉱・工業

||||| 東南アジア諸国 |||||

## ❶ASEAN諸国の輸出品構成（2022年，%）　赤字は各国の最大割合　　UN Comtrade

| 品　目 | シンガポール | ベトナム[21] | マレーシア[21] | タ　イ[21] | インドネシア[21] | フィリピン | カンボジア[21] | ミャンマー[21] | ブルネイ | ラオス[21] |
|---|---|---|---|---|---|---|---|---|---|---|
| 輸出額（億ドル） | 5,150 | 3,358 | 2,992 | 2,667 | 2,315 | 789 | 176 | 151 | 142 | 72 |
| 食　　品 | 2.8 | 8.0 | 3.3 | 13.0 | 7.9 | 6.3 | 4.8 | 28.7 | 0.3 | 20.4 |
| 鉱物燃料・鉱物 | 13.0 | 1.2 | 13.2 | 4.3 | 23.6 | 5.5 | 0.4 | 21.6 | 80.4 | 31.8 |
| 化　　学 | 11.6 | 2.8 | 7.6 | 10.7 | 5.8 | 2.4 | 0.7 | 0.1 | 17.5 | 3.7 |
| 繊　　維 | 0.4 | 12.6 | 5.5 | 3.3 | 5.5 | 1.4 | 48.1 | 26.2 | 0.04 | 3.0 |
| 金　　属 | 2.0 | 6.4 | 7.3 | 5.1 | 12.4 | 4.0 | 1.1 | 0.5 | 0.5 | 1.3 |
| 電 気 機 械 | 26.3 | 11.8 | 29.5 | 11.5 | 3.8 | 50.1 | 5.4 | 0.6 | 0.05 | 0.8 |
| 輸 送 機 械 | 2.2 | 1.6 | 1.3 | 12.4 | 3.8 | 2.3 | 4.0 | 1.2 | 0.4 | 0.1 |

食品：食料品・飲料。たばこを含む。　鉱物燃料・鉱物：石炭・原油・石油製品・天然ガス等の鉱物燃料，鉄鉱石・銅鉱石等の鉱物。
化学：化学品の他，有機化合物，無機化合物，医薬品，プラスチック類など。繊維：繊維品，衣類。履物は含まない。金属：鉄鋼・金属

## ❷GDPに占める製造業の割合（%）　UNSD資料

| 国　名 | 1970〜79 | 1980〜89 | 1990〜99 | 2000〜09 | 2010〜19 |
|---|---|---|---|---|---|
| インドネシア | 9.6 | 15.2 | 23.8 | 24.6 | 20.8 |
| マレーシア | 18.8 | 20.7 | 27.3 | 27.2 | 22.4 |
| フィリピン | 28.1 | 27.2 | 25.2 | 23.8 | 20.1 |
| シンガポール | 22.4 | 23.7 | 23.5 | 24.0 | 18.9 |
| タ　イ | 19.5 | 23.4 | 26.5 | 29.6 | 27.5 |
| ベトナム | 16.0 | 16.0 | 15.7 | 20.8 | 21.4 |
| 日　本 | 30.3 | 27.6 | 24.2 | 21.1 | 20.1 |
| 韓　国 | 20.8 | 25.2 | 25.1 | 25.4 | 26.9 |

## ❹日本の進出企業数と賃金　ジェトロ資料ほか

| 国　名 | 日本の進出企業数[1] 2000 | 2020 | 月額賃金（ドル）[2] 2000 | 2020 | 指標とする都市 |
|---|---|---|---|---|---|
| タ　イ | 1,114 | 2,721 | 147 | 447 | バンコク |
| シンガポール | 800 | 1,549 | 442〜594 | 1,907 | シンガポール |
| インドネシア | 513 | 1,390 | 30〜214 | 421 | ジャカルタ |
| ベトナム | 141 | 1,358 | 78〜108 | 241 | ハノイ |
| マレーシア | 639 | 1,043 | 341 | 431 | クアラルンプール |
| フィリピン | 333 | 658 | 114〜244 | 272 | マ ニ ラ |
| ミャンマー | 8 | 167 | 23〜40 | 181 | ヤンゴン |
| カンボジア | 4 | 118 | [07]100 | 222 | プノンペン |
| ラオス | 3 | 28 | [07]69 | 210 | ビエンチャン |

日本（横浜）3,288ドル（00年），3,040ドル（20年）　[1]日本企業の出資比率合計10%以上の現地法人，海外支店・事務所　[2]指標とする都市の日系企業の製造業ワーカー（一般工職）賃金

## ❸マレーシアのすず・原油の生産

| 年 | すず鉱（含有量） t | 世界比（%） | 原　油 百万t |
|---|---|---|---|
| 1970 | 73,795 | 31.8 | 0.9 |
| 1980 | 61,404 | 25.1 | 13.2 |
| 1990 | 28,500 | 12.9 | 29.5 |
| 2000 | 6,307 | 2.3 | 33.6 |
| 2010 | 2,668 | 1.0 | 33.1 |
| 2019 | 3,611 | 1.2 | 28.6 |

ミネラルズほか

## ❺インドネシアの原油・天然ガス・石炭の生産　IEA資料ほか

| 年 | 原　油（百万t） | 天然ガス（億m³） | 石　炭*（百万t） |
|---|---|---|---|
| 1970 | 43.1 | 12.8 | 0.2 |
| 1980 | 79.0 | 187.9 | 0.3 |
| 1990 | 74.4 | 445.4 | 7.3 |
| 2000 | 71.8 | 706.9 | 76.8 |
| 2010 | 48.6 | 870.0 | 319.2 |
| 2021 | 32.0 | 584.2 | [20]552.6 |

＊無煙炭・瀝青炭の計

||||| 南アジア諸国 |||||

## ❻インドの鉄鋼生産

| 年 | 銑鉄 万t | 世界比 % | 粗鋼 万t | 世界比 % |
|---|---|---|---|---|
| 1990 | 1,200 | 2.3 | 1,496 | 1.9 |
| 1995 | 1,903 | 3.6 | 2,200 | 2.9 |
| 2000 | 2,132 | 3.7 | 2,692 | 3.2 |
| 2005 | 2,713 | 3.4 | 4,578 | 4.0 |
| 2010 | 3,956 | 3.8 | 6,898 | 4.8 |
| 2015 | 5,839 | 5.0 | 8,903 | 5.5 |
| 2021 | 7,763 | 5.7 | 11,820 | 6.0 |

Steel Statistical Yearbook '22 ほか

## ❼インドの州別工業生産額（2017年）

| 州　名 | 億ドル | おもな都市 |
|---|---|---|
| イ ン ド 総 計 | 12,395 | |
| グ ジ ャ ラ ー ト | 2,088 | アーメダーバード |
| マハーラーシュトラ | 1,842 | ム ン バ イ |
| タ ミ ル ナ ド ゥ | 1,326 | チ ェ ン ナ イ |
| カ ル ナ ー タ カ | 812 | ベ ン ガ ル ー ル |
| ウッタル・プラデシュ | 790 | ラ ク ナ ウ |
| ハ リ ヤ ー ナ | 773 | チャンディガル |
| ウェストベンガル | 490 | コ ル カ タ |
| アンドラ・プラデシュ | 478 | ヴィシャーカパトナム |
| ラージャスターン | 457 | ジ ャ イ プ ル |
| マッディヤ・プラデシュ | 395 | ボ パ ー ル |

上位10州　　　インド政府統計局資料

## ❽インドの自動車生産台数

| 年 | 生産台数（千台） |
|---|---|
| 1980 | 113 |
| 1990 | 364 |
| 2000 | 888 |
| 2010 | 3,554 |
| 2019 | 4,524 |

☞ p.91⑧　　国際自動車工業連合会資料ほか

## ❾南アジアの繊維輸出（億ドル）　WTO資料

| 年 | インド 繊維品 | 衣類 | パキスタン 繊維品 | 衣類 | バングラデシュ 繊維品 | 衣類 |
|---|---|---|---|---|---|---|
| 1990 | 21.8 | 25.3 | 26.6 | 10.1 | 3.4 | 6.4 |
| 2000 | 55.9 | 59.7 | 45.3 | 21.4 | 3.9 | 50.7 |
| 2010 | 128.3 | 112.3 | 78.5 | 39.3 | 12.6 | 148.6 |
| 2020 | 150.4 | 129.7 | 71.1 | 61.8 | 16.8 | 274.7 |

繊維品は糸・布地・織物など，衣類は縫製したもの　☞ p.91②③

鉱・工業

━━━━━ アフリカ諸国 ━━━━━

## ❶南アフリカ共和国の鉱産資源の生産（％は世界生産に対する割合）

ミネラルズほか

| 年 | 石炭 | | 鉄鉱石 | | ニッケル鉱* | | すず鉱* | | マンガン鉱 | | クロム鉱 | | 金鉱* | | ダイヤモンド | | 銅鉱石* | |
|---|---|---|---|---|---|---|---|---|---|---|---|---|---|---|---|---|---|---|
| | 万t | % | 千t | % | 千t | % | t | % | 千t | % | 千t | % | t | % | 千カラット | % | 千t | % |
| 1940 | 1,749 | 1.5 | 396 | 0.5 | 0.49 | 0.4 | 603 | 0.3 | 175 | 13.4 | 73 | 14.4 | 44 | 38.9 | 1,239 | 10.7 | 14 | 0.6 |
| 1950 | 2,647 | 2.2 | 717 | 0.8 | 0.84 | 0.7 | 653 | 0.4 | 332 | 19.5 | 225 | 24.2 | 36 | 48.3 | 1,732 | 11.3 | 33 | 1.5 |
| 1960 | 3,817 | 1.9 | 1,965 | 0.9 | 3.0 | 1.1 | 1,286 | 0.8 | 438 | 7.9 | 341 | 25.1 | 67 | 63.5 | 3,140 | 11.5 | 46 | 1.2 |
| 1965 | 4,846 | 2.4 | 3,745 | 1.1 | 3.0 | 0.7 | 1,694 | 1.1 | 725 | 10.7 | 421 | 20.4 | 95 | 74.2 | 5,026 | 13.7 | 60 | 1.2 |
| 1970 | 4,561 | 2.1 | 5,869 | 1.4 | 11.6 | 1.7 | 1,986 | 1.1 | 1,178 | 15.9 | 643 | 22.6 | 100 | 78.2 | 6,112 | 17.1 | 148 | 2.4 |
| 1980 | 11,659 | 4.1 | 16,574 | 3.3 | 28.3 | 3.4 | 2,913 | 1.2 | 6,278 | 21.6 | 1,571 | 35.1 | 674 | 55.3 | 8,522 | 20.7 | 201 | 2.6 |
| 1990 | 17,574 | 5.0 | 30,291 | 3.1 | 29.0 | 3.0 | 1,140 | 0.5 | 4,402 | 17.4 | 4,618 | 35.6 | 605 | 28.4 | 8,710 | 7.8 | 179 | 2.0 |
| 2000 | 22,529 | 6.6 | 33,707 | 3.1 | 36.6 | 2.9 | — | | 3,635 | 13.9 | 6,621 | 45.7 | 428 | 16.6 | 10,780 | 9.1 | 137 | 1.0 |
| 2010 | 25,452 | 4.3 | *36,900 | 3.2 | 40.0 | 2.4 | — | | *2,900 | 19.7 | 11,340 | 45.0 | 189 | 7.3 | 8,863 | 6.9 | 103 | 0.6 |
| 2018 | 25,564 | 3.8 | 19)*41,200 | 2.7 | 43.2 | 1.8 | — | | 20)*6,500 | 34.4 | 19)16,395 | 36.6 | 117 | 3.5 | 9,909 | 6.7 | 48 | 0.3 |

*含有量

## ❷アフリカ諸国の原油・石油製品の生産（千t）

製品はガソリン・灯油の計

| 年 | アルジェリア | | エジプト | | ガボン | | ナイジェリア | | 南アフリカ共和国① | | モロッコ | | リビア | |
|---|---|---|---|---|---|---|---|---|---|---|---|---|---|---|
| | 原油 | 製品 | 原油 | 製品 | 原油 | 製品 | 原油 | 製品 | 原油 | 製品 | 原油 | 製品 | 原油 | 製品 |
| 1940 | 0.24 | — | 929 | 38)113 | — | — | — | — | — | 38)18 | 4.5 | — | — | — |
| 1950 | 3.41 | — | 2,349 | 351 | — | — | — | — | — | 26 | 39.3 | 6 | — | — |
| 1955 | 58 | — | 1,819 | 512 | — | — | — | — | — | 386 | 102 | 43 | — | — |
| 1960 | 8,632 | — | 3,319 | 703 | 800 | — | 849 | — | — | 656 | 92 | 85 | — | — |
| 1965 | 26,025 | 617 | 6,481 | 1,747 | 1,264 | — | 13,538 | 62 | — | 1,551 | 103 | 315 | 109,045 | — |
| 1970 | 47,281 | 717 | 16,410 | 1,011 | 5,423 | — | 54,203 | 307 | — | 2,743 | 46 | 384 | 161,708 | — |
| 1980 | 47,412 | 1,209 | 29,400 | 3,627 | 8,895 | — | 104,190 | 3,200 | — | 4,150 | 14 | 433 | 88,324 | — |
| 1990 | 13,021 | 2,020 | 47,053 | 5,910 | 13,493 | — | 86,538 | 4,400 | — | 4,775 | 15 | 437 | 67,162 | — |
| 2000 | 42,315 | 2,386 | 34,807 | 5,910 | 15,470 | 79 | 108,541 | 1,711 | 8,223 | 9,472 | 13 | 481 | 65,318 | 2,356 |
| 2005 | 62,545 | 2,070 | 32,675 | 3,495 | 10,736 | 89 | 125,542 | 680 | 1,370 | 8,476 | 7 | 374 | 80,247 | 2,347 |
| 2011 | 71,675 | 2,568 | 34,599 | 4,489 | 12,683 | 125 | 118,150 | 1,951 | 07)1,027 | 6,604 | 07)14 | 415 | 22,492 | 338 |

①2007年以前は南部アフリカ関税同盟：南アフリカ共和国，ボツワナ，レソト，ナミビア，スワジランド（現エスワティニ）　世エネ'11ほか

━━━━━ ラテンアメリカ諸国 ━━━━━

## ❸ラテンアメリカ諸国の鉱産資源生産量　赤字は各項目の最大値

| 国名 | 原油（万t） | | 鉄鉱石（万t） | | 銅鉱（千t） | | マンガン鉱（千t） | | ボーキサイト（千t） | | 鉛鉱（千t） | | 銀鉱（t） | | すず鉱（t） | |
|---|---|---|---|---|---|---|---|---|---|---|---|---|---|---|---|---|
| | 1990 | 2019 | 1990 | 2019 | 1990 | 2018 | 1990 | 2020 | 1990 | 2019 | 1990 | 2018 | 1990 | 2018 | 1990 | 2019 |
| ジャマイカ | — | — | — | — | — | — | — | — | 10,900 | 9,022 | — | — | — | — | — | — |
| メキシコ | 13,866 | 8,839 | 711 | 714 | 294 | 751 | 166 | 198 | — | — | 187 | 240 | 2,420 | 6,049 | 5 | — |
| ホンジュラス | — | — | — | — | — | 1 | — | — | — | — | 6 | 10 | 31 | 31 | — | — |
| アルゼンチン | 2,492 | 2,627 | 68 | 2 | 0.4 | 17 | — | — | — | — | 23 | 27 | 83 | 1,024 | 123 | — |
| エクアドル | 1,492 | 2,771 | — | — | 0.1 | 8 | — | — | — | — | 0.2 | — | — | 1 | — | — |
| ガイアナ | — | 6 | — | — | — | — | — | — | 1,420 | 1,900 | — | — | — | — | — | — |
| コロンビア | 2,262 | 4,653 | 28 | 39 | 0.3 | 10 | — | — | — | — | 0.3 | — | 7 | 16 | — | — |
| スリナム | — | 83 | — | — | — | — | — | — | 3,280 | 15)1,600 | — | — | — | — | — | — |
| チリ | 85 | 17 | 504 | 843 | 1,590 | 5,832 | 12 | — | — | — | 1 | 1 | 655 | 1,370 | — | — |
| ベネズエラ | 11,131 | 5,280 | 1,310 | 68 | — | — | — | — | 771 | — | — | — | — | — | — | — |
| ブラジル | 3,194 | 14,147 | 9,990 | 25,800 | 36 | 386 | 897 | 494 | 9,680 | 34,000 | 9 | 7 | 171 | 40 | 39,100 | 13,993 |
| ペルー | 638 | 262 | 215 | 1,012 | 339 | 2,437 | — | — | — | — | 210 | 289 | 1,930 | 4,160 | 5,130 | 19,853 |
| ボリビア | 110 | 174 | 8 | — | 0.2 | 3 | — | — | — | — | 20 | 112 | 311 | 1,191 | 17,200 | 17,000 |

ミネラルズほか

## ❹ブラジルの鉄鋼生産の推移　Steel Statistical Yearbook '21ほか

| | 1960 | 1970 | 1980 | 1990 | 2000 | 2010 | 2020 |
|---|---|---|---|---|---|---|---|
| 銑鉄生産量（千t） | 1,783 | 4,296 | 13,379 | 21,141 | 27,723 | 30,955 | 24,628 |
| 粗鋼生産量（千t） | 2,260 | 5,390 | 10,232 | 20,567 | 27,865 | 32,948 | 31,415 |
| 粗鋼消費量（千t） | 2,668 | 6,088 | 16,241 | 10,189 | 17,500 | 29,004 | 23,832 |

## ❺ラテンアメリカ諸国の鉱工業生産指数（2005年=100）

| | 鉱業 | 工業総合 | 電気・ガス |
|---|---|---|---|
| 1992 | 51.9 | 68.0 | 46.3 |
| 1997 | 72.0 | 82.5 | 68.1 |
| 2003 | 95.1 | 91.5 | 95.4 |
| 2013 | 179.9 | 122.1 | 138.7 |

統計月報

鉱・工業

|||||||| オーストラリア ||||||||||||||||||||||||||||||||||||||||||||||||||||||

## ❶おもな鉱産資源の生産量と輸出

ミネラルズほか

| 鉱産資源 | 単位 | 1990 | 2000 | 2010 | 2021 | 鉱産物輸出の総額比(%)① |
|---|---|---|---|---|---|---|
| **金　　属** | | | | | | **39.7** |
| ボーキサイト | (千t) | 41,400 | 53,802 | 68,414 | [20]104,328 | 2.0② |
| 銅 | (千t) | 327 | 832 | 870 | [20]885 | 1.7 |
| 鉄　鉱　石 | (万t) | 6,980 | 10,656 | 27,100 | [20]56,452 | 33.9 |
| 鉛 | (千t) | 570 | 739 | 625 | [20]494 | 0.2 |
| 亜　　鉛 | (千t) | 940 | 1,420 | 1,479 | 1,323 | 0.6 |
| 金 | (t) | 244 | 296 | 261 | 315 | 5.1 |
| ウ ラ ン | (t) | 3,530 | 7,579 | 6,309 | 3,456 | — |
| **非 金 属** | | | | | | — |
| 塩 | (千t) | 7,230 | 8,798 | 11,540 | [19]11,474 | — |
| **燃料用鉱物** | | | | | | **27.7** |
| 石　　炭 | (万t) | 14,179 | 21,617 | 33,814 | 39,390 | 13.6 |
| 石　　油 | (万t) | 2,547 | 2,387 | 2,203 | 1,483 | 2.9③ |

①鉱産物の輸出総額に占める割合(2021年)
②アルミナ　③原油および石油製品の計

## ❷オーストラリアの輸出額の割合とおもな鉱物の輸出先

UN Comtradeほか

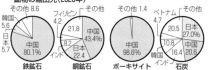

輸出額の割合
1981年　総額225億ドル

| 食料 30.1% | 工業原料 46.6 | 工業製品 21.1 |
|---|---|---|

穀類 11.4　肉類 7.4　羊毛など 9.1　金属鉱物 17.5　石炭類 12.2　石油類 3.0　その他 2.2

2020年　総額2,450億ドル

| 食料10.0% | 工業原料 52.9 | 工業製品 20.6 | その他 16.5 |
|---|---|---|---|

肉類4.1　羊毛など0.6　金属鉱物36.9　石炭類12.3　金属7.2　石油類1.6　非金属1.8　鉄鋼0.3

鉱物の輸出先(2020年)

**鉄鉱石**　中国 80.1%　日本 5.7　韓国 5.6　その他 8.6
**銅鉱石**　中国 43.4%　日本 22.4　インド 8.2　フィリピン 4.2　その他 21.8
**ボーキサイト**　中国 98.6%　その他 1.4
**石炭**　日本 27.0%　中国 20.6　インド 16.4　韓国 10.8　ベトナム 4.7　その他 20.5

|||||||| 日本 ||||||||||||||||||||||||||||||||||||||||||||||||||||||||||

## ❸日本の輸出製品にみる産業構造の変化

財務省貿易統計ほか

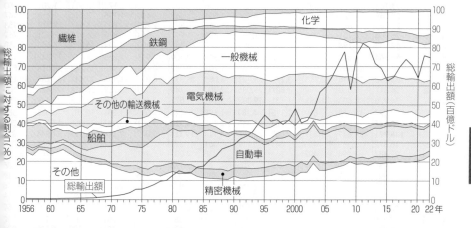

繊維　鉄鋼　一般機械　化学　電気機械　その他の輸送機械　船舶　自動車　その他　総輸出額　精密機械

総輸出額に対する割合(%)　総輸出額(百億ドル)
1956　60　65　70　75　80　85　90　95　2000　05　10　15　20　22年

鉱・工業

## ❹日本の海外進出企業(2022年) 上段：2000年 下段：2022年

海外進出企業総覧2023ほか

| | 世界計 | 韓国 | 中国 | (台湾) | ベトナム | タイ | インドネシア | インド | アメリカ合衆国 | アジア | ヨーロッパ | 北米 | 中南米 | アフリカ | オセアニア |
|---|---|---|---|---|---|---|---|---|---|---|---|---|---|---|---|
| 全 産 業 | 18,579 | 482 | 2,498 | 870 | 172 | 1,306 | 667 | 166 | 3,569 | 52.9 | 17.5 | 20.8 | 4.8 | 0.6 | 3.4 |
| | 33,099 | 961 | 6,862 | 1,206 | 1,467 | 2,753 | 1,414 | 978 | 4,222 | 63.3 | 15.0 | 13.9 | 4.8 | 0.6 | 2.4 |
| 製 造 業 | 7,969 | 304 | 1,807 | 469 | 119 | 793 | 473 | 123 | 1,259 | 67.8 | 9.7 | 17.0 | 3.8 | 0.3 | 1.4 |
| | 12,703 | 386 | 3,768 | 428 | 668 | 1,306 | 703 | 446 | 1,451 | 71.0 | 11.0 | 12.3 | 4.4 | 0.5 | 0.8 |
| 〈繊　維〉 | 556 | 12 | 296 | 14 | 15 | 47 | 52 | 3 | 25 | 87.6 | 3.1 | 4.7 | 3.4 | 0.5 | 0.1 |
| | 480 | 7 | 210 | 8 | 49 | 43 | 47 | 6 | 24 | 88.3 | 4.2 | 5.0 | 2.3 | 0.2 | — |
| 〈化　学〉 | 975 | 60 | 173 | 74 | 16 | 76 | 66 | 14 | 169 | 65.5 | 11.9 | 18.3 | 2.4 | 0.2 | 1.2 |
| | 2,010 | 93 | 577 | 97 | 84 | 219 | 112 | 55 | 221 | 73.3 | 10.6 | 11.5 | 3.2 | 0.5 | 0.9 |
| 〈電気機器〉 | 1,657 | 64 | 382 | 103 | 16 | 121 | 96 | 22 | 212 | 71.0 | 10.8 | 13.2 | 4.1 | 0.4 | 0.5 |
| | 2,153 | 68 | 711 | 93 | 122 | 181 | 65 | 47 | 183 | 75.1 | 11.7 | 8.9 | 3.2 | 0.4 | 0.5 |
| 〈輸送機器〉 | 1,237 | 38 | 161 | 46 | 17 | 160 | 76 | 55 | 278 | 57.0 | 10.8 | 24.7 | 5.8 | 0.4 | 1.3 |
| | 2,125 | 40 | 556 | 39 | 72 | 261 | 154 | 141 | 279 | 65.2 | 9.6 | 14.6 | 9.6 | 0.9 | 0.1 |
| 商　　業 | 5,616 | 103 | 300 | 284 | 6 | 259 | 41 | 12 | 1,060 | 41.2 | 28.0 | 21.2 | 4.7 | 0.6 | 4.3 |
| | 13,814 | 466 | 2,303 | 609 | 527 | 1,009 | 468 | 388 | 1,604 | 60.8 | 18.0 | 13.1 | 5.0 | 0.7 | 2.4 |
| 金 融・ | 4,285 | 66 | 326 | 95 | 30 | 189 | 97 | 23 | 1,171 | 39.2 | 20.3 | 26.6 | 6.3 | 0.9 | 4.7 |
| サ ー ビ ス | 5,708 | 101 | 717 | 150 | 205 | 347 | 165 | 119 | 1,089 | 51.7 | 18.0 | 20.0 | 4.7 | 0.7 | 4.9 |

日本企業の出資比率合計10%以上の現地法人，および海外支店・事務所を対象とする。

**●都道府県別・業種別工業製品出荷額**（2021年，億円）　赤字は各項目の上位1位，太字は2〜5位　経済構造実態調査ほか

| 都道府県名 | 製造品出荷額① | 食料品・飲料・たばこ・飼料 | 繊維 | パルプ・紙・紙加工品 | 化学② | 窯業・土石製品 | 鉄鋼 | 非鉄金属 | 金属製品 | 電気機械③ | 輸送機械 | その他の機械④ |
|---|---|---|---|---|---|---|---|---|---|---|---|---|
| 1960年 | 155,786 | 19,266 | 19,227 | 6,007 | 20,695 | 5,375 | 16,517 | 6,704 | 6,102 | 12,942 | 13,293 | 12,143 |
| 1970年 | 690,348 | 71,506 | 53,466 | 22,696 | 80,982 | 24,697 | 65,648 | 30,547 | 37,277 | 73,305 | 72,758 | 68,028 |
| 1980年 | 2,146,998 | 225,126 | 111,320 | 67,993 | 356,644 | 83,645 | 178,956 | 81,186 | 106,465 | 222,346 | 249,536 | 175,998 |
| 1990年 | 3,270,931 | 334,220 | 129,081 | 88,732 | 461,526 | 108,577 | 183,131 | 78,526 | 191,197 | 546,668 | 469,497 | 337,110 |
| 2000年 | 3,035,824 | 351,146 | 68,364 | 79,858 | 470,007 | 89,787 | 119,630 | 62,189 | 155,868 | 595,817 | 444,474 | 304,210 |
| 2010年 | 2,908,209 | 339,171 | 39,296 | 71,430 | 552,801 | 71,779 | 181,776 | 89,294 | 125,392 | 444,107 | 542,608 | 308,831 |
| 全　国 | **2,927,203** | **367,114** | **28,746** | **64,771** | **585,883** | **69,692** | **181,935** | **110,436** | **126,596** | **377,483** | **510,086** | **376,844** |
| 北 海 道 | 55,653 | 23,735 | 247 | 2,566 | 9,659 | 1,982 | 3,810 | 339 | 2,292 | 2,478 | 3,827 | 1,501 |
| 青　森 | 13,195 | 4,976 | 34 | 827 | •591 | 390 | 1,005 | 253 | 440 | 2,673 | 140 | 1,390 |
| 岩　手 | 25,326 | 4,008 | 112 | 375 | 1,481 | 825 | 894 | 216 | 1,064 | 3,647 | 6,084 | 4,906 |
| 宮　城 | 47,019 | 7,907 | 91 | 1,446 | 8,678 | 1,188 | 1,800 | 801 | 1,478 | 8,297 | 5,971 | 7,193 |
| 秋　田 | 12,356 | 1,089 | 184 | 281 | 1,027 | 412 | 224 | 457 | 647 | 4,066 | 636 | 2,141 |
| 山　形 | 27,953 | 3,592 | 325 | 549 | 3,565 | 1,208 | 323 | 549 | 874 | 10,763 | 1,082 | 3,372 |
| 福　島 | 47,369 | 3,861 | 327 | 1,751 | 10,379 | 2,274 | 951 | 1,931 | 2,592 | 10,448 | 4,081 | 6,603 |
| 茨　城 | 128,392 | 19,722 | 655 | 2,282 | 26,119 | **3,254** | 9,701 | **8,014** | **7,131** | 12,605 | 8,915 | **24,389** |
| 栃　木 | 79,984 | 15,861 | 535 | 2,431 | 13,593 | 1,767 | 2,454 | 4,421 | 3,855 | 11,230 | 10,119 | 10,699 |
| 群　馬 | 76,843 | 11,087 | 342 | 777 | 11,947 | 931 | 2,736 | 1,418 | 2,814 | 7,669 | **25,694** | 8,947 |
| 埼　玉 | 129,233 | **20,667** | 609 | **4,612** | 23,761 | 2,304 | 3,508 | **7,324** | **6,174** | 13,617 | 22,700 | 13,963 |
| 千　葉 | 122,117 | 18,268 | 206 | 1,289 | **53,770** | 2,657 | **17,719** | 4,428 | 5,932 | 4,270 | 686 | 8,089 |
| 東　京 | 67,122 | 7,858 | 640 | 1,233 | 5,834 | 1,698 | 1,556 | 1,651 | 1,976 | 13,937 | 12,210 | 8,836 |
| 神奈川 | **162,072** | 17,844 | 424 | 1,775 | **49,494** | 2,902 | 6,446 | 4,582 | 3,571 | **16,791** | **33,308** | 21,633 |
| 新　潟 | 45,186 | 8,124 | 301 | 1,749 | 7,899 | 1,028 | 2,278 | 885 | 4,726 | 7,111 | 1,774 | 7,703 |
| 富　山 | 34,103 | 2,036 | 309 | 1,254 | 7,627 | 836 | 1,800 | 4,252 | 3,175 | 3,611 | 1,201 | 6,050 |
| 石　川 | 25,648 | 1,527 | 868 | 194 | 2,226 | 504 | 565 | 420 | 1,115 | 5,344 | 1,116 | 9,947 |
| 福　井 | 20,843 | 677 | 1,250 | 616 | 3,685 | 547 | 322 | 2,200 | 803 | 5,547 | 2,219 | 953 |
| 山　梨 | 25,000 | 4,131 | 273 | 187 | 1,899 | 874 | 97 | 563 | 878 | 6,878 | 921 | 7,289 |
| 長　野 | 52,283 | 6,793 | 154 | 690 | 3,595 | 1,281 | 388 | 1,400 | 2,744 | 16,086 | 3,686 | 13,380 |
| 岐　阜 | 55,364 | 4,317 | 991 | 2,077 | 8,497 | **3,550** | 2,309 | 915 | 4,365 | 6,177 | 11,243 | 8,127 |
| 静　岡 | **159,235** | **21,607** | 1,045 | 7,775 | 29,963 | 1,701 | 2,082 | 4,983 | 4,975 | **25,345** | **38,018** | 15,570 |
| 愛　知 | 363,006 | **20,870** | 2,753 | **3,235** | 38,742 | 6,085 | 25,533 | 6,012 | **12,796** | 37,442 | 162,237 | 39,121 |
| 三　重 | 104,317 | 5,660 | 499 | 807 | 25,086 | 2,300 | 740 | 6,028 | 3,262 | **26,078** | 23,485 | 8,364 |
| 滋　賀 | 74,970 | 4,593 | **1,688** | 1,131 | 19,302 | **3,167** | 1,071 | 1,683 | 3,221 | 10,717 | 9,749 | 16,355 |
| 京　都 | 53,225 | 12,568 | 619 | 1,175 | 4,289 | 1,698 | 625 | 1,015 | 1,801 | 10,402 | 3,062 | 9,080 |
| 大　阪 | **158,045** | 14,964 | **2,138** | **2,924** | 37,440 | 2,192 | **14,325** | **7,201** | 13,283 | 14,058 | 13,196 | **27,703** |
| 兵　庫 | **146,921** | **20,647** | 1,377 | 2,835 | 27,724 | 3,114 | **19,111** | 3,047 | **7,216** | **20,395** | 11,248 | **25,811** |
| 奈　良 | 16,872 | 2,388 | 456 | 641 | 3,119 | 351 | 327 | 372 | 1,311 | 555 | 1,666 | 3,274 |
| 和歌山 | 22,387 | 2,094 | 492 | 363 | 8,824 | 338 | 4,081 | 141 | 797 | 374 | 165 | 3,926 |
| 鳥　取 | 7,232 | 1,590 | 59 | 812 | •702 | 65 | 174 | 30 | 357 | •2,334 | 96 | 386 |
| 島　根 | 11,999 | 809 | 235 | 183 | 843 | 345 | 1,601 | 145 | 300 | 5,056 | 690 | 1,117 |
| 岡　山 | 78,218 | 7,770 | **2,146** | 1,033 | 31,865 | 1,976 | 11,072 | 592 | 2,371 | 4,215 | 7,330 | 5,138 |
| 広　島 | 87,699 | 6,180 | 1,623 | 914 | 9,516 | 1,615 | **13,033** | 2,661 | 2,720 | 9,028 | 25,390 | 11,611 |
| 山　口 | 62,454 | 2,638 | 322 | 775 | **33,778** | 1,727 | 6,064 | 1,748 | 1,558 | •1,130 | 8,393 | 3,355 |
| 徳　島 | 19,399 | 1,934 | 173 | 993 | 7,555 | 214 | 357 | 5 | 651 | •5,302 | 126 | 1,090 |
| 香　川 | 25,787 | 3,826 | 409 | 1,084 | •3,195 | 758 | 639 | 5,130 | 1,421 | •1,830 | 2,199 | 2,204 |
| 愛　媛 | 43,407 | 3,603 | 1,710 | **4,990** | 11,688 | 421 | 1,263 | **10,214** | 660 | •1,247 | 2,883 | 3,873 |
| 高　知 | 5,099 | 970 | 162 | 635 | 302 | 509 | 302 | 127 | 134 | •107 | 339 | 1,018 |
| 福　岡 | 87,374 | 11,884 | 487 | 839 | 11,998 | **3,173** | 9,830 | 1,701 | 4,478 | 5,332 | 26,395 | 7,408 |
| 佐　賀 | 19,135 | 4,222 | 153 | 663 | 2,829 | 395 | 262 | 1,638 | 1,078 | 3,688 | 2,000 | 1,082 |
| 長　崎 | 13,601 | 2,796 | 174 | 61 | 371 | 454 | 189 | 43 | 486 | •3,371 | 3,133 | 1,862 |
| 熊　本 | 29,089 | 4,682 | 181 | 798 | 3,601 | 769 | 584 | 438 | 1,436 | 5,609 | 3,659 | 6,337 |
| 大　分 | 45,431 | 2,545 | 148 | 331 | •11,922 | 1,178 | 7,329 | **7,932** | 537 | 4,497 | 5,846 | 2,299 |
| 宮　崎 | 15,208 | 5,167 | 720 | 329 | 3,510 | 297 | 122 | 37 | 276 | 2,355 | 555 | 817 |
| 鹿児島 | 20,220 | 11,007 | 87 | 434 | 461 | 1,950 | 52 | 439 | 465 | 3,150 | 590 | 1,056 |
| 沖　縄 | 3,809 | 2,020 | 16 | 51 | •164 | 491 | 279 | 55 | 365 | •32 | 24 | 124 |

①その他を含む　②化学工業，石油製品・石炭製品，ゴム製品，プラスチック製品の計（1980年以前はプラスチック製品を含みます）　③電気機械器具，情報通信機械器具，電子部品・デバイス・電子回路の計　④はん用機械器具，生産用機械器具，業務用機械器具の計（2000年以前は一般機械器具の数値）　•は秘匿品目の数値を含まない

p.101**❸**：第二次世界大戦以前の日本の工業は，繊維と軍需が中心だったが，戦後の高度経済成長期には重化学工業（鉄鋼・石油化学など）が主役となった。しかし，これらは1973年の石油危機を契機に停滞し，企業はエレクトロニクスなど知識集約型の先端技術産業に活路を求めた。輸出品もこれに対応し，繊維が後退して鉄鋼・造船が増加，さらに1975年以降は電気機械・自動車など付加価値の高い製品の割合が高まった。

鉱・工業

## ❶ 日本の地域別工業製品出荷額　赤字は各項目の最大値　経済構造実態調査ほか

| 地域名 | 製造品出荷額に占める割合(%) | | | | | 2021年工業製品別出荷額(10億円) | | | | | | | |
|---|---|---|---|---|---|---|---|---|---|---|---|---|---|
| | 1957 | 1970 | 1980 | 2000 | 2021* | 総額 | 食品 | 繊維 | 化学 | 金属 | 電気機械 | 輸送機械 | その他の機械 |
| 全 国 計 | 100 | 100 | 100 | 100 | 100 | 292,720 | 36,711 | 2,875 | 58,588 | 41,897 | 37,748 | 51,009 | 37,684 |
| ①中 京 | 12.6 | 12.7 | 13.2 | 15.8 | ⑭16.0 | 46,732 | 2,653 | 325 | 6,383 | 5,437 | 6,352 | 18,572 | 4,748 |
| ②京 浜 | 26.3 | 29.6 | 26.6 | 21.9 | ⑮12.2 | 35,843 | 4,637 | 167 | 7,909 | 3,679 | 4,434 | 6,822 | 4,423 |
| ③阪 神 | 22.4 | 19.1 | 15.3 | 11.5 | ⑯10.4 | 30,497 | 3,561 | 351 | 6,516 | 6,418 | 3,445 | 2,444 | 5,351 |
| ④瀬 戸 内 | 8.0 | 8.8 | 9.7 | 8.0 | 10.2 | 29,757 | 2,402 | 621 | •9,004 | 6,115 | •1,745 | 4,620 | 2,618 |
| ⑤北 関 東 | 3.1 | 5.1 | 6.9 | 8.8 | 9.7 | 28,522 | 4,667 | 153 | 5,167 | 4,254 | 3,150 | 4,473 | 4,403 |
| ⑥東 北 | 3.6 | 4.0 | 4.4 | 6.0 | 5.9 | 17,322 | 2,543 | 107 | •2,572 | 1,650 | 3,989 | 1,799 | 2,560 |
| ⑦東 海 | 3.3 | 3.1 | 4.1 | 5.5 | 5.4 | 15,923 | 2,161 | 104 | 2,996 | 1,204 | 2,535 | 3,802 | 1,557 |
| ⑧九 州 | 3.0 | 2.3 | 3.5 | 4.3 | 5.0 | 14,650 | 3,244 | 148 | •2,286 | 2,404 | •2,270 | 1,581 | 1,353 |
| ⑨京/滋/奈 | 3.3 | 3.7 | 3.8 | 4.9 | 5.0 | 14,507 | 1,955 | 276 | 2,671 | 1,143 | 2,167 | 1,448 | 2,871 |
| ⑩北 陸 | 4.1 | 3.9 | 4.0 | 4.2 | 4.3 | 12,578 | 1,236 | 273 | 2,144 | 2,254 | 2,161 | 631 | 2,465 |
| ⑪東 葉 | — | — | — | — | 4.2 | 12,212 | 1,827 | 21 | 5,377 | 2,808 | 427 | 69 | 809 |
| ⑫北 九 州 | 4.6 | 2.7 | 2.7 | 2.4 | 3.0 | 8,737 | 1,188 | 87 | 1,200 | 1,601 | 533 | 2,639 | 741 |
| 山梨/長野 | 1.4 | 1.7 | 2.0 | 3.2 | 2.6 | 7,728 | 1,092 | 43 | 549 | 607 | 2,296 | 461 | 2,067 |
| 北 海 道 | 2.9 | 2.4 | 2.4 | 2.0 | 1.9 | 5,565 | 2,374 | 25 | 966 | 644 | 248 | 383 | 150 |
| 岐 阜 | — | — | — | — | 1.9 | 5,536 | 432 | 99 | 850 | 759 | 618 | 1,124 | 813 |
| 徳島/高知 | 0.7 | 0.6 | 0.4 | 0.4 | 0.8 | 2,450 | 290 | 33 | 786 | 158 | •541 | 46 | 211 |
| 和 歌 山 | — | — | — | — | 0.8 | 2,239 | 209 | 49 | 882 | 502 | 37 | 16 | 393 |
| 山 陰 | 0.7 | 0.5 | 0.5 | 0.7 | 0.8 | 1,923 | 240 | 29 | •155 | 261 | •739 | 79 | 150 |

＊工業地域区分変更のため、2021年とそれ以前とでは一部地域の区分が異なっている　①愛知・岐阜・三重　②東京・千葉・神奈川・埼玉　③大阪・兵庫・和歌山　④岡山・広島・山口・愛媛・香川　⑤茨城・栃木・群馬　⑥青森・秋田・岩手・宮城・山形・福島　⑦静岡　⑧佐賀・長崎・大分・熊本・宮崎・鹿児島・沖縄　⑨京都・滋賀・奈良　⑩新潟・富山・石川・福井　⑪千葉　⑫福岡　⑬鳥取・島根　⑭愛知　⑮東京・神奈川・埼玉　⑯大阪・兵庫　•印は秘匿品目の数値を含まない　食品＝食料品・飲料・たばこ・飼料、化学＝化学・石油・石炭・ゴム・プラスチック、金属＝鉄鋼・非鉄金属・金属製品、電気機械＝電気機械器具・情報通信機械器具・電子部品・デバイス、その他の機械＝はん用機械器具・生産用機械器具・業務用機械器具

## ❷ 工業製品別出荷額の多い都道府県(2021年)

| 製品 | 全国計(億円) | 出荷額の上位3都道府県*(%) |
|---|---|---|
| バ タ ー | 944 | 北海道(87.5)岩手(1.4) |
| チ ー ズ | 2,663 | 兵庫(20.9)北海道(20.6)神奈川(17.0) |
| 味 噌 | 1,432 | 長野(51.3)群馬(9.6)愛知(7.1) |
| しょう油 | 1,431 | 千葉(28.8)兵庫(15.1)愛知(7.7) |
| 小 麦 粉 | 3,999 | 千葉(17.8)兵庫(14.8)愛知(11.2) |
| ビ ー ル | 8,432 | 茨城(20.9)神奈川(11.9)千葉(9.3) |
| 清 酒 | 3,680 | 兵庫(22.0)京都(9.7)新潟(10.0) |
| ワイシャツ | 124 | 岡山(30.6)長野(7.6)東京(1.1) |
| ソックス | 255 | 奈良(55.2)兵庫(15.4)長野(6.1) |
| タ オ ル | 457 | 愛媛(57.1)大阪(26.9)和歌山(3.5) |
| 机・いす | 1,611 | 岐阜(14.1)愛知(12.7)福岡(6.4) |
| 洗濯用合成洗剤 | 1,740 | 神奈川(33.6)埼玉(19.3)大阪(13.1) |
| ガソリン | 50,704 | 神奈川(23.3)千葉(19.3)山口(7.5) |
| ほう丁 | 245 | 岐阜(56.1)新潟(30.1)大阪(8.9) |
| 印刷機械 | 1,650 | 茨城(28.7)広島(20.8)山形(10.7) |
| 光学レンズ | 1,323 | 長野(22.0)岩手(14.0)東京(12.7) |
| 発光ダイオード(LED) | 3,130 | 徳島(80.8) |
| 印刷装置 | 1,631 | 長野(24.3)静岡(20.1)福島(13.7) |
| 自動車・自動車部品 | 3,071 | 大阪(•63.4)埼玉(•7.1)静岡(•2.9) |
| 貴金属装身具 | 990 | 山梨(28.4)埼玉(15.0)東京(10.3) |
| 真珠装身具 | 211 | 兵庫(45.6)三重(36.9)東京(12.7) |
| 野球用具 | 78 | 大阪(18.3)兵庫(16.7)埼玉(6.6) |
| 眼 鏡 枠 | 380 | 福井(93.9)東京(0.7) |
| 産業用ロボット | 14,153 | 山梨(32.0)兵庫(15.6)愛知(13.8) |
| 半 導 体 | 5,824 | 三重(15.6)熊本(9.8)静岡(9.4) |
| 集 積 回 路 | 40,440 | 山形(7.6)熊本(5.3)大分(5.4) |

＊統計数値が秘匿の都道府県を除く　•は秘匿品目の数値を含まない　経済構造実態調査

## ❸ 工業製品出荷額の多い市(2021年)

| 都市名 | 都道府県名 | 出荷額(10億円) | 主要製品*の占める割合(%) |
|---|---|---|---|
| 豊 田 | 愛 知 | 14,976 | 輸送(92.3)電気(1.8)プラスチック(1.2) |
| 倉 敷 | 岡 山 | 4,619 | 石油(36.7)鉄鋼(23.1)化学(19.1) |
| 市 原 | 千 葉 | 4,250 | 石油(53.8)化学(36.6)金属(2.6) |
| 堺 | 大 阪 | 4,231 | 石油(32.0)鉄鋼(10.0)生産用(8.8) |
| 横 浜 | 神奈川 | 4,153 | 石油(30.8)食品(17.3)輸送(9.9) |
| 大 阪 | 大 阪 | 4,082 | 鉄鋼(13.6)化学(12.0)食品(11.2) |
| 川 崎 | 神奈川 | 3,957 | 石油(23.1)化学(23.1)鉄鋼(12.6) |
| 神 戸 | 兵 庫 | 3,421 | 食品(28.4)はん用(15.2)輸送(10.2) |
| 東京23区 | 東 京 | 3,412 | 印刷(20.0)化学(10.1)食品(9.5) |
| 名古屋 | 愛 知 | 3,355 | 電気(14.4)輸送(13.1)食品(11.9) |
| 四日市 | 三 重 | 3,181 | 電子(35.8)化学(27.5)石油(17.5) |
| 大 分 | 大 分 | 3,176 | 非鉄(25.0)鉄鋼(23.7)化学(17.9) |
| 広 島 | 広 島 | 2,776 | 輸送(51.9)生産用(13.4)食品(7.7) |
| 北九州 | 福 岡 | 2,629 | 鉄鋼(34.5)化学(9.4)金属(9.0) |
| 京 都 | 京 都 | 2,621 | 食品(29.4)電子(15.4)電気(10.6) |
| 安 城 | 愛 知 | 2,592 | 電気(47.0)輸送(34.9)食品(4.2) |
| 岡 崎 | 愛 知 | 2,582 | 輸送(51.9)生産用(7.5)食品(7.5) |
| 姫 路 | 兵 庫 | 2,463 | 鉄鋼(29.6)電気(22.1)化学(15.2) |
| 太 田 | 群 馬 | 2,303 | 輸送(68.2)プラスチック(6.0)電気(5.0) |
| 静 岡 | 静 岡 | 2,238 | 電気(38.9)はん用(9.7)食品(9.5) |
| 宇都宮 | 栃 木 | 2,081 | 食品(43.4)化学(16.4)生産用(8.0) |
| 浜 松 | 静 岡 | 2,003 | 輸送(40.2)電子(9.5)生産用(8.4) |
| 福 山 | 広 島 | 1,933 | 鉄鋼(53.9)化学(9.8)食品(5.8) |
| 田 原 | 愛 知 | 1,791 | 輸送(91.5)鉄鋼(6.3)食品(3.0) |
| 西 尾 | 愛 知 | 1,767 | 輸送(82.1)鉄鋼(3.0)プラスチック(2.8) |
| 神 栖 | 茨 城 | 1,718 | 化学(66.3)食品(21.5)金属(2.0) |
| 小 山 | 栃 木 | 1,670 | 電気(37.3)輸送(18.1)業務用(11.6) |
| 藤 沢 | 神奈川 | 1,613 | 輸送(71.4)はん用(11.1)食品(4.6) |
| 東 海 | 愛 知 | 1,600 | 鉄鋼(77.8)化学(9.6)食品(4.3) |
| 湖 西 | 静 岡 | 1,571 | 輸送(63.6)電気(30.7)プラスチック(1.6) |

＊食品＝食料品・飲料・たばこ・飼料　印刷＝印刷・同関連業　化学＝化学工業　石油＝石油製品・石炭製品　プラスチック：プラスチック製品　鉄鋼＝鉄鋼業　非鉄＝非鉄金属　金属＝金属製品　はん用＝はん用機械器具　生産用＝生産用機械器具　業務用＝業務用機械器具　電子＝電子部品・デバイス・電子回路・情報通信機械器具　電気＝電気機械器具　輸送＝輸送用機械器具　経済構造実態調査

鉱・工業

|||||||||| 世界の大企業 ||||||||||

2023 Fortune Global 500ほか

## ❶世界の大企業(2022年)

| 総収入順位 | 企業名 | 国名(本社所在) | 業種 | 総収入(億ドル) |
|---|---|---|---|---|
| 1 | ウォルマート | アメリカ合衆国 | 小売 | 6,113 |
| 2 | サウジアラムコ | サウジアラビア | 石油精製 | 6,037 |
| 3 | 国家電網(ステートグリッド) | 中国 | 電力配送 | 5,300 |
| 4 | アマゾン | アメリカ合衆国 | インターネットサービス・小売 | 5,140 |
| 5 | 中国石油天然気集団 | 中国 | 石油精製 | 4,830 |
| 6 | 中国石油化工集団(シノペック) | 中国 | 石油精製 | 4,712 |
| 7 | エクソンモービル | アメリカ合衆国 | 石油精製 | 4,137 |
| 8 | アップル | アメリカ合衆国 | コンピュータ | 3,943 |
| 9 | シェル | イギリス | 石油精製 | 3,862 |
| 10 | ユナイテッドヘルス・グループ | アメリカ合衆国 | ヘルスケア・保険 | 3,242 |
| 11 | CVSヘルス | アメリカ合衆国 | 錫品・ドラッグストア | 3,225 |
| 12 | トラフィグラ・グループ | シンガポール | 商品取引・物流 | 3,185 |
| 13 | 中国建築工程 | 中国 | 建設 | 3,059 |
| 14 | バークシャー・ハサウェイ | アメリカ合衆国 | 保険・持株会社 | 3,021 |
| 15 | フォルクスワーゲン | ドイツ | 自動車 | 2,937 |
| 16 | ユニパー | ドイツ | エネルギー | 2,883 |
| 17 | アルファベット | アメリカ合衆国 | インターネットサービス・小売 | 2,828 |
| 18 | マクケッソン | アメリカ合衆国 | ヘルスケア | 2,767 |
| 19 | トヨタ自動車 | 日本 | 自動車 | 2,745 |
| 20 | トタル | フランス | 石油精製 | 2,633 |
| 21 | グレンコア | スイス | 鉱物生産・商品取引 | 2,560 |
| 22 | BP | イギリス | 石油精製 | 2,489 |
| 23 | シェブロン | アメリカ合衆国 | 石油精製 | 2,463 |
| 24 | アメリソースバーゲン | アメリカ合衆国 | ヘルスケア | 2,386 |
| 25 | サムスン電子 | 韓国 | 電気・電子機器 | 2,341 |
| 26 | コストコ | アメリカ合衆国 | 小売 | 2,270 |
| 27 | 鴻海精密工業(Foxconn) | (台湾) | 電気・電子機器 | 2,225 |
| 28 | 中国工商銀行 | 中国 | 銀行 | 2,148 |
| 29 | 中国建設銀行 | 中国 | 銀行 | 2,028 |
| 30 | マイクロソフト | アメリカ合衆国 | コンピュータ・ソフトウェア | 1,983 |
| 31 | ステランティス | オランダ | 自動車 | 1,889 |
| 32 | 中国農業銀行 | 中国 | 銀行 | 1,871 |
| 33 | 中国平安保険 | 中国 | 保険 | 1,816 |
| 34 | カーディナル・ヘルス | アメリカ合衆国 | ヘルスケア | 1,814 |
| 35 | シグナ | アメリカ合衆国 | ヘルスケア | 1,805 |
| 36 | マラソン・ペトロリアム | アメリカ合衆国 | 石油精製 | 1,800 |
| 37 | フィリップス66 | アメリカ合衆国 | 石油精製 | 1,757 |
| 38 | 中国中化集団(シノケム) | 中国 | 化学工業 | 1,738 |
| 39 | 中国中鉄 | 中国 | 建設 | 1,717 |
| 40 | バレロ・エナジー | アメリカ合衆国 | 石油精製 | 1,712 |
| 41 | ガスプロム | ロシア | エネルギー | 1,678 |
| 42 | 中国海洋石油集団 | 中国 | 石炭・ガス資源開発 | 1,648 |
| 43 | 中国鉄建 | 中国 | 建設 | 1,630 |
| 44 | 宝武鋼鉄集団 | 中国 | 鉄鋼 | 1,617 |
| 45 | 三菱商事 | 日本 | 商品取引・物流 | 1,594 |
| 46 | フォード・モーター | アメリカ合衆国 | 自動車 | 1,581 |
| 47 | メルセデス・ベンツ グループ | ドイツ | 自動車 | 1,578 |
| 48 | ホーム・デポ | アメリカ合衆国 | 小売 | 1,574 |
| 49 | 中国銀行 | 中国 | 銀行 | 1,569 |
| 50 | ゼネラルモーターズ | アメリカ合衆国 | 自動車 | 1,567 |

## ❷食品工業(2022年)

穀物メジャーなどを除く

| 企業名 | 国名(本社所在) | 総収入(億ドル) | 主要商品 |
|---|---|---|---|
| ネスレ | スイス | 989 | インスタント飲料, 乳製品 |
| ペプシコ | アメリカ合衆国 | 864 | 各種飲料, 菓子 |
| JBS | ブラジル | 726 | 食品加工, 冷凍食品 |
| アンハイザー・ブッシュ・インベブ | ベルギー | 578 | ビール, 清涼飲料水 |
| タイソン・フーズ | アメリカ合衆国 | 533 | 食品加工, 冷凍食品 |
| コカコーラ | アメリカ合衆国 | 430 | 飲料 |
| ブリティッシュ・アメリカン・タバコ | イギリス | 341 | たばこ |
| フォメント・エコノミコ・メヒカノ | メキシコ | 335 | 飲料, 小売業 |
| フィリップモリス | アメリカ合衆国 | 318 | たばこ |
| CJ第一製糖 | 韓国 | 317 | 製糖, 食品加工 |

## ❸化学工業(2022年)

| 企業名 | 国名(本社所在) | 総収入(億ドル) |
|---|---|---|
| 中国中化集団(シノケム) | 中国 | 1,738 |
| BASF | ドイツ | 918 |
| 浙江栄盛集団 | 中国 | 862 |
| 盛虹集団 | 中国 | 613 |
| 浙江恒逸集団 | 中国 | 573 |
| ダウ | アメリカ合衆国 | 569 |
| ライオンデルバセル インダストリーズ | オランダ | 505 |
| LG化学 | 韓国 | 402 |
| 新疆中台集団 | 中国 | 368 |
| 三菱ケミカル | 日本 | 342 |

## ❹電気・電子・通信・事務機器工業(2022年)

| 企業名 | 国名(本社所在) | 総収入(億ドル) |
|---|---|---|
| アップル | アメリカ合衆国 | 3,943 |
| サムスン電子 | 韓国 | 2,341 |
| 鴻海精密工業(Foxconn) | (台湾) | 2,225 |
| デル・テクノロジーズ | アメリカ合衆国 | 1,023 |
| 華為技術(Huawei) | 中国 | 955 |
| ソニー | 日本 | 853 |
| 日立製作所 | 日本 | 804 |
| LG電子 | 韓国 | 650 |
| HP | アメリカ合衆国 | 630 |
| レノボ・グループ | (ホンコン) | 619 |

## ❺鉄鋼業(2022年)

| 企業名 | 国名(本社所在) | 生産量*(百万t) | 総収入(億ドル) |
|---|---|---|---|
| 宝武鋼鉄集団 | 中国 | 131.8 | 1,617 |
| アルセロール・ミタル | ルクセンブルク | 68.9 | 798 |
| ポスコ・ホールディングス | 韓国 | 38.6 | 659 |
| 河鋼集団 | 中国 | 41.0 | 596 |
| 日本製鉄 | 日本 | 44.4 | 589 |
| 青山控股集団 | 中国 | 13.9 | 547 |
| 鞍鋼集団 | 中国 | 55.7 | 500 |
| 河北敬業集団 | 中国 | 14.0 | 457 |
| ティッセンクルップ | ドイツ | 9.9 | 445 |
| 江蘇沙鋼集団 | 中国 | 41.5 | 428 |

*粗鋼生産量

## ❻半導体(2022年)

| 企業名 | 国名(本社所在) | 売上高(億ドル) |
|---|---|---|
| サムスン電子 | 韓国 | 638 |
| インテル | アメリカ合衆国 | 584 |
| クアルコム | アメリカ合衆国 | 348 |
| SKハイニックス | 韓国 | 335 |
| マイクロン・テクノロジー | アメリカ合衆国 | 268 |
| ブロードコム | アメリカ合衆国 | 239 |
| AMD | アメリカ合衆国 | 236 |
| テキサス・インスツルメンツ | アメリカ合衆国 | 188 |
| アップル | アメリカ合衆国 | 181 |
| メディアテック | (台湾) | 180 |

ガートナー(2023年4月)

## ❼自動車工業(2022年)

| 企業名 | 国名(本社所在) | 総収入(億ドル) |
|---|---|---|
| フォルクスワーゲン | ドイツ | 2,937 |
| トヨタ自動車 | 日本 | 2,745 |
| ステランティス | オランダ | 1,889 |
| フォード・モーター | アメリカ合衆国 | 1,581 |
| メルセデス・ベンツ グループ | ドイツ | 1,578 |
| ゼネラルモーターズ | アメリカ合衆国 | 1,567 |
| BMW | ドイツ | 1,500 |
| 本田技研工業 | 日本 | 1,249 |
| 上海汽車 | 中国 | 1,106 |
| ヒュンダイ自動車 | 韓国 | 1,104 |

## ❽金融業(2022年)

| 企業名 | 国名(本社所在) | 総収入(億ドル) |
|---|---|---|
| バークシャー・ハサウェイ | アメリカ合衆国 | 3,021 |
| 中国工商銀行 | 中国 | 2,148 |
| 中国建設銀行 | 中国 | 2,028 |
| 中国農業銀行 | 中国 | 1,871 |
| 中国平安保険 | 中国 | 1,816 |
| 中国銀行 | 中国 | 1,569 |
| JPモルガン・チェース | アメリカ合衆国 | 1,548 |
| 中国人寿保険 | 中国 | 1,515 |
| アリアンツ | ドイツ | 1,291 |
| 華潤 | 中国 | 1,216 |
| ファニー・メイ | アメリカ合衆国 | 1,216 |

銀行・保険・投資会社など

☞石油企業についてはp.80, コンピュータ, ソフト企業については p.92, 多国籍企業についてはp.97を参照

鉱・工業

**❶都道府県別卸売業・小売業**　赤字は各項目の上位1位，太字は2〜5位　　経済センサス'21ほか

| 都道府県名 | 卸売業(2021年調査)* | | | | 小売業(2021年調査)* | | | | 売場面積(万㎡) | コンビニエンスストア(2021年) | | | |
|---|---|---|---|---|---|---|---|---|---|---|---|---|---|
| | 事業所数 | 従業者数(千人) | 年間商品販売額(億円) | 1事業所あたり販売額(百万円) | 事業所数 | 従業者数(千人) | 年間商品販売額(億円) | 1事業所あたり販売額(百万円) | | 店舗数 | 人口10万人あたりの店舗数 | 可住地面積100k㎡あたりの店舗数 | 年間販売額(億円) |
| 全国 | 348,889 | 3,857 | 4,016,335 | 1,151 | 880,031 | 7,540 | 1,381,804 | 157 | 13,695 | 56,352 | 44.7 | 45.8 | 117,601 |
| 北海道 | 14,636 | 125 | 113,105 | 773 | 36,771 | 323 | 64,222 | 175 | 673 | 3,003 | 57.9 | 13.2 | 5,694 |
| 青森 | 3,353 | 27 | 17,367 | 518 | 10,744 | 77 | 14,230 | 132 | 179 | 611 | 49.2 | 18.8 | 1,011 |
| 岩手 | 3,166 | 26 | 19,638 | 620 | 10,512 | 76 | 13,188 | 125 | 177 | 543 | 45.0 | 14.5 | 1,008 |
| 宮城 | 8,166 | 76 | 84,314 | 1,033 | 16,838 | 144 | 28,509 | 169 | 303 | 1,165 | 51.4 | 36.6 | 2,327 |
| 秋田 | 2,510 | 18 | 11,316 | 451 | 8,858 | 62 | 10,624 | 120 | 145 | 458 | 47.9 | 14.2 | 744 |
| 山形 | 2,782 | 21 | 12,998 | 467 | 10,011 | 69 | 11,966 | 120 | 152 | 444 | 42.0 | 15.5 | 840 |
| 福島 | 4,654 | 37 | 24,762 | 532 | 15,321 | 115 | 21,751 | 142 | 243 | 906 | 49.2 | 21.4 | 2,027 |
| 茨城 | 6,284 | 51 | 37,121 | 591 | 20,103 | 166 | 29,858 | 149 | 371 | 1,418 | 49.1 | 36.5 | 2,966 |
| 栃木 | 4,906 | 40 | 31,226 | 636 | 14,666 | 116 | 21,724 | 148 | 269 | 921 | 47.4 | 30.6 | 1,960 |
| 群馬 | 5,005 | 45 | 34,156 | 682 | 14,717 | 117 | 21,305 | 145 | 251 | 905 | 46.6 | 39.9 | 1,821 |
| 埼玉 | 14,004 | 139 | 102,439 | 731 | 37,716 | 383 | 70,041 | 186 | 719 | 2,866 | 38.8 | 110.1 | 6,412 |
| 千葉 | 10,593 | 95 | 75,276 | 711 | 32,259 | 343 | 60,998 | 189 | 634 | 2,634 | 41.7 | 74.5 | 6,013 |
| 東京 | 53,160 | 1,035 | 1,608,845 | 3,026 | 87,895 | 906 | 200,549 | 228 | 1,045 | 7,126 | 51.7 | 500.8 | 16,449 |
| 神奈川 | 15,283 | 175 | 134,856 | 882 | 45,729 | 488 | 88,336 | 193 | 699 | 3,624 | 39.3 | 245.9 | 8,468 |
| 新潟 | 6,583 | 59 | 40,949 | 622 | 18,884 | 138 | 24,620 | 130 | 309 | 895 | 40.9 | 19.7 | 1,733 |
| 富山 | 3,129 | 26 | 18,627 | 595 | 9,141 | 63 | 11,272 | 123 | 146 | 477 | 46.0 | 25.9 | 853 |
| 石川 | 3,896 | 36 | 26,173 | 672 | 9,790 | 74 | 11,997 | 123 | 164 | 498 | 44.3 | 35.7 | 905 |
| 福井 | 2,463 | 20 | 11,552 | 469 | 7,047 | 49 | 8,375 | 119 | 101 | 334 | 43.5 | 31.0 | 689 |
| 山梨 | 2,182 | 16 | 9,076 | 416 | 7,034 | 52 | 8,358 | 119 | 103 | 457 | 56.0 | 47.9 | 893 |
| 長野 | 5,552 | 45 | 33,829 | 609 | 17,194 | 127 | 21,917 | 127 | 265 | 936 | 45.5 | 28.8 | 1,870 |
| 岐阜 | 5,577 | 45 | 24,074 | 432 | 16,211 | 121 | 20,389 | 126 | 263 | 850 | 42.6 | 38.5 | 1,572 |
| 静岡 | 10,300 | 89 | 73,180 | 710 | 28,344 | 220 | 39,015 | 138 | 422 | 1,682 | 46.0 | 60.6 | 3,498 |
| 愛知 | 23,824 | 278 | 322,141 | 1,352 | 46,535 | 444 | 83,464 | 179 | 816 | 3,552 | 47.2 | 118.6 | 7,061 |
| 三重 | 4,025 | 32 | 18,656 | 463 | 13,431 | 107 | 17,920 | 133 | 235 | 789 | 44.2 | 38.2 | 1,555 |
| 滋賀 | 2,652 | 21 | 12,758 | 481 | 9,409 | 85 | 13,780 | 146 | 186 | 554 | 39.1 | 42.4 | 1,115 |
| 京都 | 6,755 | 68 | 55,562 | 823 | 19,457 | 167 | 26,782 | 138 | 238 | 1,062 | 42.3 | 90.2 | 2,116 |
| 大阪 | 34,657 | 438 | 460,883 | 1,330 | 55,351 | 517 | 94,421 | 171 | 718 | 3,904 | 44.4 | 292.6 | 8,005 |
| 兵庫 | 12,086 | 115 | 93,200 | 771 | 35,887 | 315 | 53,679 | 150 | 539 | 1,990 | 36.3 | 71.9 | 4,097 |
| 奈良 | 2,149 | 17 | 7,661 | 356 | 8,704 | 73 | 10,995 | 126 | 137 | 460 | 34.4 | 53.9 | 887 |
| 和歌山 | 2,495 | 18 | 11,520 | 462 | 8,890 | 58 | 8,806 | 99 | 105 | 375 | 40.1 | 33.4 | 711 |
| 鳥取 | 1,383 | 12 | 6,548 | 473 | 4,733 | 34 | 6,029 | 127 | 85 | 254 | 46.0 | 28.1 | 470 |
| 島根 | 1,813 | 13 | 7,367 | 406 | 6,405 | 43 | 6,530 | 102 | 88 | 269 | 40.4 | 21.2 | 583 |
| 岡山 | 5,064 | 44 | 33,635 | 664 | 14,441 | 113 | 20,285 | 140 | 239 | 803 | 42.7 | 36.0 | 1,615 |
| 広島 | 9,141 | 86 | 83,549 | 914 | 20,951 | 179 | 31,329 | 150 | 338 | 1,189 | 42.6 | 51.7 | 2,510 |
| 山口 | 3,303 | 25 | 14,565 | 441 | 11,286 | 88 | 16,485 | 146 | 189 | 552 | 41.2 | 32.2 | 1,187 |
| 徳島 | 1,869 | 15 | 8,035 | 430 | 6,544 | 43 | 7,066 | 108 | 94 | 321 | 44.2 | 31.6 | 566 |
| 香川 | 3,352 | 28 | 22,021 | 657 | 8,026 | 61 | 11,409 | 142 | 150 | 409 | 42.4 | 40.7 | 732 |
| 愛媛 | 3,951 | 32 | 24,669 | 624 | 11,263 | 81 | 14,723 | 131 | 180 | 584 | 43.5 | 35.1 | 992 |
| 高知 | 1,874 | 15 | 7,200 | 384 | 6,879 | 44 | 7,038 | 102 | 84 | 288 | 41.5 | 24.8 | 551 |
| 福岡 | 17,156 | 164 | 164,203 | 957 | 37,411 | 313 | 56,780 | 152 | 575 | 2,271 | 44.5 | 82.2 | 5,002 |
| 佐賀 | 2,131 | 18 | 9,796 | 460 | 7,189 | 49 | 8,290 | 115 | 112 | 358 | 44.1 | 26.8 | 760 |
| 長崎 | 3,441 | 26 | 15,504 | 451 | 12,015 | 79 | 12,493 | 104 | 134 | 528 | 40.0 | 31.7 | 1,107 |
| 熊本 | 4,432 | 37 | 24,059 | 543 | 14,402 | 106 | 18,859 | 131 | 220 | 779 | 44.6 | 28.4 | 1,637 |
| 大分 | 2,871 | 22 | 12,457 | 434 | 9,735 | 68 | 11,867 | 122 | 166 | 516 | 45.6 | 28.7 | 999 |
| 宮崎 | 2,850 | 23 | 16,374 | 575 | 9,418 | 65 | 10,764 | 114 | 140 | 435 | 40.3 | 23.2 | 892 |
| 鹿児島 | 4,407 | 35 | 23,744 | 539 | 14,430 | 95 | 15,292 | 106 | 178 | 668 | 41.6 | 20.3 | 1,279 |
| 沖縄 | 3,024 | 30 | 15,351 | 508 | 11,454 | 86 | 13,475 | 118 | 119 | 689 | 46.4 | 61.2 | 1,421 |

＊事業所数・従業者数・売場面積は2021年，年間商品販売額は2020年

**❷小売店舗の業態別販売額**(億円)　　商業動態統計ほか

| 業態 | 1980 | 1985 | 1990 | 1995 | 2000 | 2005 | 2010 | 2015 | 2020 | 2022 |
|---|---|---|---|---|---|---|---|---|---|---|
| 百貨店 | 65,013 | 79,825 | 114,561 | 108,248 | 100,115 | 87,629 | 68,418 | 68,258 | 46,938 | 55,070 |
| 大型スーパー | 56,840 | 72,990 | 94,859 | 115,149 | 126,224 | 125,654 | 127,373 | 132,233 | 148,112 | 151,533 |
| 家電大型専門店 | — | — | — | — | — | — | 42,467 | 47,928 | 46,844 |
| コンビニエンスストア | — | 8,638 | 26,942 | 48,442 | 66,804 | 73,596 | 81,136 | 109,957 | 116,423 | 121,996 |
| ドラッグストア | — | — | — | — | — | — | — | 53,609 | 72,841 | 77,087 |
| ホームセンター | — | — | — | — | — | — | — | 33,012 | 34,964 | 33,420 |

### ❶ 地域別国際観光客到着数・国際観光収入

| 地　　域 | 1990 | 2000 | 2010 | 2019 | % |
|---|---|---|---|---|---|
| 世　界　計 | 435 | 680 | 956 | 1,466 | 100 |
| | 2,702 | 4,816 | 9,796 | 14,657 | 100 |
| アジア・太平洋地域 | 56 | 110 | 208 | 360 | 24.6 |
| | 465 | 902 | 2,543 | 4,414 | 30.1 |
| 中　　　　東 | 10 | 22 | 56 | 70 | 4.8 |
| | 51 | 176 | 522 | 905 | 6.2 |
| アフリカ | 15 | 26 | 50 | 70 | 4.8 |
| | 64 | 105 | 304 | 388 | 2.6 |
| ヨーロッパ | 262 | 393 | 491 | 746 | 50.8 |
| | 1,429 | 2,325 | 4,275 | 5,720 | 39.1 |
| 南北アメリカ | 93 | 128 | 150 | 219 | 15.0 |
| | 693 | 1,308 | 2,152 | 3,230 | 22.0 |

上段：国際観光客数（百万人）
下段：国際観光収入（億ドル）
UNWTO資料

### ❷ おもな国・地域の国際観光客到着数・国際観光収支（2019年）

| 国・地域名 | 国際観光客数（万人） | 国際観光収支（億ドル） | | |
|---|---|---|---|---|
| | | 収支 | 収入 | 支出 |
| フ ラ ン ス | 18)8,932 | 121 | 637 | 516 |
| ス ペ イ ン | 8,351 | 517 | 796 | 279 |
| アメリカ合衆国 | 7,926 | 587 | 1,933 | 1,346 |
| 中　　　　国 | 6,573 | −2,188 | 358 | 2,546 |
| イ タ リ ア | 6,451 | 192 | 495 | 303 |
| ト ル コ | 5,119 | 257 | 298 | 41 |
| メ キ シ コ | 4,502 | 147 | 246 | 99 |
| タ　　　　イ | 3,992 | 463 | 605 | 142 |
| ド イ ツ | 3,956 | −501 | 416 | 917 |
| イ ギ リ ス | 3,942 | −190 | 525 | 715 |
| オーストリア | 3,188 | 115 | 230 | 115 |
| 日　　　　本 | 3,188 | 248 | 461 | 213 |
| ギ リ シ ャ | 3,135 | 172 | 203 | 31 |
| マ レ ー シ ア | 2,610 | 74 | 198 | 124 |
| ロ シ ア | 2,442 | −252 | 110 | 362 |
| （ホンコン） | 2,375 | −5 | 264 | 269 |

UNWTO資料

### ❸ おもな国の国別国際観光客数（2019年, 万人）

UNWTO資料

| 受入国／出発国 | 日本 | 中国 | トルコ | フランス | スペイン | イタリア | オーストリア | ドイツ | イギリス | アメリカ合衆国 | カナダ | オーストラリア |
|---|---|---|---|---|---|---|---|---|---|---|---|---|
| 国際観光客数 | 3,188 | 6,573 | 5,119 | 18)8,932 | 8,351 | 6,451 | 3,188 | 3,956 | 3,942 | 7,926 | 2,215 | 947 |
| 日　　本 | − | 18)269 | 18)8 | 18)54 | 68 | 37 | 26 | 61 | 39 | 375 | 18)25 | 18)47 |
| 中　　国 | 959 | − | 18)39 | 18)218 | 70 | 41 | 103 | 155 | 88 | 283 | 18)74 | 18)143 |
| 韓　　国 | 558 | 18)419 | 18)16 | 18)− | 63 | 5 | 32 | 34 | 30 | 230 | 18)5 | |
| フランス | 34 | 18)50 | 18)73 | − | 1,115 | 798 | 57 | 192 | 357 | 184 | 18)60 | 18)14 |
| スペイン | 13 | 18)17 | 18)18 | 18)673 | − | 323 | 44 | 139 | 233 | 94 | 18)9 | 18)5 |
| イタリア | 16 | 18)28 | 18)28 | 18)696 | 453 | − | 111 | 185 | 220 | 109 | 18)12 | 18)8 |
| ス イ ス | 5 | 18)7 | 18)27 | 18)677 | 181 | 320 | 145 | 340 | 93 | 47 | 18)12 | 18)4 |
| オーストリア | 3 | 18)7 | 18)35 | 18)55 | 120 | 431 | − | 212 | 34 | 20 | 18)4 | 18)2 |
| ド イ ツ | 24 | 18)45 | 18)451 | 18)1,227 | 1,116 | 1,395 | 1,438 | − | 323 | 206 | 18)41 | 18)21 |
| オランダ | 8 | 18)20 | 18)101 | 18)473 | 368 | 213 | 207 | 482 | 199 | 73 | 18)14 | 18)6 |
| イギリス | 50 | 18)61 | 18)225 | 18)547 | 1,801 | 601 | 97 | 255 | − | 478 | 18)79 | 18)79 |
| ロ シ ア | 12 | 18)241 | 18)596 | 18)59 | 131 | 98 | 36 | 85 | 20 | 26 | 18)2 | 18)5 |
| アメリカ合衆国 | 172 | 18)248 | 18)45 | 18)449 | 332 | 395 | 86 | 306 | 450 | − | 18)1,444 | 18)79 |
| カ ナ ダ | 38 | 18)85 | 18)11 | 18)119 | 45 | 104 | 13 | 32 | 87 | 2,072 | − | 18)18 |
| オーストラリア | 62 | 18)75 | 18)10 | 18)44 | 41 | 82 | 15 | 35 | 106 | 132 | 18)35 | − |

### ❹ おもな東アジア・東南アジア・オセアニア諸国・地域の国際観光客数（万人）

| 受入国 | 1990 | 2000 | 2019 |
|---|---|---|---|
| 中　　　　国 | 1,048 | 3,123 | 6,573 |
| タ　　　　イ | 530 | 958 | 3,992 |
| 日　　　　本 | 324 | 476 | 3,188 |
| マレーシア | 745 | 1,022 | 2,610 |
| （ホンコン） | 658 | 881 | 2,375 |
| （マ カ オ） | 251 | 520 | 1,863 |
| ベ ト ナ ム | … | 214 | 1,801 |
| 韓　　　　国 | 296 | 532 | 1,750 |
| インドネシア | 218 | 506 | 1,546 |
| シンガポール | 464 | 606 | 1,512 |
| （台　湾） | 193 | 262 | 1,186 |
| （ハワイ州） | 672 | 695 | 1,024 |
| オーストラリア | 222 | 493 | 947 |
| フィリピン | 103 | 199 | 826 |
| ニュージーランド | 98 | 178 | 370 |
| （グ ア ム） | 78 | 129 | 167 |
| フ ィ ジ ー | 28 | 29 | 89 |

UNWTO資料ほか

### ❺ 地域・国別訪日外国人旅行者数（2019年）

| 地域・国名 | 旅行者数（千人） | % |
|---|---|---|
| 合　　計 | 31,882 | 100 |
| ア ジ ア | 26,819 | 84.1 |
| 北アメリカ | 2,188 | 6.9 |
| ヨーロッパ | 1,987 | 6.2 |
| オセアニア | 722 | 2.3 |
| 南アメリカ | 111 | 0.3 |
| アフリカ | 55 | 0.2 |
| 中　　　国 | 9,594 | 30.1 |
| 韓　　　国 | 5,585 | 17.5 |
| （台　湾） | 4,891 | 15.3 |
| （ホンコン） | 2,291 | 7.2 |
| アメリカ合衆国 | 1,724 | 5.4 |
| タ　　　イ | 1,319 | 4.1 |
| オーストラリア | 622 | 2.0 |
| フィリピン | 613 | 1.9 |
| マレーシア | 502 | 1.6 |
| ベ ト ナ ム | 495 | 1.6 |
| シンガポール | 492 | 1.5 |
| イ ギ リ ス | 424 | 1.3 |
| インドネシア | 413 | 1.3 |

旅行者数計 3,832千人（2022年）
日本政府観光局（JNTO）資料

### ❻ 日本人の海外渡航先（千人）

日本政府観光局（JNTO）資料

| 出　国　先 | 日本人出国者数 | |
|---|---|---|
| | 2019 | 2021 |
| アメリカ合衆国 | 3,753 | 122 |
| （ハワイ州） | (1,576) | (24) |
| （グ ア ム） | (688) | (4) |
| 韓　　　国 | 3,272 | − |
| 中　　　国 | 18)2,690 | − |
| （台　湾） | 2,168 | 10 |
| タ　　　イ | 18)1,656 | 9 |
| ベ ト ナ ム | 952 | 9 |
| シンガポール | 884 | 6 |
| フィリピン | 683 | 15 |
| スペイン | 678 | 29 |
| （ホンコン） | 661 | 0 |
| ド イ ツ | 615 | 28 |
| フランス | 18)540 | − |
| インドネシア | 520 | 6 |
| オーストラリア | 499 | 2 |
| マ レ ー シ ア | 425 | 3 |
| イ ギ リ ス | 389 | 10 |
| イ タ リ ア | 373 | 14 |
| オーストリア | 256 | 0 |

日本人出国者数計 20,081千人（2019年）, 512千人（2021年）

## ❶ おもな国の世界遺産登録件数（2023年9月）

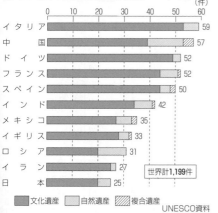

| 国 | 件数 |
|---|---|
| イタリア | 59 |
| 中　国 | 57 |
| ド　イ　ツ | 52 |
| フランス | 52 |
| スペイン | 50 |
| イ　ン　ド | 42 |
| メキシコ | 35 |
| イギリス | 33 |
| ロ　シ　ア | 31 |
| イ　ラ　ン | 27 |
| 日　本 | 25 |

世界計1,199件

■文化遺産　□自然遺産　▨複合遺産
UNESCO資料

## ❷ 訪日外国人数と出国日本人数

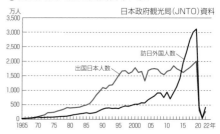

日本政府観光局（JNTO）資料

訪日外国人数
出国日本人数

p.107❷訪日外国人数は，アニメ・漫画などを通じた日本への関心の高まりや，アジアの人々の所得増加，日本政府によるキャンペーンの効果などもあり，増加傾向にあった。しかし，2020年に新型コロナウイルス感染症が世界中に拡大したことにより，日本への入国が制限され，訪日外国人数は激減した。

## ❸ 月別国内宿泊観光・レクリエーション（2009〜2013年の1人あたり平均）

国土交通省資料

| | 1月 | 2月 | 3月 | 4月 | 5月 | 6月 | 7月 | 8月 | 9月 | 10月 | 11月 | 12月 | 年平均 |
|---|---|---|---|---|---|---|---|---|---|---|---|---|---|
| 旅行回数（回） | 0.090 | 0.083 | 0.118 | 0.086 | 0.133 | 0.101 | 0.112 | 0.200 | 0.126 | 0.110 | 0.106 | 0.104 | 1.364 |
| 年に占める割合（%） | 6.6 | 6.1 | 8.6 | 6.3 | 9.7 | 7.4 | 8.2 | 14.6 | 9.2 | 8.0 | 7.7 | 7.6 | 100 |
| 平均宿泊数（泊） | 1.59 | 1.45 | 1.57 | 1.56 | 1.62 | 1.53 | 1.58 | 1.82 | 1.68 | 1.58 | 1.52 | 1.48 | 1.60 |

## ❹ 観光レクリエーション施設数

数字でみる観光'16ほか

### a. スキー場（2016年）
| 県名 | 施設数 |
|---|---|
| 全国 | 330 |
| 長野 | 79 |
| 新潟 | 60 |
| 北海道 | 30 |
| 群馬 | 22 |
| 岐阜 | 18 |
| 福島 | 16 |
| 兵庫 | 13 |
| 岩手 | 11 |
| 山形 | 9 |
| 青森 | 8 |
| 富山 | 8 |

### b. 海水浴場（2016年）
| 県名 | 施設数 |
|---|---|
| 全国 | 1,111 |
| 長崎 | 66 |
| 千葉 | 65 |
| 新潟 | 61 |
| 福井 | 57 |
| 山口 | 56 |
| 鹿児島 | 55 |
| 静岡 | 54 |
| 北海道 | 48 |
| 兵庫 | 40 |
| 沖縄 | 37 |

### c. 温泉地*（2014年）
| 県名 | 温泉地数 |
|---|---|
| 全国 | 3,088 |
| 北海道 | 246 |
| 長野 | 221 |
| 新潟 | 151 |
| 福島 | 134 |
| 青森 | 132 |
| 秋田 | 125 |
| 静岡 | 119 |
| 群馬 | 103 |
| 鹿児島 | 100 |
| 千葉 | 94 |

*宿泊施設のある場所

### d. ゴルフ場（2016年）
| 県名 | 施設数 |
|---|---|
| 全国 | 2,264 |
| 兵庫 | 159 |
| 千葉 | 158 |
| 北海道 | 153 |
| 栃木 | 132 |
| 茨城 | 119 |
| 静岡 | 90 |
| 岐阜 | 88 |
| 埼玉 | 83 |
| 群馬 | 78 |
| 長野 | 76 |
| 三重 | 76 |

### e. 映画館（2015年）
| 県名 | スクリーン数 |
|---|---|
| 全国 | 3,437 |
| 東京 | 358 |
| 愛知 | 258 |
| 大阪 | 224 |
| 埼玉 | 209 |
| 神奈川 | 208 |
| 千葉 | 199 |
| 福岡 | 178 |
| 兵庫 | 126 |
| 北海道 | 113 |
| 静岡 | 96 |

## ❺ 業種別繁忙日

サービス業基本調査
1999年11月15日調査

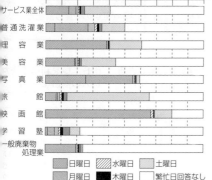

サービス業全体／普通洗濯業／理容業／美容業／写真業／旅館／映画館／学習塾／一般廃棄物処理業

■日曜日　▨水曜日　□土曜日　■月曜日　■木曜日　□繁忙日回答なし　■火曜日　■金曜日

## ❻ 労働時間と休暇日数（2014年）

厚生労働省資料ほか

| | 日本 | アメリカ合衆国 | イギリス | ドイツ | フランス | イタリア |
|---|---|---|---|---|---|---|
| 総実労働時間① | 1,729 | 1,789 | 1,677 | 1,371 | 1,473 | 1,734 |
| 週あたり労働時間② | 37.7 | 42.0 | 41.4 | 40.0 | 37.8 | 36.3 |
| 年間休日等の日数 | 137.4 | (06)127.2 | 137.1 | 145.0 | 145.0 | 140.0 |
| 週休日 | 104.0 | 104.0 | 104.0 | 104.0 | 104.0 | 104.0 |
| 週休以外の休日 | 15.0 | 10.0 | 8.0 | 11.0 | 11.0 | 11.0 |
| 年次有給休暇 | ③18.4 | 13.2 | 25.1 | 30.0 | 30.0 | 25.0 |

①1人あたり平均年間総実労働時間（就業者）
②製造業の雇用者を対象とした数値。イタリアは全産業就業者
③日本は平均付与日数。取得日数の平均は8.8日

観光／労働

## ❶おもな国の教育・文化 (%，2014年)

世図会2016/17ほか

| 国名 | 初等教育就学率① | 中等教育就学率① | 高等教育就学率① | 教師1人あたり児童数(人)③ | 識字率(2015年)④ ① | 男 | 女 | 公的教育 年 | 支出⑤ | 日刊新聞成人千人あたり部数 | 固定電話百人あたり契約数'15 | 固定ブロードバンド百人あたり契約数'15 |
|---|---|---|---|---|---|---|---|---|---|---|---|---|
| 日　　　本 | 13)102 | 13)102 | 13)62 | 13)17 | … | … | … | '14 | 3.8 | 410 | 50.2 | 30.5 |
| バングラデシュ | 11)112 | 13)58 | 13 | 11)40 | 61.5 | 64.6 | 58.5 | '13 | 2.0 | … | … | 2.4 |
| 中　　　国 | 104 | 94 | 39 | 16 | 96.4 | 98.2 | 94.5 | '14 | … | … | 16.5 | 18.6 |
| イ　ン　ド | 13)111 | 13)69 | 13)24 | 13)32 | 72.1 | 80.9 | 62.8 | '12 | 3.8 | 293 | 2.0 | 1.3 |
| イ　ラ　ン | 109 | 88 | 66 | 26 | 86.8 | 91.2 | 82.5 | '14 | 3.0 | … | 38.3 | 10.9 |
| 韓　　　国 | 13)99 | 13)98 | 13)95 | 13)17 | … | … | … | '12 | 4.6 | … | 58.1 | 40.2 |
| タ　　　イ | 104 | 13)86 | 53 | 15 | 96.7 | 96.6 | 96.7 | '13 | 4.1 | … | 7.9 | 9.2 |
| アルジェリア | 119 | 11)100 | 35 | 24 | 80.2 | 87.2 | 73.1 | '14 | … | … | 8.0 | 5.6 |
| エジプト | 104 | 86 | 32 | 23 | 75.2 | 83.2 | 65.5 | '14 | … | … | 7.4 | 4.5 |
| エチオピア | 100 | 12)36 | 8 | 64 | 49.1 | 57.2 | 41.1 | '13 | 4.5 | … | … | … |
| ケ　ニ　ア | 111 | 12)68 | … | 12)57 | 78.0 | 81.1 | 74.9 | '10 | 5.5 | … | … | … |
| 南アフリカ共和国 | 100 | 94 | 13)20 | 32 | 94.3 | 95.5 | 93.1 | '14 | 6.1 | 35 | 7.7 | 5.3 |
| モロッコ | 116 | 12)69 | 25 | 26 | 72.4 | 82.7 | 62.5 | '12 | … | … | 6.5 | 3.4 |
| フランス | 105 | 111 | 64 | 13)18 | … | … | … | '12 | 5.5 | 117 | 59.9 | 41.3 |
| ド　イ　ツ | 103 | 102 | 65 | 12 | … | … | … | '12 | 4.9 | 232 | 54.9 | 37.2 |
| イタリア | 13)102 | 13)102 | 13)63 | 13)12 | 99.2 | 99.4 | 99.0 | '11 | 4.1 | 61 | 33.1 | 23.8 |
| ポーランド | 13)101 | 13)109 | 13)71 | 13)10 | 99.8 | 99.9 | 99.7 | '12 | 4.8 | 61 | 11.1 | 19.5 |
| スウェーデン | 121 | 133 | 62 | 12)10 | … | … | … | '13 | 7.7 | 303 | 36.7 | 36.1 |
| イギリス | 108 | 128 | 56 | 17 | … | … | … | '12 | 5.7 | 185 | 52.6 | 37.7 |
| ロ　シ　ア | 99 | 101 | 79 | 20 | 99.7 | 99.7 | 99.7 | '12 | 4.2 | … | 25.7 | 18.8 |
| カ　ナ　ダ | 13)101 | 13)110 | … | … | … | … | … | '11 | 5.3 | 136 | 44.3 | 36.4 |
| キューバ | 98 | 100 | 41 | 9 | 99.7 | 99.7 | 99.8 | '10 | 12.8 | … | 11.5 | … |
| メキシコ | 103 | 91 | 30 | 27 | 94.4 | 95.6 | 93.3 | '11 | 5.2 | … | 15.9 | 11.6 |
| アメリカ合衆国 | 100 | 98 | 87 | 15 | … | … | … | '11 | 5.2 | 157 | 37.5 | 31.5 |
| アルゼンチン | 13)111 | 13)106 | 13)80 | … | 98.1 | 98.0 | 98.1 | '13 | 5.3 | 29 | 24.0 | 16.1 |
| ブラジル | 13)110 | 13)102 | 13)46 | 13)21 | 92.6 | 92.2 | 92.9 | '12 | 5.9 | 55 | 21.4 | 12.2 |
| チ　　　リ | 101 | 100 | 87 | 13)20 | 97.3 | 97.4 | 97.2 | '13 | 4.6 | … | 19.2 | 15.2 |
| オーストラリア | 13)107 | 13)138 | 13)87 | … | … | … | … | '13 | 5.3 | 106 | 38.0 | 27.9 |
| ニュージーランド | 99 | 117 | 87 | 14 | … | … | … | '14 | 6.4 | 144 | 40.2 | 31.5 |

①男女平均　②ほぼ大学進学年に相当する年齢で集計　③初等教育　④15歳以上　⑤国内総生産に対する割合

## ❷おもな国の保健状況 (2013年)

World Development Indicators 2015

| 国名 | 医療費 対GDP比(%) | 公的支出(%) | 自己負担分(%) | 1人あたり支出(ドル) | 人口千人あたり医師数① | 人口千人あたり看護師・助産師数① | 人口千人あたり病床数② |
|---|---|---|---|---|---|---|---|
| 日　　　本 | 10.3 | 82.1 | 14.4 | 3,966 | 2.3 | 11.5 | 13.7 |
| 中　　　国 | 5.6 | 55.8 | 33.9 | 367 | 1.9 | 1.9 | 3.8 |
| イ　ン　ド | 4.0 | 32.2 | 58.2 | 61 | 0.7 | 1.7 | 0.7 |
| ケ　ニ　ア | 4.5 | 41.7 | 44.6 | 45 | 0.2 | 0.9 | 1.4 |
| 南アフリカ共和国 | 8.9 | 48.4 | 7.1 | 593 | 0.8 | 5.1 | ― |
| イギリス | 9.1 | 83.5 | 9.3 | 3,598 | 2.8 | 8.8 | 2.9 |
| デンマーク | 10.6 | 85.4 | 12.8 | 6,270 | 3.5 | 16.8 | 3.5 |
| ポーランド | 6.7 | 69.6 | 22.8 | 895 | 2.2 | 6.2 | 6.5 |
| ロ　シ　ア | 6.5 | 48.0 | 48.0 | 957 | 4.3 | 8.5 | ― |
| アメリカ合衆国 | 17.1 | 47.1 | 11.8 | 9,146 | 2.5 | 9.8 | 2.9 |
| ブラジル | 9.7 | 48.2 | 29.9 | 1,085 | 1.9 | 7.6 | 2.3 |
| オーストラリア | 9.4 | 66.6 | 19.1 | 6,110 | 3.3 | 10.6 | 3.9 |

①2008～14年　②2007年12月

教育・文化の諸指標や保健の状況は，先進国で高く発展途上国で低い。識字率では，先進国がほぼ100%であるのに対し，発展途上国は60～70%にとどまり，男女差も大きいことに注意する。これらは貧富の差を反映し，出生率の大小に影響する。発展途上国の低所得者層の多産の要因としては，伝統的な価値観や，労働力や跡継ぎとして老後の保障を期待できること，識字率が低いので家族計画が普及しないことなどがあげられる。

## ❸生活環境

World Development Indicatorsほか

### a.栄養不足まん延率 (2020年)

| 国名 | % |
|---|---|
| 世　界　平　均 | 9.3 |
| ソ　マ　リ　ア | 53.1 |
| 中央アフリカ | 52.2 |
| マダガスカル | 48.5 |
| ハ　イ　チ | 47.2 |
| 北　朝　鮮 | 41.6 |

### b.電気を利用できる人の割合 (2021年)

| 国名 | % |
|---|---|
| 世　界　平　均 | 91.4 |
| 南スーダン | 7.7 |
| ブルンジ | 10.2 |
| チ　ャ　ド | 11.3 |
| マラウイ | 14.2 |
| 中央アフリカ | 15.7 |

### c.飲料水を利用できる人*の割合 (2022年)

| 国名 | % |
|---|---|
| 世　界　平　均 | 91.2 |
| コンゴ民主 | 35.1 |
| 中央アフリカ | 36.3 |
| 南スーダン | 41.2 |
| ニジェール | 48.9 |
| ブルキナファソ | 49.5 |

### d.トイレを利用できない人の割合 (2022年)

| 国名 | % |
|---|---|
| 世　界　平　均 | 5.3 |
| ニジェール | 65.0 |
| チ　ャ　ド | 62.6 |
| 南スーダン | 59.7 |
| ベ　ナ　ン | 48.5 |
| サントメ・プリンシペ | 42.2 |

*待ち時間を含み往復30分未満で非汚染水源へアクセスできる人

教育・生活

## ❶おもな国の国際収支（2022年，億ドル）

太字は各項目の上位3か国

| 国　名 | 経常収支 | 貿易・サービス収支 | 第一次所得収支 | 第二次所得収支 | 資本移転等収支 | 金融収支 | 外貨準備 |
|---|---|---|---|---|---|---|---|
| イ ン ド | -791 | -1,347 | -417 | **973** | -1 | -813 | -306 |
| インドネシア | 127 | 423 | -360 | 64 | 5 | 123 | 40 |
| 韓　国 | 298 | 95 | 229 | -26 | 0.01 | 388 | -279 |
| サウジアラビア | 1,535 | **1,877** | 109 | -451 | -39 | 1,430 | 57 |
| シンガポール | 902 | 1,692 | -751 | -38 | - | 889 | -1,138 |
| タ　イ | -157 | -104 | -144 | 90 | 6 | -168 | -103 |
| 中　国 | **4,019** | **5,763** | -1,936 | 191 | -3 | **3,142** | **1,031** |
| ト ル コ | -488 | -398 | -86 | -1 | -0.4 | -213 | **123** |
| 日　本 | 910 | -1,587 | **2,687** | -191 | -9 | 541 | -498 |
| パキスタン | -121 | -374 | -54 | **307** | - | -112 | -132 |
| バングラデシュ | -144 | -337 | -26 | 220 | 2 | -170 | -115 |
| フィリピン | -181 | -538 | 52 | 305 | -0.002 | -202 | -73 |
| ベトナム | -11 | 131 | -197 | 56 | - | -322 | -227 |
| マレーシア | 123 | 293 | -136 | -34 | -1 | 88 | 120 |
| エジプト | -105 | -208 | -46 | 279 | 0.02 | -123 | -92 |
| ナイジェリア | 10 | -80 | -129 | 218 | - | -66 | -34 |
| 南アフリカ共和国 | -17 | 85 | -86 | -16 | -19 | -40 | 43 |
| イギリス | -1,214 | -1,113 | 166 | -267 | -36 | -828 | -17 |
| イタリア | -302 | -300 | 184 | -186 | 111 | -83 | 20 |
| オランダ | 938 | 1,090 | -92 | -60 | **1,125** | **2,026** | 3 |
| ギリシャ | -226 | -216 | -7 | -3 | 32 | -172 | 0.4 |
| ス イ ス | 812 | 1,091 | -157 | -122 | -1 | 492 | -211 |
| スウェーデン | 285 | 175 | 214 | -104 | 5 | -16 | 79 |
| スペイン | 81 | 165 | 68 | -152 | **129** | 276 | 44 |
| デンマーク | 531 | 443 | 130 | -41 | 6 | 401 | 72 |
| ド イ ツ | **1,725** | 873 | **1,576** | -725 | -195 | **2,437** | 47 |
| フィンランド | -73 | -69 | 23 | -28 | 2 | -108 | 14 |
| フランス | -567 | -896 | 811 | -481 | **113** | -600 | 17 |
| ベルギー | -53 | -89 | 90 | -54 | 10 | -53 | 1 |
| ポーランド | -167 | 128 | -273 | -22 | 33 | -132 | **128** |
| ポルトガル | -31 | -51 | -36 | 56 | 24 | -5 | -1 |
| ロ シ ア | **2,379** | **2,933** | -471 | -83 | -46 | … | … |
| アメリカ合衆国 | -9,716 | -9,512 | **1,486** | -1,690 | -46 | -8,048 | 58 |
| カ ナ ダ | -67 | 35 | -72 | -29 | -0.4 | -52 | 111 |
| メキシコ | -180 | -423 | -338 | **581** | -1 | -150 | -18 |
| アルゼンチン | -43 | 54 | -119 | 21 | 2 | -76 | 0.3 |
| コロンビア | -215 | -164 | -174 | 123 | - | -207 | 6 |
| チ　リ | -271 | -110 | -165 | 4 | 0.02 | -254 | -92 |
| ブラジル | -536 | 45 | -619 | 37 | 2 | -554 | -73 |
| ペ ル ー | -99 | 17 | -174 | 58 | 0 | -143 | -48 |
| オーストラリア | 179 | 975 | -782 | -14 | -6 | 172 | 27 |
| ニュージーランド | -216 | -139 | -75 | -2 | -3 | -151 | -8 |

IMF資料

## ❷国内総生産（GDP）の上位10か国と割合（2022年）

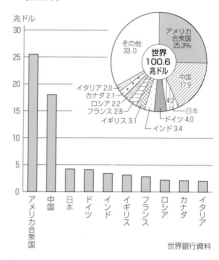

世界銀行資料

## ❸おもな国の実質経済成長率の推移

世界銀行資料

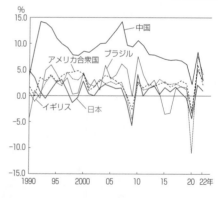

❶**経常収支**：国の国際収支を表す基準で，貿易・サービス収支，第一次所得収支，第二次所得収支の合計。
**貿易・サービス収支**：海外とのモノやサービスの取引に伴う金のやりとりの差額。貿易収支は輸入と輸出の差額。サービス収支は海外旅行や特許権，著作権等の使用料の受取・支払いなどが中心。
**第一次所得収支**：海外に保有する預金資産からの利子・株式配当や海外進出企業の収益。
**第二次所得収支**：対外援助や国際機関分担金，労働者送金など。
**金融収支**：海外の資産と負債の増減で，直接投資と証券投資が中心。

**外貨準備**：保有する外貨の額で，経常収支が大幅な黒字の国は金額が多い。
❷国内総生産（GDP）の上位3か国（米・中・日）で世界のGDP総額の半分近くを占め，さらに上位10か国の合計は世界のGDP総額の3分の2に相当する。
❸実質経済成長率は，2008年のリーマン・ショック（世界金融危機）では中国以外の各国が大きく下がった。中国は1990年代以降高い経済成長率を維持しているが，近年は10％を下回っている。2020年は，新型コロナウイルス感染拡大の影響により，世界規模で経済活動が停滞したため，各国とも経済成長率が大きく下がった。

❶世界の1人あたり国民総所得（GNI）（2022年，ドル）と人口増加率（2015～20年の平均，%）　世界銀行資料ほか

| 人口増加率 | 高所得国 | 高中所得国 | 低中所得国 | 低所得国 |
|---|---|---|---|---|
| 3.0%以上 | バーレーン 27,180（4.3）<br>オマーン 20,150（3.6） | モルディブ 11,030（3.4）<br>赤道ギニア 5,320（3.7） | アンゴラ 1,900（3.3）<br>タンザニア 1,200（3.0） | ウガンダ 930（3.6）<br>マ リ 850（3.0）<br>チャド 690（3.0）<br>ニジェール 610（3.8）<br>コンゴ民主 590（3.2）<br>ブルンジ 240（3.1） |
| 2.0～3.0% | ルクセンブルク 91,200（2.0）<br>カタール 70,500（2.3）<br>クウェート 39,570（2.1） | ガボン 7,540（2.7）<br>ボツワナ 7,350（2.1）<br>イラク 5,270（2.5） | エジプト 4,100（2.0）<br>アルジェリア 3,900（2.0）<br>バヌアツ 3,560（2.5）<br>パプアニューギニア 2,730（2.0）<br>コートジボワール 2,620（2.5）<br>ガーナ 2,350（2.2）<br>ソロモン諸島 2,220（2.6）<br>ケニア 2,170（2.3）<br>モーリタニア 2,160（2.6）<br>ナイジェリア 2,140（2.6）<br>コンゴ共和国 2,060（2.6）<br>カメルーン 1,660（2.6）<br>セネガル 1,640（2.8）<br>コモロ 1,610（2.2）<br>パキスタン 1,580（2.0）<br>ベナン 1,400（2.7）<br>タジキスタン 1,210（2.4）<br>ギニア 1,180（2.8）<br>ザンビア 1,170（2.9） | エチオピア 1,020（2.6）<br>トーゴ 990（2.6）<br>ルワンダ 930（2.6）<br>ブルキナファソ 840（2.9）<br>イエメン [18]840（2.4）<br>ギニアビサウ 820（2.5）<br>ガンビア 810（2.9）<br>スーダン 760（2.4）<br>リベリア 680（2.5）<br>マラウイ 640（2.7）<br>マダガスカル 510（2.7）<br>シエラレオネ 510（2.1）<br>モザンビーク 500（2.9）<br>ソマリア 470（2.8）<br>アフガニスタン [21]390（2.5） |
| 1.0～2.0% | アイルランド 81,070（1.2）<br>オーストラリア 60,430（1.3）<br>イスラエル 54,650（1.6）<br>アラブ首長国連邦 48,950（1.3）<br>バハマ 31,530（1.0）<br>ブルネイ 31,410（1.1）<br>サウジアラビア 27,590（1.9）<br>パナマ 16,750（1.7）<br>チリ 15,360（1.2） | コスタリカ 12,670（1.0）<br>マレーシア 11,780（1.3）<br>アルゼンチン 11,620（1.0）<br>トルコ 10,590（1.4）<br>メキシコ 10,410（1.1）<br>カザフスタン 9,470（1.3）<br>ドミニカ共和国 9,050（1.1）<br>リビア 7,260（1.4）<br>ツバル 7,210（1.2）<br>トルクメニスタン [19]7,080（1.6）<br>ベリーズ 6,800（1.9）<br>南アフリカ共和国 6,780（1.4）<br>ペルー 6,770（1.6）<br>コロンビア 6,510（1.4）<br>エクアドル 6,310（1.7）<br>パラグアイ 5,920（1.4）<br>アゼルバイジャン 5,630（1.0）<br>グアテマラ 5,350（1.9）<br>トンガ [21]4,930（1.0）<br>ナミビア 4,880（1.9）<br>スリナム 4,880（1.0）<br>インドネシア 4,580（1.1） | ヨルダン 4,260（1.9）<br>モンゴル 4,210（1.8）<br>カーボベルデ 4,140（1.2）<br>ミクロネシア連邦 4,130（1.1）<br>ベトナム 4,010（1.0）<br>フィリピン 3,950（1.4）<br>イラン 3,900（1.4）<br>チュニジア 3,840（1.1）<br>エスワティニ 3,800（1.0）<br>モロッコ 3,710（1.3）<br>ボリビア 3,450（1.4）<br>キリバス 3,280（1.5）<br>ジブチ 3,180（1.6）<br>ブータン [21]3,040（1.2）<br>バングラデシュ 2,820（1.1）<br>ホンジュラス 2,740（1.7）<br>サントメ・プリンシペ 2,410（1.9）<br>インド 2,380（1.0）<br>ラオス 2,360（1.5）<br>ウズベキスタン 2,190（1.6）<br>ニカラグア 2,090（1.3）<br>東ティモール 1,970（1.9）<br>カンボジア 1,700（1.5）<br>ハイチ 1,610（1.3）<br>ジンバブエ 1,500（1.5）<br>キルギス 1,410（1.8）<br>ネパール 1,340（1.5） | エリトリア [11]610（1.2）<br>中央アフリカ 480（1.4） |
| 0.0～1.0% | モナコ [08]186,080（0.8）<br>リヒテンシュタイン [09]116,600（0.4）<br>ノルウェー 95,510（0.8）<br>スイス 89,450（0.8）<br>アメリカ合衆国 76,370（0.6）<br>デンマーク 73,200（0.4）<br>アイスランド 68,220（0.7）<br>シンガポール 67,200（0.9）<br>スウェーデン 62,990（0.7）<br>オランダ 57,430（0.7）<br>オーストリア 56,140（0.7）<br>フィンランド 54,360（0.2）<br>ドイツ 53,390（0.5）<br>カナダ 52,960（0.9）<br>イギリス 48,890（0.6）<br>ベルギー 48,700（0.5）<br>ニュージーランド 48,460（0.9）<br>サンマリノ [21]47,120（0.4）<br>フランス 45,860（0.3）<br>韓国 35,990（0.2）<br>マルタ 33,550（0.4）<br>スペイン 31,680（0.0）<br>スロベニア 30,600（0.1）<br>キプロス 30,540（0.8）<br>エストニア 27,640（0.2）<br>チェコ 26,590（0.2）<br>スロバキア 22,060（0.1）<br>セントクリストファー・ネービス 19,730（0.8）<br>バルバドス 19,350（0.1）<br>アンティグア・バーブーダ 18,280（0.9）<br>ウルグアイ 18,030（0.4）<br>ナウル 17,870（0.8）<br>トリニダード・トバゴ 16,330（0.4）<br>ガイアナ 15,050（0.5）<br>セーシェル 14,340（0.7） | 中国 12,850（0.5）<br>ロシア 12,830（0.1）<br>パラオ [21]12,790（0.5）<br>セントルシア 11,160（0.5）<br>モーリシャス 10,760（0.2）<br>モンテネグロ 10,400（0.1）<br>グレナダ 9,340（0.4）<br>セントビンセント 9,110（0.3）<br>キューバ [19]8,920（0.0）<br>ドミニカ国 8,460（0.2）<br>ブラジル 8,140（0.8）<br>マーシャル諸島 7,920（0.6）<br>ベラルーシ 7,240（0.0）<br>タイ 7,230（0.3）<br>北マケドニア 6,640（0.0）<br>アルメニア 5,960（0.3）<br>ジャマイカ 5,670（0.5）<br>フィジー 5,270（0.6）<br>レバノン [21]4,970（0.9）<br>エルサルバドル 4,720（0.5） | サモア 3,630（0.5）<br>スリランカ 3,610（0.4）<br>レソト 1,260（0.8）<br>ミャンマー 1,210（0.6） | 南スーダン [15]1,040（0.9）<br>北朝鮮 －（0.5） |
| 人口減少国 | アンドラ [19]46,530（-0.2）<br>日本 42,440（-0.2）<br>イタリア 37,700（-0.04）<br>ポルトガル 25,800（-0.3）<br>リトアニア 23,690（-1.5）<br>ギリシャ 21,740（-0.4）<br>ラトビア 21,500（-1.1）<br>クロアチア 19,470（-0.6）<br>ハンガリー 19,010（-0.2）<br>ポーランド 18,350（-0.1）<br>ルーマニア 15,660（-0.7） | ブルガリア 13,250（-1.0）<br>ベネズエラ [14]13,010（-1.1）<br>セルビア 9,040（①-0.3）<br>ボスニア・ヘルツェゴビナ 7,660（-0.9）<br>アルバニア 6,770（-0.1）<br>ジョージア 5,620（-0.2）<br>モルドバ 5,340（-0.2） | ウクライナ 4,270（-0.5） | シリア [20]760（-0.6） |

> 一般に人口増加率は低所得国で高く，高所得国で低い。例外は産油国で，所得水準は高いが人口増加率は他の発展途上国と同水準である。また，内戦を抱えた発展途上国は所得水準も人口増加率も低い。

①コソボを含む

世界銀行区分（2022年）では1人あたりGNIに基づき，高所得国：13,846ドル以上，高中所得国：4,466～13,845ドル，低中所得国：1,136～4,465ドル，低所得国：1,135ドル以下としている。

# ❶世界の国・地域の貿易関係(2010年，%)

## （先進国・地域）

凡例:
- 日本
- ヨーロッパ先進国
- アメリカ合衆国
- アジア発展途上国(除く中央アジア)
- アフリカ発展途上国
- CIS諸国
- アメリカ発展途上国
- その他

国名下の赤数字は世界総輸出額(14兆7,926億ドル)に占める割合(%)
※OPEC(2009年)は各国の発展途上地域と二重計算されている。

統計月報

← 輸出相手国・地域 →

| | | | | | |
|---|---|---|---|---|---|
| 日本 5.2 | 12.4 | 15.6 | 59.8 | 1.6 / 1.2 / 3.9 | 6.5 |

ヨーロッパ先進国 55.9

- フランス 3.5: 1.5 / 3.5 / 63.8 / 5.7 / 14.2 / 6.9 / 2.0 / 2.7 / 3.2
- ドイツ 8.6: 1.4 / 64.6 / 6.8 / 15.5 / 2.1 / 3.8 / 2.8 / 3.0
- その他 23.8: 1.1 / 69.0 / 6.7 / 10.5 / 4.7 / 3.0 / 2.9 / 2.1

| アメリカ合衆国 8.6 | 4.7 | 20.8 | 26.4 | 23.5 | 21.7 | 2.2 / 0.7 |
|---|---|---|---|---|---|---|

| その他先進国 4.3 | 8.1 | 9.3 | 48.0 | 26.4 | 0.4 / 2.6 | 1.2 / 4.0 |
|---|---|---|---|---|---|---|

## （発展途上国・地域）

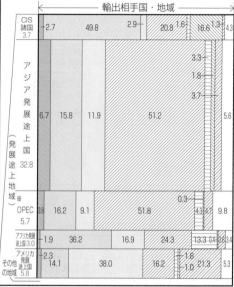

← 輸出相手国・地域 →

| CIS諸国 3.7 | 2.7 | 49.8 | 2.9 | 20.8 | 1.6 | 16.6 | 1.3 | 4.3 |
|---|---|---|---|---|---|---|---|---|

アジア発展途上国(発展途上地域) 32.8: 6.7 / 15.8 / 11.9 / 51.2 / 5.6 / 3.3 / 1.8 / 3.7

| OPEC 5.7 | 3.8 | 16.2 | 9.1 | 51.8 | 0.3 / 4.3 / 4.7 | 9.8 |
|---|---|---|---|---|---|---|

| アフリカ発展途上国 3.0 | 1.9 | 36.2 | 16.9 | 24.3 | 13.3 / 0.4 / 3.8 | 3.4 |
|---|---|---|---|---|---|---|

| アメリカ発展途上国 5.8 | 2.3 | 14.1 | 38.0 | 16.2 | 1.8 / 1.0 | 21.3 | 5.3 |
|---|---|---|---|---|---|---|---|

その他の地域

---

**水平貿易**：先進国間の貿易(とくに工業製品の取引)。世界の貿易総額の半分以上を占め，しばしば貿易摩擦が発生する。垂直貿易の対語。

**垂直貿易**：先進国と発展途上国との貿易(南北貿易)。とくに先進国が原燃料・食料品を輸入し,工業製品を輸出する形態。OPEC諸国は工業製品を輸入し原油を輸出。

**保護貿易**：自国の産業を保護・発展させることを目的として，輸入品の関税を高くしたり，数量を制限することで，輸入品の増加を防ぐ形態。

**中継貿易**：二国間貿易に第三国が仲立ちする貿易。第三国は貿易品通過で運賃や荷役などの収入を得る。

**貿易依存度**：貿易額÷国民総生産(GDP)×100で算出される値(%)。シンガポール，オランダなどの中継貿易国やASEAN諸国で値が大きい。

**貿易摩擦**：ある国や地域との間で，輸出と輸入に極端なかたよりが生じた場合や，自国からの輸出が相手国で差別的な扱いを受け，不利益が生じた場合に起こる国家間の対立。

---

# ❷おもな国の主要資源の世界市場における輸入シェア

(2012年，%)　FAOSTATほか

| 品　目 | 日本 | イギリス | ドイツ | フランス | アメリカ合衆国 | イタリア |
|---|---|---|---|---|---|---|
| 小　　麦 | 4.1 | 1.2 | 2.0 | 0.2 | 1.6 | 3.9 |
| とうもろこし | 13.2 | 1.1 | 2.3 | 0.7 | 2.4 | 2.1 |
| 大　豆 | 3.2 | 0.8 | 3.5 | 0.7 | 0.6 | 1.1 |
| 綿　花 | 0.7 | 0.0 | 0.2 | 0.0 | 0.0 | 0.6 |
| 羊　毛① | 6.7 | 8.3 | 3.7 | 0.7 | 1.6 | 7.8 |
| 木　材②[13] | 4.7 | 2.3 | 5.1 | 1.5 | 8.3 | 3.3 |
| 鉄　鉱　石[13] | 10.8 | 1.1 | 3.3 | 1.2 | 0.3 | 0.9 |
| 銅　地　金 | 0.4 | 0.4 | 8.3 | 2.5 | 7.4 | 6.8 |
| 石　炭[13] | 18.7 | 3.6 | 4.3 | 1.9 | 0.6 | 1.8 |
| 原　油[13] | 9.1 | 2.5 | 4.6 | 2.8 | 17.0 | 2.9 |
| 天　然　ゴム | 3.1 | 3.6 | 2.6 | 1.0 | 2.8 | 1.9 |

金額ベースで算出。ただし，木材，銅地金は量で算出
①洗浄羊毛　②原木・製材の合計

---

# ❸貿易の増大と地域構成の変化

世賢ほか
－輸出と輸入の合計－

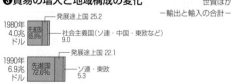

1980年 4.0兆ドル:
- 先進国 65.8%
- 発展途上国 25.2
- 社会主義国(ソ連・中国・東欧など) 9.0

1990年 6.9兆ドル:
- 先進国 72.6%
- 発展途上国 22.1
- ソ連・東欧 5.3

2000年 12.9兆ドル:
- 先進国 66.9%
- 発展途上国 31.4
- CIS諸国 1.7

2014年 37.3兆ドル:
- 先進国 52.0%: EU 31.9 / 北アメリカ 13.4 / 日本 4.0 / その他 2.7
- 発展途上国 44.8: 中国 11.6 / ASEAN 6.8 / その他 26.4
- CIS諸国 3.2

## ❶おもな国の貿易依存度* UN TRADE STATISTICSほか

| 国名 | 輸出依存度(%) 1980 | 2000 | 2022 | 輸入依存度(%) 1980 | 2000 | 2022 |
|---|---|---|---|---|---|---|
| 日　　本 | 12.2 | 9.9 | 17.6 | 13.3 | 7.8 | 21.2 |
| イ ン ド | 5.0 | 9.3 | 13.8 | 8.6 | 11.3 | 21.6 |
| シンガポール | 165.2 | 149.4 | 110.5 | 204.7 | 145.8 | 101.9 |
| （ホンコン） | 69.4 | 124.1 | 169.9 | 78.9 | 130.8 | 185.9 |
| マレーシア | 52.8 | 109.5 | 86.7 | 44.0 | 91.7 | 72.7 |
| 中　　国 | 6.1 | 23.1 | 20.1 | 6.7 | 19.1 | 15.1 |
| （台　湾） | 47.8 | 47.2 | 63.0 | 47.7 | 44.5 | 56.2 |
| 韓　　国 | 28.0 | 37.7 | 41.1 | 35.6 | 35.1 | 43.9 |
| タ　　イ | 20.1 | 56.5 | 52.7 | 26.9 | 57.3 | 61.3 |
| ベルギー | ①52.6 | 82.2 | 109.8 | ①58.4 | 76.5 | 107.7 |
| オランダ | 50.1 | 57.3 | 97.4 | 52.2 | 54.2 | 90.6 |
| フランス | 17.4 | 23.1 | 22.2 | 20.2 | 23.3 | 29.4 |
| イタリア | 21.5 | 22.2 | 32.7 | 27.8 | 22.0 | 34.3 |
| ド イ ツ | ②23.7 | 29.3 | 21)34.6 | ②23.1 | 26.6 | 21)29.6 |
| イギリス | 20.4 | 19.9 | 17.2 | 21.5 | 23.6 | 26.5 |
| スウェーデン | 24.8 | 38.2 | 33.8 | 26.8 | 32.0 | 34.5 |
| ス イ ス | 29.2 | 31.2 | 49.7 | 35.8 | 31.7 | 44.1 |
| ロ シ ア | － | 41.0 | 20.6 | － | 13.5 | 9.2 |
| アメリカ合衆国 | 8.3 | 7.9 | 8.1 | 9.5 | 12.8 | 12.7 |
| カ ナ ダ | 26.2 | 40.2 | 27.9 | 24.2 | 34.7 | 26.5 |
| メキシコ | 8.0 | 01)25.7 | 40.9 | 10.0 | 01)27.2 | 42.8 |
| アルゼンチン | 10.4 | 9.3 | 14.2 | 13.7 | 8.9 | 13.0 |
| ブラジル | 8.6 | 9.3 | 17.4 | 10.6 | 9.8 | 15.1 |
| オーストラリア | 14.6 | 16.6 | 24.6 | 14.9 | 18.3 | 17.3 |
| ニュージーランド | 24.1 | 26.6 | 18.7 | 24.3 | 27.9 | 22.1 |

*貿易依存度＝輸出(入)額／国内総生産×100　①ルクセンブルクを含む　②西ドイツ

## ❷おもな国の貿易バランス（2022年，百万ドル）

| 国名 | 貿易総額 | 輸出額 | 輸入額 | 貿易収支 |
|---|---|---|---|---|
| 中　　国 | 6,319,851 | 3,604,481 | 2,715,370 | 889,112 |
| ロ シ ア | 666,821 | 460,852 | 205,969 | 254,883 |
| サウジアラビア | 594,894 | 408,349 | 186,545 | 221,803 |
| ド イ ツ21) | 2,710,809 | 1,460,058 | 1,250,750 | 209,308 |
| オーストラリア | 701,743 | 412,540 | 289,203 | 123,337 |
| オ ラ ン ダ | 1,863,767 | 965,762 | 898,005 | 67,757 |
| マレーシア | 647,614 | 352,338 | 295,276 | 57,062 |
| インドネシア | 529,469 | 292,305 | 237,163 | 55,142 |
| ブ ラ ジ ル | 623,527 | 334,463 | 289,064 | 45,399 |
| ス イ ス | 758,198 | 401,707 | 356,491 | 45,216 |
| シンガポール | 991,849 | 516,016 | 475,832 | 40,184 |
| カ ナ ダ | 1,164,337 | 596,958 | 567,379 | 29,579 |
| 南アフリカ共和国 | 234,017 | 123,387 | 110,630 | 12,757 |
| アルゼンチン | 172,417 | 90,072 | 82,345 | 7,727 |
| スウェーデン | 400,008 | 197,826 | 202,182 | -4,356 |
| ニュージーランド | 100,984 | 46,320 | 54,665 | -8,345 |
| ウクライナ | 99,667 | 44,443 | 55,224 | -10,781 |
| タ　　イ | 587,094 | 283,504 | 303,590 | -20,086 |
| ポーランド | 741,729 | 360,542 | 381,187 | -20,645 |
| メ キ シ コ | 1,182,754 | 578,188 | 604,566 | -26,378 |
| イ タ リ ア | 1,346,294 | 657,039 | 689,256 | -32,217 |
| エ ジ プ ト | 132,438 | 48,361 | 84,077 | -35,715 |
| 韓　　国 | 1,414,953 | 683,584 | 731,370 | -47,786 |
| （ホンコン） | 1,280,301 | 611,366 | 668,945 | -57,579 |
| ス ペ イ ン | 911,718 | 418,364 | 493,354 | -74,990 |
| 日　　本 | 1,643,738 | 746,720 | 897,017 | -150,297 |
| フ ラ ン ス | 1,436,674 | 618,153 | 818,521 | -200,369 |
| イ ン ド | 1,179,361 | 449,536 | 729,825 | -280,290 |
| イ ギ リ ス | 1,343,375 | 529,130 | 814,245 | -285,115 |
| アメリカ合衆国 | 5,310,488 | 2,064,056 | 3,246,432 | -1,182,375 |

UN TRADE STATISTICS

## ❸おもな国の貿易品目構成（2018年，%）UN Comtrade

| 品目 | 日本 | イギリス | ドイツ | フランス② | オーストラリア③ | アメリカ合衆国 | 中国 |
|---|---|---|---|---|---|---|---|
| 総額（億ドル） | 7,382 | 4,871 | 15,625 | 5,685 | 2,302 | 16,653 | 24,942 |
|  | 7,482 | 6,696 | 12,928 | 6,594 | 2,355 | 26,114 | 21,350 |
| 食料品 | 0.9 | 6.2 | 5.1 | 11.8 | 13.2 | 7.0 | 2.8 |
|  | 8.8 | 9.2 | 7.1 | 8.9 | 6.2 | 5.6 | 3.4 |
| 原料品 | 1.4 | 2.0 | 1.7 | 2.4 | 33.3 | 4.8 | 0.7 |
|  | 6.4 | 2.4 | 3.6 | 2.5 | 1.6 | 1.8 | 13.1 |
| 鉱物性燃料 | 1.8 | 9.0 | 2.1 | 3.3 | 30.2 | 11.6 | 1.9 |
|  | 23.3 | 10.0 | 8.8 | 11.2 | 13.3 | 9.2 | 16.3 |
| 化学製品 | 10.7 | 14.4 | 15.6 | 18.4 | 2.9 | 13.3 | 6.7 |
|  | 10.3 | 11.3 | 14.0 | 13.2 | 9.4 | 10.1 | 10.4 |
| 機械機器 | 66.6 | 48.8 | 59.4 | 52.0 | 7.2 | 42.6 | 71.2 |
|  | 40.9 | 50.1 | 48.6 | 51.5 | 54.0 | 57.9 | 46.0 |
| その他製品① | 11.4 | 8.6 | 12.1 | 10.7 | 5.0 | 8.8 | 16.4 |
|  | 8.7 | 11.0 | 12.7 | 12.5 | 11.1 | 11.1 | 7.2 |
| その他 | 7.2 | 11.0 | 4.0 | 1.7 | 8.2 | 11.9 | 0.3 |
|  | 1.6 | 6.0 | 5.2 | 0.2 | 5.2 | 4.3 | 3.6 |

上段…輸出，下段…輸入　①繊維品，鉄鋼，紙製品等　②モナコを含む　③輸出2017年

## ❹日本のおもな港別貿易額（2020年，億円）

| 輸出港 | 輸出額 | 上位3輸出品(%) |
|---|---|---|
| 名古屋 | 104,137 | 自動車(24.6)自動車部品(16.6)原動機(4.3) |
| 成田空港 | 101,588 | 半導体等製造装置(8.4)電子部品(7.3)科学光学機器(5.5) |
| 横　浜 | 58,200 | 自動車(15.9)原動機(5.3)プラスチック(4.7) |
| 東　京 | 52,331 | 事務用機器(6.7)自動車部品(5.8)半導体等製造装置(5.2) |
| 関西空港 | 49,899 | 電子部品(28.6)電気回路等機器(6.2)科学光学機器(6.2) |
| 神　戸 | 49,010 | プラスチック(7.4)建設用・鉱山用機械(5.0)原動機(4.8) |
| 大　阪 | 38,087 | 電子部品(14.3)コンデンサー(8.6)プラスチック(5.3) |
| 博　多 | 28,109 | 自動車(28.7)電子部品(27.9)半導体等製造装置 |
| 三　河 | 20,580 | 自動車(95.1)鉄鋼(1.2)その他の化学製品*(1.0) |
| 清　水 | 16,685 | 原動機(11.1)自動車部品(8.8)科学光学機器(7.4) |

| 輸入港 | 輸入額 | 上位3輸入品(%) |
|---|---|---|
| 成田空港 | 128,030 | 通信機(14.1)医薬品(13.5)事務用機器(10.8) |
| 東　京 | 109,947 | 衣類(8.3)事務用機器(7.8)肉類(4.5) |
| 大　阪 | 45,168 | 肉類(6.7)衣類(6.6)繊維製品(6.0) |
| 名古屋 | 43,160 | 天然ガス類(6.9)衣類(6.9)原油・粗油(4.0) |
| 横　浜 | 40,545 | 原油・粗油(5.5)非鉄金属(5.2)有機化合物(4.7) |
| 関西空港 | 37,464 | 医薬品(24.2)通信機(12.5)電子部品(10.0) |
| 神　戸 | 30,015 | たばこ(9.1)衣類(6.8)無機化合物(3.7) |
| 千　葉 | 24,782 | 原油・粗油(38.9)天然ガス類(13.7)石油製品(12.8) |
| 川　崎 | 18,215 | 天然ガス類(26.3)肉類(18.0)原油・粗油(14.4) |
| 四日市 | 10,774 | 原油・粗油(47.1)天然ガス類(19.8)石油製品(4.5) |

*化粧品類，肥料，プラスチックなどを除いた化学製品　税関資料ほか

## ❺おもな国の主要資源の海外依存度*（2013年，%）

| 品目 | 日本 | イギリス | ドイツ | フランス | アメリカ合衆国 |
|---|---|---|---|---|---|
| 小　麦11) | 94.3 | -12.3 | -33.9 | -57.9 | -45.9 |
| とうもろこし11) | 97.5 | 99.7 | 5.5 | -89.4 | -9.0 |
| 大　豆11) | 97.4 | 100.0 | 95.1 | 84.0 | -67.5 |
| 綿　花11) | 100.0 | 100.0 | 100.0 | 100.0 | -431.6 |
| 羊毛(洗上)11) | 99.9 | 5.6 | 26.0 | 0.4 | 8.8 |
| 木　材14) | 24.7 | 28.8 | -3.3 | -3.3 | 0.4 |
| 鉄 鉱 石 | 100.0 | 100.0 | 100.0 | 100.0 | 7.2 |
| 銅 鉱12) | 100.0 | 100.0 | 100.0 | 100.0 | -33.3 |
| 石 炭12) | 100.0 | 73.1 | 80.8 | 100.0 | -28.5 |
| 原　油 | 99.7 | 88.4 | 96.7 | 99.7 | 51.1 |
| 天然ガス | 96.0 | 50.0 | 87.9 | 99.3 | 7.0 |

*海外依存度＝（輸入量－輸出量）／（消費量）×100　FAOSTATほか

貿
易

‖‖‖‖‖‖‖‖‖‖‖‖‖‖‖‖‖‖‖‖‖‖‖‖‖‖‖‖‖‖ EU*の貿易 ‖‖‖‖‖‖‖‖‖‖‖‖‖‖‖‖‖‖‖‖‖‖‖‖‖‖‖‖‖‖
＊2020年1月，イギリスがEUを離脱。2019年までのEUの数値にはイギリスを含む

### （輸出）❶小麦の貿易（輸入）FAOSTAT ／ （輸出）❷石炭の貿易（輸入）EUROSTAT

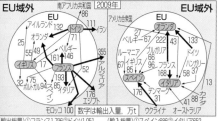

（輸出総量）①フランス1,796②ドイツ1,051③イギリス279　（輸入総量）①スペイン686②イタリア652③オランダ554

（輸出総額）①ポーランド368②オランダ344③チェコ153　（輸入総額）①ドイツ670②オランダ499③イタリア332

### （輸出）❸ワインの貿易（輸入）FAOSTAT ／ （輸出）❹自動車の貿易（輸入）世界自動車統計'11

（輸出総量）①イタリア207②スペイン156③フランス123　（輸入総量）①ドイツ145②イギリス112③フランス61

（輸出総数）①フランス388②ドイツ358③スペイン188　（輸入総数）①ドイツ246②イギリス212(2008年)③イタリア154

> 枠囲み国は，それぞれEU域内の輸出量・輸入量の上位３か国を示す。オランダは，ライン川河口に大規模な港湾ユーロポートがあり，EU域外からの石炭の輸入やEU域外への小麦の輸出の拠点になっているため，国内生産は少ないにもかかわらず貿易の上位に登場する。

### ❺EUの域外貿易(2010年, %)　EUROSTAT

| 品　目 | EU計(27か国) | EFTA | スイス | ノルウェー | アメリカ | 日本 | ロシア | 中国 | ブラジル | サウジアラビア | OPEC | NAFTA |
|---|---|---|---|---|---|---|---|---|---|---|---|---|
| 輸出総額(億ドル) | 17,875.6 | 1,984.9 | 1,393.6 | 554.9 | 3,209.6 | 580.9 | 1,140.3 | 1,500.3 | 415.8 | 307.2 | 1,560.7 | 3,845.0 |
| 食品 | 5.7 | 5.6 | 5.1 | 6.4 | 4.4 | 8.9 | 9.5 | 2.0 | 2.8 | 8.8 | 7.8 | 4.6 |
| 原料品 | 2.8 | 2.1 | 1.7 | 3.0 | 1.1 | 3.5 | 1.6 | 1.6 | 2.9 | 1.9 | 1.5 | 1.2 |
| 鉱物燃料 | 5.6 | 5.7 | 5.0 | 7.2 | 6.5 | 0.6 | 0.8 | 0.7 | 2.8 | 1.5 | 6.6 | 6.9 |
| 化学品 | 17.4 | 16.9 | 19.9 | 9.9 | 25.0 | 27.1 | 18.1 | 11.2 | 22.1 | 16.0 | 12.2 | 24.0 |
| 機械計 | 42.3 | 30.9 | 27.0 | 40.8 | 38.4 | 31.5 | 44.6 | 61.4 | 48.7 | 44.9 | 46.5 | 38.7 |
| 　通信機器 | 2.7 | 2.7 | 2.3 | 3.7 | 2.1 | 1.4 | 4.3 | 1.5 | 1.6 | 3.5 | 3.6 | 2.0 |
| 　電気機械 | 7.9 | 7.6 | 6.9 | 9.3 | | 6.5 | 9.2 | 10.4 | 6.4 | 7.3 | 8.0 | 6.4 |
| 　輸送機械 | 14.0 | 10.9 | 9.1 | 15.9 | 14.2 | 12.6 | 12.7 | 21.0 | 17.1 | 14.8 | 13.2 | 14.0 |
| その他の製品 | 26.2 | 38.8 | 41.3 | 32.7 | 24.6 | 28.4 | 25.4 | 17.9 | 22.0 | 25.9 | 26.0 | 24.6 |
| 輸入総額(億ドル) | 19,988.0 | 2,203.2 | 1,101.8 | 1,052.1 | 2,256.8 | 871.3 | 2,120.0 | 3,742.1 | 431.0 | 215.9 | 1,719.5 | 2,699.0 |
| 食品 | 5.3 | 5.0 | 3.8 | 5.2 | 3.4 | 0.3 | 0.4 | 1.4 | 29.2 | 0.1 | 0.5 | 3.9 |
| 原料品 | 4.7 | 2.8 | 1.7 | 1.9 | 4.5 | 1.1 | 2.5 | 1.0 | 34.7 | 1.3 | 1.0 | 6.2 |
| 鉱物燃料 | 25.4 | 27.8 | 1.2 | 57.0 | 5.9 | 0.7 | 74.9 | 0.1 | 6.8 | 77.1 | 88.1 | 6.8 |
| 化学品 | 9.1 | 19.7 | 35.6 | 3.8 | 22.8 | 9.9 | 0.9 | 3.9 | 6.5 | 17.6 | 4.0 | 20.7 |
| 機械計 | 29.5 | 13.0 | 20.4 | 5.3 | 39.1 | 67.4 | 0.8 | 51.3 | 10.4 | 2.5 | 1.4 | 38.3 |
| 　通信機器 | 5.0 | 0.5 | 0.5 | 0.5 | 2.5 | 6.5 | 0.0 | 13.3 | 0.3 | 0.3 | 0.1 | 3.4 |
| 　電気機械 | 11.8 | 3.7 | 6.2 | 1.1 | 9.1 | 21.6 | 0.2 | 28.4 | 0.7 | 0.5 | 0.3 | 8.7 |
| 　輸送機械 | 6.7 | 2.2 | 2.4 | 1.9 | 10.4 | 20.7 | 0.2 | 4.2 | 5.1 | 0.6 | 0.3 | 10.5 |
| その他の製品 | 26.0 | 32.7 | 37.3 | 26.8 | 24.3 | 20.6 | 18.5 | 42.3 | 12.4 | 1.4 | 3.3 | 24.1 |

### ❻EUのルート別域外貿易量(2010年, %)　EUROSTAT

| ルート | EU計(27か国) | ベルギー | デンマーク | ドイツ | ギリシャ | スペイン | フランス | アイルランド | イタリア | オランダ | ポルトガル | イギリス |
|---|---|---|---|---|---|---|---|---|---|---|---|---|
| 輸出総額(億ドル) | 17,875.6 | 1,101.6 | 332.2 | 5,016.1 | 80.9 | 796.1 | 2,045.7 | 487.9 | 1,906.7 | 1,307.8 | 121.7 | 1,870.3 |
| 海路 | 47.4 | 42.0 | 47.8 | 50.2 | 97.4 | 69.3 | 42.5 | 24.3 | 55.8 | 46.7 | 78.3 | 52.3 |
| 陸路(車) | 20.6 | 17.9 | 20.9 | 21.2 | 0.0 | 11.4 | 16.7 | 7.8 | 22.9 | 21.5 | 6.4 | 0.7 |
| 陸路(鉄道) | 1.5 | 0.7 | 0.0 | 1.6 | 0.0 | 0.4 | 0.3 | 0.0 | 0.9 | 0.2 | 0.0 | 0.3 |
| 河川路 | 0.3 | 0.0 | - | 0.2 | - | 0.0 | 0.1 | - | 0.0 | 1.7 | - | - |
| 空路 | 26.8 | 38.5 | 28.3 | 22.9 | 2.6 | 16.9 | 27.8 | 67.1 | 19.2 | 28.8 | 15.0 | 45.4 |
| 固定路① | 0.3 | 0.1 | 0.7 | 0.3 | 0.0 | 0.2 | 0.6 | 0.0 | 0.1 | 0.2 | - | - |
| 輸入総額(億ドル) | 19,988.0 | 1,206.8 | 250.1 | 3,877.3 | 312.1 | 1,339.2 | 1,931.6 | 196.7 | 2,199.0 | 2,756.3 | 183.4 | 2,718.8 |
| 海路 | 53.8 | 57.1 | 55.0 | 47.7 | 71.9 | 78.3 | 60.1 | 41.7 | 70.2 | 47.5 | 84.8 | 54.5 |
| 陸路(車) | 13.9 | 16.4 | 25.8 | 15.1 | 7.8 | 6.6 | 14.0 | 0.9 | 9.5 | 18.6 | 4.8 | 0.0 |
| 陸路(鉄道) | 1.1 | 0.0 | 0.0 | 0.3 | 0.3 | 0.0 | 0.1 | 0.0 | 0.2 | 0.0 | 0.3 | - |
| 河川路 | 0.2 | 0.0 | - | 0.2 | - | 0.0 | 0.0 | - | 0.0 | 0.3 | - | - |
| 空路 | 19.4 | 22.5 | 13.0 | 22.6 | 8.3 | 9.0 | 19.7 | 51.8 | 10.4 | 18.1 | 9.3 | 30.8 |
| 固定路① | 5.8 | 2.6 | 0.4 | 9.5 | 7.8 | 2.6 | 0.2 | 4.6 | 9.3 | 1.6 | - | 1.5 |

①ルートが決まっているもの(ルートは混合されている)

貿
易

## ❶日本の輸出入額の推移（億円）

財務省貿易統計ほか

| 年 | 輸出額 | 輸入額 | 貿易収支 | 年 | 輸出額 | 輸入額 | 貿易収支 |
|---|---|---|---|---|---|---|---|
| 1932~34平均 | 18 | 19 | −1 | 1980 | 293,825 | 319,953 | −26,128 |
| 1942~44平均 | 16 | 19 | −3 | 1985 | 419,557 | 310,849 | 108,708 |
| 1946 | 23 | 41 | −18 | 1990 | 414,569 | 338,552 | 76,017 |
| 1950 | 2,980 | 3,482 | −502 | 2000 | 516,542 | 409,384 | 107,158 |
| 1960 | 14,596 | 16,168 | −1,572 | 2010 | 673,996 | 607,650 | 66,346 |
| 1970 | 69,544 | 67,972 | 1,572 | 2022 | 981,736 | 1,185,032 | −203,295 |

## ❷日本のおもな品目別輸出額の推移（億円）

財務省貿易統計ほか

| 年 | 食料品 | 繊維原料 | 織物 | 化学品 | 金属品 | 一般機械 | 電気機械 | 輸送機械 | 精密機械 |
|---|---|---|---|---|---|---|---|---|---|
| 1960 | 965 | − | 1,264 | 608 | 2,020 | 799 | 986 | 1,559 | 346 |
| 1970 | 2,333 | 720 | 4,061 | 4,442 | 13,698 | 7,222 | 10,314 | 12,395 | 2,254 |
| 1980 | 3,592 | 1,592 | 7,540 | 15,445 | 48,446 | 40,909 | 51,354 | 77,717 | 14,139 |
| 1990 | 2,372 | 1,214 | 5,581 | 22,950 | 28,246 | 91,757 | 95,269 | 103,667 | 20,013 |
| 2000 | 2,268 | 1,117 | 4,684 | 38,047 | 28,516 | 110,964 | 136,702 | 108,282 | 27,726 |
| 2010 | 4,061 | 1,266 | 3,119 | 69,253 | 59,925 | 133,166 | 126,505 | 152,581 | 21,051 |
| 2022 | 11,366 | 1,094 | 3,304 | 117,938 | 85,565 | 189,089 | 173,371 | 190,570 | 26,140 |

## ❸日本のおもな品目別輸入額の推移（億円）

財務省貿易統計ほか

| 年 | 食料品 | 繊維原料 | 金属原料 | その他の原品 | 鉱物性燃料 | 一般機械 | 電気機械 | 繊維製品 | 鉄鋼 |
|---|---|---|---|---|---|---|---|---|---|
| 1960 | 1,969 | 2,844 | 2,423 | − | 2,498 | 1,015 | 122 | − | 317 |
| 1970 | 9,266 | 3,467 | 9,706 | 10,865 | 14,058 | 4,543 | 1,721 | 1,130 | 994 |
| 1980 | 33,264 | 5,473 | 19,252 | 29,597 | 159,324 | 8,639 | 6,364 | 7,237 | 2,038 |
| 1990 | 45,724 | 3,851 | 13,210 | 24,282 | 80,832 | 20,237 | 18,509 | 18,542 | 6,623 |
| 2000 | 49,664 | 1,035 | 9,323 | 16,062 | 83,166 | 45,006 | 58,249 | 26,422 | 3,943 |
| 2010 | 51,994 | 505 | 31,934 | 15,220 | 173,980 | 48,257 | 81,010 | 29,517 | 7,618 |
| 2022 | 94,942 | 895 | 53,390 | 27,212 | 336,990 | 92,869 | 172,856 | 47,626 | 14,798 |

## ❹日本のおもな商品の輸出額および相手先（2022年, 億円）

財務省貿易統計

| 輸出商品 | 輸出額 | おもな輸出相手国・地域および総額に対する割合（%） |
|---|---|---|
| 織物用糸 | 1,253 | 中国(24.1)タイ(10.2)アメリカ合衆国(9.2)韓国(7.3)インド(6.2) |
| 綿織物 | 384 | 中国(29.3)ベトナム(14.4)アメリカ合衆国(13.7)イタリア(6.8)バングラデシュ(6.3) |
| 合成繊維織物 | 1,545 | 中国(26.9)ベトナム(26.1)アラブ首長国連邦(7.9)サウジアラビア(6.1)ミャンマー(4.5) |
| セメント | 490 | シンガポール(22.7)オーストラリア(22.7)ホンコン(13.7)ニュージーランド(9.2)フィリピン(8.8) |
| タイヤ・チューブ | 7,257 | アメリカ合衆国(29.1)オーストラリア(5.0)カナダ(3.6)アラブ首長国連邦(3.6) |
| プラスチック | 31,545 | 中国(35.8)韓国(10.7)台湾(9.7)アメリカ合衆国(8.4)タイ(4.3) |
| 鉄鋼 | 47,386 | タイ(14.1)韓国(14.1)中国(14.1)インドネシア(6.6)アメリカ合衆国(6.3) |
| 工作機械 | 8,571 | 中国(26.7)アメリカ合衆国(23.9)台湾(5.5)韓国(5.2)インド(4.2) |
| 映像記録・再生機器 | 3,587 | アメリカ合衆国(31.6)中国(20.4)オランダ(16.4)タイ(4.2)ホンコン(3.2) |
| IC（集積回路） | 39,751 | 台湾(26.0)中国(24.4)ホンコン(11.7)韓国(11.2)ベトナム(7.4) |
| 乗用車 | 113,813 | アメリカ合衆国(36.9)中国(8.8)オーストラリア(7.6)カナダ(3.6)サウジアラビア(3.1) |
| バス・トラック | 15,623 | オーストラリア(15.4)アメリカ合衆国(7.1)アラブ首長国連邦(5.4)フィリピン(5.2)サウジアラビア(4.8) |
| 二輪自動車類 | 4,963 | アメリカ合衆国(23.6)フランス(11.5)イタリア(10.4)オランダ(8.3)ドイツ(4.2) |
| 貨物船 | 8,148 | リベリア(32.1)パナマ(31.1)シンガポール(14.7)マーシャル諸島(12.9)タイ(2.1) |

## ❺日本のおもな商品の輸入額および相手先（2022年, 億円）

財務省貿易統計

| 輸入商品 | 輸入額 | おもな輸入相手国・地域および総額に対する割合（%） |
|---|---|---|
| 原油及び粗油 | 134,527 | サウジアラビア(39.5)アラブ首長国連邦(37.7)クウェート(8.2)カタール(7.2)エクアドル(1.8) |
| 鉄鉱石 | 17,974 | オーストラリア(52.8)ブラジル(32.4)カナダ(7.3)南アフリカ共和国(3.4)アメリカ合衆国(1.5) |
| 合金鉄（フェロアロイ）① | 4,959 | カザフスタン(18.9)中国(11.2)ロシア(10.8)ブラジル(10.5)マレーシア(10.0) |
| DVDレコーダー等 | 598 | 中国(62.8)マレーシア(11.1)フィリピン(9.6)韓国(6.3)タイ(4.0) |
| カラーテレビ | 2,633 | 中国(65.7)マレーシア(24.2)タイ(5.7)インドネシア(2.4)フィリピン(1.5) |
| 乗用車 | 13,980 | ドイツ(34.6)アメリカ合衆国(8.2)イタリア(7.9)イギリス(7.1)オーストラリア(5.6) |
| IC（集積回路） | 41,233 | 台湾(59.1)中国(8.3)アメリカ合衆国(7.8)韓国(7.2)マレーシア(4.2) |
| 時計 | 3,490 | スイス(81.9)中国(12.1)タイ(2.1)マレーシア(1.2)ドイツ(1.1) |
| パルプ | 2,121 | アメリカ合衆国(40.3)カナダ(19.3)ブラジル(17.4)チリ(6.8)スウェーデン(2.6) |
| 綿織物 | 273 | 中国(38.7)インドネシア(17.0)パキスタン(14.5)イタリア(7.0)タイ(6.2) |
| チーズ・同原料 | 1,798 | ニュージーランド(20.2)オーストラリア(19.6)アメリカ合衆国(15.9)オランダ(9.2)イタリア(7.6) |
| 豚肉 | 5,536 | アメリカ合衆国(24.5)カナダ(22.6)スペイン(18.2)メキシコ(13.4)デンマーク(8.6) |
| 牛肉 | 4,919 | アメリカ合衆国(41.5)オーストラリア(37.9)カナダ(7.4)ニュージーランド(5.8)メキシコ(4.0) |
| 魚介類・同調製品 | 19,453 | 中国(17.6)チリ(9.7)アメリカ合衆国(8.6)ロシア(8.0)ベトナム(7.8) |
| 小麦及びメスリン | 3,298 | アメリカ合衆国(41.5)カナダ(36.8)オーストラリア(21.6) |
| 大豆 | 3,391 | アメリカ合衆国(71.4)ブラジル(16.8)カナダ(10.8)中国(1.0) |
| 金（非貨幣用） | 360 | 台湾(53.4)マレーシア(12.2)韓国(10.4)スイス(9.8)アメリカ合衆国(3.0) |

①鉄に数種類の金属を加えた合金。製鋼用の脱硫剤・脱酸剤などとして使用される。

## ❶おもなDAC諸国の開発援助（百万ドル）

世界の統計2015

| 国　名 | 経済協力総額 | | | | ODA② | | | | その他政府資金 | 民間 | 民間贈与③ |
|---|---|---|---|---|---|---|---|---|---|---|---|
| | 1985～86 | 1991 | 2012 | 対GNI比(%) | 総額 | 対GNI比(%) | 2国間計 | 多国間 | | | |
| Ｄ Ａ Ｃ①計 | 55,624 | 94,662 | 474,415 | 1.07 | 126,881 | 0.29 | 88,550 | 38,331 | 9,792 | 307,990 | 29,753 |
| アメリカ合衆国 | 10,023 | 20,756 | 162,460 | 0.98 | 30,687 | 0.19 | 25,471 | 5,216 | 2,462 | 107,194 | 22,097 |
| 日　　　本 | 12,860 | 24,490 | 48,977 | 0.80 | 10,605 | 0.17 | 6,402 | 4,202 | 5,393 | 32,494 | 487 |
| ド　イ　ツ | 6,819 | 13,098 | 34,876 | 1.00 | 12,939 | 0.37 | 8,584 | 4,355 | −846 | 21,383 | 1,399 |
| イ ギ リ ス | 4,574 | 5,623 | 63,461 | 2.57 | 13,892 | 0.56 | 8,709 | 5,182 | 36 | 48,508 | 1,025 |
| フ ラ ン ス | 7,770 | 6,478 | 29,587 | 1.11 | 12,028 | 0.45 | 7,928 | 4,100 | −528 | 18,078 | |
| カ　ナ　ダ | 1,623 | 4,009 | 18,515 | 1.04 | 5,650 | 0.32 | 4,053 | 1,598 | 1,626 | 9,194 | 2,045 |
| イ タ リ ア | 2,380 | 7,514 | 11,186 | 0.56 | 2,737 | 0.14 | 624 | 2,113 | 196 | 8,161 | 91 |
| オ ラ ン ダ | 2,722 | 4,415 | 19,943 | 2.56 | 5,523 | 0.71 | 3,858 | 1,665 | − | 13,891 | 528 |
| ス ペ イ ン | 104 | 1,348 | 1,977 | 0.15 | 2,037 | 0.16 | 985 | 1,052 | 2 | −63 | |
| スウェーデン | 1,558 | 1,824 | 14,156 | 2.63 | 5,240 | 0.97 | 3,638 | 1,602 | −48 | 8,946 | 19 |

①OECD開発援助委員会　②政府開発援助　③民間非営利団体による贈与

## ❷２国間ODA受取地域・国（百万ドル）

| 地域・国 | 1990 | 2000 | 2014 | % |
|---|---|---|---|---|
| 総　　　計 | 38,469 | 36,221 | 94,662 | 100 |
| 西アジア・アフリカ | 18,023 | 11,713 | 36,547 | 38.6 |
| ア ジ ア | 9,124 | 9,764 | 17,579 | 18.6 |
| 南北アメリカ | 4,188 | 3,862 | 6,504 | 6.9 |
| ヨーロッパ | 775 | 2,093 | 3,222 | 3.4 |
| オ セ ア ニ ア | 1,215 | 712 | 1,567 | 1.7 |
| アフガニスタン | 100 | 88 | 3,908 | 4.1 |
| ベ ト ナ ム | 108 | 1,263 | 2,427 | 2.6 |
| エ チ オ ピ ア | 510 | 380 | 1,915 | 2.0 |
| イ ン ド | 752 | 651 | 1,892 | 2.0 |
| パ キ ス タ ン | 654 | 475 | 1,762 | 1.9 |

OECD資料

## ❸DAC諸国の技術協力（百万ドル）

ODA白書2014ほか

| 国　名 | 1986 | 1990 | 2000 | 2012 | % |
|---|---|---|---|---|---|
| Ｄ Ａ Ｃ 計 | 9,157 | 11,727 | 12,767 | 18,333 | 100 |
| ド　イ　ツ | 1,510 | 1,835 | 1,640 | 4,997 | 27.3 |
| 日　　　本 | 748 | 1,463 | 2,430 | 2,843 | 15.5 |
| フ ラ ン ス | 2,334 | 2,029 | 1,283 | 2,086 | 11.4 |
| オーストラリア | 306 | 238 | 407 | 2,048 | 11.2 |
| イ ギ リ ス | 570 | 753 | 685 | 1,148 | 6.3 |
| カ　ナ　ダ | 313 | 352 | 352 | 1,014 | 5.5 |
| アメリカ合衆国 | 1,675 | 2,818 | 4,316 | 921 | 5.0 |
| スウェーデン | – | – | 70 | 610 | 3.3 |
| ス ペ イ ン | – | – | 107 | 411 | 2.2 |
| オ ラ ン ダ | 451 | 795 | 579 | 385 | 2.1 |

## ❹日本の資金援助の推移（百万ドル）

ODA白書2014ほか

| 年 | 総計 | 政府資金計 | 政府開発援助 | ODAのGNI比(%) | 2国間計 | うち贈与 | 対国際機関 | その他政府資金 | 民間資金 | 民間贈与 |
|---|---|---|---|---|---|---|---|---|---|---|
| 1983 | 7,896 | 5,715 | 3,761 | ①0.32 | 2,425 | 993 | 1,336 | 1,954 | 2,151 | 30 |
| 1985 | 11,619 | 3,495 | 3,797 | ①0.29 | 2,557 | 1,185 | 1,240 | 302 | 8,022 | 101 |
| 1990 | 18,731 | 12,436 | 9,069 | ①0.31 | 6,785 | 3,014 | 2,282 | 3,367 | 6,192 | 103 |
| 1995 | 42,295 | 20,033 | 14,489 | ①0.28 | 10,419 | 6,298 | 4,071 | 5,544 | 22,046 | 216 |
| 2000 | 15,053 | 8,564 | 13,419 | ①0.28 | 9,640 | 5,813 | 3,779 | −4,855 | 6,259 | 231 |
| 2010 | 41,051 | 16,869 | 11,112 | 0.20 | 7,428 | 6,954 | 3,684 | 5,757 | 23,490 | 692 |
| 2013 | 70,841 | 13,627 | 11,494 | 0.23 | 8,524 | 9,841 | 2,970 | 2,133 | 56,756 | 458 |

①2000年まではGNP比

## ❺日本の２国間ODA受取国（2013年，百万ドル）

ODA白書2014

| 援助国 | 2国間ODA計 | 贈与 | 政府貸付等 | 援助国 | 2国間ODA計 | 贈与 | 政府貸付等 | 援助国 | 2国間ODA計 | 贈与 | 政府貸付等 |
|---|---|---|---|---|---|---|---|---|---|---|---|
| 合　　　計 | 8,524 | 9,841 | −1,317 | バングラデシュ | 327 | 64 | 264 | カンボジア | 141 | 121 | 21 |
| ミャンマー | 2,528 | 3,287 | −759 | ケ ニ ア | 270 | 113 | 157 | スリランカ | 105 | 52 | 53 |
| ベトナム | 1,307 | 129 | 1,178 | タンザニア | 197 | 284 | −87 | コンゴ民主 | 104 | 104 | − |
| アフガニスタン | 831 | 831 | − | パキスタン | 173 | 55 | 118 | モザンビーク | 98 | 129 | −31 |
| イ ラ ク | 700 | 24 | 676 | モ ン ゴ ル | 165 | 56 | 109 | 南スーダン | 80 | 80 | − |
| イ ン ド | 662 | 42 | 620 | エチオピア | 150 | 150 | − | モ ロ ッ コ | 77 | 16 | 61 |

## ❻日本の地域別技術協力（2010年度までの累計）

ODA白書2011

| 地 域 | 経費総額（億円） | 経費総額（%） | 研修員受入（人） | 専門家派遣（人） | 調査団派遣（人） | 協力隊派遣（人） | 移住者事業等（人） | その他（人） |
|---|---|---|---|---|---|---|---|---|
| 合　　計 | 40,495 | 100 | 461,939 | 107,732 | 226,555 | 36,298 | 73,437 | 5,319 |
| ア ジ ア | 17,246 | 42.6 | 250,299 | 67,104 | 124,673 | 10,513 | 0 | 1,666 |
| 北米・中南米 | 7,538 | 18.6 | 60,641 | 16,882 | 34,645 | 7,946 | 73,011 | 2,217 |
| ア フ リ カ | 6,040 | 14.9 | 88,915 | 10,005 | 31,064 | 11,535 | 0 | 210 |
| 中　　東 | 2,782 | 6.9 | 33,998 | 7,308 | 17,167 | 2,477 | 0 | 552 |
| オ セ ア ニ ア | 1,141 | 2.8 | 10,694 | 2,074 | 5,714 | 3,070 | 426 | 485 |
| ヨ ー ロ ッ パ | 1,078 | 2.7 | 12,068 | 2,612 | 7,497 | 617 | 0 | 51 |
| 国 際 機 関 | 300 | 0.7 | 5,323 | 1,623 | 0 | 140 | 0 | 138 |
| 区 分 不 能 | 4,370 | 10.8 | 1 | 124 | 5,795 | 0 | 0 | 0 |

## ❶おもな国の輸出入品目および相手国(2022年，年次の異なる統計は国名の下に記載)(Ⅰ)

UN Comtradeほか

| 国　名 | 輸出総額(百万ドル) | 食料品(%) | 原・燃料(%) | 製品(%) | 輸入総額(百万ドル) | 食料品(%) | 原・燃料(%) | 製品(%) |
|---|---|---|---|---|---|---|---|---|
| **日　本** 2021年 | ①757,070 | 1.2 | 2.9 | 88.2 | ①773,321 | 8.7 | 28.1 | 61.4 |

輸出品目(%)：一般機械19.7 電気機械18.4 自動車(部品を除く)12.9 鉄鋼4.6 自動車部品4.8
輸出相手国・地域(%)：中国21.6 アメリカ合衆国17.8 (台湾)7.2 韓国6.9 (ホンコン)4.7
輸入品目(%)：電気機械16.1 一般機械9.1 原油及び粗油8.2 液化天然ガス5.0 医薬品5.0
輸入相手国・地域(%)：中国24.0 アメリカ合衆国10.5 オーストラリア6.8 (台湾)4.3 韓国4.1

| **アゼルバイジャン** | 38,146 | 2.3 | 93.3 | 3.9 | 14,536 | 16.1 | 13.3 | 69.7 |

輸出品目(%)：原油51.1 天然ガス39.3 石油製品1.4 果実1.2 プラスチック製品1.0
輸出相手国・地域(%)：イタリア46.6 トルコ9.3 イスラエル4.4 インド4.4 ギリシャ3.6
輸入品目(%)：機械類20.1 自動車9.0 鉄鋼4.8 石油製品4.8 医薬品4.5
輸入相手国・地域(%)：ロシア18.8 トルコ15.8 中国14.4 ドイツ4.5 トルクメニスタン3.5

| **アラブ首長国連邦** 2021年 | •425,160 | 3.3 | 52.6 | 36.1 | •347,529 | 9.4 | 12.4 | 53.5 |

輸出品目(%)：原油23.3 石油製品20.9 機械類12.3 金(非貨幣用)7.9 液化石油ガス6.9
輸出相手国・地域(%)：サウジアラビア6.2 インド5.6 イラク3.4 (ホンコン)2.5 オマーン2.4
輸入品目(%)：機械類20.2 金(非貨幣用)13.9 石油製品9.6 自動車5.3 ダイヤモンド4.2
輸入相手国・地域(%)：中国14.9 インド6.0 アメリカ合衆国4.9 日本3.1 トルコ2.8

| **イスラエル** | •73,583 | 2.7 | 1.5 | 90.5 | •107,083 | 8.5 | 15.7 | 74.0 |

輸出品目(%)：機械類24.8 ダイヤモンド14.8 精密機械9.5 化学品6.2 医薬品5.1
輸出相手国・地域(%)：アメリカ合衆国25.4 中国6.4 インド5.4 イギリス4.3 アイルランド3.5
輸入品目(%)：機械類22.6 原油9.1 自動車8.5 ダイヤモンド5.5 医薬品4.5
輸入相手国・地域(%)：中国13.4 アメリカ合衆国9.4 トルコ6.3 ドイツ5.7 イタリア3.4

| **イラン** 2018年 | 96,618 | 6.2 | 70.7 | 23.1 | 41,236 | 19.0 | 1.9 | 63.0 |

輸出品目(%)：原油52.6 石油製品9.3 プラスチック4.8 鉄鋼4.3 有機化合物4.2
輸出相手国・地域(%)：中国9.5 イラク9.3 アラブ首長国連邦6.2 アフガニスタン3.0 韓国2.7
輸入品目(%)：機械類28.2 とうもろこし5.1 医薬品4.5 米3.9 自動車3.7
輸入相手国・地域(%)：中国24.9 アラブ首長国連邦13.8 インド6.4 トルコ6.3 ドイツ5.9

| **イ　ン　ド** | 452,684 | 10.2 | 24.7 | 65.0 | 732,566 | 1.5 | 45.8 | 47.5 |

輸出品目(%)：石油製品20.9 機械類12.3 ダイヤモンド5.3 医薬品4.8 有機化合物4.6
輸出相手国・地域(%)：アメリカ合衆国17.7 アラブ首長国連邦6.9 オランダ4.1 中国3.3 バングラデシュ3.1
輸入品目(%)：原油23.7 機械類16.8 石炭6.9 金(非貨幣用)5.0 有機化合物5.0
輸入相手国・地域(%)：中国13.8 アラブ首長国連邦7.4 アメリカ合衆国7.1 サウジアラビア6.3 ロシア5.5

| **インドネシア** 2021年 | 231,522 | 9.9 | 43.9 | 47.5 | 196,190 | 10.6 | 20.6 | 67.4 |

輸出品目(%)：石炭13.6 パーム油11.5 鉄鋼9.2 機械類7.9 自動車3.7
輸出相手国・地域(%)：中国23.2 アメリカ合衆国11.2 日本7.7 インド5.7 マレーシア5.2
輸入品目(%)：機械類24.7 石油製品7.1 鉄鋼6.3 プラスチック類4.5 繊維品3.6
輸入相手国・地域(%)：中国28.7 シンガポール7.9 日本7.5 アメリカ合衆国5.8 マレーシア4.8

| **カザフスタン** | •84,392 | 5.3 | 70.0 | 24.6 | 50,044 | 9.1 | 9.8 | 80.8 |

輸出品目(%)：原油55.6 鉄鋼6.5 銅4.5 機械類3.4 天然ウラン3.1
輸出相手国・地域(%)：イタリア16.4 中国15.6 ロシア10.4 オランダ6.5 トルコ3.5
輸入品目(%)：機械類26.0 自動車9.3 鉄鋼5.3 金属製品4.1 医薬品3.5
輸入相手国・地域(%)：ロシア34.7 中国21.9 ドイツ4.5 アメリカ合衆国3.8 トルコ3.2

| **韓　国** | 683,551 | 1.4 | 10.8 | 87.6 | 731,361 | 5.4 | 35.9 | 58.5 |

輸出品目(%)：機械類37.0 自動車10.9 石油製品9.0 プラスチック類5.4 精密機械5.3
輸出相手国・地域(%)：中国22.8 アメリカ合衆国16.1 ベトナム8.9 日本4.5 (ホンコン)4.0
輸入品目(%)：機械類26.7 原油14.5 液化天然ガス6.8 石炭3.9 石油製品3.6
輸入相手国・地域(%)：中国21.1 アメリカ合衆国11.2 日本7.5 オーストラリア6.1 サウジアラビア7.2

| **サウジアラビア** 2021年 | •286,467 | 1.3 | 75.4 | 22.9 | 152,695 | 13.9 | 7.3 | 71.1 |

輸出品目(%)：原油52.7 石油製品18.2 プラスチック8.2 有機化合物6.6 液化石油ガス3.2
輸出相手国・地域(%)：アラブ首長国連邦5.1 中国3.8 インド3.2 エジプト2.7 アメリカ合衆国1.7
輸入品目(%)：機械類20.1 自動車10.0 医薬品4.6 石油製品4.6 鉄鋼4.5
輸入相手国・地域(%)：中国19.8 アメリカ合衆国10.6 アラブ首長国連邦8.2 インド5.3 ドイツ4.9

| **シンガポール** | 514,966 | 2.8 | 13.5 | 73.7 | 475,413 | 2.9 | 23.3 | 69.3 |

輸出品目(%)：機械類49.0 石油製品12.3 精密機械4.2 金(非貨幣用)3.1 プラスチック2.8
輸出相手国・地域(%)：中国12.4 (ホンコン)11.2 マレーシア10.0 アメリカ合衆国8.8 インドネシア7.2
輸入品目(%)：機械類46.0 石油製品13.1 原油7.2 金(非貨幣用)3.7 精密機械3.5
輸入相手国・地域(%)：中国13.2 マレーシア12.5 アメリカ合衆国10.8 韓国6.4 日本5.6

| **スリランカ** | 13,592 | 22.2 | 6.2 | 71.6 | 17,560 | 13.2 | 25.8 | 61.0 |

輸出品目(%)：衣類44.9 茶9.6 ゴム製品5.0 機械類5.0 繊維品3.5
輸出相手国・地域(%)：アメリカ合衆国25.5 イギリス7.4 インド6.7 ドイツ5.8 イタリア3.5
輸入品目(%)：繊維品17.4 石油製品17.0 機械類11.6 プラスチック類3.5 医薬品3.2
輸入相手国・地域(%)：インド26.4 中国20.0 アラブ首長国連邦5.5 マレーシア5.2 シンガポール4.2

| **タ　イ** 2021年 | 266,675 | 13.0 | 9.2 | 76.3 | 268,205 | 5.6 | 18.9 | 72.4 |

輸出品目(%)：機械類31.7 自動車11.7 プラスチック4.8 ゴム製品3.3 石油製品2.9
輸出相手国・地域(%)：アメリカ合衆国15.5 中国13.7 日本9.2 ベトナム4.6 マレーシア4.5
輸入品目(%)：機械類29.8 原油9.5 鉄鋼5.9 自動車3.7 金属製品3.4
輸入相手国・地域(%)：中国24.8 日本13.3 アメリカ合衆国5.4 マレーシア4.5 韓国3.3

| **(台　湾)** | 479,442 | 1.0 | 3.4 | 94.3 | 428,010 | 3.1 | 25.0 | 67.0 |

輸出品目(%)：機械類62.8 プラスチック類4.0 石油製品3.7 精密機械3.6 金属製品3.4
輸出相手国・地域(%)：中国25.3 アメリカ合衆国15.7 (ホンコン)13.5 日本7.0 シンガポール6.2
輸入品目(%)：機械類44.5 原油7.3 天然ガス・製造ガス4.4 精密機械4.3 石炭3.8
輸入相手国・地域(%)：中国19.6 日本12.8 アメリカ合衆国10.6 韓国8.0 オーストラリア5.8

| **中　国** | 3,593,601 | 2.1 | 3.6 | 93.9 | •2,715,998 | 6.1 | 35.0 | 56.8 |

輸出品目(%)：機械類41.0 衣類5.1 自動車4.5 金属製品4.4 繊維品4.1
輸出相手国・地域(%)：アメリカ合衆国16.2 (ホンコン)8.3 日本4.8 韓国4.5 ベトナム4.1
輸入品目(%)：機械類29.8 原油13.5 鉄鉱石4.7 精密機械4.4 自動車3.9
輸入相手国・地域(%)：韓国7.4 日本6.8 アメリカ合衆国6.6 オーストラリア5.2 ロシア4.2

| **ト　ル　コ** 2021年 | 225,219 | 9.5 | 7.5 | 80.1 | •271,423 | 4.6 | 16.4 | 76.6 |

輸出品目(%)：機械類14.5 自動車10.8 鉄鋼8.4 衣類8.3 繊維品6.2
輸出相手国・地域(%)：ドイツ8.6 アメリカ合衆国6.5 イギリス6.1 イタリア5.1 イラク4.9
輸入品目(%)：機械類19.0 鉄鋼6.4 プラスチック類6.0 自動車5.6 銅くず4.1
輸入相手国・地域(%)：中国11.9 ロシア10.7 ドイツ8.0 アメリカ合衆国4.8 イタリア4.1

| **パキスタン** 2021年 | 28,795 | 16.1 | 5.1 | 78.8 | 72,892 | 5.3 | 42.8 | 51.8 |

輸出品目(%)：繊維品31.9 衣類29.4 米7.5 銅2.7 果実1.7
輸出相手国・地域(%)：アメリカ合衆国21.1 中国10.5 イギリス7.3 ドイツ5.4 オランダ4.9
輸入品目(%)：機械類16.4 石油製品11.0 原油5.8 医薬品5.6 液化天然ガス5.5
輸入相手国・地域(%)：中国28.3 アラブ首長国連邦10.1 インドネシア5.8 アメリカ合衆国5.3 サウジアラビア5.2

| **バーレーン** 2020年 | •11,559 | 3.7 | 65.5 | 30.6 | 15,458 | 11.0 | 23.2 | 65.5 |

輸出品目(%)：石油製品29.8 アルミニウム22.9 鉄鋼7.0 機械類5.8 銅線5.3
輸出相手国・地域(%)：サウジアラビア16.8 アラブ首長国連邦8.8 アメリカ合衆国6.0 オマーン4.1 オランダ3.6
輸入品目(%)：機械類21.9 原油18.0 自動車6.6 アルミナ5.7 鉄鉱石5.5
輸入相手国・地域(%)：サウジアラビア24.0 中国11.3 オーストラリア5.7 アラブ首長国連邦5.3 アメリカ合衆国5.1

| **バングラデシュ** 2015年 | 31,734 | 2.6 | 1.5 | 95.9 | 48,059 | 9.6 | 25.6 | 64.8 |

輸出品目(%)：衣類84.2 繊維品5.1 履物2.2 冷凍エビ1.2 皮革製品1.1
輸出相手国・地域(%)：アメリカ合衆国19.3 ドイツ14.7 イギリス11.0 スペイン5.8 フランス5.5
輸入品目(%)：繊維品17.2 機械類15.0 石油製品9.1 植物性油脂5.7 鉄鋼4.2
輸入相手国・地域(%)：中国21.5 インド12.2 シンガポール9.2 (ホンコン)5.5 インドネシア4.6

①2021年平均為替レート(1ドル=109.754円)で換算　•貿易相手上位5か国に秘匿を含む

●おもな国の輸出入品目および相手国（2022年，年次の異なる統計は国名の下に記載）（Ⅱ）　　UN Comtradeほか

| 国　名 | 輸出総額（百万ドル）　食料品(%)　原・燃料(%)　製品(%)<br>輸出品目(%)<br>輸出相手国・地域(%) | 輸入総額（百万ドル）　食料品(%)　原・燃料(%)　製品(%)<br>輸入品目(%)<br>輸入相手国・地域(%) |
|---|---|---|
| フィリピン | 78,929　　　　　6.3　　　　9.7　　　82.4<br>機械類63.8 精密機械3.2 コプラ油2.7 銅2.6 ニッケル鉱2.4<br>アメリカ合衆国15.8 日本14.1 中国13.9 (ホンコン)13.2 シンガポール6.2 | 145,880　　　　12.3　　　21.4　　　66.2<br>機械類30.3 石油製品9.9 自動車5.9 鉄鋼4.2 石炭4.2<br>中国20.4 インドネシア9.6 日本9.0 韓国8.7 アメリカ合衆国6.6 |
| ベトナム<br>2021年 | 335,793　　　　　8.0　　　　3.3　　　87.2<br>機　械　類46.3 衣類9.1 履　物5.4 家　具3.9 鉄　鋼3.8<br>アメリカ合衆国28.7 中国16.7 韓国6.5 日本6.0 (ホンコン)3.6 | 330,752　　　　　7.5　　　10.8　　　80.3<br>機械類43.1 繊維品5.6 プラスチック類4.9 鉄鋼3.9 金属製品2.4<br>中国33.2 韓国17.0 日本6.8 アメリカ合衆国4.6 タイ3.8 |
| (ホンコン)<br>2021年 | 670,926　　　　　1.0　　　　0.1　　　89.8<br>機械類73.0 金(非貨幣用)4.9 精密機械4.0 ダイヤモンド2.1 貴金属1.5<br>中国59.9 アメリカ合衆国6.0 インド2.6 日本2.3 ベトナム2.0 | 713,173　　　　　3.4　　　　1.7　　　90.8<br>機械類68.2 金(非貨幣用)4.3 精密機械3.9 貴金属2.6 ダイヤモンド2.2<br>中国44.3 シンガポール7.6 韓国5.9 日本5.2 アメリカ合衆国4.2 |
| マレーシア<br>2021年 | 299,230　　　　　3.3　　　22.2　　　74.2<br>機械類42.7 石油製品6.9 衣類4.9 パーム油4.7 精密機械3.8<br>中国15.5 シンガポール14.0 アメリカ合衆国11.5 (ホンコン)6.2 日本6.1 | 238,250　　　　　6.7　　　20.3　　　70.6<br>機械類39.2 石油製品8.4 プラスチック類3.4 鉄鋼2.9 精密機械2.7<br>中国23.2 シンガポール9.5 アメリカ合衆国7.6 日本7.5 インドネシア5.7 |
| アルジェリア<br>2017年 | 35,191　　　　　1.0　　　96.4　　　2.6<br>原油36.1 天然ガス20.3 石油製品18.3 液化石油ガス10.4 液化石油ガス9.0<br>イタリア16.0 フランス12.6 スペイン11.7 アメリカ合衆国9.9 ブラジル6.0 | 46,053　　　　18.0　　　　7.8　　　74.1<br>機械類26.4 鉄鋼8.1 自動車7.3 金属製品4.8 医薬品4.4<br>中国19.3 フランス10.0 イタリア8.7 ドイツ7.5 スペイン7.3 |
| エジプト | 48,149　　　　12.4　　　40.2　　　44.0<br>液化天然ガス21.0 石油製品9.4 原油6.2 機械類5.8 衣類5.1<br>トルコ7.9 スペイン7.3 イタリア6.9 サウジアラビア5.0 アメリカ合衆国4.5 | 79,712　　　　16.6　　　30.2　　　52.5<br>機械類12.5 石油製品7.8 原油5.5 プラスチック類5.4 小麦4.8<br>中国14.3 サウジアラビア8.9 アメリカ合衆国7.2 インド4.3 ロシア4.2 |
| エチオピア<br>2021年 | 3,058　　　　67.0　　　23.5　　　9.5<br>コーヒー豆38.8 野菜20.8 ごま9.4 切花8.3 衣類4.8<br>ソマリア11.8 アメリカ合衆国10.8 ドイツ8.0 オランダ7.5 サウジアラビア7.0 | 15,285　　　　18.9　　　16.8　　　64.3<br>機械類18.5 植物性油脂9.0 自動車7.4 石油製品6.2 小麦6.1<br>中国26.4 インド15.7 アメリカ合衆国7.6 トルコ5.0 マレーシア4.1 |
| ケ ニ ア<br>2021年 | 6,751　　　　41.8　　　25.7　　　32.5<br>茶17.7 切花10.8 衣類5.8 野菜4.5 果実4.2<br>ウガンダ12.3 オランダ8.3 アメリカ合衆国8.0 パキスタン7.2 イギリス6.7 | 19,594　　　　10.5　　　35.8　　　53.7<br>石油製品15.6 機械類14.7 鉄鋼7.2 自動車6.6 パーム油5.1<br>中国20.5 インド10.8 アラブ首長国連邦8.3 サウジアラビア5.3 日本4.6 |
| コートジボワール<br>2020年 | 12,454　　　　54.3　　　25.0　　　8.9<br>カカオ豆29.1 金(非貨幣用)11.8 天然ゴム8.3 カシューナッツ7.3 ココアペースト5.7<br>オランダ10.0 アメリカ合衆国6.7 スイス6.5 ベトナム6.4 ベルギー5.4 | 10,527　　　　21.1　　　21.2　　　57.7<br>機械類15.9 原油13.6 自動車6.6 魚介類5.5 米5.2<br>中国15.0 ナイジェリア13.1 フランス10.8 インド5.1 アメリカ合衆国4.0 |
| タンザニア | 6,825　　　　25.2　　　15.4　　　16.7<br>金(非貨幣用)42.7 カシューナッツ3.4 野菜3.1 たばこ3.1 採油種子3.0<br>インド17.3 南アフリカ共和国13.6 アラブ首長国連邦11.2 ケニア5.6 スイス5.3 | 15,654　　　　　5.9　　　27.3　　　66.7<br>石油製品23.3 機械類17.5 自動車8.2 鉄鋼6.1 プラスチック類5.2<br>中国24.2 アラブ首長国連邦15.9 インド12.5 サウジアラビア3.9 南アフリカ共和国3.5 |
| チュニジア<br>2021年 | •16,693<br>機械類29.7 衣類13.6 原油4.6 精密機械4.0 オリーブ油3.7<br>フランス24.1 イタリア18.4 ドイツ12.8 スペイン4.1 リビア3.9 | 22,496　　　　10.2　　　19.2　　　71.2<br>機械類21.5 繊維品7.5 石油製品6.2 自動車6.0 プラスチック類4.6<br>イタリア13.5 フランス11.4 中国10.4 ドイツ6.5 トルコ5.4 |
| ナイジェリア<br>2021年 | 47,232　　　　　2.6　　　90.3　　　7.1<br>原油76.2 液化天然ガス10.4 船舶3.0 化学肥料2.0 ガス状炭化水素1.3<br>インド16.4 スペイン11.8 フランス6.3 オランダ6.0 カナダ4.5 | 52,068　　　　13.1　　　33.2　　　53.7<br>石油製品30.2 機械類20.3 自動車6.4 小麦5.2 プラスチック類4.7<br>中国24.7 オランダ10.3 インド8.8 ベルギー7.3 アメリカ合衆国6.1 |
| マダガスカル<br>2021年 | 2,788　　　　37.2　　　12.0　　　50.7<br>バニラ22.2 ニッケル18.5 衣類17.6 チタン鉱5.0 魚介類4.7<br>フランス19.2 アメリカ合衆国18.1 中国13.2 日本8.7 オランダ5.2 | 4,408　　　　14.0　　　24.9　　　57.9<br>石油製品13.6 機械類12.9 繊維品12.1 米6.2 自動車4.6<br>中国19.4 フランス10.2 オマーン10.2 インド8.3 アラブ首長国連邦5.9 |
| 南アフリカ共和国 | 121,616　　　　　9.7　　　31.3　　　54.5<br>プラチナ13.7 石炭11.0 機械類7.0 鉄鋼5.5 鉄鉱石5.3<br>中国9.6 アメリカ合衆国8.8 ドイツ7.3 日本7.0 イギリス5.2 | 111,880　　　　　5.2　　　25.9　　　61.9<br>機械類20.7 石油製品16.7 自動車7.1 原油3.9 医薬品2.4<br>中国20.1 インド7.4 ドイツ7.3 アメリカ合衆国7.3 サウジアラビア4.0 |
| モ ロ ッ コ | 42,183　　　　17.9　　　　7.7　　　74.2<br>化学肥料18.2 機械類15.3 自動車15.0 衣類8.5 魚介類5.8<br>スペイン19.6 フランス19.1 インド6.4 イタリア4.5 ブラジル4.0 | 72,578　　　　11.8　　　26.8　　　60.3<br>機械類16.2 石油製品13.1 自動車7.5 繊維品5.1 無機化合物3.7<br>スペイン14.1 フランス10.6 中国10.0 アメリカ合衆国7.4 サウジアラビア6.5 |
| リ ビ ア<br>2019年 | 29,286　　　　　0.1　　　95.1　　　0.7<br>原油82.6 液化天然ガス5.1 金(非貨幣用)4.1 石油製品2.9 液化石油ガス1.1<br>イタリア33.2 中国22.5 スペイン11.6 フランス5.0 アラブ首長国連邦4.1 | 15,664　　　　22.0<br>機械類17.0 石油製品12.8 自動車9.4 衣類4.1 たばこ3.0<br>中国15.7 トルコ13.2 イタリア8.9 アラブ首長国連邦8.6 エジプト5.3 |
| アイスランド | 7,404　　　　38.5　　　　6.8　　　54.3<br>アルミニウム41.3 魚介類33.0 鉄鋼4.6 飼料3.7 魚の油脂2.9<br>オランダ37.7 イギリス9.0 アメリカ合衆国7.8 ドイツ6.5 フランス6.4 | 9,644　　　　9.4　　　24.7　　　65.9<br>機械類20.7 石油製品13.7 自動車10.6 アルミナ7.2 金属製品3.3<br>ノルウェー12.3 中国9.4 ドイツ8.3 オランダ7.1 アメリカ合衆国6.3 |
| イ ギ リ ス | 532,338　　　　　5.7　　　13.9　　　62.8<br>機械類19.7 金(非貨幣用)13.8 自動車7.3 医薬品5.5 原油4.7<br>アメリカ合衆国12.1 オランダ8.3 ドイツ7.8 中国6.7 スイス6.6 | 821,949　　　　　8.3　　　19.4　　　63.9<br>機械類20.1 自動車8.7 金(非貨幣用)5.2 原油4.8 医薬品4.1<br>中国13.4 アメリカ合衆国11.9 ドイツ8.6 ノルウェー6.5 フランス4.2 |

貿<br>易

## ❶おもな国の輸出入品目および相手国（2022年，年次の異なる統計は国名の下に記載）（Ⅲ）

UN Comtradeほか

| 国　名 | 輸出総額(百万ドル)／輸出品目(%)／輸出相手国・地域(%) | 食品(%) | 原・燃料(%) | 製品(%) | 輸入総額(百万ドル)／輸入品目(%)／輸入相手国・地域(%) | 食品(%) | 原・燃料(%) | 製品(%) |
|---|---|---|---|---|---|---|---|---|
| イタリア | 700,315 | 8.7 | 6.2 | 77.7 | 743,030 | 7.6 | 24.3 | 60.4 |
| | 機械類21.2 医薬品7.5 自動車6.2 衣類4.4 鉄鋼4.2<br>ドイツ12.4 アメリカ合衆国10.4 フランス10.0 スペイン5.1 スイス4.9 | | | | 機械類14.7 天然ガス7.1 原油6.0 自動車6.0 医薬品5.5<br>ドイツ13.7 中国8.9 フランス7.3 オランダ5.6 スペイン4.6 | | | |
| ウクライナ | 44,443 | 30.9 | 33.8 | 35.2 | 55,224 | 9.4 | 25.7 | 60.5 |
| | とうもろこし13.5 ひまわり油12.4 鉄鋼11.8 機械類8.4 採油用種子8.4<br>ポーランド15.1 ルーマニア8.8 トルコ6.6 中国5.6 ハンガリー5.1 | | | | 機械類17.5 石油製品15.7 自動車8.9 医薬品3.5 プラスチック類3.4<br>中国15.7 ポーランド9.9 ドイツ8.3 トルコ6.1 アメリカ合衆国3.9 | | | |
| オーストリア | 210,279 | 7.7 | 6.1 | 80.1 | 231,947 | 6.6 | 13.5 | 73.3 |
| | 機械類25.8 自動車8.8 医薬品6.8 鉄鋼5.5 金属製品5.4<br>ドイツ29.3 イタリア6.6 アメリカ合衆国6.3 スイス5.2 フランス3.9 | | | | 機械類22.9 自動車8.2 医薬品5.6 石油製品3.6 鉄鋼3.5<br>ドイツ38.2 イタリア6.0 チェコ4.9 オランダ4.9 スイス4.7 | | | |
| オランダ | 770,307 | 12.3 | 18.5 | 60.0 | 712,802 | 11.9 | 23.6 | 61.2 |
| | 機械類20.2 石油製品10.6 医薬品3.9 自動車3.6 精密機械3.5<br>ドイツ24.5 ベルギー12.0 フランス8.1 イギリス6.0 アメリカ合衆国4.7 | | | | 機械類20.9 原油8.2 石油製品5.6 自動車4.3 医薬品3.5<br>ドイツ15.3 ベルギー10.1 中国9.5 アメリカ合衆国8.5 イギリス6.2 | | | |
| ギリシャ | 57,568 | 14.5 | 42.2 | 41.0 | 97,970 | 9.7 | 37.9 | 49.3 |
| | 石油製品30.0 機械類8.1 アルミニウム4.9 医薬品4.7 天然ガス4.4<br>イタリア10.4 ブルガリア7.7 中国6.3 キプロス5.5 トルコ4.6 | | | | 原油16.0 機械類12.0 石油製品7.0 天然ガス6.7 医薬品4.1<br>ロシア10.0 ドイツ8.9 中国8.5 イラク7.6 イタリア6.3 | | | |
| クロアチア | 25,383 | 12.8 | 27.5 | 58.9 | 44,115 | 10.6 | 28.0 | 60.8 |
| | 機械類15.0 石油製品6.3 電力5.3 天然ガス5.2 医薬品4.3<br>イタリア12.2 スロベニア11.6 ドイツ11.4 ハンガリー11.2 ボスニア・ヘルツェゴビナ10.4 | | | | 機械類14.7 液化天然ガス8.4 石油製品6.9 自動車5.6 電力5.1<br>イタリア13.8 ドイツ12.5 スロベニア10.8 オーストリア7.6 ハンガリー7.3 | | | |
| ス　イ　ス | 400,057 | 2.6 | 3.0 | 69.1 | 356,235 | 4.0 | 7.5 | 60.1 |
| | 医薬品25.5 金(非貨幣用)25.1 機械類9.7 有機化合物6.6 時計6.5<br>アメリカ合衆国16.3 ドイツ13.3 中国11.0 イタリア6.3 フランス5.3 | | | | 金(非貨幣用)28.4 医薬品13.9 機械類11.4 自動車4.6 精密機械4.1<br>ドイツ19.5 アメリカ合衆国11.0 イタリア7.0 フランス6.5 中国6.1 | | | |
| スウェーデン | 197,575 | 2.4 | 8.5 | 71.4 | 202,093 | 11.3 | 17.3 | 69.0 |
| | 機械類21.5 自動車11.5 医薬品7.0 石油製品6.6 紙・同製品5.6<br>ノルウェー10.7 ドイツ10.0 アメリカ合衆国8.9 デンマーク7.5 フィンランド7.3 | | | | 機械類23.2 自動車9.4 原油7.4 石油製品4.5 鉄鋼3.6<br>ドイツ15.3 ノルウェー11.1 オランダ10.5 中国7.0 デンマーク6.4 | | | |
| ス ペ イ ン | 424,286 | 13.9 | 12.8 | 66.5 | 499,055 | 9.0 | 24.0 | 62.6 |
| | 自動車12.3 機械類10.9 医薬品6.8 石油製品5.6 衣類3.8<br>フランス14.9 ドイツ9.3 ポルトガル8.0 イタリア7.8 ベルギー5.9 | | | | 機械類15.7 原油9.6 自動車8.2 医薬品5.0 衣類4.7<br>中国10.5 ドイツ9.1 フランス8.6 アメリカ合衆国7.1 イタリア5.9 | | | |
| デンマーク | •129,059 | 16.0 | 10.0 | 70.8 | 125,732 | 12.1 | 14.5 | 72.5 |
| | 機械類19.4 医薬品17.1 衣類4.7 肉類3.7 魚介類3.3<br>ドイツ14.4 スウェーデン8.6 ノルウェー5.6 オランダ5.5 アメリカ合衆国4.8 | | | | 機械類20.9 自動車7.3 衣類5.4 医薬品4.9 鉄鋼4.1<br>ドイツ20.2 スウェーデン12.3 オランダ8.7 中国8.4 ポーランド5.7 | | | |
| ド　イ　ツ | 1,665,636 | 5.6 | 2.7 | 85.2 | •1,577,564 | 6.1 | 16.8 | 72.1 |
| | 機械類26.4 自動車15.0 医薬品7.7 精密機械4.1 金属製品3.1<br>アメリカ合衆国9.9 フランス7.3 オランダ6.8 中国6.8 ポーランド5.7 | | | | 機械類23.2 自動車8.4 医薬品5.4 天然ガス4.8 有機化合物4.1<br>中国13.0 オランダ7.6 アメリカ合衆国6.2 ポーランド5.2 イタリア4.8 | | | |
| ノルウェー | 273,734 | 6.0 | 80.1 | 11.7 | 107,197 | 7.9 | 18.9 | 71.7 |
| | 天然ガス51.1 原油21.3 魚介類5.5 石油製品2.7 機械類2.6<br>ドイツ28.0 イギリス21.4 フランス9.4 ベルギー7.6 オランダ6.4 | | | | 機械類20.3 自動車11.9 石油製品6.6 金属製品4.2 ニッケル鉱3.0<br>スウェーデン12.6 中国12.3 ドイツ11.4 アメリカ合衆国6.3 デンマーク4.4 | | | |
| ハンガリー | 149,581 | 7.2 | 7.1 | 83.7 | 158,414 | 7.5 | 16.7 | 74.8 |
| | 機械類38.4 自動車14.6 医薬品4.9 プラスチック類2.6 精密機械2.6<br>ドイツ25.2 イタリア5.7 ルーマニア5.3 スロバキア5.1 オーストリア4.5 | | | | 機械類32.1 自動車7.8 天然ガス6.0 電力4.8 医薬品3.5<br>ドイツ21.2 オーストリア7.2 中国6.8 スロバキア6.7 ロシア4.5 | | | |
| フィンランド | 86,062 | 2.6 | 21.6 | 65.8 | 97,265 | 6.1 | 26.3 | 57.9 |
| | 機械類21.4 紙・同製品9.1 石油製品8.1 鉄鋼6.5 自動車4.7<br>ドイツ11.6 スウェーデン10.6 アメリカ合衆国9.3 オランダ7.1 中国4.7 | | | | 機械類20.9 原油7.6 自動車7.1 石油製品5.1 電力3.3<br>スウェーデン12.5 ドイツ12.3 中国9.1 ノルウェー6.9 ロシア6.7 | | | |
| フランス | 618,299 | 12.9 | 8.4 | 76.0 | 819,398 | 8.3 | 21.3 | 68.9 |
| | 機械類18.3 自動車7.7 医薬品6.2 航空機及び部品5.3 芳香油，香水・芳香剤原料3.7<br>ドイツ13.7 イタリア9.2 アメリカ合衆国7.9 ベルギー7.9 スペイン5.1 | | | | 機械類18.8 自動車8.6 石油製品4.5 医薬品4.3 原油4.1<br>ドイツ14.6 ベルギー11.3 オランダ8.2 スペイン7.7 イタリア7.4 | | | |
| ベラルーシ<br>2020年 | •29,179 | 17.7 | 18.3 | 58.4 | 32,767 | 17.9 | 27.1 | 54.4 |
| | 機械類10.9 石油製品9.4 塩化カリウム8.3 自動車5.6 チーズ3.6<br>ロシア44.6 ウクライナ10.8 ポーランド4.3 リトアニア3.5 ドイツ3.1 | | | | 機械類17.9 原油11.9 天然ガス7.5 自動車5.5 鉄鋼4.6<br>ロシア49.6 中国11.1 ドイツ5.1 ウクライナ4.2 ポーランド3.8 | | | |
| ベ ル ギ ー | 463,446 | 8.5 | 22.6 | 67.9 | 471,448 | 6.9 | 30.4 | 62.4 |
| | 医薬品16.9 天然ガス10.6 機械類8.4 自動車8.1 石油製品7.0<br>ドイツ20.2 オランダ14.1 フランス12.4 アメリカ合衆国6.8 イギリス5.1 | | | | 医薬品12.2 機械類11.5 天然ガス10.9 自動車8.5 有機化合物7.1<br>オランダ20.5 ドイツ12.5 フランス10.4 イギリス6.3 アメリカ合衆国5.6 | | | |
| ポーランド | 342,845 | 13.6 | 6.7 | 79.3 | 358,593 | 7.7 | 14.3 | 73.1 |
| | 機械類25.6 自動車8.8 金属製品5.0 家具3.3 衣類2.7<br>ドイツ27.8 チェコ6.6 フランス5.7 イギリス4.8 オランダ4.6 | | | | 機械類21.7 自動車7.2 鉄鋼3.9 原油3.5 プラスチック類4.6<br>ドイツ20.9 中国13.1 イタリア4.6 ロシア4.6 アメリカ合衆国4.6 | | | |

•貿易相手上位5か国に秘匿を含む　①輸出の天然ガスが特殊取扱品に分類されるようになり，原資料では詳細不明。ロシア連邦税関局の統計によると，2021年の天然ガスの輸出額は55,507百万ドル(対総額11.3%)

❶おもな国の輸出入品目および相手国（2022年，年次の異なる統計は国名の下に記載）(Ⅳ)　　UN Comtradeほか

| 国　名 | 輸出総額(百万ドル) | 食品(%) | 原・燃料(%) | 製品(%) | 輸入総額(百万ドル) | 食品(%) | 原・燃料(%) | 製品(%) |
|---|---|---|---|---|---|---|---|---|

**ポルトガル**
輸出総額 82,560　10.6　14.6　74.4／輸入総額 115,291　11.8　21.2　66.9
- 輸出品目：機械類14.2　自動車11.7　石油製品6.9　衣類4.6　金属製品4.4
- 輸出相手国：スペイン26.2　フランス12.3　ドイツ10.8　アメリカ合衆国6.5　イギリス4.9
- 輸入品目：機械類17.0　自動車9.2　原油6.7　鉄鋼3.8　プラスチック類3.6
- 輸入相手国：スペイン31.9　ドイツ11.0　フランス6.1　中国5.1　オランダ5.0

**ルーマニア**
輸出総額 96,830　10.1　12.9　75.8／輸入総額 132,700　8.8　15.6　74.9
- 輸出品目：機械類26.2　自動車14.2　鉄鋼4.5　石油製品3.8　ゴム製品3.2
- 輸出相手国：ドイツ19.8　イタリア10.1　ハンガリー7.3　フランス6.0　ブルガリア3.9
- 輸入品目：機械類24.4　自動車8.0　鉄鋼4.6　原油4.4　金属製品3.7
- 輸入相手国：ドイツ17.8　イタリア8.2　ブルガリア7.1　ハンガリー6.5　ポーランド5.9

**ロシア①**（2021年）
輸出総額 492,314　5.3　49.2　37.3／輸入総額 293,497　9.5　5.4　80.4
- 輸出品目：原油22.5　石油製品14.2　鉄鋼6.0　石炭4.0　金(非貨幣用)3.5
- 輸出相手国：中国14.0　オランダ8.6　ドイツ6.0　トルコ5.4　ベラルーシ4.7
- 輸入品目：機械類31.5　自動車8.9　医薬品4.9　金属製品3.4　プラスチック類3.2
- 輸入相手国：中国24.8　ドイツ9.3　アメリカ合衆国5.9　ベラルーシ5.3　韓国4.4

**アメリカ合衆国**
輸出総額 2,062,090　7.0　23.9　59.6／輸入総額 3,372,902　6.1　11.6　78.5
- 輸出品目：機械類21.0　石油製品6.6　自動車6.3　原油5.7　医薬品4.3
- 輸出相手国：カナダ17.2　メキシコ15.7　中国7.5　日本3.9　イギリス3.7
- 輸入品目：機械類28.2　自動車9.5　原油6.1　医薬品5.2　衣類3.4
- 輸入相手国：中国17.1　メキシコ13.6　カナダ13.2　日本4.6　ドイツ4.5

**カナダ**
輸出総額 596,105　9.5　39.7　44.5／輸入総額 569,532　8.0　10.7　77.1
- 輸出品目：原油20.1　機械類8.9　自動車8.2　天然ガス3.2　石油製品2.9
- 輸出相手国：アメリカ合衆国76.9　中国3.7　イギリス2.4　日本3.2　メキシコ1.2
- 輸入品目：機械類23.8　自動車13.8　医薬品3.7　石油製品3.6　金属製品3.0
- 輸入相手国：アメリカ合衆国49.2　中国13.5　メキシコ5.5　ドイツ3.0　日本2.3

**キューバ**（2006年）
輸出総額 2,980　10.5　2.1　24.6／輸入総額 10,174　10.7　2.1　50.5
- 輸出品目：医薬品9.6　たばこ7.4　機械類3.7　精密機械3.2　魚介類2.0
- 輸出相手国：ベネズエラ12.8　スペイン4.1　ロシア3.2　ボリビア1.6　フランス1.5
- 輸入品目：機械類23.8　精密機械2.9　金属製品2.9　自動車2.7　肉類2.0
- 輸入相手国：中国13.4　スペイン7.7　ドイツ5.7　アメリカ合衆国4.5　イタリア3.8

**ジャマイカ**
輸出総額 1,901　22.7　71.4　5.6／輸入総額 7,731　19.5　32.9　47.6
- 輸出品目：石油製品37.6　液化天然ガス16.5　アルミナ11.8　アルコール飲料6.8　ボーキサイト4.0
- 輸出相手国：アメリカ合衆国60.7　ロシア5.2　イギリス4.1　カナダ4.0　アイスランド2.3
- 輸入品目：石油製品14.9　機械類10.9　原油9.4　自動車6.2　液化天然ガス5.2
- 輸入相手国：アメリカ合衆国41.7　中国7.4　ブラジル6.8　トリニダード・トバゴ5.7　日本3.1

**メキシコ**
輸出総額 •578,282　5.4　6.8　77.7／輸入総額 604,615　5.3　12.8　74.3
- 輸出品目：機械類36.8　自動車21.3　原油5.5　精密機械3.3　金属製品3.2
- 輸出相手国：アメリカ合衆国78.3　カナダ2.7　中国1.9　ドイツ1.4　日本0.8
- 輸入品目：機械類34.2　自動車7.6　石油製品6.9　プラスチック類3.7　金属製品3.5
- 輸入相手国：アメリカ合衆国43.9　中国19.6　韓国3.7　ドイツ3.1　日本3.0

**アルゼンチン**
輸出総額 88,446　46.2　20.8　16.1／輸入総額 81,523　3.0　21.3　74.6
- 輸出品目：大豆飼料12.9　とうもろこし10.5　大豆油7.1　自動車6.8　牛肉3.9
- 輸出相手国：ブラジル14.3　中国9.0　アメリカ合衆国7.6　チリ5.7　インド5.1
- 輸入品目：機械類25.1　自動車9.6　石油製品8.3　有機化合物5.3　医薬品4.2
- 輸入相手国：中国21.5　ブラジル19.6　アメリカ合衆国12.7　ドイツ3.3　ボリビア2.7

**ウルグアイ**
輸出総額 •11,190　49.4　33.3　17.3／輸入総額 12,973　11.7　20.2　68.1
- 輸出品目：肉類26.5　大豆17.2　木材8.7　乳製品・鶏卵7.7　米4.5
- 輸出相手国：中国21.5　ブラジル15.0　アルゼンチン8.1　アメリカ合衆国6.2　オランダ2.6
- 輸入品目：機械類17.4　原油12.8　自動車10.4　化学肥料5.4　化学品3.8
- 輸入相手国：ブラジル19.9　中国18.1　アメリカ合衆国15.8　アルゼンチン11.5　ナイジェリア2.9

**エクアドル**（2021年）
輸出総額 26,699　27.3　56.6　6.8／輸入総額 25,687　11.1　18.5　70.2
- 輸出品目：原油27.3　魚介類26.4　バナナ13.1　石油製品4.9　切花3.5
- 輸出相手国：アメリカ合衆国24.0　中国15.3　パナマ14.9　チリ4.2　ロシア3.7
- 輸入品目：機械類17.8　石油製品9.6　自動車7.8　鉱物性タール6.2　医薬品6.0
- 輸入相手国：中国23.5　アメリカ合衆国22.1　コロンビア7.0　ブラジル3.9　韓国3.6

**コロンビア**（2021年）
輸出総額 41,390　16.6　54.0　21.8／輸入総額 61,099　12.0　9.2　77.8
- 輸出品目：原油27.1　石炭13.7　金(非貨幣用)7.6　コーヒー豆7.5　石油製品5.2
- 輸出相手国：アメリカ合衆国28.1　中国8.8　パナマ5.8　インド5.4　ブラジル5.0
- 輸入品目：機械類21.0　自動車7.8　医薬品6.7　石油製品5.8　鉄鋼5.1
- 輸入相手国：中国24.2　アメリカ合衆国23.2　メキシコ6.2　ブラジル5.7　ドイツ3.4

**チリ**
輸出総額 97,491　21.2　35.4　42.5／輸入総額 104,402　9.5　24.8　65.5
- 輸出品目：銅鉱石23.3　銅22.1　無機化合物10.9　魚介類8.1　果実6.5
- 輸出相手国：中国39.4　アメリカ合衆国13.9　日本7.6　韓国6.2　ブラジル4.6
- 輸入品目：機械類19.3　石油製品11.9　自動車11.3　原油4.7　衣類3.8
- 輸入相手国：中国25.3　アメリカ合衆国20.9　ブラジル9.7　アルゼンチン5.8　ドイツ2.7

**ブラジル**
輸出総額 334,463　24.0　48.4　26.1／輸入総額 292,344　4.1　20.5　75.3
- 輸出品目：大豆14.0　原油12.8　鉄鉱石8.6　肉類7.6　鉄鋼5.2
- 輸出相手国：中国26.8　アメリカ合衆国11.4　アルゼンチン4.6　オランダ3.6　スペイン2.9
- 輸入品目：機械類24.1　化学肥料9.1　石油製品8.4　有機化合物6.4　自動車5.8
- 輸入相手国：中国23.2　アメリカ合衆国18.6　アルゼンチン4.7　ドイツ4.6　インド3.3

**ペルー**（2021年）
輸出総額 56,260　20.4　48.2　17.7／輸入総額 51,178　10.4　17.0　72.6
- 輸出品目：銅鉱石27.1　金(非貨幣用)13.7　果実7.7　銅5.3　石油製品3.3
- 輸出相手国：中国32.0　アメリカ合衆国12.8　カナダ5.0　日本4.9　カナダ4.9
- 輸入品目：機械類22.5　自動車8.5　石油製品8.1　鉄鋼5.2　プラスチック類4.9
- 輸入相手国：中国28.6　アメリカ合衆国18.7　ブラジル6.7　アルゼンチン4.5　メキシコ3.7

**ボリビア**
輸出総額 13,653　12.3　55.8　9.9／輸入総額 13,049　5.6　35.0　58.2
- 輸出品目：金(非貨幣用)22.0　天然ガス21.8　亜鉛鉱13.3　大豆飼料7.2　大豆油6.3
- 輸出相手国：インド16.5　ブラジル13.9　アルゼンチン12.8　コロンビア7.8　日本7.1
- 輸入品目：石油製品33.3　機械類16.4　自動車7.7　鉄鋼5.3　化学品4.1
- 輸入相手国：中国19.4　ブラジル15.1　アルゼンチン12.5　チリ10.9　アメリカ合衆国8.6

**オーストラリア**
輸出総額 •410,253　9.4　74.7　9.8／輸入総額 309,300　5.8　16.7　74.7
- 輸出品目：石炭23.9　鉄鉱石21.0　液化天然ガス15.4　金(非貨幣用)4.0　肉類2.8
- 輸出相手国：中国24.9　日本12.8　韓国6.0　インド4.7　アメリカ合衆国3.0
- 輸入品目：機械類24.1　石油製品12.3　自動車11.7　医薬品4.4　金属製品3.2
- 輸入相手国：中国27.1　アメリカ合衆国10.0　韓国6.2　日本5.8　シンガポール4.5

**ニュージーランド**
輸出総額 45,615　63.3　13.4　19.8／輸入総額 54,850　10.4　14.3　73.7
- 輸出品目：ミルク・クリーム18.7　牛肉6.7　木材6.6　羊・ヤギ肉6.0　果実5.3
- 輸出相手国：中国28.0　オーストラリア12.1　アメリカ合衆国10.8　日本5.8　韓国3.7
- 輸入品目：機械類22.5　自動車12.6　石油製品10.0　医薬品3.1　金属製品3.0
- 輸入相手国：中国23.1　オーストラリア11.1　アメリカ合衆国8.9　韓国6.4　日本6.3

## ❶日本のおもな貿易相手国別輸出入額および品目（Ⅰ）(2021年)（上段：日本からの輸入）（下段：日本への輸出）

財務省貿易統計

| 貿易相手国 | 輸入額／輸出額（百万円） | 食料品(%) | 原・燃料(%) | 製品(%) | 1位 | 2位 | 3位 | 4位 | 5位 |
|---|---|---|---|---|---|---|---|---|---|
| 世　　　界 | 83,091,420 | 1.2 | 2.9 | 88.2 | 一般機械(19.7) | 電気機械(18.4) | 自動車(部品を除く)(12.9) | 鉄鋼(4.6) | 自動車部品(4.3) |
| | 84,875,045 | 8.7 | 28.1 | 61.4 | 電気機械(16.1) | 一般機械(9.1) | 原油及び粗油(8.2) | 液化天然ガス(5.0) | 医薬品(5.0) |
| ＡＳＥＡＮ | 12,460,972 | 1.4 | 5.2 | 83.9 | 電気機械(21.7) | 一般機械(16.5) | 鉄鋼(9.6) | 自動車部品(4.6) | プラスチック(3.7) |
| | 12,483,260 | 7.9 | 20.1 | 68.7 | 電気機械(22.6) | 一般機械(7.8) | 液化天然ガス(7.2) | 木製品及びコルク製品(6.9) | (3.0) |
| ＥＵ① | 7,668,123 | 0.6 | 1.2 | 91.3 | 一般機械(23.2) | 電気機械(18.4) | 自動車(部品を除く)(11.8) | 自動車部品(5.9) | 科学光学機器(3.9) |
| | 9,453,236 | 11.3 | 4.5 | 83.5 | 医薬品(23.6) | 自動車(部品を除く)(9.3) | 一般機械(8.5) | 自動車部品(4.0) | |
| ＵＳＭＣＡ② | 16,937,968 | 0.2 | 1.2 | 93.1 | 自動車(部品を除く)(44.5) | 一般機械(27.0) | 電気機械(22.3) | 自動車部品(11.3) | 科学光学機器 |
| | 11,056,887 | 18.4 | 26.5 | 53.6 | 一般機械(10.6) | 電気機械(10.2) | 医薬品(8.9) | 肉・同加工品(6.3) | 穀物・同加工品(5.4) |
| ＭＥＲＣＯＳＵＲ③ | 584,349 | 0.2 | 1.1 | 94.8 | 自動車部品(23.5) | 一般機械(21.6) | 電気機械(15.7) | 有機化合物(7.6) | 自動車(部品を除く)(7.3) |
| | 1,263,460 | 28.3 | 55.0 | 16.3 | 鉄鉱石(43.9) | とうもろこし(9.1) | 鶏肉(7.0) | 有機化合物(6.8) | コーヒー豆・同製品(4.4) |
| アラブ首長国連邦 | 771,683 | 0.7 | 0.5 | 82.7 | 自動車(部品を除く)(40.4) | 一般機械(18.9) | 自動車部品(5.9) | 電気機械(4.6) | タイヤ・チューブ(3.0) |
| | 2,977,971 | 0.0 | 95.6 | 4.3 | 原油及び粗油(80.9) | 揮発油(10.3) | アルミニウム・同合金(3.7) | 液化天然ガス(2.6) | 船舶類(0.4) |
| イスラエル | 188,437 | 0.3 | 0.2 | 88.0 | 自動車(部品を除く)(37.7) | 一般機械(26.6) | 電気機械(5.9) | 写真・映画用材料(2.6) | 科学光学機器(2.1) |
| | 142,218 | 5.5 | 2.3 | 90.4 | 電気機械(30.7) | 科学光学機器(15.5) | 一般機械(12.2) | 金属製品(7.0) | ダイヤモンド(5.5) |
| イ　ラ　ン | 7,687 | 0.0 | 0.6 | 76.9 | 電気機械(22.5) | 医薬品(17.7) | 科学光学機器(10.0) | 一般機械(9.8) | 写真・映画用材料(7.9) |
| | 4,178 | 23.1 | 1.7 | 75.2 | 敷物類(74.4) | 果実(17.3) | 香辛料(4.7) | 植物性原料(1.3) | キャビア(0.7) |
| イ　ン　ド | 1,411,066 | 0.1 | 3.4 | 93.1 | 一般機械(19.3) | 電気機械(13.2) | 無機化合物(11.0) | 銅・同合金(8.8) | プラスチック(8.5) |
| | 674,395 | 11.1 | 19.2 | 68.7 | 有機化合物(15.2) | 揮発油(11.1) | 電気機械(8.5) | 魚介類(7.5) | 一般機械(6.9) |
| インドネシア | 1,465,403 | 0.6 | 3.8 | 92.0 | 一般機械(20.9) | 鉄鋼(14.6) | 自動車部品(11.2) | 電気機械(10.6) | 自動車(部品を除く)(4.3) |
| | 2,156,941 | 6.3 | 47.5 | 45.3 | 石炭(14.7) | 電気機械(9.1) | 銅鉱(8.7) | 貴金属くず(5.5) | 液化天然ガス(4.9) |
| オ　マ　ー　ン | 128,927 | 0.3 | 0.5 | 98.4 | 自動車(部品を除く)(61.4) | 自動車部品(9.7) | 一般機械(9.7) | 鉄鋼(7.8) | 電気機械(3.5) |
| | 155,782 | 1.0 | 96.7 | 2.3 | 液化天然ガス(66.5) | 原油及び粗油(22.1) | 揮発油(6.1) | 天然石膏(1.8) | 有機化合物(1.4) |
| カ　タ　ー　ル | 101,144 | 0.4 | 0.7 | 96.7 | 自動車(部品を除く)(56.9) | 一般機械(10.1) | 鉄鋼(9.8) | 自動車部品(3.7) | タイヤ・チューブ(3.3) |
| | 1,276,960 | 0.0 | 98.4 | 1.6 | 原油及び粗油(40.1) | 液化天然ガス(36.7) | 石油製品(20.6) | (0.9) | アルミニウム・同合金(0.9) |
| 韓　　　国 | 5,769,571 | 0.7 | 8.2 | 84.9 | 一般機械(22.2) | 電気機械(20.6) | 鉄鋼(8.7) | プラスチック(5.9) | 有機化合物(5.4) |
| | 3,521,261 | 7.5 | 17.4 | 70.8 | 石油製品(14.9) | 電気機械(14.8) | 一般機械(10.6) | 鉄鋼(10.5) | 有機化合物(4.4) |
| クウェート | 161,848 | 0.3 | 0.1 | 98.5 | 自動車(部品を除く)(71.5) | 鉄鋼(9.4) | 一般機械(4.5) | 電気機械(3.3) | 自動車部品(2.8) |
| | 727,318 | 0.0 | 100.0 | 0.0 | 原油及び粗油(81.0) | 揮発油(14.3) | 液化石油ガス(4.6) | 銅くず(0.03) | 合金鉄(0.02) |
| サウジアラビア | 488,938 | 0.4 | 0.3 | 97.9 | 自動車(部品を除く)(61.8) | 一般機械(9.9) | 鉄鋼(4.9) | 自動車部品(4.1) | 電気機械(3.7) |
| | 3,019,351 | 0.0 | 96.7 | 3.1 | 原油及び粗油(91.7) | 揮発油(3.7) | 有機化合物(1.5) | アルミニウム・同合金(1.2) | 銅くず(0.5) |
| シンガポール | 2,200,638 | 1.6 | 6.2 | 68.7 | 電気機械(21.0) | 一般機械(15.7) | 金(非貨幣用)(9.2) | 石油製品(5.8) | 芳香油・化粧品類(4.0) |
| | 973,714 | 5.2 | 10.0 | 77.6 | 一般機械(19.6) | 電気機械(16.7) | 医薬品(12.6) | 科学光学機器(7.8) | 有機化合物(4.0) |
| タ　　　イ | 3,624,600 | 0.9 | 2.3 | 90.8 | 電気機械(19.2) | 一般機械(19.1) | 鉄鋼(15.7) | 自動車部品(7.4) | 銅・同合金(4.1) |
| | 2,893,123 | 15.2 | 5.0 | 77.1 | 電気機械(23.7) | 一般機械(12.4) | 肉類・同加工品(7.2) | 自動車部品(4.6) | プラスチック(3.6) |
| （台　湾） | 5,988,084 | 2.0 | 1.7 | 89.9 | 電気機械(27.5) | 一般機械(19.0) | プラスチック(5.2) | 自動車部品(4.7) | 鉄鋼(4.0) |
| | 3,678,193 | 3.1 | 3.8 | 86.0 | 電気機械(51.1) | 一般機械(7.9) | プラスチック(4.2) | 鉄鋼(2.7) | 金属製品(2.3) |
| 中　　　国 | 17,984,372 | 1.0 | 2.8 | 90.3 | 一般機械(23.0) | 電気機械(21.6) | プラスチック(6.1) | 自動車(部品を除く)(5.2) | 科学光学機器(3.9) |
| | 20,381,814 | 4.4 | 2.2 | 92.5 | 電気機械(30.5) | 一般機械(18.4) | 衣類・同付属品(7.8) | 金属製品(3.6) | 繊維製品(2.9) |
| パキスタン | 252,946 | 0.1 | 1.2 | 96.5 | 自動車(部品を除く)(32.3) | 鉄鋼(22.2) | 一般機械(16.6) | 自動車部品(8.2) | 電気機械(6.1) |
| | 29,444 | 8.4 | 34.5 | 57.0 | 繊維製品(23.8) | 衣類・同付属品(19.3) | 揮発油(17.8) | 魚介類(5.3) | 粗鉱(りん・鉱石を除く) |
| フィリピン | 1,219,676 | 0.8 | 3.2 | 87.7 | プラスチック(27.3) | 電気機械(15.2) | 自動車(部品を除く)(6.9) | 鉄鋼(5.0) | プラスチック |
| | 1,196,764 | 10.4 | 13.0 | 70.1 | 電気機械 | 木製品及びコルク製品(9.1) | 一般機械(8.4) | バナナ | プラスチック製品 |
| ベトナム | 2,096,808 | 2.4 | 8.0 | 84.0 | 電気機械(26.1) | 一般機械(13.5) | プラスチック(5.4) | 鉄鋼くず(5.1) | |
| | 2,525,535 | 6.9 | 3.8 | 88.6 | 電気機械(27.9) | 衣類・同付属品 | 一般機械(6.6) | 履き物(4.5) | 魚介類・同加工品 |
| （ホンコン） | 3,890,409 | 5.0 | 1.0 | 66.0 | 電気機械(33.5) | 金(非貨幣用)(6.4) | 一般機械(6.1) | 芳香油・化粧品類(3.9) | 科学光学機器 |
| | 120,201 | 6.2 | 12.0 | 32.2 | 電気機械(7.0) | 一般機械(4.3) | うなぎの稚魚(3.9) | ダイヤモンド(2.8) | 科学光学機器 |
| マレーシア | 1,713,691 | 0.8 | 9.8 | 80.5 | 電気機械(29.2) | 一般機械(13.2) | 自動車(部品を除く)(6.1) | 鉄鋼(5.9) | プラスチック |
| | 2,166,397 | 2.1 | 34.1 | 57.4 | 電気機械(28.0) | 液化天然ガス(24.6) | 衣類・同付属品(4.7) | 一般機械(3.3) | 木製品及びコルク製品 |
| エジプト | 119,561 | 2.1 | 0.2 | 95.1 | 自動車(部品を除く)(32.0) | 一般機械(28.6) | 電気機械(9.5) | 自動車部品(5.3) | 鉄鋼 |
| | 34,946 | 8.1 | 81.4 | 10.1 | 液化天然ガス(40.4) | 揮発油(38.6) | 果実(4.2) | 繊維製品(2.7) | 飼料(1.9) |

①2020年1月に離脱したイギリスを除く27か国　②2020年7月，NAFTAから移行　③ボリビア(加盟各国の批准手続き中)，ベネズエラ(加盟資格停止中)を含む

●日本のおもな貿易相手国別輸出入額および品目（Ⅱ）（2021年）（上段：日本からの輸入）（下段：日本への輸出）　　　　財務省貿易統計

| 貿易相手国 | 輸入額[円]／輸出額[円] | 食料品(%) | 原・燃料(%) | 製品(%) | おもな輸出入品，および総額に対する割合(%) 1位 | 2位 | 3位 | 4位 | 5位 |
|---|---|---|---|---|---|---|---|---|---|
| 南アフリカ共和国 | 259,267 | 0.4 | 3.4 | 93.8 | 自動車(部品を除く)(39.8) | 一般機械(15.7) | 自動車部品(12.1) | 電気機械(7.6) | 鉄鋼(3.3) |
| | 1,110,879 | 3.4 | 9.4 | 87.0 | ロジウム(39.9) | パラジウム(19.2) | プラチナ(10.0) | 鉄鉱石(6.5) | 鉄(3.1) |
| モロッコ | 24,837 | 0.2 | 0.5 | 96.9 | 自動車(部品を除く)(30.7) | 電気機械(20.7) | 一般機械(20.0) | 自動車部品(7.2) | タイヤ・チューブ(4.1) |
| | 39,248 | 61.2 | 7.7 | 30.8 | まぐろ(29.7) | たこ(20.2) | 衣類(毛皮製ニット等を除く)(12.1) | コバルト・同合金(6.8) | 電気機械(5.3) |
| アイルランド | 110,927 | 0.1 | 0.1 | 90.9 | 一般機械(23.6) | 自動車(部品を除く)(17.4) | 有機化合物(17.3) | 医薬品(5.7) | 電気機械(5.7) |
| | 747,184 | 3.6 | 0.1 | 96.1 | 医薬品(54.6) | 科学光学機器(20.0) | 電気機械(8.7) | 有機化合物(6.3) | 芳香族化合物類(3.1) |
| イギリス | 1,137,751 | 0.6 | 3.3 | 78.5 | 自動車(部品を除く)(21.2) | 一般機械(18.5) | 電気機械(12.8) | 金(非貨幣用)(12.8) | 自動車部品(4.8) |
| | 757,952 | 7.5 | 2.2 | 87.4 | 一般機械(18.1) | 自動車(部品を除く)(13.4) | 電気機械(10.2) | 医薬品(4.8) | アルコール飲料(4.7) |
| イタリア | 549,215 | 0.5 | 1.4 | 92.8 | 一般機械(24.8) | 自動車(部品を除く)(18.8) | 電気機械(7.9) | 二輪自動車(6.3) | 鉄鋼(6.0) |
| | 1,280,877 | 26.9 | 1.9 | 70.9 | たばこ(18.7) | 医薬品(11.0) | バッグ類(9.0) | 一般機械(7.5) | 自動車(部品を除く)(7.2) |
| オーストリア | 136,199 | 0.3 | 1.2 | 95.8 | 一般機械(32.4) | 自動車(部品を除く)(16.6) | 電気機械(12.1) | 医薬品(6.2) | 有機化合物(3.1) |
| | 247,639 | 3.3 | 5.6 | 90.6 | 自動車(部品を除く)(30.2) | 一般機械(13.0) | 電気機械(9.1) | 医薬品(7.5) | 木製品及びコルク製品(5.3) |
| オランダ | 1,381,754 | 1.2 | 1.1 | 91.8 | 一般機械(35.0) | 電気機械(19.0) | 自動車部品(6.3) | 科学光学機器(5.6) | プラスチック(3.4) |
| | 357,762 | 19.9 | 7.3 | 69.6 | 一般機械(19.5) | 電気機械(13.4) | 医薬品(12.2) | 豚肉(4.8) | 乳製品(4.5) |
| スイス | 483,562 | 0.2 | 0.2 | 56.5 | 医薬品(23.4) | 金(非貨幣用)(17.9) | 白金族(7.2) | 自動車(部品を除く)(6.2) | 一般機械(4.4) |
| | 921,542 | 4.4 | 3.1 | 94.4 | 医薬品(40.2) | 時計(23.8) | 科学光学機器(7.2) | 一般機械(6.6) | 有機化合物(4.7) |
| スウェーデン | 145,370 | 0.6 | 1.7 | 90.1 | 自動車(部品を除く)(30.3) | 一般機械(21.4) | 電気機械(16.0) | タイヤ・チューブ(4.9) | 科学光学機器(2.2) |
| | 346,690 | 0.8 | 12.3 | 86.1 | 医薬品(33.7) | 一般機械(13.0) | 木材(10.8) | 一般機械(8.8) | 電気機械(6.9) |
| スペイン | 263,648 | 0.9 | 1.9 | 91.7 | 自動車(部品を除く)(30.5) | 一般機械(14.1) | 電気機械(11.4) | 鉄鋼(8.4) | 二輪自動車(5.3) |
| | 593,245 | 19.6 | 14.8 | 65.4 | 医薬品(32.5) | 豚肉(11.0) | 自動車(部品を除く)(8.8) | 揮発油(7.6) | バッグ類(4.0) |
| デンマーク | 62,750 | 1.2 | 2.4 | 90.5 | 一般機械(34.7) | 自動車(部品を除く)(18.2) | 電気機械(11.4) | 科学光学機器(7.0) | 金属製品(2.7) |
| | 263,319 | 25.1 | 1.8 | 72.7 | 医薬品(40.9) | 豚肉(16.6) | 電気機械(6.7) | 一般機械(6.3) | 科学光学機器(3.9) |
| ドイツ | 2,279,053 | 0.7 | 0.7 | 90.1 | 電気機械(27.4) | 一般機械(19.3) | 自動車(部品を除く)(7.1) | 有機化合物(5.4) | 科学光学機器(5.2) |
| | 2,602,954 | 1.9 | 0.7 | 96.4 | 医薬品(18.4) | 自動車(部品を除く)(17.7) | 電気機械(13.2) | 一般機械(12.6) | 自動車部品(5.3) |
| ノルウェー | 110,792 | 0.7 | 0.0 | 97.2 | 自動車(部品を除く)(49.9) | 鉄鋼(19.5) | 一般機械(11.7) | 貨物船(3.0) | 無機化合物(3.0) |
| | 185,075 | 61.6 | 3.6 | 34.7 | 魚介類(59.8) | ニッケル・同合金(5.0) | 医薬品(4.8) | 一般機械(4.2) | パラジウム(3.4) |
| フィンランド | 51,888 | 0.3 | 4.1 | 90.8 | 一般機械(31.1) | 一般機械(20.1) | 電気機械(14.9) | タイヤ・チューブ(3.9) | 合成ゴム(3.4) |
| | 216,277 | 1.5 | 22.5 | 75.5 | 木材(15.0) | コバルト・同合金(12.1) | 木製品及びコルク製品(10.8) | 電気機械(10.4) | 無機化合物(9.6) |
| フランス | 730,915 | 1.5 | 0.7 | 87.1 | 一般機械(24.7) | 自動車(部品を除く)(13.8) | 電気機械(13.5) | 二輪自動車(5.3) | 医薬品(2.7) |
| | 1,279,235 | 16.0 | 2.2 | 81.2 | 航空機・同部品(21.0) | 医薬品(10.0) | ワイン(8.6) | 一般機械(7.7) | バッグ類(6.0) |
| ベルギー | 789,670 | 0.4 | 2.2 | 94.8 | 自動車部品(27.5) | 一般機械(16.9) | 自動車(部品を除く)(13.8) | 電気機械(5.9) | 有機化合物(5.7) |
| | 700,556 | 4.3 | 1.4 | 94.1 | 医薬品(68.7) | 有機化合物(6.1) | 自動車(部品を除く)(4.8) | パラジウム(2.0) | チョコレート類(1.5) |
| ロシア | 862,299 | 0.7 | 1.0 | 95.1 | 自動車(部品を除く)(41.5) | 一般機械(20.2) | 自動車部品(11.6) | 電気機械(6.8) | タイヤ・チューブ(4.7) |
| | 1,551,643 | 9.2 | 66.6 | 24.0 | 液化天然ガス(23.9) | 石炭(18.5) | 原油及び粗油(16.6) | パラジウム(9.7) | 魚介類(8.9) |
| アメリカ合衆国 | 14,831,507 | 1.0 | 1.2 | 92.0 | 一般機械(24.6) | 自動車(部品を除く)(24.2) | 電気機械(15.1) | 自動車部品(6.1) | 科学光学機器(2.6) |
| | 8,915,629 | 17.4 | 22.6 | 58.3 | 一般機械(12.1) | 電気機械(10.6) | 医薬品(9.7) | 穀物類・同調製品(5.8) | 液化石油ガス(5.6) |
| カナダ | 916,910 | 0.3 | 0.3 | 94.8 | 自動車(部品を除く)(40.2) | 一般機械(14.9) | 自動車部品(12.1) | 電気機械(11.6) | 鉄鋼(2.2) |
| | 1,506,506 | 22.3 | 56.9 | 20.5 | 採油用種子類(11.9) | 穀物類・同調製品(11.3) | 木材及びコルク(9.6) | 鉄鉱石(9.1) | 銅鉱(8.1) |
| パナマ | 527,664 | 0.0 | 0.1 | 99.6 | 貨物船(74.2) | タンカー(16.6) | 一般機械(5.0) | 自動車(部品を除く)(1.9) | 自動車部品(0.6) |
| | 99,809 | 0.7 | 60.3 | 19.3 | 銅鉱(59.1) | 船舶類(38.4) | ホホバ油(0.4) | コーヒー生豆(0.4) | 魚介類(0.3) |
| メキシコ | 1,189,550 | 0.1 | 1.0 | 95.3 | 一般機械(19.4) | 鉄鋼(18.5) | 電気機械(17.6) | 自動車部品(15.0) | 自動車(部品を除く)(10.0) |
| | 634,751 | 22.8 | 9.8 | 66.8 | 電気機械(24.4) | 豚肉(9.9) | 一般機械(9.6) | 自動車(部品を除く)(7.5) | 科学光学機器(6.3) |
| チリ | 203,078 | 0.0 | 20.3 | 78.5 | 自動車(部品を除く)(39.7) | 軽油(19.7) | 一般機械(10.7) | タイヤ・チューブ(8.2) | 鉄鋼(8.0) |
| | 854,743 | 23.2 | 70.1 | 6.7 | 銅鉱(59.1) | 魚介類(16.3) | モリブデン鉱(6.6) | ウッドチップ(2.8) | 無機化合物(2.3) |
| ブラジル | 459,618 | 0.2 | 1.3 | 95.0 | 自動車部品(22.7) | 一般機械(22.2) | 電気機械(15.7) | 有機化合物(8.8) | 鉄鋼(5.6) |
| | 1,082,533 | 23.5 | 58.7 | 17.4 | 鉄鉱石(51.2) | 鶏肉(8.2) | とうもろこし(6.8) | 有機化合物(5.3) | コーヒー生豆(4.1) |
| オーストラリア | 1,674,531 | 1.3 | 7.4 | 88.6 | 自動車(部品を除く)(58.8) | 一般機械(12.2) | 石油製品(7.3) | タイヤ・チューブ(3.6) | 電気機械(3.2) |
| | 5,753,335 | 7.8 | 86.9 | 5.2 | 石炭(32.7) | 液化天然ガス(26.8) | 鉄鉱石(18.8) | 銅鉱(4.5) | 牛肉(2.9) |
| ニュージーランド | 320,836 | 1.0 | 2.7 | 87.4 | 自動車(部品を除く)(62.7) | 一般機械(12.9) | 石油製品(2.6) | 電気機械(1.6) | 鉄鋼(1.3) |
| | 304,197 | 55.6 | 9.7 | 34.6 | キウイフルーツ(15.9) | アルミニウム・同合金(14.0) | 乳製品(11.4) | 肉類・同調製品(10.7) | 木製品及びコルク製品(7.5) |

**❶おもな国際機関（Ⅰ）**（2023年11月現在）　　　　　　　　　　　　　　　　各機関資料ほか

| 機関名・欧文名（略称） | 加盟国・地域 | 本部所在地 | 設立年 |
|---|---|---|---|
| 国際連合　United Nations（UN） | 193か国 | ニューヨーク | 1945 |
| ［国連専門機関］ | | | |
| 国連食糧農業機関　Food and Agriculture Organization of the United Nations（FAO） | 194か国, EU, 2準加盟地域 | ローマ | 1945 |
| 国際復興開発銀行　International Bank for Reconstruction and Development（IBRD） | 189か国 | ワシントンD.C. | 1945 |
| 国際民間航空機関　International Civil Aviation Organization（ICAO） | 193か国 | モントリオール | 1947 |
| 国際開発協会　The International Development Association（IDA） | 174か国 | ワシントンD.C. | 1960 |
| 国際農業開発基金　The International Fund for Agricultural Development（IFAD） | 177か国 | ローマ | 1977 |
| 国際金融公社　International Finance Corporation（IFC） | 186か国 | ワシントンD.C. | 1956 |
| 国際労働機関　International Labour Organization（ILO） | 187か国 | ジュネーヴ | 1919 |
| 国際通貨基金　International Monetary Fund（IMF） | 190か国 | ワシントンD.C. | 1945 |
| 国際海事機関　International Maritime Organization（IMO） | 175か国, 3準加盟地域 | ロンドン | 1958 |
| 国際電気通信連合　International Telecommunication Union（ITU） | 193か国 | ジュネーヴ | 1865 |
| 国連教育科学文化機関　United Nations Educational,Scientific and Cultural Organization（UNESCO） | 193か国とPLO, 12準加盟地域 | パリ | 1946 |
| 国連工業開発機関　United Nations Industrial Development Organization（UNIDO） | 171か国とPLO | ウィーン | 1966 |
| 万国郵便連合　Universal Postal Union（UPU） | 190か国と2地域 | ベルン | 1874 |
| 世界保健機関　World Health Organization（WHO） | 194か国, 2準加盟地域 | ジュネーヴ | 1948 |
| 世界知的所有権機関　World Intellectual Property Organization（WIPO） | 193か国 | ジュネーヴ | 1967 |
| 世界気象機関　World Meteorological Organization（WMO） | 187か国と6地域 | ジュネーヴ | 1950 |
| ［国連関連・常設機関］ | | | |
| 国際原子力機関　International Atomic Energy Agency（IAEA） | 178か国 | ウィーン | 1957 |
| 国際穀物理事会　International Grains Council（IGC） | 28か国とEU | ロンドン | 1949 |
| 国際ゴム研究会　International Rubber Study Group（IRSG） | 7か国とEU | シンガポール | 1944 |
| 国際砂糖機関　International Sugar Organization（ISO） | 60か国とEU | ロンドン | 1968 |
| 国際捕鯨委員会　International Whaling Commission（IWC） | 88か国① | ケンブリッジ | 1948 |
| 国連児童基金　United Nations Children's Fund（UNICEF） | 195か国と1地域② | ニューヨーク | 1946 |
| 国連貿易開発会議　United Nations Conference on Trade and Development（UNCTAD） | 194か国と1地域 | ジュネーヴ | 1964 |
| 世界貿易機関　World Trade Organization（WTO） | 160か国と3地域・EU, 25準加盟 | ジュネーヴ | 1995 |
| ［その他のおもな国際機構・国際会議］ | | | |
| 国際コーヒー機関　International Coffee Organization（ICO） | 輸出42か国と輸入6か国・EU | ロンドン | 1963 |
| アジア開発銀行　Asian Development Bank（ADB） | 66か国と2地域 | マニラ | 1966 |
| アフリカ開発銀行　African Development Bank Group（AfDB） | 81か国 | アビジャン | 1964 |
| アジアインフラ投資銀行　Asian Infrastructure Investment Bank（AIIB） | 92か国と1地域 | ペキン(北京) | 2015 |
| アラブ連盟　League of Arab States（LAS／Arab League）<br>［アラブ首長国連邦, イエメン, イラク, オマーン, カタール, クウェート, サウジアラビア, シリア③, バーレーン, ヨルダン, レバノン, アルジェリア, ジブチ, スーダン, ソマリア, チュニジア, モーリタニア, モロッコ, リビア, エジプト, コモロ, PLO］ | 21か国とPLO<br>［アラブ諸国の独立とその主権を擁護するために, 加盟国間の統合を強化し, 経済, 社会, 文化等の諸問題に関して協力する。］ | カイロ | 1945 |
| ラテンアメリカ統合連合　Asociación Latinoamericana de Integración（ALADI）<br>［アルゼンチン, ブラジル, チリ, パナマ, パラグアイ, ペルー, ウルグアイ, メキシコ, コロンビア, エクアドル, ベネズエラ, ボリビア, キューバ］ | 13か国, 18か国・10機関準加盟<br>［加盟国の経済開発を促進し, 国民生活水準の向上を図るため, 2国間の関税譲許を発展段階に応じて実施する。］ | モンテビデオ | 1981 |
| アジア太平洋経済協力　Asia-Pacific Economic Cooperation（APEC）<br>［アメリカ合衆国, インドネシア, オーストラリア, カナダ, 韓国, シンガポール, タイ, (台湾), 中国, 日本, ニュージーランド, パプアニューギニア, フィリピン, ブルネイ, (ホンコン), マレーシア, メキシコ, チリ, ロシア, ベトナム, ペルー］ | 19か国と2地域<br>［環太平洋地域の多国間経済協力について討議する。］ | シンガポール＊ | 1989 |
| 東南アジア諸国連合　Association of South East Asian Nations（ASEAN）<br>［インドネシア, シンガポール, タイ, フィリピン, ブルネイ, マレーシア, ベトナム, ミャンマー, ラオス, カンボジア］ | 10か国<br>［自助の精神に基づき, 東南アジア地域の平和と安定を図る。］ | ジャカルタ＊ | 1967 |
| アフリカ連合　African Union（AU） | 54か国と西サハラ | アディスアベバ | 2002 |
| 欧州評議会　Council of Europe（CoE）<br>［キプロス, トルコ, アイスランド, アイルランド, イギリス, イタリア, オーストリア, オランダ, ギリシャ, スイス, スウェーデン, スペイン, デンマーク, ドイツ, ノルウェー, フランス, ベルギー, ポルトガル, マルタ, リヒテンシュタイン, ルクセンブルク, サンマリノ, フィンランド, ハンガリー, チェコ, スロバキア, ブルガリア, ポーランド, ボスニア・ヘルツェゴビナ, エストニア, スロベニア, リトアニア, ルーマニア, ラトビア, アンドラ, アルバニア, 北マケドニア, モルドバ, ウクライナ, クロアチア, アゼルバイジャン, アルメニア, ジョージア, セルビア, モナコ, モンテネグロ］ | 46か国, 6オブザーバー<br>［ヨーロッパの経済的, 社会的進歩を促進するため, 加盟国の統合により共通の理想と原則を擁護し, ヨーロッパの漸進的統合を図る。］ | ストラスブール | 1949 |

＊事務局　①2019年6月末, 日本脱退　②「子どもの権利条約」締結国・地域の数　③アサド政権に対する加盟資格停止中。反体制派「シリア国民連合」にシリア代表資格を与えるとする決議がなされたが, 一部加盟国の反対により空席のままとなっている。

❶**おもな国際機関（Ⅱ）**（2023年11月現在）　　　　　　　　　　　　　　各機関資料ほか

| 機関名・欧文名（略称） | 加盟国・地域 | 本部所在地 | 設立年 |
|---|---|---|---|
| **ヨーロッパ連合**　European Union（**EU**） | 27か国 | ブリュッセル | 1993 |
| アイルランド，イタリア，オランダ，ギリシャ，クロアチア，スペイン，デンマーク，ドイツ，フランス，ベルギー，ポルトガル，ルクセンブルク，スウェーデン，フィンランド，オーストリア，キプロス，スロベニア，スロバキア，チェコ，ハンガリー，ポーランド，マルタ，エストニア，ラトビア，リトアニア，ブルガリア，ルーマニア | 1967年に発足したヨーロッパ共同体（EC）が1993年に発展的に改組した。加盟国の政治，経済・通貨統合を図る。 | | |
| **ヨーロッパ自由貿易連合**　European Free Trade Association（**EFTA**） | 4か国 | ジュネーヴ | 1960 |
| アイスランド，スイス，ノルウェー，リヒテンシュタイン | EU諸国を含む西欧全体の経済協力等で経済活動の拡大，生活の向上等を図る。 | | |
| **湾岸協力会議**　Gulf Cooperation Council（**GCC**） | 6か国 | リヤド | 1981 |
| アラブ首長国連邦，オマーン，カタール，クウェート，サウジアラビア，バーレーン | 加盟国の軍事，経済，文化，情報，社会等の分野で共通の制度を設置する。 | | |
| **国際エネルギー機関**　International Energy Agency（**IEA**） | 31か国とEU(オブザーバー) | パリ | 1974 |
| 韓国，トルコ，日本，アイルランド，イギリス，イタリア，オーストリア，オランダ，ギリシャ，スイス，スウェーデン，スペイン，デンマーク，ドイツ，ノルウェー，ベルギー，ポルトガル，ルクセンブルク，アメリカ合衆国，カナダ，オーストラリア，ニュージーランド，フィンランド，フランス，ハンガリー，チェコ，スロバキア，ポーランド，エストニア，メキシコ，リトアニア | 石油禁輸など緊急事態が生じた場合，消費規制，石油融通などを行うとともに，エネルギーの長期政策を検討する。 | | |
| **国際赤十字**　International Red Cross（**IRC**） | 190か国と1地域 | ジュネーヴ | 1863 |
| **米国・メキシコ・カナダ協定**　United States-Mexico-Canada Agreement（**USMCA**） | 3か国 | － | 2020 |
| アメリカ合衆国，メキシコ，カナダ | 北米自由貿易協定（NAFTA）に代わる3か国間の協定として発効。 | | |
| **北大西洋条約機構**　North Atlantic Treaty Organization（**NATO**） | 31か国 | ブリュッセル | 1949 |
| トルコ，アイスランド，イギリス，イタリア，オランダ，ギリシャ，スペイン，デンマーク，ドイツ，ノルウェー，フランス，ベルギー，ポルトガル，ルクセンブルク，アメリカ合衆国，カナダ，ハンガリー，ポーランド，チェコ，スロバキア，スロベニア，ブルガリア，ルーマニア，エストニア，ラトビア，リトアニア，アルバニア，クロアチア，モンテネグロ，北マケドニア，フィンランド | 東西冷戦の激化に伴い，ソ連の脅威に対抗するための共同防衛組織として発足した。 | | |
| **アラブ石油輸出国機構**　Organization of Arab Petroleum Exporting Countries（**OAPEC**） | 11か国 | クウェート | 1968 |
| アラブ首長国連邦，イラク，カタール，クウェート，サウジアラビア，シリア，バーレーン，アルジェリア，エジプト，リビア，チュニジア① | 加盟国の利益を守り，石油産業における経済活動での協力方法を決定する。 | | |
| **米州機構**　Organization of American States（**OAS**） | 35か国，72準加盟・EU | ワシントンD.C. | 1951 |
| アメリカ合衆国，アンティグア・バーブーダ，エルサルバドル，カナダ，キューバ，グアテマラ，グレナダ，コスタリカ，ジャマイカ，セントクリストファー・ネービス，セントビンセント，セントルシア，ドミニカ国，ドミニカ共和国，トリニダード・トバゴ，ニカラグア，ハイチ，パナマ，バハマ，バルバドス，ベリーズ，ホンジュラス，メキシコ，アルゼンチン，ウルグアイ，エクアドル，コロンビア，スリナム，チリ，パラグアイ，ブラジル，ベネズエラ，ペルー，ボリビア，ガイアナ | 南北アメリカ大陸（米州）での平和と安全保障の強化，紛争の平和的解決，域内諸国間の相互理解の促進と経済，社会，文化的発展を図る。キューバは1962年の対キューバ制裁決議により，形式的な加盟国の地位のみ保有。 | | |
| **経済協力開発機構**　Organisation for Economic Co-operation and Development（**OECD**） | 38か国 | パリ | 1961 |
| トルコ，日本，アイスランド，アイルランド，イギリス，イタリア，オーストリア，オランダ，ギリシャ，スイス，スウェーデン，スペイン，デンマーク，ドイツ，ノルウェー，フィンランド，フランス，ベルギー，ポルトガル，ルクセンブルク，アメリカ合衆国，カナダ，ニュージーランド，メキシコ，チェコ，ハンガリー，ポーランド，韓国，スロバキア，チリ，スロベニア，イスラエル，エストニア，ラトビア，リトアニア，コロンビア，コスタリカ | 経済成長，雇用，生活水準の向上を達成し，世界経済の発展に貢献する。非加盟国を含む発展途上国の健全な経済拡大に寄与する。世界貿易に貢献する。 | | |
| **石油輸出国機構**　Organization of the Petroleum Exporting Countries（**OPEC**） | 13か国 | ウィーン | 1960 |
| アラブ首長国連邦，イラク，イラン，クウェート，サウジアラビア，アルジェリア，ナイジェリア，リビア，アンゴラ，ベネズエラ，ガボン，赤道ギニア，コンゴ共和国 | 原油価格の安定維持のため，生産制限の検討など産油国の共通政策を立案，実施し，安定供給を図る。 | | |
| **独立国家共同体**　Commonwealth of Independent States（**CIS**） | 9か国，1準加盟1参加 | ミンスク | 1991 |
| アゼルバイジャン，アルメニア，ベラルーシ，カザフスタン，キルギス，モルドバ，ロシア，タジキスタン，ウズベキスタン | ソ連を構成していた共和国のうち11か国によるゆるやかな国家共同体。 | | |
| **太平洋諸島フォーラム**　Pacific Islands Forum（**PIF**） | 16か国と2地域，1準加盟1地域 | スバ* | 1971 |
| オーストラリア，キリバス，ソロモン諸島，ツバル，トンガ，ナウル，サモア，ニュージーランド，バヌアツ，パプアニューギニア，フィジー，ミクロネシア連邦，マーシャル諸島，パラオ，クック諸島，ニウエ | 南太平洋地域の新興独立国が，旧宗主国の影響から解放された機構として結成した。 | | |
| **アンデス共同体**　Comunidad Andina（**CAN**） | 4か国，5準加盟，5オブザーバー | リマ | 1996 |
| エクアドル，コロンビア，ペルー，ボリビア | アンデス地域の統括的経済統合の枠組。加盟国民は身分証の提示のみで域内移動が可能。 | | |
| **ラテンアメリカ経済機構**　Sistema Económico Latinoamericano y del caribe（**SELA**） | 25か国 | カラカス | 1975 |
| キューバ，グアテマラ，ドミニカ共和国，トリニダード・トバゴ，ニカラグア，ハイチ，パナマ，バルバドス，ホンジュラス，メキシコ，アルゼンチン，ウルグアイ，エクアドル，ガイアナ，コロンビア，スリナム，チリ，パラグアイ，ブラジル，ベネズエラ，ペルー，ボリビア，ベリーズ，バハマ，エルサルバドル | 企業育成による地域内経済，社会発展のため協議，協力を図る。 | | |
| **南米南部共同市場**　Mercado Común del Sur（**MERCOSUR**） | 6か国，6準加盟 | モンテビデオ* | 1991 |
| ブラジル，アルゼンチン，ウルグアイ，パラグアイ，ベネズエラ②，ボリビア③ | （1995年から一部例外を除き域内関税を撤廃。） | | |

\*事務局　①チュニジアは1987年に脱退したと主張しているが，機構側は未払分担金を清算しないと脱退を認めないという姿勢で対立　②加盟資格停止中　③加盟各国の批准手続き中

## 世界の国々（Ⅰ）

ステーツマン2023, World Population Prospects 2019, 世人口'22, 世界の国一覧表2007, 世界銀行資料ほか

| 番号 | 正　式　国　名<br>英　文　国　名 | 面積（千km²）<br>人口（万人）<br>2022年 | 人口密度<br>(人/km²)2022年<br>人口増加率(%)<br>2015～20年平均 | 首　都　名<br>首都人口(千人) | 独立年月<br>(1943年以降)<br>国連加盟年月 | 旧宗主国名<br>政　　体 | GNI(億ドル)<br>1人あたりGNI<br>(ドル)2022年 | 通　貨　単　位<br>1ドルあたり為替レート<br>2022年末 |
|---|---|---|---|---|---|---|---|---|
| | **ア　ジ　ア** | | | | | | | 47か国 |
| 1 | アゼルバイジャン共和国<br>*Republic of Azerbaijan* | 86.6<br>1,015 | 117<br>1.0 | バ　ク　ー<br>22)2,303 | 1991.8<br>1992.3 | －<br>共　和　制 | 572<br>5,630 | アゼルバイ<br>ジャン・マ<br>ナト　1.70 |
| 2 | アフガニスタン・イスラム共和国<br>*Islamic Republic of Afghanistan* | 652.9<br>3,276 | 50<br>2.5 | カブール<br>20)4,434 | －<br>1946.11 | イギリス<br>共　和　制 | 21)156<br>21)390 | アフガニー<br>20)77.11 |
| 3 | アラブ首長国連邦<br>*United Arab Emirates* | 71.0<br>21)955 | 21)135<br>1.3 | アブダビ<br>16)1,266 | 1971.12<br>1971.12 | イギリス<br>連　邦　制 | 4,622<br>48,950 | UAE ディル<br>ハム　3.67 |
| 4 | アルメニア共和国<br>*Republic of Armenia* | 29.7<br>296 | 100<br>0.3 | エレバン<br>22)1,092 | 1991.9<br>1992.3 | －<br>共　和　制 | 166<br>5,960 | ドラム<br>393.57 |
| 5 | イエメン共和国<br>*Republic of Yemen* | 528.0<br>20)3,041 | 20)58<br>2.4 | サ　ヌ　ア<br>20)1,201 | 1990.5<br>1947.9 | トルコ<br>イギリス<br>共　和　制 | 18)260<br>18)840 | イエメン・<br>リアル<br>250.00 |
| 6 | イスラエル国<br>*State of Israel* | 22.1<br>21)937 | 21)425<br>1.6 | エルサレム<br>23)979 | 1948.5<br>1949.5 | イギリス<br>共　和　制 | 5,219<br>54,650 | 新シェケル<br>3.52 |
| 7 | イラク共和国<br>*Republic of Iraq* | 435.1<br>20)3,985 | 20)92<br>2.5 | バグダッド<br>20)7,488 | －<br>1945.12 | イギリス<br>共　和　制 | 2,347<br>5,270 | イラク・<br>ディナール<br>1,450.00 |
| 8 | イラン・イスラム共和国<br>*Islamic Republic of Iran* | 1,630.8<br>8,470 | 52<br>1.4 | テヘラン<br>16)8,693 | －<br>1945.10 | イギリス<br>共　和　制 | 3,453<br>3,900 | イラン・リ<br>アル<br>21)42,000.00 |
| 9 | インド<br>*India* | 3,287.3<br>21)136,717 | 21)416<br>1.0 | デ　リ　ー<br>11)11,034 | 1947.8<br>1945.10 | イギリス<br>連邦共和制 | 33,701<br>2,380 | インド・ル<br>ピー 82.79 |
| 10 | インドネシア共和国<br>*Republic of Indonesia* | 1,910.9<br>27,577 | 144<br>1.1 | ジャカルタ<br>20)10,562 | 1945.8<br>1950.9 | オランダ<br>共　和　制 | 12,609<br>4,580 | ルピア<br>15,731.00 |
| 11 | ウズベキスタン共和国<br>*Republic of Uzbekistan* | 449.0<br>3,564 | 79<br>1.6 | タシケント<br>22)2,862 | 1991.8<br>1992.3 | －<br>共　和　制 | 781<br>2,190 | スム<br>11,225.46 |
| 12 | オマーン国<br>*Sultanate of Oman* | 310.0<br>493 | 16<br>3.6 | マスカット<br>21)32 | －<br>1971.10 | ポルトガル<br>君　主　制 | 922<br>20,150 | オマーン・<br>リアル<br>0.38 |
| 13 | カザフスタン共和国<br>*Republic of Kazakhstan* | 2,724.9<br>1,963 | 7<br>1.3 | アスタナ<br>22)1,340 | 1991.12<br>1992.3 | －<br>共　和　制 | 1,857<br>9,470 | テンゲ<br>462.65 |
| 14 | カタール国<br>*State of Qatar* | 11.6<br>279 | 240<br>2.3 | ド　ー　ハ<br>20)1,186 | 1971.9<br>1971.9 | イギリス<br>首　長　制 | 1,900<br>70,500 | カタール・<br>リヤル<br>3.64 |
| 15 | カンボジア王国<br>*Kingdom of Cambodia* | 181.0<br>1,684 | 93<br>1.5 | プノンペン<br>19)2,189 | 1953.11<br>1955.12 | フランス<br>立憲君主制 | 286<br>1,700 | リエル<br>4,118.00 |
| 16 | キプロス共和国<br>*Republic of Cyprus* | 9.3<br>90 | 98<br>0.8 | ニコシア<br>11)55 | 1960.8<br>1960.9 | イギリス<br>共　和　制 | 278<br>30,540 | ユーロ<br>0.94 |
| 17 | キルギス共和国<br>*Kyrgyz Republic* | 199.9<br>697 | 35<br>1.8 | ビシュケク<br>22)1,083 | 1991.8<br>1992.3 | －<br>共　和　制 | 96<br>1,410 | ソム<br>85.68 |
| 18 | クウェート国<br>*State of Kuwait* | 17.8<br>421 | 237<br>2.1 | クウェート<br>17)60 | 1961.6<br>1963.5 | イギリス<br>立憲君主制 | 1,689<br>39,570 | クウェート・<br>ディナール<br>0.31 |
| 19 | サウジアラビア王国<br>*Kingdom of Saudi Arabia* | 2,206.7<br>3,217 | 15<br>1.9 | リ　ヤ　ド<br>10)5,188 | －<br>1945.10 | イギリス<br>君　主　制 | 10,044<br>27,590 | サウジアラ<br>ビア・リヤ<br>ル　3.75 |
| 20 | ジョージア<br>*Georgia* | 69.7<br>368 | 53<br>-0.2 | トビリシ<br>22)1,171 | 1991.4<br>1992.7 | －<br>共　和　制 | 209<br>5,620 | ラリ<br>2.70 |

世界の国々（Ⅰ）

世界の国々

| 言　　語<br>太字は公用語<br>国語は各国定義による | 民　　族 | 宗　　教 | 政　治　・　経　済 | 番号 |
|---|---|---|---|---|
| | | | <div align="right">ア　ジ　ア</div> | |
| アゼルバイジャン語, ロシア語, アルメニア語, タリシュ語など | アゼルバイジャン人91.6%, レズギン系2%, ロシア系1.3% | イスラーム96%（シーア派63%, スンナ派33%）, キリスト教（おもに正教会）など | 原油, 天然ガスなどの鉱産資源が豊富。農業では, 小麦, 綿花栽培がさかん。アルメニア系住民が住むナゴルノ・カラバフ自治州を巡って民族紛争が続く。 | 1 |
| ダリー語, パシュトゥー語, ハザラ語, タジク語 | パシュトゥン人42%, タジク系27%, ハザラ人9%, ウズベク系9% | イスラーム99%（スンナ派80%, シーア派19%） | 干ばつや内戦, ソ連の侵攻, 米国同時多発テロに起因する紛争により, 国土は荒廃, 治安は悪化。帰還できない難民が多い。経済は海外援助に依存。 | 2 |
| アラビア語, ペルシア語, 英語, ヒンディー語など | 南アジア系59.4%, 自国籍アラブ人11.6% | イスラーム62%（大半がスンナ派）, ヒンドゥー教21% | 7首長国の連邦国家。原油の大部分がアブダビ首長国で産出。ドバイは金融・運輸の世界的な拠点として発展。石油収入を背景に活発な対外投資を行う。 | 3 |
| アルメニア語, ヤズド語, ロシア語 | アルメニア人98.1%, クルド人1.2% | キリスト教78.2%（アルメニア教会72.9%, カトリック4%）, イスラーム2.4% | ロシアとの関係は緊密。主産業は農業, 宝石（ダイヤモンド）加工業。ぶどう・野菜の栽培がさかん。ソ連のシリコンヴァレーと称され, ICT産業が発展。 | 4 |
| アラビア語 | アラブ人92.8%, ソマリ人3.7% | イスラーム99.1%（スンナ派65%, シーア派35%） | 原油, 天然ガスを産出するがGDPは低い。アラビア半島では唯一の共和制の立憲国家。11年の政権移行後も混乱が続き, 経済状況は悪化。 | 5 |
| ヘブライ語, アラビア語, 英語 | ユダヤ人75.1%, アラブ人20.6% | ユダヤ教74.8%, イスラーム19.2% | 中東戦争やパレスチナ問題など紛争が多い。先端技術産業や科学研究分野で高い水準をもつ。研磨したダイヤモンド, 医療精密機器等を輸出。 | 6 |
| アラビア語, クルド語, トルクメン語, シリア語など | アラブ人64.7%, クルド人23%, アゼルバイジャン系5.6% | イスラーム96%（シーア派62%, スンナ派34%）, キリスト教3.2% | 豊富な石油資源を有し, 国家歳入の9割を石油収入で賄う。フセイン政権下のイラン・イラク戦争, 湾岸戦争, イラク戦争などにより, 経済は疲弊し, 治安は不安定。 | 7 |
| ペルシア語, トルコ語, クルド語, シリア語など | ペルシア人34.9%, アゼルバイジャン系15.9%, クルド人13% | イスラーム99.3%（シーア派92.5%, スンナ派8%） | 世界有数の産油国で, 天然ガス埋蔵量も多い。核問題による国際社会の経済制裁は16年に解除されたが, 18年に再び経済制裁を宣言。 | 8 |
| ヒンディー語, 英語（準公用語）, ベンガル語, マラーティー語など憲法公認22言語 | インド・アーリヤ系72%, ドラヴィダ系25% | ヒンドゥー教79.8%, イスラーム14.2%, キリスト教2.3%, シク教1.7% | 世界有数の農業国で, 鉱産資源も豊富。自動車産業やICT産業の進展により, 経済成長は著しい。輸出品目では石油製品や機械類が目立つ。 | 9 |
| インドネシア語, 英語, オランダ語, ジャワ語など約700の民族語 | ジャワ人40.1%, スンダ系15.5%, マレー人3.7%, バタク人3.6%, 中国人1.2% | イスラーム87.2%, キリスト教9.9%, ヒンドゥー教1.7% | 東南アジア屈指の資源保有国で, 農業もさかん。80年代から外資の導入が進み, 製造業が急速に発展。世界4位（22年）の人口規模は成長市場として注目されている。 | 10 |
| ウズベク語, ロシア語, タジク語 | ウズベク人78.3%, タジク系4.7%, カザフ系4.1% | イスラーム76.2%（大半がスンナ派）, ロシア正教0.8% | 鉱産資源に恵まれ, 原油, 天然ガス, 石炭のほか, 金, ウランを産出。綿花を中心とした農業もさかん。ソ連時代の開発の影響で, アラル海の面積は激減。 | 11 |
| アラビア語, 英語 | アラブ人55.3%, インド・パキスタン系31.7%, ペルシア人2.8% | イスラーム89%（イバード派75%, スンナ派8%, シーア派6%）, ヒンドゥー教5% | 石油依存からの脱却をめざし, 経済の多角化, 民営化促進。東アフリカ・中東・アジアを結ぶ立地を生かし, 経済特区や大型コンテナ港の設置が進む。 | 12 |
| カザフ語（国語）, ロシア語 | カザフ人65.5%, ロシア系21.5%, ウズベク系3.0%, ウクライナ系1.8% | イスラーム70.2%（大半がスンナ派）, キリスト教26.2% | カザフステップは世界有数の小麦栽培地。銅・亜鉛等非鉄金属資源が豊富。ウランの生産量は世界一。カスピ海周辺の油田開発は外資の協力で進められた。 | 13 |
| アラビア語, 英語 | アラブ人40%, インド系20%, ネパール系13%, フィリピン系10% | イスラーム67.7%, キリスト教13.8%, ヒンドゥー教13.8% | 石油資源国で立憲君主制の首長国。教育・医療は完全無料。LNGの輸出が経済の中心。1人あたりGNIは世界トップレベルだが, 労働力は外国人に依存。 | 14 |
| カンボジア語（クメール語） | カンボジア人85.2%, 中国系6.4%, ベトナム系3% | 仏教96.9%, イスラーム1.9% | 91年の内戦終結で政情は安定し, 経済は回復。農業のほか, アンコール遺跡群などの観光業も重要。輸出指向型の縫製業は堅調で, 経済成長率は高い。 | 15 |
| ギリシャ語, トルコ語, 英語 | ギリシャ系80.6%, トルコ系11.1% | ギリシャ正教78%, イスラーム18% | 北部のトルコ系と南部のギリシャ系との紛争で, 74年に事実上南北に分断。EU加盟は南のキプロス共和国のみ。主産業は観光, 金融, 海運業など。 | 16 |
| キルギス語, ロシア語, ウズベク語 | キルギス人70.9%, ウズベク系14.3%, ロシア系7.7% | イスラーム60.8%（大半がスンナ派）, キリスト教10.4% | ソ連からの独立後, いち早く民主化と市場経済化に注力。主産業は農業, 食品加工業, 金採掘を中心とした鉱業。近年, 水力発電により電力事情は改善。 | 17 |
| アラビア語, 英語 | アラブ人59.2%（クウェート系31.3%）, アジア系37.8% | イスラーム74%, キリスト教13%, ヒンドゥー教10% | 石油経済国。国民のほとんどが国家公務員か国営企業社員。豊かな石油収入を背景に, 石油関連部門の工業化や, 海外への投資を推進。 | 18 |
| アラビア語 | サウジ系アラブ人74%, インド系5% | イスラーム94%（スンナ派84%, シーア派10%）, キリスト教3.5% | 石油経済国。原油の輸出は長年にわたり世界1位を保つ。近年は観光業やICT産業の多角化を進める。アラブ諸国で唯一のG20参加国。 | 19 |
| ジョージア語, アゼルバイジャン語, アルメニア語, ロシア語 | ジョージア人86.8%, アゼルバイジャン系6.3%, アルメニア系4.5% | キリスト教87.3%（ジョージア正教83.4%, アルメニア教会2.9%）, イスラーム10.7% | 茶, かんきつ類, たばこ, ぶどうを栽培。紅茶・ワインなどの食品加工業もさかん。非ジョージア人の多いアブハジアと南オセチアの独立問題があり, ロシアと対立。 | 20 |

## 世界の国々（Ⅱ）

ステーツマン2023, World Population Prospects 2019, 世人口'22, 世界の国一覧表2007, 世界銀行資料ほか

| 番号 | 正式国名 / 英文国名 | 面積(千km²) / 人口(万人)2022年 | 人口密度(人/km²)2022年 / 人口増加率(%)2015~20年平均 | 首都名 / 首都人口(千人) | 独立年月(1943以降) / 国連加盟年月 | 旧宗主国名 / 政体 | GNI(億ドル) / 1人あたりGNI(ドル)2022年 | 通貨単位 / 1ドルあたり為替レート2022年末 |
|---|---|---|---|---|---|---|---|---|
| 21 | シリア・アラブ共和国 / Syrian Arab Republic | 185.2 / 15)1,920 | 15)104 / -0.6 | ダマスカス / 11)1,780 | 1946.4 / 1945.10 | フランス / 共和制 | 20)158 / 20)760 | シリア・ポンド 3,015.00 |
| 22 | シンガポール共和国 / Republic of Singapore | 0.7 / 563 | 7,688 / 0.9 | シンガポール / 21)5,453 | 1965.8 / 1965.9 | イギリス / 共和制 | 3,788 / 67,200 | シンガポール・ドル 1.34 |
| 23 | スリランカ民主社会主義共和国 / Democratic Socialist Republic of Sri Lanka | 65.6 / 2,218 | 338 / 0.5 | スリジャヤワルダナプラコッテ / 12)107 | 1948.2 / 1955.12 | イギリス / 共和制 | 801 / 3,610 | スリランカ・ルピー 21)200.43 |
| 24 | タイ王国 / Kingdom of Thailand | 513.1 / 6,680 | 130 / 0.3 | バンコク / 21)5,527 | — / 1946.12 | — / 立憲君主制 | 5,187 / 7,230 | バーツ 34.56 |
| 25 | 大韓民国 / Republic of Korea | 100.4 / 5,162 | 514 / 0.2 | ソウル / 21)9,472 | 1948.8 / 1991.9 | 日本 / 共和制 | 18,580 / 35,990 | 韓国ウォン 1,267.30 |
| 26 | タジキスタン共和国 / Republic of Tajikistan | 141.4 / 998 | 71 / 2.4 | ドゥシャンベ / 19)846 | 1991.9 / 1992.3 | — / 共和制 | 120 / 1,210 | ソモニ 10.20 |
| 27 | 中華人民共和国 / People's Republic of China | ①9,601.1 / ①144,303 | ①150 / 0.5 | ペキン / 20)13,954 | — / 1945.10 | — / 人民民主専政 | 181,513 / 12,850 | 人民元 6.99 |
| 28 | 朝鮮民主主義人民共和国 / Democratic People's Republic of Korea | 120.5 / 15)2,525 | 15)210 / 0.5 | ピョンヤン / 08)2,581 | 1948.9 / 1991.9 | 日本 / 人民共和制 | — / — | 北朝鮮ウォン 20)109.00 |
| 29 | トルクメニスタン / Turkmenistan | 488.1 / 15)576 | 15)12 / 1.6 | アシガバット / 12)701 | 1991.10 / 1992.3 | — / 共和制 | 20)437 / 19)7,080 | トルクメン・マナト 3.50 |
| 30 | トルコ共和国 / Republic of Turkey | 783.6 / 8,498 | 108 / 1.4 | アンカラ / 22)5,473 | — / 1945.10 | — / 共和制 | 9,035 / 10,590 | リラ 18.72 |
| 31 | 日本国 / Japan | 378.0 / 12,512 | 331 / -0.2 | 東京 / 23)9,569 | — / 1956.12 | — / — | 53,100 / 42,440 | 円 132.65 |
| 32 | ネパール / Nepal | 147.2 / 21)2,916 | 21)198 / 1.5 | カトマンズ / 21)862 | — / 1955.12 | — / 連邦民主共和制 | 409 / 1,340 | ネパール・ルピー 131.94 |
| 33 | パキスタン・イスラム共和国 / Islamic Republic of Pakistan | 796.1 / 17)20,768 | 17)261 / 2.0 | イスラマバード / 17)1,009 | 1947.8 / 1947.9 | イギリス / 共和制 | 3,729 / 1,580 | パキスタン・ルピー 226.47 |
| 34 | バーレーン王国 / Kingdom of Bahrain | 0.8 / 20)150 | 20)1,930 / 4.3 | マナーマ / 06)176 | 1971.8 / 1971.9 | イギリス / 立憲君主制 | 400 / 27,180 | バーレーン・ディナール 0.38 |
| 35 | バングラデシュ人民共和国 / People's Republic of Bangladesh | 148.5 / 17,173 | 1,157 / 1.1 | ダッカ / 22)10,278 | 1971.12 / 1974.9 | パキスタン / 共和制 | 4,834 / 2,820 | タカ 99.00 |
| 36 | 東ティモール民主共和国 / The Democratic Republic of Timor-Leste | 15.0 / 134 | 90 / 1.9 | ディリ / 15)222 | 2002.5 / 2002.9 | — / 共和制 | 26 / 1,970 | 米ドル 1.00 |
| 37 | フィリピン共和国 / Republic of the Philippines | 300.0 / 11,157 | 372 / 1.4 | マニラ / 20)1,846 | 1946.7 / 1945.10 | アメリカ合衆国 / 共和制 | 4,570 / 3,950 | フィリピン・ペソ 56.12 |
| 38 | ブータン王国 / Kingdom of Bhutan | 38.4 / 76 | 20 / 1.2 | ティンプー / 17)114 | — / 1971.9 | — / 立憲君主制 | 21)24 / 21)3,040 | ヌルタム 82.79 |
| 39 | ブルネイ・ダルサラーム国 / Brunei Darussalam | 5.8 / 21)44 | 21)76 / 1.1 | バンダルスリブガワン / 21)82 | 1984.1 / 1984.9 | イギリス / 立憲君主制 | 141 / 31,410 | ブルネイ・ドル 1.35 |
| 40 | ベトナム社会主義共和国 / Socialist Republic of Viet Nam | 331.3 / 9,946 | 300 / 1.0 | ハノイ / 19)3,605 | 1945.9 / 1977.9 | フランス / 社会主義共和制 | 3,941 / 4,010 | ドン 23,612.00 |
| 41 | マレーシア / Malaysia | 330.6 / 3,265 | 99 / 1.3 | クアラルンプール / 20)1,982 | 1957.8 / 1957.9 | イギリス / 立憲君主制 | 3,997 / 11,780 | リンギット 4.41 |

①ホンコン，マカオ，台湾を含む

| 言語<br>太字は公用語<br>国語は各国定義による | 民　族 | 宗　教 | 政　治・経　済 | 番号 |
|---|---|---|---|---|
| **アラビア語**, クルド語, アルメニア語 | アラブ人90.3%（シリア系, ベドウィン系, パレスチナ系など） | イスラーム88%（スンナ派74%, アラウィ派11%）, キリスト教8% | 社会主義的計画経済を維持しながら, 市場経済への移行で経済成長していたが, 11年以降の内戦により, 経済情勢は悪化。周辺諸国に難民が流出。 | 21 |
| **マレー語, 中国語, タミル語, 英語** | 中国系74.3%, マレー系13.4%, インド系9% | 仏教33.3%, キリスト教18.3%, イスラーム14.3%, 道教10.9% | 中継貿易, 加工貿易拠点として古くから発展。港湾は世界有数の規模。高付加価値製造業のほか, 運輸・通信業, 金融サービス業を推進。 | 22 |
| **シンハラ語, タミル語, 英語** | シンハラ人74.9%, タミル人15.4%, ムーア人9.2% | 仏教70.2%, ヒンドゥー教12.6%, イスラーム9.7%, キリスト教7.4% | 世界的な茶の生産地。シンハラ人とタミル人が対立した内戦が終結し, 経済成長が進んでいたが, 22年に国家財政が破綻。茶と繊維製品が主要輸出品。 | 23 |
| **タイ語**, ラオ語, クメール語, マレー語, 中国語 | タイ人81.4%（シャム系34.9%, ラオ系26.5%）, 中国人10.6%, マレー人3.7% | 仏教94.6%, イスラーム4.3%（大半がスンナ派） | 主要産品は天然ゴム, 米で生産・輸出ともに多い。外資を活用して工業化が進展し, 自動車, 電気機械が成長。輸出品は機械類, 自動車など。 | 24 |
| **韓国語** | 朝鮮民族（韓民族）97.7%, 日本系2% | キリスト教27.7%（プロテスタント19.7%, カトリック7.9%）, 仏教15.5% | 電気・電子機器, 自動車, 造船, 石油化学, 鉄鋼などが発展。70年代に「漢江の奇跡」とよばれる高い経済成長を遂げ, アジアNIEsを経て, 96年OECD加盟。 | 25 |
| **タジク語, ロシア語, ウズベク語, キルギス語など** | タジク人84.3%, ウズベク系12.2% | イスラーム84%（スンナ派78%, シーア派6%） | 主産業は綿花栽培を中心とする農業, 牧畜業。水力発電の安価な電力を利用したアルミニウム精錬, 繊維などの工業がさかん。アンチモンや水銀などを産出。 | 26 |
| **標準中国語**（北京中心）, 中国語7地域方言（上海, 広東など）, 多数の民族語 | 漢民族91.5%, 壮族, 満州族, 回族など55少数民族8.5% | 道教, 仏教, キリスト教, イスラーム | 70年代末から計画経済から市場経済に移行し, 外資導入によって急速に発展。10年にGDPが世界第2位となる。チベット, ウイグルで民族問題がある。 | 27 |
| **朝鮮語** | 朝鮮民族99.8% | 仏教・キリスト教 | 主体（チュチェ）思想を基礎とした独自の社会主義国家体制。食料事情は厳しく援助に依存。日本との外交関係はなく, 核問題で世界との緊張関係が続く。 | 28 |
| **トルクメン語, ロシア語, ウズベク語** | トルクメン人85%, ウズベク系5%, ロシア系4% | イスラーム87.2%（大半がスンナ派） | 永世中立国。大規模な灌漑による綿花栽培を主とする農業, 牧畜業もさかん。世界有数の埋蔵量を誇る天然ガスは, 輸送ルートの多角化をめざしている。 | 29 |
| **トルコ語**, クルド語, アラビア語 | トルコ人65.1%, クルド人18.9%, クリミア・タタール人7.2% | イスラーム97.5%（スンナ派82.5%, シーア派15%） | イスラーム国家だが政教分離。中央アジアや中東から欧州への原油・天然ガス輸送の要衝。工業がさかんな西部と東部の経済格差は大きい。茶の生産国。 | 30 |
| 日本語 | 日本人, 韓国・朝鮮系, 中国系, アイヌ | 神道, 仏教, キリスト教など | ー | 31 |
| **ネパール語**, マイティリー語, ボージプリー語, タルー語など | チェトリ人16.6%, ブラーマン人12.2%, マガール人7.1% | ヒンドゥー教81.3%, 仏教9%, イスラーム4.4% | 08年王制廃止, 15年新憲法公布。後発発展途上国で, 外国援助に依存。労働人口の6割が農業に従事。ヒマラヤ山脈などの山岳観光は貴重な外貨獲得源。 | 32 |
| **ウルドゥー語**（国語）, **英語**, パンジャービー語, シンド語など | パンジャブ人52.6%, パシュトゥン人13.2%, シンド人11.7% | イスラーム96.1%（スンナ派79.1%, シーア派17%）, キリスト教2.5% | パンジャブ地方での小麦と綿花の栽培がさかん。輸出は繊維品, 米など。インドとの間でカシミール問題がある。インドやアフガニスタンなど近隣国との関係改善を推進。 | 33 |
| **アラビア語, 英語** | アラブ50.7%, アジア系（インド系など）45.5%, アフリカ系1.6% | イスラーム82.4%（シーア派58%, スンナ派24%）, キリスト教10.5% | 石油経済国。石油精製・アルミ精錬をはじめ, 観光産業など産業の多角化を進める。自国民の雇用機会の創出が課題。中東でも有数の金融拠点。 | 34 |
| **ベンガル語, 英語** | ベンガル人98% | イスラーム89.1%（大半がスンナ派）, ヒンドゥー教10% | 米, ジュートが主要作物。安価な労働コストが繊維産業の成長を支え, 衣類・繊維品が総輸出額のほとんどを占める。多くのロヒンギャ難民を受け入れる。 | 35 |
| **テトゥン語, ポルトガル語, インドネシア語, 英語**など | メラネシア系（テトゥン人など）が大半, マレー系, 中国系 | キリスト教99.6%（カトリック97.6%, プロテスタント・福音派2%） | 74年までポルトガル植民地, 以後インドネシアに併合され, 02年独立。石油・天然ガスへの依存経済。輸出用作物としてコーヒーの栽培がさかん。 | 36 |
| **フィリピノ語**（タガログ語が基礎）, **英語**, タガログ語など8主要方言 | タガログ人28.1%, セブアノ人13.1%, イロカノ人9%など | キリスト教91.8%（カトリック79.5%）, イスラーム | 主産業は農林水産業。米のほか, ココやし, バナナ等の輸出用商品作物の生産も多い。コールセンターをはじめとしたサービス業が大きく成長。 | 37 |
| **ゾンカ語（チベット系）, ネパール語, 英語**など | ブータン人（チベット系）50%, ネパール系50% | チベット仏教74%, ヒンドゥー教25% | 08年王制から立憲君主制に移行。労働人口の多くが農業に従事。近年は水力発電産業がさかん。輸出入の大半をインドが占める。観光資源の開発が課題。 | 38 |
| **マレー語, 英語, 中国語** | マレー系65.7%, 中国系10.3%, 先住民3.4% | イスラーム78.8%, キリスト教8.7%, 仏教7.8% | 石油経済国。原油, 天然ガスの産出により, 経済水準が高く, 社会福祉も充実。メタノール製造工場の設立など石油, 産業の多様化をめざす。 | 39 |
| **ベトナム語**, 英語, フランス語, 中国語など | ベトナム人（キン人）85.7%, タイーやヌンなど53の少数民族 | 仏教7.9%, キリスト教7.5%（カトリック6.6%）, ホアハオ教1.7% | 主産業は農林水産業, 鉱業。工業は繊維産業が中心。コーヒー, 茶, 米は世界有数の生産量。ドイモイ（刷新）政策で市場開放が進み, 経済成長が著しい。 | 40 |
| **マレー語, 英語, 中国語, タミル語** | ブミプトラ61.8%, 中国系22.6%, インド系6.7% | イスラーム61.3%, 仏教19.8%, キリスト教9.2%, ヒンドゥー教6.3% | 80年代以降, 輸出指向型の工業政策で経済は高度成長。パーム油, 天然ゴムの生産がさかん。人口の6割を占めるマレー系住民を優遇するブミプトラ政策を堅持。 | 41 |

## 世界の国々（Ⅲ）

ステーツマン2023, World Population Prospects 2019, 世人口22, 世界の国一覧表2007, 世界銀行資料ほか

| 番号 | 正式国名 / 英文国名 | 面積(千km²) 2022年 / 人口(万人) 2022年 | 人口密度(人/km²)2022年 / 人口増加率(%)2015~20年平均 | 首都名 / 首都人口(千人) | 独立年月(1943年以降) / 国連加盟年月 | 旧宗主国名 / 政体 | GNI(億ドル) / 1人あたりGNI(ドル)2022年 | 通貨単位 / 1ドルあたり為替レート2022年末 |
|---|---|---|---|---|---|---|---|---|
| 42 | ミャンマー連邦共和国 / Republic of the Union of Myanmar | 676.6 / 5,577 | 82 / 0.6 | ネーピードー / 14)375 | 1948.1 / 1948.4 | イギリス / 共和制 | 655 / 1,210 | チャット / 20)1,329.10 |
| 43 | モルディブ共和国 / Republic of Maldives | 0.3 / 51 | 1,717 / 3.4 | マレ / 22)212 | 1965.7 / 1965.9 | イギリス / 共和制 | 58 / 11,030 | ルフィア / 15.40 |
| 44 | モンゴル国 / Mongolia | 1,564.1 / 343 | 2 / 1.8 | ウランバートル / 21)1,539 | － / 1961.10 | 中国 / 共和制 | 143 / 4,210 | トゥグルグ / 3,444.60 |
| 45 | ヨルダン・ハシェミット王国 / Hashemite Kingdom of Jordan | 89.3 / 1,130 | 127 / 1.9 | アンマン / 22)2,145 | 1946.5 / 1955.12 | イギリス / 立憲君主制 | 481 / 4,260 | ヨルダン・ディナール / 0.71 |
| 46 | ラオス人民民主共和国 / Lao People's Democratic Republic | 236.8 / 744 | 31 / 1.5 | ビエンチャン / 15)639 | 1953.10 / 1955.12 | フランス / 人民民主共和制 | 177 / 2,360 | キープ / 16,600.00 |
| 47 | レバノン共和国 / Lebanese Republic | 10.5 / 18)484 | 18)463 / 0.9 | ベイルート / 19)421 | 1943.11 / 1945.10 | フランス / 共和制 | 21)278 / 21)4,970 | レバノン・ポンド / 1,507.50 |

| | アフリカ | | | | | | | 54か国 |
|---|---|---|---|---|---|---|---|---|
| 48 | アルジェリア民主人民共和国 / People's Democratic Republic of Algeria | 2,381.7 / 20)4,422 | 20)19 / 2.0 | アルジェ / 08)2,364 | 1962.7 / 1962.10 | フランス / 共和制 | 1,752 / 3,900 | アルジェリア・ディナール / 137.22 |
| 49 | アンゴラ共和国 / Republic of Angola | 1,246.7 / 3,308 | 27 / 3.3 | ルアンダ / 14)6,760 | 1975.11 / 1976.12 | ポルトガル / 共和制 | 678 / 1,900 | クワンザ / 503.69 |
| 50 | ウガンダ共和国 / Republic of Uganda | 241.6 / 4,421 | 183 / 3.6 | カンパラ / 20)1,680 | 1962.10 / 1962.10 | イギリス / 共和制 | 440 / 930 | ウガンダ・シリング / 3,715.69 |
| 51 | エジプト・アラブ共和国 / Arab Republic of Egypt | 1,002.0 / 10,360 | 103 / 2.0 | カイロ / 17)9,539 | － / 1945.10 | イギリス / 共和制 | 4,551 / 4,100 | エジプト・ポンド / 24.69 |
| 52 | エスワティニ王国 / Kingdom of Eswatini | 17.4 / 20)118 | 20)68 / 1.0 | ムババーネ / 17)60 | 1968.9 / 1968.9 | イギリス / 王制 | 46 / 3,800 | リランゲニ / 17.11 |
| 53 | エチオピア連邦民主共和国 / Federal Democratic Republic of Ethiopia | 1,104.3 / 10,502 | 95 / 2.6 | アディスアベバ / 22)3,860 | － / 1945.11 | － / 連邦共和制 | 1,261 / 1,020 | ブル / 53.34 |
| 54 | エリトリア国 / State of Eritrea | 121.1 / 364 | 30 / 1.2 | アスマラ / 21)534 | 1993.5 / 1993.5 | － / 一党制(臨時政府) | 11)19 / 11)610 | ナクファ / 15.08 |
| 55 | ガーナ共和国 / Republic of Ghana | 238.5 / 20)3,095 | 20)130 / 2.2 | アクラ / 10)2,070 | 1957.3 / 1957.3 | イギリス / 共和制 | 787 / 2,350 | セディ / 8.58 |
| 56 | カーボベルデ共和国 / Republic of Cabo Verde | 4.0 / 21)49 | 21)122 / 1.2 | プライア / 21)137 | 1975.7 / 1975.9 | ポルトガル / 共和制 | 25 / 4,140 | エスクード / 106.37 |
| 57 | ガボン共和国 / Gabonese Republic | 267.7 / 15)202 | 15)8 / 2.7 | リーブルビル / 13)703 | 1960.8 / 1960.9 | フランス / 共和制 | 180 / 7,540 | ※CFAフラン / 615.00 |
| 58 | カメルーン共和国 / Republic of Cameroon | 475.7 / 2,741 | 58 / 2.6 | ヤウンデ / 20)3,255 | 1960.1 / 1960.9 | イギリス・フランス / 共和制 | 464 / 1,660 | ※CFAフラン / 615.00 |
| 59 | ガンビア共和国 / Republic of The Gambia | 11.3 / 19)221 | 19)196 / 2.9 | バンジュール / 13)31 | 1965.2 / 1965.9 | イギリス / 共和制 | 22 / 810 | ダラシ / 60.81 |
| 60 | ギニア共和国 / Republic of Guinea | 245.8 / 1,326 | 54 / 2.8 | コナクリ / 14)1,659 | 1958.10 / 1958.12 | フランス / 共和制 | 164 / 1,180 | ギニア・フラン / 20)9,990.00 |
| 61 | ギニアビサウ共和国 / Republic of Guinea-Bissau | 36.1 / 166 | 46 / 2.5 | ビサウ / 09)387 | 1973.9 / 1974.9 | ポルトガル / 共和制 | 17 / 820 | ※CFAフラン / 615.00 |

※CFAフラン（アフリカ金融共同体フラン）

| 言　語<br>太字は公用語<br>国語は各国定義による | 民　族 | 宗　教 | 政　治・経　済 | 番号 |
|---|---|---|---|---|
| ミャンマー語（ビルマ語），民族語（シャン語，カレン語など） | ビルマ人68%，シャン人，カレン人など135民族 | 仏教87.9%，キリスト教6.2%，イスラーム4.3% | 農業国で主要農産物は米。11年軍事政権から民政へ移管。経済制裁緩和により外資導入が進む。ロヒンギャの難民問題を抱える。21年軍事クーデター発生。 | 42 |
| ディヴェヒ語 | モルディブ人98.5%，シンハラ人0.7% | イスラーム93.9%（大半がスンナ派），ヒンドゥー教2.5% | 主産業は観光産業と水産業。1島1リゾート計画を進め，1192島のうち111島がリゾート島（15年）。輸出の多くが水産品で，おもな魚種はかつおやまぐろ。 | 43 |
| モンゴル語，カザフ語 | モンゴル人81.9%，カザフ系3.8%，ほか20のモンゴル系少数民族 | 仏教53%（おもにチベット仏教），イスラーム3% | 主産業は鉱業，牧畜業など。鉱産資源の開発が進み，輸出の半数以上を銅鉱石，石炭，金等が占める。91年市場経済へ移行，92年社会主義を放棄。 | 44 |
| アラビア語，英語 | アラブ人97.8%，チェルケス人1.2% | イスラーム97.2%（おもにスンナ派），キリスト教2.2% | パレスチナ系住民が人口の7割以上。11年のシリア危機で多くの難民を受け入れたことで，経済状況は悪化。衣類，化学肥料，りん鉱石等を輸出。 | 45 |
| ラオ語，フランス語，英語，民族語 | ラオ人53.2%，クムー人11%，モン人9.2%，プータイ人3.4% | 仏教64.7%，キリスト教1.7% | 86年経済改革に着手。工業は木材加工業と水力発電が主で，輸出は衣料，金，銅，縫製品等。タイなどの近隣諸国に水力発電電力を輸出。 | 46 |
| アラビア語，フランス語，英語，アルメニア語 | アラブ人84.5%，アルメニア系6.8%，クルド人6.1% | イスラーム59.6%，キリスト教40.5% | 各宗教・宗派で複雑な政治構造がある。中東の金融拠点として発展したが，内戦により経済は停滞。観光産業，不動産業の他，海外からの送金に頼る。 | 47 |
| アフリカ | | | | |
| アラビア語，アマジグ語（ベルベル語）（国語），フランス語 | アルジェリア系アラブ人59.1%，アマジグ（ベルベル）系26.2%，ベドウィン系アラブ人14.5% | イスラーム99.7% | 石油経済国。輸出のほとんどを原油，天然ガスとその関連製品が占める。地中海沿岸で，小麦やなつめやし，かんきつ類等を栽培。 | 48 |
| ポルトガル語，ウンブンド語，キンブンド語，キンブンド語など | オヴィンブンド人37%，キンブンド人25%，コンゴ人15% | カトリック55%，独立キリスト教30%，プロテスタント10% | 長期にわたる内戦が終結し，経済は安定。アフリカ有数の産油国・ダイヤモンド産出国。石油依存からの脱却，農業・製造業の振興が課題。 | 49 |
| 英語，スワヒリ語，ガンダ語 | バガンダ人16.5%，バニャンコレ人9.6%，バソガ人8.8% | キリスト教85.3%，イスラーム12.1% | 内乱により80年代後半まで経済は混乱したが，現在は安定して推移。主産業は農業でコーヒー豆，茶などを生産。ヴィクトリア湖での漁業もある。 | 50 |
| アラビア語，フランス語，英語 | エジプト人（アラブ人）99.6% | イスラーム90%（大半がスンナ派），キリスト教10% | ナイル川流域での小麦，米，綿花などの栽培がさかん。11年の政変後，観光と投資は落ちこみ，経済は悪化。15年新スエズ運河開通。 | 51 |
| スワティ語，英語 | スワティ人82.3%，ズールー人9.6%，トンガ人2.3% | 伝統信仰と混合したキリスト教40%，カトリック20% | 18年にスワジランドから国名変更。主産業は木材，さとうきびなどの農林業だが，南アフリカ共和国の経済に大きく依存。エイズ感染率の高さは深刻。 | 52 |
| アムハラ語，英語，約80の民族語（オロモ語，ソマリ語，ティグリニャ語など） | オロモ人35.3%，アムハラ人26.2%，ソマリ人6%，ティグライ人5.9% | キリスト教63.4%（エチオピア教会43.1%，プロテスタント19.4%），イスラーム34.1% | アフリカ最古の独立国家。主産業はコーヒー豆・もろこし等の農業，牛・羊・ヤギ等の畜産。干ばつや近隣諸国からの難民流入で，経済状態は厳しい。 | 53 |
| ティグリニャ語，アラビア語，英語，民族語（ティグレ語など） | ティグライ人55%，ティグレ人30%，サホ人4% | イスラーム50%（大半がスンナ派），キリスト教48% | 93年エチオピアから独立。主産業は農業，牧畜業。度重なる干ばつで，食料援助に依存。国境紛争で破壊されたインフラ復興，難民の復帰，課題は多い。 | 54 |
| 英語，約75の民族語（アサンテ語など） | アカン人47.5%，モレダバン人16.6%，エウェ人13.9% | キリスト教71.2%（プロテスタント46.7%，カトリック13.1%），イスラーム17.6% | 主産業はカカオ豆を主要品とする農業，金を中心とした鉱業のほか，水力発電を利用したアルミ精錬業。金，カカオ豆，原油等の一次産品を輸出。 | 55 |
| ポルトガル語，クレオール語 | アフリカ系とヨーロッパ系の混血69.6%，フラ人12.2% | キリスト教85.3%（カトリック77.3%，プロテスタント4.6%） | バナナ・さとうきび等の農産品のほか，まぐろ・ロブスターなどの水産品を輸出。観光収入も大きい。安定した政治と自由経済で経済成長は順調。 | 56 |
| フランス語，民族語（ファン語，ミェネ語，ンゼビ語，バヌボーリ語など） | ファン人28.6%，プヌ人10.2%，ンゼビ人8.9% | キリスト教88%（カトリック41.9%，プロテスタント13.7%），イスラーム6.4% | アフリカ有数の産油国。OPEC再加盟（16年）。輸出は原油，木材，マンガン鉱など。1人あたりGNIはアフリカでは上位。近隣諸国の紛争解決に貢献。 | 57 |
| フランス語，英語，多数の民族語（バミレケ語など） | バミレケ人11.5%，フラ人8.5%，エウォンド人8% | キリスト教69.2%（カトリック38.4%，プロテスタント26.3%），イスラーム20.9% | 英連邦加盟国だが，フランスとも緊密。主産業は農林業，鉱業で，原油・カカオ豆・木材等を輸出。多様な気候，多民族から「アフリカの縮図」とよばれる。 | 58 |
| 英語，民族語（マンディンカ語，ウォロフ語，フラ語など） | マンディンカ人34%，フラ人22.4%，ウォロフ人12.6% | イスラーム95.7%，キリスト教4% | 労働人口の大半が農業に従事。米，カシューナッツ，油やし等を栽培。干ばつや洪水で，主食である米の収穫不足は深刻。ガンビア川周辺の観光は重要。 | 59 |
| フランス語，民族語（フラ語，マリンケ語，スース語など） | フラ人32.1%，マリンケ人29.8%，スース人19.8% | イスラーム86.7%（大半がスンナ派），キリスト教8.9% | 経済は農林鉱業に依存。金・ダイヤモンドなど鉱産資源が豊富で，ボーキサイトは世界有数の埋蔵量だが，政情不安やインフラ整備の遅れで経済は停滞。 | 60 |
| ポルトガル語，クレオール語 | フラ人23.8%，バランタ人22.9%，マリンケ人14.2%，マンジャコ人12% | イスラーム45.1%，キリスト教22.1%，精霊信仰14.9% | 主産業は農業，えび・いかなどの漁業。輸出のほとんどがカシューナッツ。独立後，度重なる内戦で経済は停滞。破壊されたライフラインの整備が課題。 | 61 |

## 世界の国々(Ⅳ)

ステーツマン2023, World Population Prospects 2019, 世人口'22, 世界の国一覧表2007, 世界銀行資料ほか

| 番号 | 正式国名 / 英文国名 | 面積(千km²)2022年 / 人口(万人)2022年 | 人口密度(人/km²)2022年 / 人口増加率(%)2015~20年平均 | 首都名 / 首都人口(千人) | 独立年月(1943年以降) / 国連加盟年月 | 旧宗主国名 / 政体 | GNI(億ドル) / 1人あたりGNI(ドル)2022年 | 通貨単位 / 1ドルあたり為替レート 2022年末 |
|---|---|---|---|---|---|---|---|---|
| 62 | ケニア共和国 / Republic of Kenya | 592.0 / 5,062 | 86 / 2.3 | ナイロビ / 19)4,397 | 1963.12 / 1963.12 | イギリス / 共和制 | 1,173 / 2,170 | ケニア・シリング 123.37 |
| 63 | コートジボワール共和国 / Republic of Côte d'Ivoire | 322.5 / 21)2,938 | 21)91 / 2.5 | ヤムスクロ / 21)279 | 1960.8 / 1960.9 | フランス / 共和制 | 736 / 2,620 | ※CFAフラン 615.00 |
| 64 | コモロ連合 / Union of Comoros | 2.2 / 15)73 | 15)327 / 2.2 | モロニ / 17)74 | 1975.7 / 1975.11 | フランス / 共和制 | 13 / 1,610 | コモロ・フラン 461.25 |
| 65 | コンゴ共和国 / Republic of Congo | 342.0 / 21)560 | 21)16 / 2.6 | ブラザビル / 18)1,932 | 1960.8 / 1960.9 | フランス / 共和制 | 123 / 2,060 | ※CFAフラン 615.00 |
| 66 | コンゴ民主共和国 / Democratic Republic of the Congo | 2,345.4 / 21)10,524 | 21)45 / 3.2 | キンシャサ / 20)14,565 | 1960.6 / 1960.9 | ベルギー / 共和制 | 582 / 590 | コンゴ・フラン 21)1,999.97 |
| 67 | サントメ・プリンシペ民主共和国 / Democratic Republic of São Tomé and Príncipe | 1.0 / 21)21 | 21)223 / 1.9 | サントメ / 12)69 | 1975.7 / 1975.9 | ポルトガル / 共和制 | 5 / 2,410 | ドブラ 23.01 |
| 68 | ザンビア共和国 / Republic of Zambia | 752.6 / 21)1,840 | 21)24 / 2.9 | ルサカ / 10)1,747 | 1964.10 / 1964.12 | イギリス / 共和制 | 234 / 1,170 | ザンビア・クワチャ 18.08 |
| 69 | シエラレオネ共和国 / Republic of Sierra Leone | 72.3 / 849 | 117 / 2.1 | フリータウン / 21)609 | 1961.4 / 1961.9 | イギリス / 共和制 | 44 / 510 | レオネ 18.84 |
| 70 | ジブチ共和国 / Republic of Djibouti | 23.2 / 21)100 | 21)43 / 1.6 | ジブチ / 09)475 | 1977.6 / 1977.9 | フランス / 共和制 | 36 / 3,180 | ジブチ・フラン 177.72 |
| 71 | ジンバブエ共和国 / Republic of Zimbabwe | 390.8 / 1,517 | 39 / 1.5 | ハラレ / 22)1,849 | 1980.4 / 1980.8 | イギリス / 共和制 | 245 / 1,500 | ジンバブエ・ドル 684.34 |
| 72 | スーダン共和国 / The Republic of the Sudan | 1,847.0 / 4,693 | 25 / 2.4 | ハルツーム / 08)1,410 | 1956.1 / 1956.11 | イギリス エジプト / 共和制 | 358 / 760 | スーダン・ポンド 578.17 |
| 73 | 赤道ギニア共和国 / Republic of Equatorial Guinea | 28.1 / 155 | 56 / 3.7 | マラボ / 15)257 | 1968.10 / 1968.11 | スペイン / 共和制 | 89 / 5,320 | ※CFAフラン 615.00 |
| 74 | セーシェル共和国 / Republic of Seychelles | 0.5 / 21)9 | 21)217 / 0.7 | ビクトリア / 22)24 | 1976.6 / 1976.9 | イギリス / 共和制 | 14 / 14,340 | セーシェル・ルピー 14.12 |
| 75 | セネガル共和国 / Republic of Senegal | 196.7 / 1,773 | 90 / 2.8 | ダカール / 13)*2,646 | 1960.8 / 1960.9 | フランス / 共和制 | 283 / 1,640 | ※CFAフラン 615.00 |
| 76 | ソマリア連邦共和国 / Federal Republic of Somalia | 637.7 / 15)1,376 | 15)22 / 2.8 | モガディシュ / 14)1,650 | 1960.7 / 1960.9 | イギリス イタリア / 連邦共和制 | 82 / 470 | ソマリア・シリング 17)23,605.00 |
| 77 | タンザニア連合共和国 / United Republic of Tanzania | 947.3 / 6,128 | 65 / 3.0 | ダルエスサラーム / 22)5,383 | 1961.12 / 1961.12 | イギリス / 共和制 | 759 / 1,200 | タンザニア・シリング 21)2,297.61 |
| 78 | チャド共和国 / Republic of Chad | 1,284.0 / 19)1,569 | 19)12 / 3.0 | ンジャメナ / 22)1,771 | 1960.8 / 1960.9 | フランス / 共和制 | 122 / 690 | ※CFAフラン 615.00 |
| 79 | 中央アフリカ共和国 / Central African Republic | 623.0 / 15)481 | 15)8 / 1.4 | バンギ / 21)812 | 1960.8 / 1960.9 | フランス / 共和制 | 27 / 480 | ※CFAフラン 615.00 |
| 80 | チュニジア共和国 / Republic of Tunisia | 163.6 / 21)1,178 | 21)72 / 1.1 | チュニス / 14)638 | 1956.3 / 1956.11 | フランス / 共和制 | 475 / 3,840 | チュニジア・ディナール 3.11 |
| 81 | トーゴ共和国 / Republic of Togo | 56.8 / 20)779 | 20)137 / 2.5 | ロメ / 20)2,173 | 1960.4 / 1960.9 | フランス / 共和制 | 88 / 990 | ※CFAフラン 615.00 |
| 82 | ナイジェリア連邦共和国 / Federal Republic of Nigeria | 923.8 / 21,678 | 235 / 2.6 | アブジャ / 10)2,010 | 1960.10 / 1960.10 | イギリス / 連邦共和制 | 4,687 / 2,140 | ナイラ 460.00 |

*都市的地域の人口　※CFAフラン(アフリカ金融共同体フラン)

世界の国々

| 言　　語<br>太字は公用語<br>国語は各国定義による | 民　　族 | 宗　　教 | 政　治　・　経　済 | 番号 |
|---|---|---|---|---|
| **スワヒリ語**, **英語**, 民族語 | キクユ人17.2%, ルヒヤ人13.8%, カレンジン人12.9%, ルオ人10.5% | キリスト教83%, イスラーム11.2%, 伝統信仰1.7% | 茶, 切り花, コーヒー豆の栽培がさかん。茶の輸出量は世界有数。アフリカ諸国の中では工業化が進んでいる。国立公園などの観光収入も重要。 | 62 |
| **フランス語**, 60の民族語 (ジュラ語, バウレ語, ベテ語など) | アカン人28.8%, ボルタイック人・グロ16.1% | イスラーム42.9%, キリスト教33.9%, 精霊信仰3.6% | 主産業は農業。カカオ豆の生産・輸出は世界第1位。その他, カシューナッツ, 金, 天然ゴム等を輸出。11年の内戦終結後, 政情は安定化。 | 63 |
| **コモロ語**, **アラビア語**, **フランス語** | コモロ人97.1%, マクア人1.6% | イスラーム98.4%（大半がスンナ派） | 大統領はコモロ諸島のうちの3島の知事による輪番制。バニラビーンズ, クローブ等の香辛料, イランイランの精油（香料）などの輸出に依存。 | 64 |
| **フランス語**, キトゥバ語, モノクトゥバ語, コンゴ語など | コンゴ人48%, サンガ人20%, テケ人17%, ンボチ人12% | キリスト教79%, イスラーム1.6% | 91年コンゴ人民共和国から民主化し改称。主産業は鉱業で, 輸出の5割は原油。ギニア湾岸の原油が重要。近年, 中国との経済関係が緊密。18年OPEC加盟。 | 65 |
| **フランス語**, スワヒリ語 (国語), ルバ語 (国語), コンゴ語 (国語) など | ルバ人18%, コンゴ人16.1%, モンゴ人13.5%, ルワンダ系10.3% | キリスト教80%, イスラーム10%, 伝統信仰10% | 97年ザイールから国名変更。銅鉱, すず鉱, ダイヤモンド, コバルト鉱など世界有数の鉱産資源国品。部族対立, 資源を巡る対立など, 政情は不安定。 | 66 |
| **ポルトガル語**, クレオール語（サントメ語, プリンシペ語など）, ファン語 | ヨーロッパ系とアフリカ系の混血79.5%, ファン人10% | キリスト教95%(カトリック80%, プロテスタント15%, イスラーム3%) | 主産業は農業。パーム油・カカオ豆がおもな輸出品。経済は外国からの援助に大きく依存。近年, 周辺海域での油田開発に期待が寄せられている。 | 67 |
| **英語**, ベンバ語, ニャンジャ語, トンガ語など | ベンバ人21%, トンガ人13.6%, チェワ人7.4%, ロジ人5.7% | キリスト教95.5%(プロテスタント75.3%, カトリック20.2%) | 銅やコバルト等の鉱業がさかん。輸出の8割を銅が占めるモノカルチャー経済。農業はとうもろこしが中心。近年の通貨安, 電力不足などで経済は低迷。 | 68 |
| **英語**, メンデ語, テムネ語, クリオ語（クレオール語） | テムネ人35%, メンデ人31%, リンバ人8% | イスラーム65%, キリスト教25%, 伝統信仰 | コーヒー豆, カカオ豆の農業のほかダイヤモンドを産出。02年の内戦終結後, 順調に回復したが, 14年エボラ出血熱が流行。経済・社会面での復興が課題。 | 69 |
| **フランス語**, **アラビア語**, ソマリ語, アファル語 | ソマリ人46%, アファル人35.4%, アラブ人11% | イスラーム94.1%（大半がスンナ派）, キリスト教4.5% | 紅海とインド洋を結ぶ交通の要衝で, 中継貿易が発展。内陸国エチオピアの外港となるジブチ港の港湾収入, 運輸業, 駐留軍による利用料がおもな収入源。 | 70 |
| **英語**, ショナ語, ンデベレ語, 13の少数民族語 | ショナ人71%, ンデベレ人16% | キリスト教94%(プロテスタント82.7%, カトリック6.7%) | 金やプラチナ, ニッケル, ダイヤモンド等の鉱産資源が豊富。ヴィクトリア滝など観光産業も重要。08年のインフレにより経済は混乱したが, 現在は終息。 | 71 |
| **アラビア語**, **英語**, 多数の民族語（ヌビア語, ベジャ語など） | アフリカ系52%, アラブ人39%, ベジャ人6% | イスラーム（スンナ派）68.4%, 伝統信仰10.8%, カトリック9.5% | 農業, 牧畜業がさかん。かつては原油が輸出の多くを占めたが, 南スーダン独立により, 石油製品輸出は減少。原油をめぐる紛争は沈静化。 | 72 |
| **スペイン語**, **英語**, ポルトガル語, ファン語, ブビ語など | ファン人56.6%, ブビ人10%, ヨルバ人8% | キリスト教86.8%, イスラーム（スンナ派）4.1% | 木材, カカオ豆が輸出の中心であったが, 92年の油田開発以降, 原油, 天然ガスがおもな輸出品となり, 急速な経済成長をとげた。17年OPEC加盟。 | 73 |
| **クレオール語**, **英語**, **フランス語** | クレオール93.2%, イギリス系3%, フランス系1.8% | キリスト教89.1%, ヒンドゥー教2.4% | インド洋の真珠と称される風光明媚な景観を生かした観光産業と漁業が経済の中心。農業はココナツ・シナモン・バニラ等。まぐろの缶詰など水産加工業もさかん。 | 74 |
| **フランス語**, 民族語（ウォロフ語, プラー語, ジョラ語, マンディンカ語など） | ウォロフ人38.6%, フラ人26.6%, セレール人14.9% | イスラーム95.4%, キリスト教4.2%（大半がカトリック） | 落花生・ひえ等の農業, まぐろ・たこ等の漁業が中心だったが, 95年以降, さまざまな構造改革により, 商業や物流, 通信分野が成長。 | 75 |
| **ソマリ語**, **アラビア語**, 英語, イタリア語 | ソマリ人92.4%, アラブ人2.2%, アファル人1.3% | イスラーム99%（大半がスンナ派） | 主産業は農業。91年以来の内戦や干ばつで, 治安は悪化, 経済は停滞し, 大量の難民が発生。沖合での海賊行為は, 国連による護衛活動により減少。 | 76 |
| **スワヒリ語**, **英語**, アラビア語, 多数の民族語 | 130のバンツー系民族95% | キリスト教61.4%, イスラーム35.2% | 86年に社会主義経済から転換。農業人口は7割を占め, コーヒー豆, ごま等を生産。輸出は金, たばこ, カシューナッツ等。国立公園など観光資源も重要。 | 77 |
| **フランス語**, **アラビア語**, サラ語, 120以上の言語 | サラ人29.9%, カネム・ボルヌ・ブドゥマ人9.7%, アラブ人9.6% | イスラーム52.1%, キリスト教44.1% | 国土の3分の2は砂漠。綿花栽培と牧畜が中心だったが, 石油資源開発に伴う03年のパイプライン完成により輸出が進む。国家財政の多くが石油収入。 | 78 |
| **サンゴ語** (国語), **フランス語**, 民族語 | バヤ人33%, バンダ人27%, マンジャ人13%, サラ人10% | キリスト教80%, 伝統信仰10%, イスラーム10% | 度重なる内戦で, 政情と経済は不安定。農業が主産業。ダイヤモンドや金等の鉱産資源はあるが, 内陸国という輸送上の不利があり, 経済発展が進まない。 | 79 |
| **アラビア語**, フランス語, アマジグ語（ベルベル語） | アラブ人96.2%, アマジグ（ベルベル）系1.4% | イスラーム99%（スンナ派97%） | 地中海沿岸での小麦, かんきつ類, オリーブ, なつめやしの栽培がさかん。機械等の工業も発達。11年の政変後, 観光客は減少, 経済への影響も大きい。 | 80 |
| **フランス語**, エウェ語, カビエ語, ダゴンバ語 | エウェ人22.2%, カブレ人13.4%, ワチ人10% | キリスト教47.2%, 伝統信仰33%, イスラーム13.7% | 労働人口の7割が農業に従事し, 綿花, カカオ豆, コーヒー豆等を生産する農業国。鉱業ではりん鉱石を輸出。ロメ港は近隣諸国の外港として重要。 | 81 |
| **英語**, 500以上の民族語（ハウサ語, イボ語, ヨルバ語, フラ語など） | ヨルバ人17.5%, ハウサ人17.2%, イボ人13.3%, フラ人10.7% | イスラーム50.5%, キリスト教48.2% | アフリカ最大の人口を有する多民族国家。輸出の大半を原油が占める。農業は主食であるキャッサバ等のいも類, カカオ豆などを栽培。アフリカ有数の経済大国。 | 82 |

## 世界の国々（Ⅴ）

ステーツマン2023, World Population Prospects 2019, 世人口'22, 世界の国一覧表2007, 世界銀行資料ほか

| 番号 英 | 正式国名 / 英文国名 | 面積(千km²) / 人口(万人) 2022年 | 人口密度(人/km²)2022年 / 人口増加率(%)2015〜20年平均 | 首都名 / 首都人口(千人) | 独立年月(1943年以降) / 国連加盟年月 | 旧宗主国名 / 政体 | GNI(億ドル) / 1人あたりGNI(ドル)2022年 | 通貨単位 / 1ドルあたり為替レート 2022年末 |
|---|---|---|---|---|---|---|---|---|
| 83 | ナミビア共和国 / Republic of Namibia | 825.2 / 259 | 3 / 1.9 | ウィントフック / 20)506 | 1990.3 / 1990.4 | 南アフリカ共和国 / 共和制 | 125 / 4,880 | ナミビア・ドル 16.96 |
| 84 | ニジェール共和国 / Republic of Niger | 1,267.0 / 2,446 | 19 / 3.8 | ニアメ / 19)1,283 | 1960.8 / 1960.9 | フランス / 共和制 | 161 / 610 | ※CFAフラン 615.00 |
| 85 | ブルキナファソ / Burkina Faso | 270.8 / 2,218 | 82 / 2.9 | ワガドゥグー / 19)2,415 | 1960.8 / 1960.9 | フランス / 共和制 | 191 / 840 | ※CFAフラン 615.00 |
| 86 | ブルンジ共和国 / Republic of Burundi | 27.8 / 1,283 | 461 / 3.1 | ブジュンブラ / 08)497 | 1962.7 / 1962.9 | ベルギー / 共和制 | 30 / 240 | ブルンジ・フラン 2,063.45 |
| 87 | ベナン共和国 / Republic of Benin | 114.8 / 19)1,185 | 19)103 / 2.7 | ポルトノボ / 13)264 | 1960.8 / 1960.9 | フランス / 共和制 | 186 / 1,400 | ※CFAフラン 615.00 |
| 88 | ボツワナ共和国 / Republic of Botswana | 582.0 / 239 | 4 / 2.1 | ハボローネ / 22)246 | 1966.9 / 1966.10 | イギリス / 共和制 | 193 / 7,350 | プラ 12.78 |
| 89 | マダガスカル共和国 / Republic of Madagascar | 587.0 / 21)2,817 | 21)48 / 2.7 | アンタナナリボ / 18)1,274 | 1960.6 / 1960.9 | フランス / 共和制 | 150 / 510 | アリアリ 4,461.98 |
| 90 | マラウイ共和国 / Republic of Malawi | 94.6 / 1,935 | 205 / 2.7 | リロングウェ / 21)1,090 | 1964.7 / 1964.12 | イギリス / 共和制 | 131 / 640 | マラウイ・クワチャ 20)773.11 |
| 91 | マリ共和国 / Republic of Mali | 1,240.2 / 20)2,053 | 20)17 / 3.0 | バマコ / 09)1,810 | 1960.9 / 1960.9 | フランス / 共和制 | 192 / 850 | ※CFAフラン 615.00 |
| 92 | 南アフリカ共和国 / Republic of South Africa | 1,221.0 / 6,060 | 50 / 1.4 | プレトリア / 16)3,275 | − / 1945.11 | イギリス / 共和制 | 4,063 / 6,780 | ランド 16.99 |
| 93 | 南スーダン共和国 / The Republic of South Sudan | 658.8 / 18)1,232 | 18)19 / 0.9 | ジュバ / 08)230 | 2011.7 / 2011.7 | − / 共和制 | 15)117 / 15)1,040 | 南スーダン・ポンド 668.67 |
| 94 | モザンビーク共和国 / Republic of Mozambique | 799.4 / 3,161 | 40 / 2.9 | マプト / 21)1,127 | 1975.6 / 1975.9 | ポルトガル / 共和制 | 165 / 500 | メティカル 63.87 |
| 95 | モーリシャス共和国 / Republic of Mauritius | 2.0 / 126 | 638 / 0.2 | ポートルイス / 21)145 | 1968.3 / 1968.4 | イギリス / 共和制 | 136 / 10,760 | モーリシャス・ルピー 43.89 |
| 96 | モーリタニア・イスラム共和国 / Islamic Republic of Mauritania | 1,030.7 / 19)407 | 19)4 / 2.8 | ヌアクショット / 19)1,195 | 1960.11 / 1961.10 | フランス / 共和制 | 103 / 2,160 | ウギア 21)36.22 |
| 97 | モロッコ王国 / Kingdom of Morocco | 446.6 / 3,667 | 82 / 1.3 | ラバト / 20)536 | 1956.3 / 1956.11 | フランス / 立憲君主制 | 1,411 / 3,710 | モロッコ・ディルハム 10.45 |
| 98 | リビア / Libya | 1,676.2 / 20)693 | 20)4 / 1.4 | トリポリ / 12)940 | 1951.12 / 1955.12 | イタリア / 民主制 | 495 / 7,260 | リビア・ディナール 4.83 |
| 99 | リベリア共和国 / Republic of Liberia | 111.4 / 15)461 | 15)41 / 2.5 | モンロビア / 08)1,011 | − / 1945.11 | アメリカ合衆国 / 共和制 | 36 / 680 | リベリア・ドル 154.49 |
| 100 | ルワンダ共和国 / Republic of Rwanda | 26.3 / 1,325 | 503 / 2.6 | キガリ / 22)1,517 | 1962.7 / 1962.9 | ベルギー / 共和制 | 128 / 930 | ルワンダ・フラン 1,070.71 |
| 101 | レソト王国 / Kingdom of Lesotho | 30.4 / 21)207 | 21)68 / 0.8 | マセル / 16)330 | 1966.10 / 1966.10 | イギリス / 立憲君主制 | 29 / 1,260 | ロティ 16.99 |
| | ヨーロッパ | | | | | | | 45か国 |
| 102 | アイスランド / Iceland | 103.0 / 37 | 4 / 0.7 | レイキャビク / 23)138 | 1944.6 / 1946.11 | デンマーク / 共和制 | 261 / 68,220 | アイスランド・クローナ 142.04 |

※CFAフラン（アフリカ金融共同体フラン）

| 言　語<br>太字は公用語<br>国語は各国定義による | 民　族 | 宗　教 | 政　治・経　済 | 番号 |
|---|---|---|---|---|
| 英語，アフリカーンス語，ドイツ語，民族語（オシワンボ語など） | オバンボ人34.4%，混血14.5%，カバンゴ人9.1% | キリスト教91.9%，伝統信仰6% | 90年南アフリカ共和国から独立。輸出品においては，ダイヤモンド・ウラン・金などの豊富な鉱産資源が目立つ。沖合にはベンゲラ海流があり，漁業もさかん。 | 83 |
| フランス語，ハウサ語，ジェルマ語，フラ語など | ハウサ人53.1%，ジェルマ・ソンガイ人21.2% | イスラーム90%，伝統信仰9% | 70年代半ばより成長したウラン生産は世界有数。農業人口は8割を占めるが，耕地率は国土の1割程度。きび，ソルガムなどの自給的農業が中心。 | 84 |
| モシ語，モシ語，ディウラ語，グルマンチェ語 | モシ人52%，フラ人8.4%，グルマ人7%，ボボ人4.9% | イスラーム61.6%，キリスト教29.9%，伝統信仰7.3% | 労働人口の8割が農業・牧畜に従事。ひえ等の雑穀の生産は世界の上位に入る。電力不足を輸入で賄っているが，太陽光発電稼働で改善の兆し。 | 85 |
| ルンディ語，フランス語，スワヒリ語 | フツ人80.9%，ツチ人15.6% | キリスト教85.4%，イスラーム2.5% | 赤道直下の高原という立地を生かしたコーヒー豆や茶を輸出。06年まで続いた民族間の内戦により，農地は荒廃。内戦勃発以降は食料援助に依存。 | 86 |
| フランス語，民族語（フォン語，ヨルバ語など） | フォン人38.4%，アジャ人15.1%，ヨルバ人12%，バリバ人9.6% | キリスト教48.5%，イスラーム27.7%，伝統信仰14.2% | 綿花産業のほか，大西洋に面したコトヌー湾の港湾サービス業が重要。綿花，カシューナッツ等を輸出。90年の民主化以降，アジア諸国との関係を強化。 | 87 |
| 英語，ツワナ語（国語），カランガ語，クガラガディ語 | ツワナ人66.8%，カランダ人14.8% | キリスト教79.1%，バディモ教4.1% | 67年にダイヤモンドの鉱脈が発見されて以降，経済は急速に発展。その産出量は世界有数で，輸出の大半を占める。インフラ整備も進み，堅実な経済状況。 | 88 |
| マダガスカル語，フランス語 | マレーポリネシア系の18民族95.9% | キリスト教47%，伝統信仰42%，イスラーム2% | 主産業はバニラ・クローブの香辛料を中心とする農業，漁業，ニッケル・コバルト等の鉱業。観光産業は環境破壊や政情不安定により，近年は停滞気味。 | 89 |
| 英語，チェワ語（国語），民族語（ニャンジャ語，ヤオ語，トゥンブカ語など） | チェワ人35.1%，ロムウェ人18.9%，ヤオ人13.1%，ンゴニ人12% | キリスト教86.9%，イスラーム12.5% | 伝統的な農業国で，農業人口は8割。輸出はたばこ，砂糖，茶の一次産品。近年，ウランやレアメタル等の潜在的な鉱産資源開発に注目が集まっている。 | 90 |
| フランス語，バンバラ語，その他の民族語 | バンバラ人34.1%，フラ人14.7%，サラコレ人10.8%，セヌフォ人10.5% | イスラーム94.8%（大半がスンナ派），伝統信仰2.4% | 主産業は，綿花・ひえ・ソルガムなどの農業，牧畜業，鉱業。金，綿花のほか，羊や牛などの家畜を輸出。一次産品依存のため，経済は脆弱。 | 91 |
| 英語，アフリカーンス語，バンツー諸語9言語（ズールー語，コサ語など）の計11言語 | アフリカ系80.2%，ヨーロッパ系とアフリカ系の混血8.8%，ヨーロッパ系8.4% | 独立派キリスト教37.1%，プロテスタント26.1%，伝統信仰8.9% | 91年アパルトヘイト政策廃止。金・ダイヤモンドのほか，プラチナ等レアメタルを産出する世界屈指の鉱産資源国。鉄鋼や自動車産業もさかん。 | 92 |
| 英語，アラビア語，民族語（ディンカ語など） | ディンカ人38%，ヌエル人17%，ザンデ人10%，バリ人10%，シルク人10% | キリスト教60%，伝統信仰など40% | 11年スーダンから分離・独立。多くの油田は国内にあるが，輸出関連施設がスーダン側にあり運営は不安定。政府収入の大半が原油のため財政状況は深刻。 | 93 |
| ポルトガル語，民族語（マクア語，シャンガナ語など） | マクア・ロムウェ人52%，ソンガ・ロンガ人24% | キリスト教56.1%，イスラーム17.9% | 英国植民地経験がない国では初の英連邦加盟国。92年に内戦が終結。石炭・天然ガスの豊富な資源や，アルミ精錬業・水力発電などが経済を牽引。 | 94 |
| 英語，クレオール語，ボージュプリー語，フランス語 | インド・パキスタン系67%，クレオール27.4% | ヒンドゥー教48.5%，キリスト教32.7%，イスラーム17.3% | 旧宗主国の仏・英，インドとの関係が深い。主産業は砂糖産業のほか，輸出加工区での繊維産業，観光産業，金融業。外資導入に向けた事業環境を整備。 | 95 |
| アラビア語，プラー語（国語），ソニンケ語，ウォロフ語（国語），フランス語 | 混血モール人40%，モール人30%，アフリカ系30% | イスラーム（スンナ派）99.1% | 国土の大半は砂漠。輸出はたこ・いか等の魚介類，鉄鉱石など。ヌアクショット沖合で原油が確認され，06年より生産を開始したが，技術的な問題で低迷。 | 96 |
| アラビア語，アマジグ語（ベルベル語），フランス語，スペイン語 | アマジグ（ベルベル）系45%，アラブ人44%，モール人（モーリタニア系）10% | イスラーム99%（大半がスンナ派） | りん鉱石埋蔵量は世界有数。地中海性気候でオリーブやオレンジ類を栽培。日本への輸出の特徴はたこやいか，まぐろ。自動車産業，観光産業も重要。 | 97 |
| アラビア語，アマジグ語（ベルベル語），イタリア語，英語 | アラブ人87.1%，アマジグ（ベルベル）系6.8% | イスラーム96.6%（大半がスンナ派），キリスト教2.7% | アフリカ有数の原油埋蔵量を誇り，輸出の大半を占める。カダフィ政権時代には治安は安定していたが，11年の体制崩壊後に国内情勢が混乱し，急激に悪化。 | 98 |
| 英語，民族語（マンデ語など） | クペレ人20.3%，バサ人13.4%，グレボ人10%，ジオ人8% | キリスト教85.6%，イスラーム12.2% | 世界有数の便宜置籍船国。鉄鉱石や金等を産出するが，03年までの内戦で経済は崩壊し，多数の難民が発生。06年アフリカで2番目の女性国家元首が誕生。 | 99 |
| キニャルワンダ語，フランス語，英語，スワヒリ語 | フツ人85%，ツチ人14%，ツワ人1% | キリスト教95.1%，イスラーム2% | 94年ツチ人とフツ人の対立による内戦は終結し，国民融和・和解が進む。主産業はコーヒー豆，茶等の農業。内戦後の成長は「アフリカの奇跡」とよばれる。 | 100 |
| ソト語，英語 | ソト人80.3%，ズールー人14.4% | キリスト教91%，伝統信仰7.7% | 周囲を南アに囲まれ，地理的，経済的にも大きく依存。全土が標高1400m以上の高地にあり，水資源は豊富。主産業は農業，繊維産業。後発発展途上国。 | 101 |
| | | | ヨーロッパ | |
| アイスランド語，英語，北欧系言語，ドイツ語 | アイスランド人93%，その他ヨーロッパ系6% | キリスト教87.7%（ルーテル派プロテスタント76.8%，カトリック3.3%） | 水力発電と地熱発電でほぼすべての電力を供給。漁業や水産加工業が中心だが，安価な電力を利用したアルミ精錬もさかん。近年は観光産業が好調。 | 102 |

世界の国々（Ⅵ）　　ステーツマン2023, World Population Prospects 2019, 世人口22, 世界の国一覧表2007, 世界銀行資料ほか

| 番号 | 正式国名 / 英文国名 | 面積(千km²) / 人口(万人) 2022年 | 人口密度(人/km²)2022年 / 人口増加率(%)2015~20年平均 | 首都名 / 首都人口(千人) | 独立年月(1943年以降)・国連加盟年月 | 旧宗主国名 / 政体 | GNI(億ドル) / 1人あたりGNI(ドル)2022年 | 通貨単位 / 1ドルあたり為替レート2022年末 |
|---|---|---|---|---|---|---|---|---|
| 103 | アイルランド / Ireland | 69.8 / 506 | 72 / 1.2 | ダブリン / 22)592 | － / 1955.12 | イギリス / 共和制 | 4,124 / 81,070 | ユーロ / 0.94 |
| 104 | アルバニア共和国 / Republic of Albania | 28.7 / 279 | 97 / −0.1 | ティラナ / 11)418 | － / 1955.12 | － / 共和制 | 188 / 6,770 | レク / 107.05 |
| 105 | アンドラ公国 / Principality of Andorra | 0.5 / 8 | 170 / −0.2 | アンドララベリャ / 22)20 | 1993.3 / 1993.7 | フランス スペイン / 共同首長を擁する議会制 | 19)36 / 19)46,530 | ユーロ / 0.94 |
| 106 | イタリア共和国 / Italian Republic | 302.1 / 5,903 | 195 / −0.04 | ローマ / 23)2,748 | － / 1955.12 | － / 共和制 | 22,186 / 37,700 | ユーロ / 0.94 |
| 107 | ウクライナ / Ukraine | 603.5 / 4,099 | 68 / −0.5 | キーウ / 22)2,952 | 1991.8 / 1945.10 | － / 共和制 | 1,510 / 4,270 | フリブニャ / 36.57 |
| 108 | エストニア共和国 / Republic of Estonia | 45.4 / 133 | 29 / 0.2 | タリン / 21)437 | 1991.9 / 1991.9 | － / 共和制 | 372 / 27,640 | ユーロ / 0.94 |
| 109 | オーストリア共和国 / Republic of Austria | 83.9 / 897 | 107 / 0.7 | ウィーン / 23)1,982 | － / 1955.12 | － / 連邦共和制 | 5,076 / 56,140 | ユーロ / 0.94 |
| 110 | オランダ王国 / Kingdom of the Netherlands | 41.5 / 1,759 | 423 / 0.2 | アムステルダム / 22)882 | － / 1945.12 | － / 立憲君主制 | 10,167 / 57,430 | ユーロ / 0.94 |
| 111 | 北マケドニア共和国 / Republic of North Macedonia | 25.7 / 183 | 71 / 0.04 | スコピエ / 21)526 | 1991.9 / 1993.4 | － / 共和制 | 137 / 6,640 | デナール / 57.65 |
| 112 | ギリシャ共和国 / Hellenic Republic | 132.0 / 1,046 | 79 / −0.4 | アテネ / 21)643 | － / 1945.10 | － / 共和制 | 2,297 / 21,740 | ユーロ / 0.94 |
| 113 | グレートブリテン及び北アイルランド連合王国 / United Kingdom of Great Britain and Northern Ireland | 244.4 / 21)6,702 | 21)274 / 0.6 | ロンドン / 21)8,796 | － / 1945.10 | － / 立憲君主制 | 32,739 / 48,890 | 英ポンド / 0.83 |
| 114 | クロアチア共和国 / Republic of Croatia | 56.6 / 386 | 68 / −0.6 | ザグレブ / 21)766 | 1991.6 / 1992.5 | － / 共和制 | 750 / 19,470 | クーナ① / 7.06 |
| 115 | コソボ共和国 / Republic of Kosovo | 10.9 / 21)177 | 21)163 / － | プリシュティナ / 20)218 | 2008.2 / － | － / 共和制 | 99 / 5,590 | ユーロ / 0.94 |
| 116 | サンマリノ共和国 / Republic of San Marino | 0.1 / 21)3 | 21)574 / 0.4 | サンマリノ / 22)4 | － / 1992.3 | － / 共和制 | 21)16 / 21)47,120 | ユーロ / 0.94 |
| 117 | スイス連邦 / Swiss Confederation | 41.3 / 21)873 | 21)212 / 0.8 | ベルン / 21)134 | － / 2002.9 | － / 連邦共和制 | 7,845 / 89,450 | スイス・フラン / 0.92 |
| 118 | スウェーデン王国 / Kingdom of Sweden | 438.6 / 1,045 | 24 / 0.7 | ストックホルム / 22)984 | － / 1946.11 | － / 立憲君主制 | 6,606 / 62,990 | スウェーデン・クローナ / 10.43 |
| 119 | スペイン王国 / Kingdom of Spain | 506.0 / 4,743 | 94 / 0.04 | マドリード / 21)3,277 | － / 1955.12 | － / 立憲君主制 | 15,085 / 31,680 | ユーロ / 0.94 |
| 120 | スロバキア共和国 / Slovak Republic | 49.0 / 543 | 111 / 0.1 | ブラチスラバ / 21)475 | 1993.1 / 1993.1 | － / 共和制 | 1,198 / 22,060 | ユーロ / 0.94 |
| 121 | スロベニア共和国 / Republic of Slovenia | 20.3 / 210 | 104 / 0.1 | リュブリャナ / 22)284 | 1991.6 / 1992.5 | － / 共和制 | 645 / 30,600 | ユーロ / 0.94 |
| 122 | セルビア共和国 / Republic of Serbia | 77.5 / 679 | 88 / ②−0.3 | ベオグラード / 22)1,681 | 1992.4 / 2000.11 | － / 共和制 | 618 / 9,140 | セルビア・ディナール / 110.15 |
| 123 | チェコ共和国 / Czech Republic | 78.9 / 1,051 | 133 / 0.2 | プラハ / 22)1,275 | 1993.1 / 1993.1 | － / 共和制 | 2,799 / 26,590 | コルナ / 22.62 |

①2023年1月より法定通貨としてユーロを導入　②コソボを含む

| 言　語<br>太字は公用語<br>国語は各国定義による | 民　族 | 宗　教 | 政　治・経　済 | 番号 |
|---|---|---|---|---|
| **アイルランド語（ゲール語）**，英語 | アイルランド人82.2%，ヨーロッパ系10.2%，アジア系2.1% | キリスト教83.9%（カトリック78.3%，アイルランド聖公会2.7%，正教会1.3%） | 98年，英領北アイルランドに係る和平合意。貿易相手国の4割を英米が占める。輸出は医薬品，コンピュータ等。主産業は金融，製薬，食品，飲料。 | 103 |
| **アルバニア語**，ギリシャ語，マケドニア語，ロマ語など | アルバニア人82.6%，ギリシャ系0.9% | イスラーム58.8%，カトリック10%，アルバニア正教6.8% | 鎖国的な社会主義体制だったが，92年民主政権成立。隣国のイタリアとの経済的結びつきは強く，最大の貿易相手。衣類，皮革等の軽工業が中心。 | 104 |
| **カタルーニャ語**，フランス語，スペイン語，ポルトガル語 | アンドラ人46.2%，スペイン系26.4%，ポルトガル系12.8% | キリスト教93.4%（カトリック89.1%） | スペインのカトリック教会ウルヘル司教とフランス大統領が共同元首。93年独立。主産業は観光，サービス業，流通，金融業。財政の多くを輸入関税に頼る。 | 105 |
| **イタリア語**，ドイツ語，フランス語，スロベニア語 | イタリア人96%，北アフリカ系アラブ人0.9% | カトリック83%，イスラーム2% | 主産業は機械，自動車，鉄鋼，繊維。ファッション産業も重要。南北で経済格差がある。オリーブやぶどうの栽培がさかんで，ワインの生産・輸出は世界屈指。 | 106 |
| **ウクライナ語**，ロシア語 | ウクライナ人77.8%，ロシア系17.3% | ウクライナ正教83.7%，カトリック10.2%，プロテスタント2.2% | 肥沃な黒土地帯（チェルノーゼム）があり，世界的穀倉地帯が広がる。石炭，鉄鉱石等の輸出もさかん。14年にロシアとの関係が悪化し，22年に侵攻を受けた。 | 107 |
| **エストニア語**，ロシア語 | エストニア人68.8%，ロシア系25.1% | キリスト教63.5%（無所属派，ルーテル派プロテスタント，ロシア正教） | ソ連からの独立後，自由経済を推進。金融・保険分野では外資が大半を占める。国策としてICT立国化を推進し，多くの企業が誕生。電子化。 | 108 |
| **ドイツ語**，トルコ語，セルビア語，クロアチア語など | オーストリア人91.1%，旧ユーゴ系4% | キリスト教73.3%（カトリック66%，プロテスタント3.9%），イスラーム4.2% | 機械・金属加工等の工業がさかんな永世中立国。アルプス山脈が国土の大半を占め，その立地や歴史的な街並みを生かした観光収入が多い。 | 109 |
| **オランダ語**，フリジア語 | オランダ人78.6%，EU諸国出身者5.8% | カトリック28%，プロテスタント19%，イスラーム5% | 輸出は機械，化学品等。園芸農業と酪農がさかん。鉱資源は天然ガス，原油を産出。ユーロポートをライン川河口に有し，加工・中継貿易の拠点として発展。 | 110 |
| **マケドニア語**，アルバニア語，トルコ語，ロマ語など | マケドニア人64.2%，アルバニア系25.2%，トルコ系3.9%，ロマ2.7% | マケドニア正教65%，イスラーム（スンナ派）32% | 農業はたばこ，ワイン，とうもろこし等が中心。ユーゴ時代から開発が遅れ，連邦解体による経済はさらに停滞。ギリシャとの間の国名問題は名称変更で合意。 | 111 |
| **ギリシャ語** | ギリシャ人90.4%，マケドニア系1.8%，アルバニア系1.8% | ギリシャ正教90%，イスラーム5%，カトリック2% | 主産業は石油化学，造船等の工業，観光産業。オリーブや果実の生産もさかん。近年の財政危機はEU各国に影響を与え，欧州債務危機の原因に。 | 112 |
| **英語**，スコットランド語，ゲール語，ウェールズ語など | イングランド人83.6%，スコットランド人8.6%，ウェールズ人4.9% | キリスト教71.8%（英国国教会29%，その他プロテスタント14%，カトリック10%） | 産業革命発祥の地。自動車，航空機，機械工業が発展。鉱業の主力は石炭から北海油田の原油，天然ガスに移行。20年，EUを離脱。 | 113 |
| **クロアチア語**，セルビア語 | クロアチア人90.4%，セルビア系4.4% | キリスト教91.4%（カトリック86.3%，正教会4.4%） | 91年に独立したユーゴスラビア構成国。90年代は周辺国との紛争があったが，現在の関係は良好。主産業は観光，造船，石油化学工業，食品加工業。 | 114 |
| **アルバニア語**，セルビア語，ボスニア語，トルコ語など | アルバニア系92.9%，ボスニア系1.6% | イスラーム95.6%，キリスト教3.7% | 08年にセルビアから独立したユーゴスラビア構成国。独立を未承認の国も多く国連未加盟。主産業は小規模な農業で，海外移民からの送金，外国援助に依存。 | 115 |
| **イタリア語** | サンマリノ人84.6%，イタリア系13.4% | キリスト教99.2%（カトリック88.7%） | 歴史的，地理的，経済的にもイタリアとは密接。観光，金融，繊維が主産業。切手やコインなども貴重な収入源。EUには非加盟だがユーロを通貨として使用。 | 116 |
| **ドイツ語**，フランス語，イタリア語，ロマンシュ語 | ドイツ系65%，フランス系18%，イタリア系10% | キリスト教68%（カトリック37.3%，プロテスタント24.9%） | 永世中立国。精錬した金，医薬品，精密機械・時計等を輸出し，これらの企業の本社も所在。アルプス山脈の風光明媚な景観を生かした観光産業や金融業も重要。 | 117 |
| **スウェーデン語**，少数言語（フィンランド語，サーミ語，ロマ語，イディッシュ語，メアンキエリ語） | スウェーデン人86.2%，その他ヨーロッパ系7.9% | プロテスタント81.5%（ルーテル派77%），イスラーム4% | 国土の7割を占める森林，良質な鉄鉱石など資源に恵まれる。輸出は機械類，自動車，医薬品等。社会保障制度は高福祉高負担によって充実。 | 118 |
| **スペイン語**，カタルーニャ語，ガリシア語，バスク語など | スペイン人44.9%，カタルーニャ人28%，ガリシア人8.2% | カトリック77%，イスラーム2.5% | 主産業は自動車，化学工業，観光産業。オリーブ油，ワイン等の食品工業もさかん。亜鉛等の鉱産資源もある。バスク，カタルーニャ地方では分離・独立運動が続く。 | 119 |
| **スロバキア語**，ハンガリー語，ロマ語，ルテニア語 | スロバキア人80.6%，ハンガリー系8.5% | キリスト教75.5%（カトリック62%，プロテスタント8.2%） | 93年チェコとの連邦を解消し独立。旧体制下では軍需など重工業が発展。98年市場経済へ移行し，現在は，自動車，電機等が産業の中心。 | 120 |
| **スロベニア語**，セルボクロアチア語，イタリア語，ハンガリー語 | スロベニア人83.1%，セルビア系2%，クロアチア系1.8% | キリスト教61%（カトリック57.8%），イスラーム2.4% | ユーゴスラビアの先進工業地域であり，91年の独立後も，工業の高い水準を維持。自動車，電気機器，医薬品，金属加工業などが産業の中心。観光も重要。 | 121 |
| **セルビア語**，ハンガリー語，ボスニア語，ロマ語 | セルビア人83.3%，ハンガリー系3.5% | キリスト教91.3%（セルビア正教84.6%，カトリック5%），イスラーム3.1% | 06年にモンテネグロが独立し，内陸国となる。コソボの独立は非承認。14年の洪水被害は甚大だったが，徐々に復興。外資により，製造業は活性傾向。 | 122 |
| **チェコ語**，スロバキア語 | チェコ人64.3%，モラヴィア人5%，スロバキア系1.4% | カトリック26.8%，プロテスタント2.1% | 93年スロバキアとの連邦を解消して独立。ボヘミアガラスほか，伝統的に製造業はさかん。自動車産業が伸長。プラハの歴史的街並みなど観光産業も重要。 | 123 |

## 世界の国々（Ⅶ）

ステーツマン2023, World Population Prospects 2019, 世人口22, 世界の国一覧表2007, 世界銀行資料ほか

| 番号 | 正式国名 / 英文国名 | 面積(千km²)2022年 / 人口(万人)2022年 | 人口密度(人/km²)2022年 / 人口増加率(%)2015~20年平均 | 首都名 / 首都人口(千人) | 独立年月(1943年以降) / 国連加盟年月 | 旧宗主国名 / 政体 | GNI(億ドル) / 1人あたりGNI(ドル)2022年 | 通貨単位 / 1ドルあたり為替レート2022年末 |
|---|---|---|---|---|---|---|---|---|
| 124 | デンマーク王国 / *Kingdom of Denmark* | 42.9 / 587 | 137 / 0.4 | コペンハーゲン / 22)644 | − / 1945.10 | − / 立憲君主制 | 4,321 / 73,200 | デンマーク・クローネ / 6.97 |
| 125 | ドイツ連邦共和国 / *Federal Republic of Germany* | 357.6 / 8,323 | 233 / 0.5 | ベルリン / 21)3,677 | − / 1973.9 | − / 連邦共和制 | 44,890 / 53,390 | ユーロ / 0.94 |
| 126 | ノルウェー王国 / *Kingdom of Norway* | 323.8 / 542 | 17 / 0.8 | オスロ / 23)709 | − / 1945.11 | − / 立憲君主制 | 5,212 / 95,510 | ノルウェー・クローネ / 9.86 |
| 127 | バチカン市国 / *State of the City of Vatican* | 0.44km² / 18)0.06 | 18)1,398 / 0.1 | バチカン / 18)0.6 | − / − | − / − | − / − | ユーロ / 0.94 |
| 128 | ハンガリー / *Hungary* | 93.0 / 968 | 104 / −0.2 | ブダペスト / 22)1,706 | − / 1955.12 | − / 共和制 | 1,841 / 19,010 | フォリント / 375.68 |
| 129 | フィンランド共和国 / *Republic of Finland* | ①338.5 / ①557 | ①16 / 0.2 | ヘルシンキ / 21)658 | − / 1955.12 | − / 共和制 | 3,021 / 54,360 | ユーロ / 0.94 |
| 130 | フランス共和国 / *French Republic* | ②640.6 / ②6,784 | ②106 / 0.3 | パリ / 20)2,145 | − / 1945.10 | − / 共和制 | 31,153 / 45,860 | ユーロ / 0.94 |
| 131 | ブルガリア共和国 / *Republic of Bulgaria* | 110.4 / 683 | 62 / −0.7 | ソフィア / 21)1,221 | − / 1955.12 | − / 共和制 | 857 / 13,250 | レフ / 1.83 |
| 132 | ベラルーシ共和国 / *Republic of Belarus* | 207.6 / 922 | 44 / 0.02 | ミンスク / 23)1,995 | 1991.8 / 1945.10 | − / 共和制 | 667 / 7,240 | ベラルーシ・ルーブル / 2.74 |
| 133 | ベルギー王国 / *Kingdom of Belgium* | 30.5 / 1,161 | 381 / 0.5 | ブリュッセル / 22)＊1,222 | − / 1945.12 | − / 立憲君主制 | 5,683 / 48,700 | ユーロ / 0.94 |
| 134 | ボスニア・ヘルツェゴビナ / *Bosnia and Herzegovina* | 51.2 / 19)349 | 19)68 / −0.9 | サラエボ / 22)419 | 1992.3 / 1992.5 | − / 共和制 | 248 / 7,660 | 兌換マルカ / 1.83 |
| 135 | ポーランド共和国 / *Republic of Poland* | 312.7 / 3,765 | 120 / −0.1 | ワルシャワ / 21)1,863 | − / 1945.10 | − / 共和制 | 6,891 / 18,350 | ズロチ / 4.40 |
| 136 | ポルトガル共和国 / *Portuguese Republic* | 92.2 / 1,035 | 112 / −0.3 | リスボン / 21)545 | − / 1955.12 | − / 共和制 | 2,678 / 25,800 | ユーロ / 0.94 |
| 137 | マルタ共和国 / *Republic of Malta* | 0.3 / 52 | 1,654 / 0.4 | バレッタ / 21)5 | 1964.9 / 1964.12 | イギリス / 共和制 | 176 / 33,550 | ユーロ / 0.94 |
| 138 | モナコ公国 / *Principality of Monaco* | 2.02km² / 21)3 | 21)18,161 / 0.8 | モナコ / 21)39 | − / 1993.5 | − / 立憲君主制 | 08)67 / 08)186,080 | ユーロ / 0.94 |
| 139 | モルドバ共和国 / *Republic of Moldova* | 33.8 / 260 | 77 / −0.2 | キシナウ / 19)695 | 1991.8 / 1992.3 | − / 共和制 | 139 / 5,340 | モルドバ・レウ / 19.16 |
| 140 | モンテネグロ / *Montenegro* | 13.9 / 61 | 44 / 0.04 | ポドゴリツァ / 22)192 | 2006.6 / 2006.6 | − / 共和制 | 64 / 10,400 | ユーロ / 0.94 |
| 141 | ラトビア共和国 / *Republic of Latvia* | 64.6 / 187 | 29 / −1.1 | リガ / 22)611 | 1991.9 / 1991.9 | − / 共和制 | 405 / 21,500 | ユーロ / 0.94 |
| 142 | リトアニア共和国 / *Republic of Lithuania* | 65.3 / 280 | 43 / −1.5 | ビリニュス / 23)581 | 1991.9 / 1991.9 | − / 共和制 | 671 / 23,690 | ユーロ / 0.94 |
| 143 | リヒテンシュタイン公国 / *Principality of Liechtenstein* | 0.2 / 3 | 246 / 0.4 | ファドーツ / 21)5 | − / 1990.9 | − / 立憲君主制 | 09)42 / 09)116,600 | スイス・フラン / 0.92 |
| 144 | ルクセンブルク大公国 / *Grand Duchy of Luxembourg* | 2.6 / 65 | 253 / 2.0 | ルクセンブルク / 23)132 | − / 1945.10 | − / 立憲君主制 | 593 / 91,200 | ユーロ / 0.94 |

＊都市的地域の人口
①オーランド諸島を含む　②フランス海外県（ギアナ，マルティニーク，グアドループ，レユニオン，マヨット）を含む。フランス本土：面積551.5千km²，人口6,564万人，人口密度119人/km²

| 言　語<br>太字は公用語<br>国語は各国定義による | 民　族 | 宗　教 | 政　治・経　済 | 番号 |
|---|---|---|---|---|
| **デンマーク語**, 英語, 地域言語（フェロー語, グリーンランド語, ドイツ語）0.5% | デンマーク人91.9%, トルコ系0.6%, ドイツ系等 | ルーテル派プロテスタント76%, イスラーム4% | 国民の所得格差が小さい高福祉高負担国家。2度の国民投票を経てEUに加盟したが, ユーロ導入は否決。輸出は機械類, 医薬品等。 | 124 |
| **ドイツ語**, 少数言語（デンマーク語, フリジア語, ソルブ語, ロマ語など） | ドイツ人88.2%, トルコ系3.4%, イタリア系1% | カトリック29%, プロテスタント27%, イスラーム4.4% | フランスと共にEUの中心的存在。世界有数の先進工業国で自動車, 化学, 機械, 航空産業等がさかん。穀物, 畜産等の農産物の輸出も多い。環境先進国。 | 125 |
| **ノルウェー語**, 少数言語（サーミ語, フィンランド語など） | ノルウェー人83%, その他ヨーロッパ系5.3% | キリスト教87.8%（ルーテル派プロテスタント82.1%）, イスラーム2.3% | 北海油田を中心とした原油, 天然ガスが輸出の7割を占める。安価な水力発電を利用したアルミニウム精錬や水産業もさかん。高負担高福祉国家。 | 126 |
| **ラテン語**, フランス語（外交用語）, イタリア語（業務用語） | イタリア人, スイス人など | カトリック | カトリック教会の総本山で, イタリアの首都ローマ市内にある世界最小面積の国。元首はローマ法王。寄付金, 美術館関連, 書籍や記念切手等が収入源。 | 127 |
| **ハンガリー（マジャール）語**, ロマ語, ドイツ語 | ハンガリー人85.6%, ロマ人3.2%, ドイツ系1.9% | キリスト教53.7%（カトリック37.2%, プロテスタント14.6%） | 89年の体制転換後, 外資導入により, 急速に経済発展。輸出は機械, 自動車, 医薬品等。伝統的に農業がさかん。首都ブダペストは双子都市。 | 128 |
| **フィンランド語**, **スウェーデン語**, ロシア語 | フィン人93.4%, スウェーデン系5.6% | ルーテル派プロテスタント72%, フィンランド正教1.1% | 森林資源を生かした製紙・パルプ・木材生産のほか, 金属, 機械工業もさかん。通信機器を中心とするICT産業の比重が大きい。高負担福祉国家。 | 129 |
| **フランス語**, フランス語方言（プロヴァンス語, ブルトン語, アルザス語など） | フランス人76.9%, アルジェリア・モロッコ系アマジク2.2% | カトリック64.3%, イスラーム4.3%, プロテスタント1.9% | ドイツと共にEUの中心的存在。先進工業国で, 輸出は機械類, 航空機, 自動車等。また, EU最大の農業国で, 小麦やワイン, チーズの輸出は世界有数。 | 130 |
| **ブルガリア語**, トルコ語, ロマ語 | ブルガリア人76.9%, トルコ系8%, ロマ人4.4% | キリスト教61%（ブルガリア正教59.4%）, イスラーム7.8% | 内需拡大によって経済成長は順調だが, EU加盟国内での所得水準は低い。農産品は穀物, 製品類やバラ香油等がある。輸出は機械類, 石油製品等。 | 131 |
| **ベラルーシ語**, ロシア語, 少数言語（ポーランド語, ウクライナ語） | ベラルーシ人83.7%, ロシア系8.3%, ポーランド系3.1% | ベラルーシ正教48.3%, カトリック7.1% | ロシアとは緊密。86年のチェルノブイリ原発事故では深刻な被害を受けた。石油製品, 機械, カリウム肥料を輸出。農業はライ麦・えん麦・亜麻の栽培, 畜産業。 | 132 |
| **オランダ語**（北部）, **フランス語**（南部）, **ドイツ語**（東部）など | ベルギー人90.9%, イタリア系1.6% | キリスト教52.5%（カトリック50%）, イスラーム5% | 先進工業国として発展し, 加工貿易が中心。輸出は医薬品, 自動車, 機械類。チョコレートやビール等の食品加工業もさかん。ベネルクス3国の一つ。 | 133 |
| **ボスニア語**, **クロアチア語**, **セルビア語** | ボシュニャク人50.1%, セルビア系30.8%, クロアチア系15.4% | イスラーム50.7%, セルビア正教30.7%, カトリック15.2% | ユーゴスラビア解体に端を発した内戦は, 95年に終結したが, 経済は厳しい。主産業は木材加工, 鉱業, 繊維産業。EU加盟に向け, 国内改革に取り組む。 | 134 |
| **ポーランド語**, シレジア語, ドイツ語 | ポーランド人96.9%, シレジア人1.1% | カトリック87.2%, 正教会1.3%, プロテスタント | 東欧有数の農業国だが, 04年のEU加盟以降, 外国企業が進出し, EU内の工場として製造業が成長。主産業は乳製品・肉類等の食品, 金属, 自動車, 機械。 | 135 |
| **ポルトガル語**, ミランダ語 | ポルトガル人91.9%, 混血1.6%, ブラジル系1.4% | キリスト教84.3%（カトリック81%） | 地中海性気候下でオリーブやワインの生産がさかん。コルクは世界生産の5割を占める。輸出は機械類, 自動車, 衣類等。観光産業も主要。 | 136 |
| **マルタ語**, **英語**, イタリア語 | マルタ人95.2% | キリスト教95.5%（カトリック95%） | 伝統的な造船業のほか, 繊維産業, 観光産業が経済の中心。外資導入による半導体などの製造業も成長。東西冷戦が終結した「マルタ会談」開催地。 | 137 |
| **フランス語**, 英語, イタリア語, モナコ語 | フランス系28.4%, モナコ人21.6%, イタリア系18.7% | キリスト教93.2%（カトリック89.3%）, ユダヤ教1.7% | 世界有数の保養地。カジノ, F1やWRC等の自動車レース, 観光, 金融, 工業を軸に発展。税制が緩やかなため, 住民の多くが外国籍富裕層。 | 138 |
| **モルドバ語**, ロシア語, ガガウズ語 | モルドバ人75.8%, ウクライナ系8.4%, ロシア系5.9% | モルドバ正教31.8%, ベッサラビア正教16.1%, ロシア正教15.4% | ぶどう, 小麦, とうもろこし, ひまわりの種子を栽培する農業, ワインなどの食品加工業が主産業。工業は, 機械の老朽化や紛争による資源不足で低迷。 | 139 |
| **モンテネグロ語**, セルビア語, ボスニア語, アルバニア語など | モンテネグロ人45%, セルビア系28.7%, ボスニア系8.7% | キリスト教75.9%（セルビア正教72.1%）, イスラーム19.1% | ユーゴスラビア構成国で, 06年にセルビア・モンテネグロから独立。アルミニウムや鉄鋼などの製造業, 農業, 観光業が主産業。EU加盟候補国に。 | 140 |
| **ラトビア語**, ロシア語 | ラトビア人61.8%, ロシア系25.6%, ベラルーシ系3.4% | キリスト教35.9%（ルーテル派プロテスタント19.6%, 正教会15.3%） | バルト3国の一つ。ソ連時代は工業地域として発展。首都リガは欧州東西の中継拠点として, 物流業がさかん。主産業は化学, 木材加工。農業は畜産が中心。 | 141 |
| **リトアニア語**, ロシア語, ポーランド語 | リトアニア人84.1%, ポーランド系6.6%, ロシア系5.8% | キリスト教83.4%（カトリック77.2%, ロシア正教4.8%） | バルト3国内で面積・人口最大。主産業は化学, 食品加工, 木材加工業。ロシアに依存するエネルギー供給源の多様化を推進。バルト海に面したクライペダは不凍港。 | 142 |
| **ドイツ語**（日用語はドイツ語方言のアレマン語）, イタリア語 | リヒテンシュタイン人66.3%, スイス系9.6%, オーストリア系5.8% | キリスト教85.8%（カトリック75.9%, プロテスタント8.5%）, イスラーム5.4% | 永世中立国で, スイスに外交を委任し, 通貨同盟も結ぶ。主産業は精密機器, 精密機械業, 金融業, 観光産業。1人あたりGNIは欧州トップクラス。 | 143 |
| **ルクセンブルク語**, **フランス語**, **ドイツ語** | ルクセンブルク人53.3%, ポルトガル系16.2%, フランス系7.2% | カトリック90%, プロテスタント3%, イスラーム2% | 70年代, 鉄鋼業から金融サービス業へ転換。近年はICT, 自動車部品, 宇宙産業も発展。国内雇用の4割が越境労働者で, 外国人住民も増加傾向。 | 144 |

## 世界の国々（Ⅷ）

ステーツマン2023, World Population Prospects 2019, 世人口'22, 世界の国一覧表2007, 世界銀行資料ほか

世界の国々

| 番号 | 正式国名 / 英文国名 | 面積(千km²)2022年 / 人口(万人)2022年 | 人口密度(人/km²)2022年 / 人口増加率(%)2015~20年平均 | 首都名 / 首都人口(千人) | 独立年月(1943以降) / 国連加盟年月 | 旧宗主国名 / 政体 | GNI(億ドル) / 1人あたりGNI(ドル)2022年 | 通貨単位 / 1ドルあたり為替レート2022年末 |
|---|---|---|---|---|---|---|---|---|
| 145 | ルーマニア / Romania | 238.4 / 1,904 | 80 / −0.7 | ブカレスト / 21)1,716 | − / 1955.12 | − / 共和制 | 2,968 / 15,660 | ルーマニア・レウ / 4.63 |
| 146 | ロシア連邦 / Russian Federation | 17,098.2 / 21)14,759 | 21)9 / 0.1 | モスクワ / 22)12,414 | − / 1945.10 | − / 共和制,連邦制 | 18,735 / 12,830 | ロシア・ルーブル / 70.34 |

### 北アメリカ　　　　　　　　23か国

| 番号 | 正式国名 / 英文国名 | 面積(千km²)2022年 / 人口(万人)2022年 | 人口密度 / 人口増加率 | 首都名 / 首都人口(千人) | 独立年月 / 国連加盟年月 | 旧宗主国名 / 政体 | GNI(億ドル) / 1人あたりGNI | 通貨単位 / 為替レート |
|---|---|---|---|---|---|---|---|---|
| 147 | アメリカ合衆国 / United States of America | 9,833.5 / 33,328 | 34 / 0.6 | ワシントンD.C. / 22)671 | − / 1945.10 | − / 大統領制,連邦制 | 254,544 / 76,370 | 米ドル / 1.00 |
| 148 | アンティグア・バーブーダ / Antigua and Barbuda | 0.4 / 21)9 | 21)224 / 0.9 | セントジョンズ / 11)22 | 1981.11 / 1981.11 | イギリス / 立憲君主制 | 17 / 18,280 | 東カリブドル / 2.70 |
| 149 | エルサルバドル共和国 / Republic of El Salvador | 21.0 / 633 | 301 / 0.5 | サンサルバドル / 21)200 | − / 1945.10 | スペイン / 共和制 | 299 / 4,720 | 米ドル① / 1.00 |
| 150 | カナダ / Canada | 9,984.7 / 3,893 | 4 / 0.9 | オタワ / 22)1,071 | − / 1945.11 | イギリス / 立憲君主制 | 20,617 / 52,960 | カナダ・ドル / 1.36 |
| 151 | キューバ共和国 / Republic of Cuba | 109.9 / 1,110 | 101 / 0.003 | ハバナ / 21)2,130 | − / 1945.10 | スペイン / 共和制 | 19)1,009 / 19)8,920 | キューバ・ペソ / 24.00 |
| 152 | グアテマラ共和国 / Republic of Guatemala | 108.9 / 1,735 | 159 / 1.9 | グアテマラシティ / 18)923 | − / 1945.11 | スペイン / 共和制 | 929 / 5,350 | ケツァル / 7.85 |
| 153 | グレナダ / Grenada | 0.3 / 19)11 | 19)328 / 0.5 | セントジョージズ / 19)39 | 1974.2 / 1974.9 | イギリス / 立憲君主制 | 12 / 9,340 | 東カリブドル / 2.70 |
| 154 | コスタリカ共和国 / Republic of Costa Rica | 51.1 / 521 | 102 / 1.0 | サンホセ / 21)349 | − / 1945.11 | スペイン / 共和制 | 657 / 12,670 | コスタリカ・コロン / 598.08 |
| 155 | ジャマイカ / Jamaica | 11.0 / 19)273 | 19)249 / 0.5 | キングストン / 19)*662 | 1962.8 / 1962.9 | イギリス / 立憲君主制 | 160 / 5,670 | ジャマイカ・ドル / 151.01 |
| 156 | セントクリストファー・ネービス / Saint Christopher and Nevis | 0.3 / 15)4 | 15)183 / 0.8 | バセテール / 11)11 | 1983.9 / 1983.9 | イギリス / 立憲君主制 | 9 / 19,730 | 東カリブドル / 2.70 |
| 157 | セントビンセント及びグレナディーン諸島 / Saint Vincent and the Grenadines | 0.4 / 21)11 | 21)285 / 0.3 | キングスタウン / 21)13 | 1979.10 / 1980.9 | イギリス / 立憲君主制 | 9 / 9,110 | 東カリブドル / 2.70 |
| 158 | セントルシア / Saint Lucia | 0.6 / 18 | 297 / 0.5 | カストリーズ / 10)22 | 1979.2 / 1979.9 | イギリス / 立憲君主制 | 20 / 11,160 | 東カリブドル / 2.70 |
| 159 | ドミニカ共和国 / Dominican Republic | 48.7 / 1,062 | 218 / 1.1 | サントドミンゴ / 10)965 | − / 1945.10 | スペイン / 共和制 | 1,017 / 9,050 | ドミニカ・ペソ / 56.41 |
| 160 | ドミニカ国 / Commonwealth of Dominica | 0.8 / 17)6 | 17)89 / 0.2 | ロゾー / 11)14 | 1978.11 / 1978.12 | イギリス / 共和制 | 6 / 8,460 | 東カリブドル / 2.70 |
| 161 | トリニダード・トバゴ共和国 / Republic of Trinidad and Tobago | 5.1 / 21)136 | 21)267 / 0.4 | ポートオブスペイン / 11)37 | 1962.8 / 1962.9 | イギリス / 共和制 | 250 / 16,330 | トリニダードトバゴ・ドル / 6.73 |
| 162 | ニカラグア共和国 / Republic of Nicaragua | 130.4 / 673 | 52 / 1.3 | マナグア / 22)1,051 | − / 1945.10 | スペイン / 共和制 | 145 / 2,090 | コルドバ / 36.23 |
| 163 | ハイチ共和国 / Republic of Haiti | 27.8 / 19)1,157 | 19)417 / 1.3 | ポルトープランス / 15)977 | − / 1945.10 | フランス / 共和制 | 186 / 1,610 | グールド / 145.32 |
| 164 | パナマ共和国 / Republic of Panama | 75.3 / 439 | 58 / 1.7 | パナマシティ / 21)497 | − / 1945.11 | スペイン / 共和制 | 739 / 16,750 | バルボア② / 1.00 |

＊都市的地域の人口
①2021年9月, 仮想通貨ビットコインも法定通貨として採用　②流通しているのは米ドル紙幣で, それを「バルボア」と呼んでいる(硬貨は独自のものもあり)

世界の国々（Ⅷ）

| 言　語<br>太字は公用語<br>国語は各国定義による | 民　族 | 宗　教 | 政　治・経　済 | 番号 |
|---|---|---|---|---|
| ルーマニア語、ハンガリー語、ロマ語 | ルーマニア人83.4%, ハンガリー系6.1%, ロマ人3.1% | キリスト教92.6%（ルーマニア正教81.9%, プロテスタント6.4%, カトリック4.3%） | 89年政変により民主化。主産業は機械, 金属, 繊維産業, 野菜や果物の種子等の農業。90年代は繊維, 近年は自動車を中心に製造業が発展。 | 145 |
| ロシア語, 多数の民族語（ロシア語と併用） | ロシア人77.7%, タタール人3.7%, ウクライナ系1.4% | キリスト教58.4%（ロシア正教53.1%）, イスラーム8.2% | 原油, 天然ガス等, 豊富な鉱産資源を背景に経済は好調。黒土地帯を中心に小麦, ひまわり種子等の生産。ウクライナへの侵攻が国際的批判を集めている。 | 146 |

| | | | 北　ア　メ　リ　カ | |
|---|---|---|---|---|
| 英語, スペイン語, 中国語,タガログ語, ベトナム語など | ヨーロッパ系72.6%, アフリカ系12.7%, アジア系5.4%, ネイティブアメリカン0.8% | キリスト教70.6%（プロテスタント46.5%, カトリック20.8%）, ユダヤ教1.9% | 世界最大の経済大国。鉱産資源が豊富で, 工業, 農業もさかん。政治・経済・軍事等, あらゆる面で世界に与える影響は大きい。財政赤字の解消が長年の課題。 | 147 |
| 英語, クレオール語 | アフリカ系87.3%, 混血4.7% | キリスト教84%（プロテスタント68.3%, カトリック8.2%） | 英連邦加盟国。主産業は観光等のサービス産業だが, 度重なるハリケーンの被害による影響が大きい。近年, クルーズ船で島を訪れる観光客が増加。 | 148 |
| スペイン語, ナワット語 | メスチーソ86.3%, ヨーロッパ系12.7% | カトリック50%, プロテスタント36% | 輸出向けの繊維産業のほか, 砂糖・コーヒー豆の農業が主産業。度重なる地震やハリケーンにより経済は厳しい。在米出稼ぎ者による送金が経済を下支え。 | 149 |
| 英語, フランス語, 中国語, パンジャビー語, スペイン語など | カナダ人32.3%, イングランド系18.3%, スコットランド系13.9%, フランス系13.6% | キリスト教67.2%（カトリック39%, プロテスタント20.3%）, イスラーム3.2% | 世界有数の資源大国。小麦などの穀類や木材・パルプは世界上位の生産を誇る。自動車や航空機産業もさかん。五大湖周辺の米国との国境沿いに人口が集中。 | 150 |
| スペイン語 | 混血50%, ヨーロッパ系25%, アフリカ系25% | カトリック47%, プロテスタント5% | 59年の革命で社会主義体制に転換。東側諸国との関係を重視してきたが, 15年米国と国交回復。主産業は観光業, 砂糖産業, 水産業, ニッケル等の鉱業。 | 151 |
| スペイン語, 先住民言語（マヤ系21言語, シンカ語, ガリフナ語の計23言語を公用語） | 混血60%, マヤ系先住民39.3% | カトリック57%, プロテスタント・独立派キリスト教40% | 長年にわたる内戦によって経済は低迷し, 治安は悪化。おもな輸出品は衣類, コーヒー豆, 砂糖, バナナ。深刻な治安状況の改善と貧困解決が課題。 | 152 |
| 英語, クレオール語（フランス語系パトワ語） | アフリカ系82.4%, 混血13.3% | プロテスタント49.2%, カトリック36% | 英連邦加盟国。83年のクーデター時に米軍が侵攻。経済の中心は観光業, 農水産業。国旗にも描かれるナツメグやバナナ, カカオ豆, シナモン等を生産。 | 153 |
| スペイン語 | ヨーロッパ系・メスチーソ83.6%, ムラート6.7% | カトリック76.3%, プロテスタント14.4% | 第二次世界大戦後, 植民地時代からのパイナップル, コーヒー豆の輸出と安定した政治を背景に経済成長。近年はエコツーリズムなどの観光産業も成長。 | 154 |
| 英語, クレオール語（英語系パトワ語を含む） | アフリカ系92.1%, 混血6.1% | キリスト教68.9%（プロテスタント64.8%, カトリック2.2%） | 英連邦加盟国。主産業は観光産業, ボーキサイト等の鉱業, コーヒー豆, 砂糖, 柑橘等の農業。高級コーヒー豆のブルーマウンテンの産地で, その多くは日本向け。 | 155 |
| 英語 | アフリカ系90.4%, ムラート5%, インド・パキスタン系3% | プロテスタント75%, カトリック11% | 英連邦加盟国。砂糖産業は不採算のため, 05年に停止し, 観光産業へシフト。かんきつ類等の農業, 機械工業, 食品加工業など, 多角化を推進。 | 156 |
| 英語, クレオール語（フランス語系パトワ語） | アフリカ系65.1%, インド・パキスタン系21.9%, 混血19.9% | キリスト教87.8%, ヒンドゥー教3.4%, 精霊信仰1.8% | 英連邦加盟国。30以上の島から成る小国。経済の中心は, 観光, 農水産業。バナナ, くず粉などの生産がさかん。農産品の品質改良や多角化を進める。 | 157 |
| 英語, クレオール語（フランス語系パトワ語） | アフリカ系85.3%, 混血10.9% | キリスト教90.4%（カトリック61.5%, プロテスタント25.5%） | 英連邦加盟国。観光産業とバナナ, ココナツなどの農業が主産業。ハリケーン被害や国際市場の価格変動を機に, バナナ産業から観光産業中心へ移行。 | 158 |
| スペイン語, ハイチ語（クレオール語） | 混血70.4%, アフリカ系15.8%, ヨーロッパ系13.5% | キリスト教75.8%（カトリック64.4%） | 砂糖やコーヒー豆などの一次産品が輸出の中心だったが, 90年以降, フリーゾーンでの繊維品, 医療機器の輸出が増加。隣国からの不法入国が問題に。 | 159 |
| 英語, クレオール語（フランス語系パトワ語） | アフリカ系86.8%, 混血8.9%, 先住民2.9% | キリスト教91.2%（カトリック61.4%, プロテスタント28.6%） | 英連邦加盟国。主産業はバナナ, ココナツ, かんきつ類等の熱帯性作物を中心とする農業のほか, 缶詰, 石鹸等の農産物加工業。観光産業も重要。 | 160 |
| 英語, クレオール語, ヒンディー語, フランス語など | インド系35.4%, アフリカ系34.2%, 混血22.8% | キリスト教55.2%（プロテスタント32.1%, カトリック21.6%）, ヒンドゥー教18.2% | 西インド諸島で唯一エネルギー資源に恵まれた国。原油, 天然ガスを産出し, 鉄鋼, 化学製品等を輸出。近年は産業の多角化に取り組む。 | 161 |
| スペイン語, 民族語（ミスキート語, カリブ海沿岸地域のメスチーソ言語など） | メスチーソ63.1%, ヨーロッパ系14%, アフリカ系8% | キリスト教（カトリック58.5%, プロテスタント23.2%） | 長引く内戦と経済制裁で, 経済や開発は遅れている。インフラ未整備地域が多く, 治安状態は深刻。主産業は, コーヒー豆, 牛肉, 豆類, さとうきび等の農牧業。 | 162 |
| フランス語, ハイチ語（フランス語系クレオール語） | アフリカ系94.2%, 混血5.4% | キリスト教83.2%（カトリック54.7%, プロテスタント28.5%） | 1804年に中南米初の黒人国家として独立。独立以来続く政情不安, ハリケーンや地震などの災害等により, 経済・社会情勢は厳しい。後発開発途上国。 | 163 |
| スペイン語, 英語, 先住民言語 | 混血65%, 先住民12.3%, アフリカ系9.2% | カトリック75%, プロテスタント・独立派キリスト教20% | パナマ運河の運営, 便宜置籍船登録料が経済の要。地理的優位性を生かしたフリーゾーンでの中継貿易が発達。16年運河の拡張工事が完了。 | 164 |

## 世界の国々（Ⅸ）

ステーツマン2023, World Population Prospects 2019, 世人口'22, 世界の国一覧表2007, 世界銀行資料ほか

| 番号 | 正式国名 / 英文国名 | 面積(千km²) / 人口(万人) 2022年 | 人口密度(人/km²)2022年 / 人口増加率(%)2015~20年平均 | 首都名 / 首都人口(千人) | 独立年月(1943年以降) / 国連加盟年月 | 旧宗主国名 / 政体 | GNI(億ドル) / 1人あたりGNI(ドル)2022年 | 通貨単位 / 1ドルあたり為替レート 2022年末 |
|---|---|---|---|---|---|---|---|---|
| 165 | バハマ国 / Commonwealth of The Bahamas | 13.9 / 39 | 29 / 1.0 | ナッソー / 22) *296 | 1973.7 / 1973.9 | イギリス / 立憲君主制 | 129 / 31,530 | バハマ・ドル 1.00 |
| 166 | バルバドス / Barbados | 0.4 / 21)27 | 21)626 / 0.1 | ブリッジタウン / 00)5 | 1966.11 / 1966.12 | イギリス / 共和制 | 54 / 19,350 | バルバドス・ドル 2.00 |
| 167 | ベリーズ / Belize | 23.0 / 44 | 19 / 1.9 | ベルモパン / 22)28 | 1981.9 / 1981.9 | イギリス / 立憲君主制 | 28 / 6,800 | ベリーズ・ドル 2.00 |
| 168 | ホンジュラス共和国 / Republic of Honduras | 112.5 / 21)945 | 21)84 / 1.7 | テグシガルパ / 22)1,185 | － / 1945.12 | スペイン / 共和制 | 286 / 2,740 | レンピラ 24.60 |
| 169 | メキシコ合衆国 / United Mexican States | 1,964.4 / 13,011 | 66 / 1.1 | メキシコシティ / 20)8,843 | － / 1945.11 | スペイン / 立憲民主制による連邦共和制 | 13,270 / 10,410 | メキシコ・ペソ 19.41 |

| | 南アメリカ | | | | | | | 12か国 |
|---|---|---|---|---|---|---|---|---|
| 170 | アルゼンチン共和国 / Argentine Republic | 16)2,780.4 / 4,623 | 17 / 1.0 | ブエノスアイレス / 22)3,120 | － / 1945.10 | スペイン / 共和制 | 5,370 / 11,620 | アルゼンチン・ペソ 177.06 |
| 171 | ウルグアイ東方共和国 / Oriental Republic of Uruguay | 173.6 / 355 | 20 / 0.4 | モンテビデオ / 11)1,304 | － / 1945.12 | － / 共和制 | 617 / 18,030 | ウルグアイ・ペソ 40.07 |
| 172 | エクアドル共和国 / Republic of Ecuador | 257.2 / 1,809 | 70 / 1.7 | キ　ト / 21)1,836 | － / 1945.12 | スペイン / 共和制 | 1,136 / 6,310 | 米ドル 1.00 |
| 173 | ガイアナ共和国 / Republic of Guyana | 215.0 / 20)77 | 20)4 / 0.5 | ジョージタウン / 12)118 | 1966.5 / 1966.9 | イギリス / 共和制 | 122 / 15,050 | ガイアナ・ドル 208.50 |
| 174 | コロンビア共和国 / Republic of Colombia | 1,141.7 / 5,168 | 45 / 1.4 | ボ　ゴ　タ / 22)7,842 | － / 1945.11 | スペイン / 共和制 | 3,377 / 6,510 | コロンビア・ペソ 4,810.20 |
| 175 | スリナム共和国 / Republic of Suriname | 163.8 / 21)61 | 21)4 / 1.0 | パラマリボ / 12)240 | 1975.11 / 1975.12 | オランダ / 共和制 | 30 / 4,880 | スリナム・ドル 31.81 |
| 176 | チリ共和国 / Republic of Chile | 756.1 / 1,982 | 26 / 1.2 | サンティアゴ / 22)6,113 | － / 1945.10 | スペイン / 共和制 | 3,012 / 15,360 | チリ・ペソ 867.01 |
| 177 | パラグアイ共和国 / Republic of Paraguay | 406.8 / 745 | 18 / 1.3 | アスンシオン / 22)520 | － / 1945.10 | スペイン / 立憲共和制 | 401 / 5,920 | グアラニー 7,331.26 |
| 178 | ブラジル連邦共和国 / Federative Republic of Brazil | 8,510.3 / 21,482 | 25 / 0.8 | ブラジリア / 22)2,923 | － / 1945.10 | ポルトガル / 連邦共和制 | 17,532 / 8,140 | レアル 5.22 |
| 179 | ベネズエラ・ボリバル共和国 / Bolivarian Republic of Venezuela | 929.7 / 3,336 | 36 / －1.1 | カラカス / 15)2,082 | － / 1945.11 | スペイン / 共和制 | 14)3,929 / 14)13,010 | ボリバル・デジタル 21)4.18 |
| 180 | ペルー共和国 / Republic of Peru | 1,285.2 / 3,339 | 26 / 1.6 | リ　マ / 21)10,922 | － / 1945.10 | スペイン / 共和制 | 2,306 / 6,770 | ソル 3.81 |
| 181 | ボリビア多民族国 / The Plurinational State of Bolivia | 1,098.6 / 1,200 | 11 / 1.4 | ラ　パ　ス / 12)757 | － / 1945.11 | スペイン / 共和制 | 422 / 3,450 | ボリビアーノ 6.91 |

| | オセアニア | | | | | | | 16か国 |
|---|---|---|---|---|---|---|---|---|
| 182 | オーストラリア連邦 / Commonwealth of Australia | 7,692.0 / 2,597 | 3 / 1.3 | キャンベラ / 21)452 | － / 1945.11 | イギリス / 立憲君主制 | 15,699 / 60,430 | オーストラリア・ドル 1.48 |
| 183 | キリバス共和国 / Republic of Kiribati | 0.7 / 20)11 | 20)165 / 1.5 | タ　ラ　ワ / 20)70 | 1979.7 / 1999.9 | イギリス / 共和制 | 4 / 3,280 | オーストラリア・ドル 1.48 |

＊都市的地域の人口

| 言　　語<br>太字は公用語<br>国語は各国定義による | 民　　族 | 宗　　教 | 政　治　・　経　済 | 番号 |
|---|---|---|---|---|
| **英語，クレオール語** | アフリカ系90.6%，ヨーロッパ系4.7%，混血2.1% | キリスト教94.9%（プロテスタント69.9%，カトリック12%） | 英連邦加盟国。カジノをはじめとした観光産業が発展。1人あたりGNIは中南米で高水準。タックスヘイブン政策を採用。隣国からの不法入国が問題化。 | 165 |
| **英語，バヤン語**（英語系クレオール語） | アフリカ系92.4%，混血3.1%，ヨーロッパ系2.7% | キリスト教75.6%（プロテスタント66.4%，カトリック3.8%） | 英連邦加盟国。植民地時代から政情は安定，教育水準は高い。島全体がサンゴ礁からなり，さとうきび産業が中心だったが，60年代から観光産業に移行。 | 166 |
| **英語，スペイン語，クレオール語，マヤ語など** | 混血52.9%，クレオール25.9%，マヤ人11.3% | キリスト教74%（カトリック40.1%，プロテスタント31.6%） | 英連邦加盟国。主産業は砂糖，かんきつ類などの農業，漁業，食品工業，観光産業。世界有数のサンゴ礁や遺跡もあり，観光産業が成長。 | 167 |
| **スペイン語，先住民言語** | 混血86.6%，先住民5.5%，アフリカ系4.3% | カトリック46%，プロテスタント41% | バナナのプランテーションに依存してきたため，経済基盤は脆弱。コーヒー豆，バナナ，養殖えび，パーム油を輸出。在米ホンジュラス人からの送金も重要。 | 168 |
| **スペイン語，先住民言語**（ナワ語，マヤ語，サポテカ語，オトミ語，ミシュテカ語など） | 混血64.3%，先住民18%，ヨーロッパ系15% | キリスト教92.4%（カトリック82.7%，プロテスタント8.3%） | 銀の生産は世界有数。とうもろこし，さとうきび，かんきつ類の生産がさかん。外資の進出も多く，工業が発展。機械，自動車，原油等を輸出。観光産業も伸展。 | 169 |

| | | 南　ア　メ　リ　カ | | |
|---|---|---|---|---|
| **スペイン語，イタリア語，英語，ドイツ語，フランス語，先住民言語** | ヨーロッパ系86.4%，混血6.5%，先住民3.4% | カトリック70%，プロテスタント9%，イスラーム1.5% | 農牧業が主産業。パンパでは穀物生産，肉牛の放牧がさかん。大豆製品・自動車等の工業製品輸出が増加。01年に国家財政が破綻したが，回復傾向。 | 170 |
| **スペイン語** | ヨーロッパ系88%，混血8%，アフリカ系4% | キリスト教58.2%（カトリック47.1%） | 国土の7割が牧草地で，主産業は農牧業。肉類，大豆，乳製品，羊毛を輸出。畜産モノカルチャーからの脱却をめざすが，工業化はあまり進展せず。 | 171 |
| **スペイン語，先住民言語**（ケチュア語など） | 混血（メスチーソ）71.9%，混血（モントゥビオ）7.4%，先住民7% | カトリック74%，福音派プロテスタント10.4% | 原油のほか，えび等の魚介類，バナナ，切り花，カカオ豆などの水産品を輸出。世界遺産登録第1号の一つであるガラパゴス諸島は重要な観光資源。 | 172 |
| **英語，クレオール語，先住民言語，ヒンディー語など** | インド系39.8%，アフリカ系29.3%，混血19.9%，先住民10.5% | キリスト教64%，ヒンドゥー教24.8%，イスラーム6.8% | 英連邦加盟国。主産業は原油，金等の鉱業で，輸出の大半を占める。砂糖・米等の農業，えび等の漁業もさかん。人口の9割が首都周辺部に集中。 | 173 |
| **スペイン語** | メスチーソ58%，ヨーロッパ系20%，ムラート14% | カトリック79%，プロテスタント14% | 伝統的にコーヒー豆の生産国で，バラなどの切り花と共に輸出は世界有数。原油・石炭・金等の鉱産資源も豊富。16年，50年以上続いた内戦が終結。 | 174 |
| **オランダ語，英語，スリナム語**（タキタキ語）（オランダ語系クレオール語），ヒンディー語など | インド・パキスタン系27.4%，マルーン21.7% | キリスト教49.6%，ヒンドゥー教22.3%，イスラーム13.8% | 南北アメリカの独立国では唯一オランダ語を使用。国土の大半は森林。ボーキサイト・金・原油等の鉱業，米・砂糖・バナナ等の農業，漁業，木材加工業が主産業。 | 175 |
| **スペイン語，英語，先住民言語**（マプチェ語，アイマラ語，ケチュア語，ラパヌイ語など） | メスチーソ72%，ヨーロッパ系22% | キリスト教84.9%（カトリック66.7%，プロテスタント16.4%） | 世界一の銅鉱石の埋蔵・生産国。銅，果実，魚介類，パルプを輸出。ワイン等の農産物，水産物の食品加工業もさかん。10年OECD加盟。 | 176 |
| **スペイン語，グアラニー語** | メスチーソ85.6%，ヨーロッパ系9.3% | キリスト教96.9%（カトリック89.6%，プロテスタント6.2%） | 世界有数の大豆生産・輸出国。ブラジルとの国境にあるイタイプダムの水力発電も主産業。電力・大豆・牛肉等を輸出。近年，外資の進出が活発化。 | 177 |
| **ポルトガル語，先住民言語，少数言語**（スペイン語，ドイツ語，イタリア語，日本語，英語など） | ヨーロッパ系47.7%，ムラート43.1%，アフリカ系7.6% | キリスト教87.9%（カトリック65%，プロテスタント22.2%） | BRICSの一翼を担う南米最大の経済大国。大豆，機械類，肉類，コーヒー豆等を輸出。豊富な鉱産資源を背景に工業が発展。インフラ整備と治安回復が急務。 | 178 |
| **スペイン語，31の先住民言語** | 混血51.6%，ヨーロッパ系43.6%，アフリカ系3.6% | カトリック84.5%，プロテスタント4% | 世界最大の原油埋蔵国で，輸出の大半を占める。天然ガス・鉄鉱石・ボーキサイトを産出し，石油精製，製鉄，アルミニウム精錬がさかん。18年8月デノミ実施。 | 179 |
| **スペイン語，ケチュア語，その他の先住民言語** | 先住民52.4%，メスチーソ31.9%，ヨーロッパ系12% | カトリック81.3%，福音派プロテスタント12.5% | 各種鉱産資源を豊富に有し，なかでも銀は世界有数の産出量を誇る。沖合に寒流が流れる好漁場があり，漁業大国。魚粉等の加工産業もさかん。 | 180 |
| **スペイン語，36の先住民言語**（ケチュア語，アイマラ語，グアラニー語など） | 先住民55%，メスチーソ30%，ヨーロッパ系15% | カトリック76.8%，プロテスタント16% | 輸出は金・天然ガス・亜鉛鉱・銀等の鉱産資源が大半だが，近年は大豆・さとうきび等の農産品も増加。世界的に需要の増すリチウムの埋蔵量は世界有数。 | 181 |

| | | オ　セ　ア　ニ　ア | | |
|---|---|---|---|---|
| **英語，中国語，アラビア語，ベトナム語など** | ヨーロッパ系90.2%，アジア系7.3%，アボリジニー2.5% | キリスト教52.1%，イスラーム2.6%，仏教2.4% | 世界有数の鉱産資源国で，鉄鉱石・石炭・金・ボーキサイト・レアメタル等，多品目を産出。羊・牛の牧畜，小麦などの農業もさかん。70年代に白豪主義政策撤廃。 | 182 |
| **キリバス語，英語** | ミクロネシア系98.8% | カトリック57.3%，プロテスタント33.2%，モルモン教5.3% | 漁業とコプラ生産が主産業。広大なEEZを有し，入漁料も重要。りん鉱石は79年に枯渇。地球温暖化による海面上昇が問題。世界で最も早く日付が変わる。 | 183 |

世界の国々

## 世界の国々（Ⅹ）

ステーツマン2023, World Population Prospects 2019, 世人口'22, 世界の国一覧表2007, 世界銀行資料ほか

| 番号 | 正式国名 / 英文国名 | 面積(千km²) / 人口(万人) 2022年 | 人口密度(人/km²)2022年 / 人口増加率(%)2015~20年平均 | 首都名 / 首都人口(千人) | 独立年月(1943年以降) / 国連加盟年月 | 旧宗主国名 / 政体 | GNI(億ドル) / 1人あたりGNI(ドル)2022年 | 通貨単位 / 1ドルあたり為替レート 2022年末 |
|---|---|---|---|---|---|---|---|---|
| 184 | クック諸島 / Cook Islands | 0.2 / 1 | 81 / −0.02 | アバルア / 21)5 | 1965 / − | ニュージーランド / 立憲君主制 | − / − | ニュージーランド・ドル 1.58 |
| 185 | サモア独立国 / Independent State of Samoa | 2.8 / 21)20 | 21)72 / 0.5 | アピア / 21)34 | 1962.1 / 1976.12 | ニュージーランド / 議会が国家元首を選出① | 8 / 3,630 | タラ 2.70 |
| 186 | ソロモン諸島 / Solomon Islands | 28.9 / 72 | 25 / 2.6 | ホニアラ / 19)130 | 1978.7 / 1978.9 | イギリス / 立憲君主制 | 16 / 2,220 | ソロモン・ドル 8.28 |
| 187 | ツバル / Tuvalu | 0.03 / 21)1 | 21)423 / 1.2 | フナフティ / 17)6 | 1978.10 / 2000.9 | イギリス / 立憲君主制 | 1 / 7,210 | オーストラリア・ドル 1.48 |
| 188 | トンガ王国 / Kingdom of Tonga | 0.7 / 10 | 134 / 1.0 | ヌクアロファ / 21)21 | 1970.6 / 1999.9 | イギリス / 立憲君主制 | 21)5 / 21)4,930 | パアンガ 2.34 |
| 189 | ナウル共和国 / Republic of Nauru | 0.02 / 20)1 | 20)571 / 0.8 | ヤレン / 19)0.8 | 1968.1 / 1999.9 | イギリス / 共和制 | 2 / 17,870 | オーストラリア・ドル 1.48 |
| 190 | ニウエ / Niue | 0.3 / 0.2 | 6 / | アロフィ / 17)0.5 | 1974 / − | ニュージーランド / 立憲君主制 | − / − | ニュージーランド・ドル 1.58 |
| 191 | ニュージーランド / New Zealand | 268.1 / 21)512 | 21)19 / 0.9 | ウェリントン / 22)212 | − / 1945.10 | イギリス / 立憲君主制 | 2,483 / 48,460 | ニュージーランド・ドル 1.58 |
| 192 | バヌアツ共和国 / Republic of Vanuatu | 12.2 / 31 | 26 / 2.5 | ポートビラ / 20)49 | 1980.7 / 1981.9 | イギリス フランス / 共和制 | 12 / 3,560 | バツ 117.24 |
| 193 | パプアニューギニア独立国 / Independent State of Papua New Guinea | 462.8 / 21)912 | 21)20 / 2.0 | ポートモレスビー / 11)364 | 1975.9 / 1975.10 | オーストラリア / 立憲君主制 | 277 / 2,730 | キナ 3.52 |
| 194 | パラオ共和国 / Republic of Palau | 0.5 / 21)1 | 21)39 / 0.5 | マルキョク / 20)0.3 | 1994.10 / 1994.12 | アメリカ合衆国 / 大統領制 | 21)2 / 21)12,790 | 米ドル 1.00 |
| 195 | フィジー共和国 / Republic of Fiji | 18.3 / 89 | 49 / 0.6 | スバ / 17)93 | 1970.10 / 1970.10 | イギリス / 共和制 | 49 / 5,270 | フィジー・ドル 2.22 |
| 196 | マーシャル諸島共和国 / Republic of the Marshall Islands | 0.2 / 20)5 | 20)304 / 0.6 | マジュロ / 21)23 | 1986.10 / 1991.9 | アメリカ合衆国 / 共和制 | 3 / 7,920 | 米ドル 1.00 |
| 197 | ミクロネシア連邦 / Federated States of Micronesia | 0.7 / 21)10 | 21)150 / 1.1 | パリキール / 10)6 | 1986.11 / 1991.9 | アメリカ合衆国 / 連邦共和制 | 5 / 4,130 | 米ドル 1.00 |

①慣習として選挙制度に類似

## その他のおもな地域（Ⅰ）（2021年）

| 地域 | 地域名【領有国・保護国】 注記 | 面積(千km²) | 人口(千人) |
|---|---|---|---|
| アジア地域 | ジャンム・カシミール，ラダク インド・パキスタン分割統治。 | − | − |
| | 台湾 中国政府は台湾が中国領土の不可分の一部であるとの立場を表明しており，日本国政府はその立場を十分理解し，尊重する事を明らかにしている。 | 36.20 | 23,375 |
| | パレスチナ ヨルダン川西岸地区とガザ地区からなる。日本政府は国家として承認していない。 | 6.02 | 5,227 |
| ヨーロッパ地域 | オーランド諸島【フィンランド】 | 1.58 | 30 |
| | ジブラルタル*【イギリス】 イギリスが統治。スペインも領有を主張。 | 0.01 | 34 |
| | スヴァールバル諸島・ヤンマイエン島【ノルウェー】 | 62.42 | 19)2 |
| | チャネル諸島【イギリス】 | 0.19 | 11)163 |
| | （ガンジー島【イギリス】 | 0.06 | 63 |
| | （ジャージー島【イギリス】 | 0.12 | 20)108 |

## その他のおもな地域（Ⅱ）（2021年）

| 地域 | 地域名【領有国・保護国】 注記 | 面積(千km²) | 人口(千人) |
|---|---|---|---|
| ヨーロッパ | フェロー諸島【デンマーク】 | 1.39 | 53 |
| | マン島【イギリス】 | 0.57 | 83 |
| 北アメリカ地域 | アルバ島【オランダ】 | 0.18 | 108 |
| | アンギラ*【イギリス】 | 0.09 | 16 |
| | 英領ヴァージン諸島*【イギリス】 | 0.15 | 31 |
| | キュラソー島【オランダ】 | 0.44 | 152 |
| | ケーマン諸島*【イギリス】 | 0.26 | 66 |
| | グアドループ島【フランス】 | 1.64 | 408 |
| | バミューダ諸島*【イギリス】 | 0.05 | 64 |
| | グリーンランド【デンマーク】 | 2,175.60 | 57 |
| | サンピエール・ミクロン島【フランス】 | 0.24 | 6 |
| | タークス・カイコス諸島*【イギリス】 | 0.95 | 39 |
| | プエルトリコ【アメリカ合衆国】 | 8.87 | 2,828 |
| | 米領ヴァージン諸島【アメリカ合衆国】 | 0.35 | 100 |
| | マルティニーク島【フランス】 | 1.09 | 356 |
| | モントセラト島*【イギリス】 | 0.10 | |

| 言　語<br>太字は公用語<br>国語は各国定義による | 民　族 | 宗　教 | 政　治・経　済 | 番号 |
|---|---|---|---|---|
| **英語，クック諸島<br>マオリ語（ラロトンガ語）** | クック諸島マオリ人（ポリネシア系）81.3% | プロテスタント62.8%，カトリック17%，モルモン教4.4% | 火山島とサンゴ礁から成り，広大なEEZを有する。輸出は魚介類，黒真珠など。近年は，観光産業が発展。経済はニュージーランドへの依存が大きい。 | 184 |
| **サモア語，英語** | サモア人（ポリネシア系）92.6%，ヨーロッパ系混血7% | キリスト教99.2%（プロテスタント57.4%，カトリック19.4%，モルモン教15.2%） | サモア諸島のうち，西経171度以西の9島から成る。主産業は農業と沿岸漁業。09年の地震，12年のサイクロンの被害は甚大で，経済状況は厳しい。 | 185 |
| **英語，ピジン語（共通語），約120の民族語** | メラネシア系95.3%，ポリネシア系3.1%，ミクロネシア系1.2% | キリスト教95.9%（プロテスタント73.4%，カトリック19.6%） | 英連邦加盟国。大小100以上の島から構成される。国土の多くは熱帯雨林で，輸出の多くは木材関連。ココナツ・カカオ等の農業，漁業がさかん。 | 186 |
| **ツバル語，英語，サモア語，キリバス語（ヌイ島）** | ポリネシア系95.1%，混血3.4% | キリスト教97%（ツバル教会91%） | 英連邦加盟国。国土の最高点が5m未満のため，地球温暖化による海面上昇対策が急務。資源に乏しく，主たる財源は入漁料，出稼ぎ船員の送金。 | 187 |
| **トンガ語，英語** | トンガ人（ポリネシア系）96.5%，混血1% | キリスト教97.2%（プロテスタント64.9%，モルモン教16.8%，カトリック15.6%） | 英連邦加盟国。主産業は農業，漁業，観光産業。ココナツ，バナナのほか，北半球の端境期出荷にかぼちゃを栽培。まぐろと共に日本へ輸出している。 | 188 |
| **ナウル語，英語** | ナウル人（ミクロネシア系）95.8%，キリバス系1.5% | プロテスタント60.4%，カトリック33% | 英連邦加盟国。りん鉱石（グアノ）の輸出で生活水準は高かったが，00年頃，過剰な採掘で枯渇。鉱山の増加により島の大半が居住・耕作不可能で，経済活動は破綻状態。 | 189 |
| **ニウエ語（ポリネシア語系），英語** | ニウエ人（ポリネシア系）66.5%，混血13.4% | キリスト教92%（プロテスタント70%，モルモン教10%，カトリック10%） | 世界有数の隆起サンゴ礁の島。農業はココナツ，タロいもなどを自給的に栽培。ニュージーランドへの移住が増加し，移民からの送金が国家収入を支える。 | 190 |
| **英語，マオリ語，中国語，サモア語など** | ヨーロッパ系71.2%，マオリ人14.1%，アジア系11.3% | キリスト教45.6%，ヒンドゥー教2.1%，仏教1.4% | 英連邦加盟国。混合農業がさかん。国際競争力のある一次産品が主産業で，乳製品・木材・食肉等を輸出。地熱を含む再生可能エネルギー割合は8割。 | 191 |
| **ビスラマ語（ピジン英語），英語，フランス語** | バヌアツ人（メラネシア系）97.6%，混血1.1% | プロテスタント70%，カトリック12.4%，伝統信仰3.7% | 英連邦加盟国。コプラ，牛肉等，輸出の多くは農産品。火山見学やダイビング等の観光振興により，近年，観光客が増加。変動帯に位置し，地震も多い。 | 192 |
| **英語，ピジン英語（共通語），モツ語（共通語），839の民族語** | パプア人84%，メラネシア系15% | キリスト教95.6%（プロテスタント69.6%，カトリック26%） | 英連邦加盟国。LNG，原油，金，銅等の資源が豊富で，その他，パーム油，コーヒー豆，木材を輸出。太平洋島嶼地域で唯一のAPEC参加国。 | 193 |
| **パラオ語，英語，フィリピノ語，中国語** | パラオ人（ミクロネシア系）73%，アジア系21.7% | カトリック45.3%，プロテスタント34.9% | 財政支援を受ける米国に国防と安全保障を委任。観光産業，商業，建設業が主産業。国民の半数は公務員で，各産業で労働力を外国人に依存。 | 194 |
| **英語，フィジー語，ヒンディー語** | フィジー系56.8%，インド系37.5% | キリスト教64.5%，ヒンドゥー教27.9%，イスラーム6.3% | 先住民のフィジー系と，インド系住民が政治的に対立。06年の政変で軍政となったが，14年に民政復帰し，英連邦に再加盟。主産業は観光，砂糖，繊維産業。 | 195 |
| **マーシャル語，英語** | マーシャル人92.1%，混血5.9% | キリスト教97.5%（プロテスタント83.4%，カトリック8.4%） | 54年ビキニ環礁で米国が水爆実験。歳入の6割は米国からの財政援助。ココナツなどの農業，漁業が主産業。便宜置籍船を認める世界有数の船籍国。 | 196 |
| **英語，8の民族語（チューク語，コスラエ語，ポンペイ語，ヤップ語など）** | チューク人49.3%，ポンペイ人29.8%，コスラエ人6.3% | カトリック54.7%，プロテスタント41.1% | 主産業は水産業，観光産業。ココナツ・タロいも・バナナ等の農業。言語，習慣，文化が異なる4州が連邦を構成。政府による雇用等の配分は各州の人口比。 | 197 |

## その他のおもな地域（Ⅲ）（2021年）

| 地域 | 地域名【領有国・保護国】<br>注記 | 面積<br>（千km²） | 人口<br>（千人） |
|---|---|---|---|
| 南アメリカ地域 | フォークランド（マルビナス）諸島 ＊<br>　　イギリスとアルゼンチンが領有権を主張。 | 12.17 | 3 |
| | 仏領ギアナ【フランス】 | 83.53 | 291 |
| アフリカ地域 | 英領インド洋地域【イギリス】 | 0.06 | － |
| | セントヘレナ島 ＊【イギリス】 | 0.12 | 4 |
| | 西サハラ ＊<br>　　現在モロッコが領有を主張し統治しているが，現地民族解放戦線は同地区の独立を宣言。 | 266.00 | [15]573 |
| | アセンション島【イギリス】 | 0.09 | 1 |
| | トリスタンダクーニャ諸島【イギリス】 | 0.10 | [16]0.2 |
| | マヨット島【フランス】<br>　　コモロ連合はマヨット島を含めて独立宣言。 | 0.37 | 288 |
| | レユニオン島【フランス】 | 2.51 | 866 |

## その他のおもな地域（Ⅳ）（2021年）

| 地域 | 地域名【領有国・保護国】<br>注記 | 面積<br>（千km²） | 人口<br>（千人） |
|---|---|---|---|
| オセアニア地域 | ウェーク島【アメリカ合衆国】 | 0.01 | [18]0.1 |
| | 北マリアナ諸島【アメリカ合衆国】 | 0.46 | 58 |
| | グアム島 ＊【アメリカ合衆国】 | 0.54 | 169 |
| | クリスマス島【オーストラリア】 | 0.14 | [16]1 |
| | ココス諸島【オーストラリア】 | 0.01 | [16]0.5 |
| | トケラウ諸島 ＊【ニュージーランド】 | 0.01 | 2 |
| | ニューカレドニア島 ＊【フランス】 | 19.10 | 288 |
| | ノーフォーク島【オーストラリア】 | 0.04 | [20]1 |
| | ピトケアン島 ＊【イギリス】 | 0.05 | 0.04 |
| | 仏領ポリネシア【フランス】 | 3.69 | 279 |
| | 米領サモア ＊【アメリカ合衆国】 | 0.20 | 55 |
| | ウォリス・フトゥナ諸島【フランス】 | 0.14 | 11 |
| 南極 | 南極大陸 | 13,985 | 1～3<br>（観測隊員等） |

＊国連非自治地域

|||||||||| 新独立国・国連加盟・国名変更 ||||||||||

## ❶最近の国家の変動

| 年月 | 国の変化 | 独立国数 |
|---|---|---|
| 1990.10 | 東西ドイツが統一される。 | 169 |
| 1991. 6 | ユーゴスラビアが分裂，クロアチアとスロベニアが独立を宣言する。 | 171 |
| 1991. 9 | バルト3国（エストニア，ラトビア，リトアニア）がソ連から分離・独立。 | 174 |
| 1991. 9 | 紛争状態のユーゴスラビアから，マケドニアが独立を宣言する。 | 175 |
| 1991.12 | ソ連が崩壊，12共和国に分裂し，独立。 | 186 |
| 1992. 3 | 紛争状態のユーゴスラビアから，ボスニア・ヘルツェゴビナが独立を宣言する。 | 187 |
| 1992. 4 | 紛争状態が続くユーゴスラビアの，セルビアとモンテネグロが新ユーゴスラビア連邦の国家樹立を宣言する。 | 187 |
| 1993. 1 | チェコ・スロバキアが分裂，チェコおよびスロバキアの2国が誕生する。 | 188 |
| 1993. 5 | エチオピアからエリトリアが独立。 | 189 |
| 1993.12 | フランス大統領とウルヘル司教が共同君主であるアンドラが独立する。 | 190 |
| 1994.10 | 国連信託米国統治領である南太平洋のパラオが独立する。 | 191 |
| 2002. 5 | 国連東ティモール暫定統治機構から東ティモールが独立する。 | 192 |
| 2006. 6 | セルビア・モンテネグロからモンテネグロが分離・独立し，セルビアとモンテネグロの2国となる。 | 193 |
| 2008. 2 | セルビアからコソボが独立を宣言する。 | 194 |
| 2011. 3 | クック諸島を独立国として日本政府が承認。 | 195 |
| 2011. 7 | スーダンから南スーダンが独立。 | 196 |
| 2015. 5 | ニウエを独立国として日本政府が承認。 | 197 |

## ❷国連加盟の最近の動き

| 年月 | 加盟国 | 加盟国数 |
|---|---|---|
| 1991. 9 | 韓国，北朝鮮，エストニア，ラトビア，リトアニア，マーシャル，ミクロネシア | 166 |
| 1992. 3 | サンマリノ，アゼルバイジャン，アルメニア，ウズベキスタン，カザフスタン，キルギス，タジキスタン，トルクメニスタン，モルドバ（ロシアはソ連の議席を引き継ぐ） | 175 |
| 1992. 5 | クロアチア，スロベニア，ボスニア・ヘルツェゴビナ（新ユーゴスラビアは旧ユーゴスラビアの議席継承を主張するが，認められず，旧ユーゴスラビアの議席が残った） | 178 |
| 1992. 7 | ジョージア | 179 |
| 1993. 1 | チェコ，スロバキア | 180 |
| 1993. 4 | マケドニア | 181 |
| 1993. 5 | エリトリア，モナコ | 183 |
| 1993. 7 | アンドラ | 184 |
| 1994.12 | パラオ | 185 |
| 1999. 9 | トンガ，キリバス，ナウル | 188 |

| 年月 | 加盟国 | 加盟国数 |
|---|---|---|
| 2000. 9 | ツバル | 189 |
| 2000.11 | 新ユーゴスラビア（旧ユーゴスラビアの議席継承） | 189 |
| 2002. 9 | スイス，東ティモール | 191 |
| 2006. 6 | モンテネグロ | 192 |
| 2011. 7 | 南スーダン | 193 |

## ❸おもな国名の変更

| 年月 | 新国名 | 旧国名 |
|---|---|---|
| 1990. 4 | チェコ・スロバキア共和国 | チェコ・スロバキア社会主義共和国 |
| 1990. 8 | ベナン共和国 | ベナン人民共和国 |
| 1990.11 | モザンビーク共和国 | モザンビーク人民共和国 |
| 1990.11 | ブルガリア共和国 | ブルガリア人民共和国 |
| 1991. 4 | アルバニア共和国 | アルバニア人民社会主義共和国 |
| 1992. 2 | モンゴル国 | モンゴル人民共和国 |
| 1991. 6 | コンゴ共和国 | コンゴ人民共和国 |
| 1992. | モーリシャス共和国 | モーリシャス |
| 1993. | アフガニスタン・イスラム国 | アフガニスタン共和国 |
| 1993. | アンゴラ共和国 | アンゴラ人民共和国 |
| 1993. | マダガスカル共和国 | マダガスカル人民共和国 |
| 1993. 9 | カンボジア王国 | カンボジア |
| 1995. 8 | エチオピア連邦民主共和国 | エチオピア人民民主共和国 |
| 1997. 5 | コンゴ民主共和国 | ザイール共和国 |
| 1997. 7 | サモア独立国 | 西サモア |
| 1999. | フィジー諸島共和国 | フィジー共和国 |
| 1999. | ベネズエラ・ボリバル共和国 | ベネズエラ共和国 |
| 2001. | コモロ連合 | コモロ・イスラム連邦共和国 |
| 2003. 2 | セルビア・モンテネグロ | ユーゴスラビア連邦共和国 |
| 2004. | アフガニスタン・イスラム共和国 | アフガニスタン |
| 2004. | 大リビア・アラブ社会主義人民ジャマーヒリーヤ国 | 社会主義人民リビア・アラブ国 |
| 2006. | セントキッツ・ネービス | セントクリストファー・ネービス |
| 2007. | ネパール | ネパール王国 |
| 2007.10 | モンテネグロ | モンテネグロ共和国 |
| 2008. 9 | ネパール連邦民主共和国 | ネパール |
| 2009. 3 | ボリビア多民族国 | ボリビア共和国 |
| 2011. | リビア | 大リビア・アラブ社会主義人民ジャマーヒリーヤ国 |
| 2011. | セントクリストファー・ネービス | セントキッツ・ネービス |
| 2011. 2 | フィジー共和国 | フィジー諸島共和国 |
| 2011. 3 | ミャンマー連邦共和国 | ミャンマー連邦 |
| 2012. 8 | ソマリア連邦共和国 | ソマリア民主共和国 |
| 2015.12 | ガンビア・イスラム共和国 | ガンビア共和国 |
| 2017. 2 | ガンビア共和国 | ガンビア・イスラム共和国 |
| 2018. 4 | エスワティニ王国 | スワジランド王国 |
| 2019. | スペイン王国 | スペイン |
| 2019.2 | 北マケドニア共和国 | マケドニア旧ユーゴスラビア共和国 |
| ― | アイスランド | アイスランド共和国 |